АЛЕКСАНДР ДЮМА

АЛЕКСАНДР ДЮМА

ТРИ МУШКЕТЕРА

АСТ
ИЗДАТЕЛЬСТВО

Москва
1999

ББК 84.4 Фр.
Д96

Перевод с французского: В. Вальдман, Д. Лифшиц, К. Ксанина

Серийное оформление и компьютерный дизайн А. Кудрявцева

Художник А. Симанчук

Дюма А.

Д96   Три мушкетера: Роман / Пер. с франц. — М.: ООО
"Фирма "Издательство АСТ", 1999. — 656 с.

ISBN 5-237-03440-3

Самый знаменитый историко-авантюрный роман Александра
Дюма повествует о приключениях гасконца д'Артаньяна и его
друзей мушкетеров при дворе короля Людовика XIII.

ПРЕДИСЛОВИЕ АВТОРА,

где устанавливается, что в героях повести, которую мы будем иметь честь рассказать нашим читателям, нет ничего мифологического, хотя имена их и оканчиваются на «ос» и «ис».

Примерно год тому назад, занимаясь в Королевской библиотеке разысканиями для моей истории Людовика XIV, я случайно напал на «Воспоминания г-на д'Артаньяна», напечатанные — как большинство сочинений того времени, когда авторы, стремившиеся говорить правду, не хотели отправиться затем на более или менее длительный срок в Бастилию, — в Амстердаме, у Пьера Ружа. Заглавие соблазнило меня; я унес эти мемуары домой, разумеется, с позволения хранителя библиотеки, и жадно на них набросился.

Я не собираюсь подробно разбирать здесь это любопытное сочинение, а только посоветую ознакомиться с ним тем моим читателям, которые умеют ценить картины прошлого. Они найдут в этих мемуарах портреты, набросанные рукой мастера, и, хотя эти беглые зарисовки в большинстве случаев сделаны на дверях казармы и на стенах кабака, читатели тем не менее узнают в них изображения Людовика XIII, Анны Австрийской, Ришелье, Мазарини и многих придворных того времени, изображения столь же верные, как в истории г-на Анкетиля.

Но как известно, прихотливый ум писателя иной раз волнует то, чего не замечают широкие круги читателей. Восхищаясь, как, без сомнения, будут восхищаться и другие, уже отмеченными здесь достоинствами мемуаров, мы были, однако, больше всего поражены одним обстоятельством, на которое никто до нас, наверное, не обратил ни малейшего внимания.

Д'Артаньян рассказывает, что, когда он впервые явился к капитану королевских мушкетеров г-ну де Тревилю, он встретил в его приемной трех молодых людей, служивших в том прославленном полку, куда сам он добивался чести быть зачисленным, и что их звали Атос, Портос и Арамис.

Признаемся, чуждые нашему слуху имена поразили нас, и нам сразу пришло на ум, что это всего лишь псевдонимы, под которыми д'Артаньян скрыл имена, быть может знаменитые, если только носители этих прозвищ не выбрали их сами в тот день, когда из прихоти, с досады или же по бедности они надели простой мушкетерский плащ.

С тех пор мы не знали покоя, стараясь отыскать в сочинениях того времени хоть какой-нибудь след этих необыкновенных имен, возбудивших в нас живейшее любопытство.

Один только перечень книг, прочитанных нами с этой целью, составил бы целую главу, что, пожалуй, было бы очень поучительно, но вряд ли занимательно для наших читателей. Поэтому мы только скажем им, что в ту минуту, когда, упав духом от столь длительных и бесплодных усилий, мы уже решили бросить наши изыскания, мы нашли наконец, руководствуясь советами нашего знаменитого и ученого друга Полена Париса, рукопись in-folio, помеченную № 4772 или 4773, не помним точно, и озаглавленную:

«Воспоминания графа де Ла Фер о некоторых событиях, происшедших во Франции к концу царствования короля Людовика XIII и в начале царствования короля Людовика XIV».

Можно представить себе, как велика была наша радость, когда, перелистывая эту рукопись, нашу последнюю надежду, мы обнаружили на двадцатой странице имя Атоса, на двадцать седьмой — имя Портоса, а на тридцать первой — имя Арамиса.

Находка совершенно неизвестной рукописи в такую эпоху, когда историческая наука достигла столь высокой степени развития, показалась нам чудом. Мы поспешили испросить разрешение напечатать ее, чтобы явиться когда-нибудь с чужим багажом в Академию Надписей и Изящной Словесности, если нам не удастся — что весьма вероятно — быть принятыми во Французскую академию со своим собственным.

Такое разрешение, считаем своим долгом сказать это, было нам любезно дано, что мы и отмечаем здесь, дабы гласно уличить во лжи недоброжелателей, утверждающих, будто правительство, при котором мы живем, не очень-то расположено к литераторам.

Мы предлагаем сейчас вниманию наших читателей первую часть этой драгоценной рукописи, восстановив подобающее ей заглавие, и обязуемся, если эта первая часть будет иметь тот успех, которого она заслуживает и в котором мы не сомневаемся, немедленно опубликовать и вторую.

А пока что, так как восприемник является вторым отцом, мы приглашаем читателя видеть в нас, а не в графе де Ла Фер источник своего удовольствия или скуки.

Итак, мы переходим к нашему повествованию.

ЧАСТЬ ПЕРВАЯ

I

ТРИ ДАРА Г-НА Д'АРТАНЬЯНА-ОТЦА

В первый понедельник апреля 1625 года все население городка Менга, где некогда родился автор «Романа о розе», казалось взволнованным так, словно гугеноты собирались превратить его во вторую Ла-Рошель. Некоторые из горожан при виде женщин, бегущих в сторону Главной улицы, и слыша крики детей, доносившиеся с порога домов, торопливо надевали доспехи, вооружались кто мушкетом, кто бердышом, чтобы придать себе более мужественный вид, и устремлялись к гостинице «Вольный мельник», перед которой собиралась густая и шумная толпа любопытных, увеличивавшаяся с каждой минутой.

В те времена такие волнения были явлением обычным, и редкий день тот или иной город не мог занести в свои летописи подобное событие. Знатные господа сражались друг с другом; король воевал с кардиналом; испанцы вели войну с королем. Но кроме этой борьбы — то тайной, то явной, то скрытой, то открытой, — были еще и воры, и нищие, и гугеноты, бродяги и слуги, воевавшие со всеми. Горожане вооружались против воров, против бродяг, против слуг, нередко — против владетельных вельмож, время от времени — против короля, но против кардинала или испанцев — никогда. Именно в силу этой закоренелой привычки в вышеупомянутый первый понедельник апреля 1625 года горожане, услышав шум и не узрев ни желто-красных значков, ни ливрей слуг герцога де Ришелье, устремились к гостинице «Вольный мельник».

И только там для всех стала ясна причина суматохи.

Молодой человек... Постараемся набросать его портрет: представьте себе Дон Кихота в восемнадцать лет, Дон Кихота без доспехов, без лат и набедренников, в шерстяной куртке, синий цвет которой приобрел оттенок, средний между рыжим и небесно-голубым. Продолговатое смуглое лицо; выдающиеся скулы — признак хитрости; челюстные мышцы чрезмерно развитые — неотъемлемый признак, по которому можно сразу определить гасконца, даже если на нем нет берета, — а молодой человек был в берете, украшенном подобием пера; взгляд открытый и умный; нос крючковатый, но тонко очерченный; рост слишком высокий для юноши и недостаточный для зрелого мужчины. Неопытный человек мог бы принять его за пустившегося в путь фермерского сына, если бы не длинная шпага на кожаной портупее, бившаяся о ноги своего владельца, когда он шел пешком, и ерошившая гриву его коня, когда он ехал верхом.

Ибо у нашего молодого человека был конь, и даже столь замечательный, что и впрямь был всеми замечен. Это был беарнский мерин лет двенадцати, а то и четырнадцати от роду, желтовато-рыжей масти, с облезлым хвостом и опухшими бабками. Конь этот, хоть и трусил, опустив морду ниже колен, что освобождало всадника от необходимости натягивать мундштук, все же способен был покрыть за день расстояние в восемь лье. Эти качества коня были, к несчастью, настолько заслонены его нескладным видом и странной окраской, что в те годы, когда все знали толк в лошадях, появление вышеупомянутого беарнского мерина в Менге, куда он вступил с четверть часа назад через ворота Божанси, произвело столь неблагоприятное впечатление, что набросило тень даже и на самого всадника.

Сознание этого тем острее задевало молодого д'Артаньяна (так звали этого нового Дон Кихота, восседавшего на новом Росинанте), что он не пытался скрыть от себя, насколько он — каким бы хорошим наездником он ни был — должен выглядеть смешным на подобном коне. Недаром он оказался не в силах подавить тяжелый вздох, принимая этот дар от д'Артаньяна-отца. Он знал, что цена такому коню самое большее двадцать ливров. Зато нельзя отрицать, что бесценны были слова, сопутствовавшие этому дару.

— Сын мой! — произнес гасконский дворянин с тем чистейшим беарнским акцентом, от которого Генрих IV не мог отвыкнуть до конца своих дней. — Сын мой, конь этот увидел свет в доме вашего отца лет тринадцать назад и все эти годы служил нам верой и правдой, что должно расположить вас к нему. Не продавайте его ни при каких обстоятельствах, дайте ему в почете и покое умереть от старости. И если вам придется пуститься на нем в поход, щадите его, как щадили бы старого слугу. При дворе, — продолжал д'Артаньян-отец, — в том случае, если вы будете там приняты, на что, впрочем, вам дает право древность вашего рода, поддерживайте ради себя самого и ваших близких честь вашего дворянского имени, которое более пяти столетий с достоинством носили ваши предки. Под словом «близкие» я подразумеваю ваших родных и друзей. Не покоряйтесь никому, за исключением короля и кардинала. Только мужеством — слышите ли вы, единственно мужеством! — дворянин в наши дни может пробить себе путь. Кто дрогнет хоть на мгновение, возможно, упустит случай, который именно в это мгновение ему предоставляла фортуна. Вы молоды и обязаны быть храбрым по двум причинам: во-первых, вы гасконец, и, кроме того, — вы мой сын. Не опасайтесь случайностей и ищите приключений. Я дал вам возможность научиться владеть шпагой. У вас железные икры и стальная хватка. Вступайте в бой по любому поводу, деритесь на дуэли, тем более что дуэли воспрещены и, следовательно, нужно быть мужественным вдвойне, чтобы драться. Я могу, сын мой, дать вам с собою всего пятнадцать экю, коня и те советы, которые вы только что выслушали. Ваша матушка добавит к этому рецепт некоего бальзама, полученный ею от цыганки; этот бальзам обладает чудодейственной силой и излечивает любые раны, кроме сердечных. Воспользуйтесь всем этим и живите счастливо и долго... Мне остается прибавить еще только одно, а именно: указать вам пример — не себя, ибо я никогда не бывал при дворе и участвовал добровольцем только в войнах за веру. Я имею в виду господина де Тревиля, который был некогда моим соседом. В детстве он имел честь играть с нашим королем Людовиком Тринадцатым — да хранит его господь! Случалось, что игры их переходили в драку, и в этих драках перевес оказывался не всегда на стороне короля. Тумаки, полученные им, внушили королю большое уважение и дружеские чувства к господину де Тревилю. Позднее, во время первой своей поездки в Париж, господин де Тревиль дрался с другими лицами пять раз, после смерти покойного короля и до совершеннолетия молодого — семь раз, не считая войн и походов, а со дня совершеннолетия и до наших дней — раз сто! И недаром, невзирая на эдикты, приказы и постановления, он сейчас капитан мушкетеров, то есть цезарского легиона, который высоко ценит король и которого побаивается кардинал. А он мало чего боится, как всем известно. Кроме того, господин де Тревиль получает десять тысяч экю в год. И следовательно, он весьма большой вельможа. Начал он так же, как вы. Явитесь к нему с этим письмом, следуйте его примеру и действуйте так же, как он.

После этих слов г-н д'Артаньян-отец вручил сыну свою собственную шпагу, нежно облобызал его в обе щеки и благословил.

При выходе из комнаты отца юноша увидел свою мать, ожидавшую его с рецептом пресловутого бальзама, применять который, судя по приведенным выше отцовским советам, ему предстояло часто. Прощание здесь длилось дольше и было нежнее, чем с отцом, не потому, чтобы отец не любил своего сына, который был единственным его детищем, но потому, что г-н д'Артаньян был мужчина и счел бы недостойным мужчины дать волю своему чувству, тогда как г-жа д'Артаньян была женщина и мать. Она горько плакала, и нужно признать, к чести г-на д'Артаньяна-младшего, что, как ни старался он сохранить выдержку, достойную будущего мушкетера, чувства взяли верх, и он пролил много слез, которые ему удалось — и то с большим трудом — лишь наполовину скрыть.

В тот же день юноша пустился в путь со всеми тремя отцовскими дарами, состоявшими, как мы уже говорили, из пятнадцати экю, коня и письма к г-ну де Тревилю. Советы, понятно, не в счет.

Снабженный таким напутствием, д'Артаньян как телесно, так и духовно точь-в-точь походил на героя Сервантеса, с которым мы его столь удачно сравнили, когда долг рассказчика заставил нас набросать его портрет. Дон Кихоту ветряные мельницы представлялись великанами, а стадо овец — целой армией. Д'Артаньян каждую улыбку воспринимал как оскорбление, а каждый взгляд — как вызов. Поэтому он от Тарба до Менга не разжимал кулака и не менее десяти раз на день хватался за эфес своей шпаги. Все же его кулак не раздробил никому челюсти, а шпага не покидала своих ножен. Правда, вид злополучной клячи не раз вызывал улыбку на лицах прохожих, но, так как о ребра коня билась внушительного размера шпага, а еще выше поблескивали глаза, горевшие не столько гордостью, сколько гневом, прохожие подавляли смех, а если уж веселость брала верх над осторожностью, старались улыбаться одной половиной лица, словно древние маски. Так д'Артаньян, сохраняя величественность осанки и весь запас запальчивости, добрался до злополучного города Менга.

Но там, у самых ворот «Вольного мельника», сходя с лошади без помощи хозяина, слуги или конюха, которые придержали бы стремя приезжего, д'Артаньян в раскрытом окне второго этажа заметил дворянина высокого роста и важного вида. Дворянин этот, с лицом надменным и неприветливым, что-то говорил двум спутникам, которые, казалось, почтительно слушали его.

Д'Артаньян, по обыкновению, сразу же предположил, что речь идет о нем, и напряг слух. На этот раз он не ошибся или ошибся только отчасти: речь шла не о нем, а о его лошади. Незнакомец, по-видимому, перечислял все ее достоинства, а так как слушатели, как я уже упоминал, относились к нему весьма почтительно, то разражались хохотом при каждом его слове. Принимая во внимание, что даже легкой улыбки было достаточно для того, чтобы вывести из себя нашего героя, нетрудно себе представить, какое действие возымели на него столь бурные проявления веселости.

Д'Артаньян прежде всего пожелал рассмотреть физиономию наглеца, позволившего себе издеваться над ним. Он вперил гордый взгляд в незнакомца и увидел человека лет сорока, с черными проницательными глазами, с бледным лицом, с крупным носом и черными, весьма тщательно подстриженными усами. Он был в камзоле и фиолетовых штанах со шнурами того же цвета, без всякой отделки, кроме обычных прорезей, сквозь которые виднелась сорочка. И штаны и камзол, хотя и новые, были сильно измяты, как дорожные вещи, долгое время пролежавшие в сундуке. Д'Артаньян все это уловил с быстротой тончайшего наблюдателя, возможно также подчиняясь инстинкту, подсказывавшему ему, что этот человек сыграет значительную роль в его жизни.

Итак, в то самое мгновение, когда д'Артаньян остановил свой взгляд на человеке в фиолетовом камзоле, тот отпустил по адресу беарнского конька одно из своих самых изощренных и глубокомысленных замечаний. Слушатели его разразились смехом, и по лицу говорившего скользнуло, явно вопреки обыкновению, бледное подобие улыбки. На этот раз не могло быть сомнений: д'Артаньяну было нанесено настоящее оскорбление.

Преисполненный этого сознания, он глубже надвинул на глаза берет и, стараясь подражать придворным манерам, которые подметил в Гаскони у знатных путешественников, шагнул вперед, схватившись одной рукой за эфес шпаги и подбоченясь другой. К несчастью, гнев с каждым мгновением ослеплял его все больше, и он в конце концов вместо гордых и высокомерных фраз, в которые собирался облечь свой вызов, был в состоянии произнести лишь несколько грубых слов, сопровождавшихся бешеной жестикуляцией.

— Эй, сударь! — закричал он. — Вы! Да, вы, прячущийся за этим ставнем! Соблаговолите сказать, над чем вы смеетесь, и мы посмеемся вместе!

Знатный проезжий медленно перевел взгляд с коня на всадника. Казалось, он не сразу понял, что это к нему обращены столь странные упреки. Затем, когда у него уже не могло оставаться сомнений, брови его слегка нахмурились, и он, после довольно продолжительной паузы, ответил тоном, полным непередаваемой иронии и надменности:

— Я не с вами разговариваю, милостивый государь.

— Но я разговариваю с вами! — воскликнул юноша, возмущенный этой смесью наглости и изысканности, учтивости и презрения.

Незнакомец еще несколько мгновений не сводил глаз с д'Артаньяна, а затем, отойдя от окна, медленно вышел из дверей гостиницы и остановился в двух шагах от юноши, прямо против его коня. Его спокойствие и насмешливое выражение лица еще усилили веселость его собеседников, продолжавших стоять у окна.

Д'Артаньян при его приближении вытащил шпагу из ножен на целый фут.

— Эта лошадь в самом деле ярко-желтого цвета, или, вернее, была когда-то таковой, — продолжал незнакомец, обращаясь к своим слушателям, оставшимся у окна, и словно не замечая раздражения д'Артаньяна, несмотря на то что молодой гасконец стоял между ним и его собеседниками. — Этот цвет, весьма распространенный в растительном мире, до сих пор редко отмечался у лошадей.

— Смеется над конем тот, кто не осмелится смеяться над его хозяином! — воскликнул в бешенстве гасконец.

— Смеюсь я, сударь, редко, — произнес незнакомец. — Вы могли бы заметить это по выражению моего лица. Но я надеюсь сохранить за собой право смеяться, когда пожелаю.

— А я, — воскликнул д'Артаньян, — не позволю вам смеяться, когда я этого не желаю!

— В самом деле, сударь? — переспросил незнакомец еще более спокойным тоном. — Что ж, это вполне справедливо.

И, повернувшись на каблуках, он направился к воротам гостиницы, у которых д'Артаньян, еще подъезжая, успел заметить оседланную лошадь.

Но не таков был д'Артаньян, чтобы отпустить человека, имевшего дерзость насмехаться над ним. Он полностью вытащил свою шпагу из ножен в бросился за обидчиком, крича ему вслед:

— Обернитесь, обернитесь-ка, сударь, чтобы мне не пришлось ударить вас сзади!

— Ударить меня? — воскликнул незнакомец, круто повернувшись на каблуках и глядя на юношу столь же удивленно, сколь и презрительно. — Что вы, что вы, милейший, вы, верно, с ума спятили!

И тут же, вполголоса и словно разговаривая с самим собой, он добавил:

— Вот досада! И какая находка для его величества, который всюду ищет храбрецов, чтобы пополнить ряды своих мушкетеров...

Он еще не договорил, как д'Артаньян сделал такой яростный выпад, что, не отскочи незнакомец вовремя, эта шутка оказалась бы последней в его жизни. Незнакомец понял, что история принимает серьезный оборот, выхватил шпагу, поклонился противнику и в самом деле приготовился к защите.

Но в этот самый миг оба его собеседника в сопровождении трактирщика, вооруженные палками, лопатами и каминными щипцами, накинулись на д'Артаньяна, осыпая его градом ударов. Это неожиданное нападение резко изменило течение поединка, и противник д'Артаньяна, воспользовавшись мгновением, когда тот повернулся, чтобы грудью встретить дождь сыпавшихся на него ударов, все так же спокойно сунул шпагу обратно в ножны. Из действующего лица, каким он чуть было не стал в разыгравшейся сцене, он становился свидетелем — роль, с которой он справился с обычной для него невозмутимостью.

— Черт бы побрал этих гасконцев! — все же пробормотал он. — Посадите-ка его на этого оранжевого коня, и пусть убирается.

— Не раньше, чем я убью тебя, трус! — крикнул д'Артаньян, стоя лицом к своим трем противникам и по мере сил отражая удары, которые продолжали градом сыпаться на него.

— Гасконское бахвальство! — пробормотал незнакомец. — Клянусь честью, эти гасконцы неисправимы! Что ж, всыпьте ему хорошенько, раз он этого хочет. Когда он выдохнется, он сам скажет.

Но незнакомец еще не знал, с каким упрямцем он имеет дело. Д'Артаньян был не таков, чтобы просить пощады. Сражение продолжалось поэтому еще несколько секунд. Но наконец молодой гасконец, обессилев, выпустил из рук шпагу, которая переломилась под ударами палки. Следующий удар рассек ему лоб, и он упал, обливаясь кровью и почти потеряв сознание.

Как раз к этому времени народ сбежался со всех сторон к месту происшествия. Хозяин, опасаясь лишних разговоров, с помощью своих слуг унес раненого на кухню, где ему была оказана кое-какая помощь.

Незнакомец между тем, вернувшись к своему месту у окна, с явным неудовольствием поглядывал на толпу, которая своим присутствием, по-видимому, до чрезвычайности раздражала его.

— Ну, как поживает этот одержимый? — спросил он, повернувшись при звуке раскрывшейся двери и обращаясь к трактирщику, который пришел осведомиться о его самочувствии.

— Ваше сиятельство целы и невредимы? — спросил трактирщик.

— Целехонек, милейший мой хозяин. Но я желал бы знать, что с нашим молодым человеком,

— Ему теперь лучше, — ответил хозяин. — Он было совсем потерял сознание.

— В самом деле? — переспросил незнакомец.

— Но до этого он, собрав последние силы, звал вас, бранился и требовал удовлетворения.

— Это сущий дьявол! — воскликнул незнакомец.

— О нет, ваше сиятельство, — возразил хозяин, презрительно скривив губы. — Мы обыскали его, пока он был в обмороке. В его узелке оказалась всего одна сорочка, а в кошельке — одиннадцать экю. Но несмотря на это, он, лишаясь чувств, все твердил, что, случись эта история в Париже, вы бы раскаялись тут же на месте, а так вам раскаяться придется позже.

— Ну, тогда это, наверное, переодетый принц крови, — холодно заметил незнакомец.

— Я счел нужным предупредить вас, ваше сиятельство, — вставил хозяин, — чтобы вы были начеку.

— В пылу гнева он никого не называл?

— Как же, называл! Он похлопывал себя по карману и повторял: «Посмотрим, что скажет господин де Тревиль, когда узнает, что оскорбили человека, находящегося под его покровительством».

— Господин де Тревиль? — проговорил незнакомец, насторожившись. — Похлопывал себя по карману, называя имя господина де Тревиля?.. Ну и как, почтеннейший хозяин? Полагаю, что, пока наш молодой человек был без чувств, вы не преминули заглянуть также и в этот кармашек. Что же в нем было?

— Письмо, адресованное господину де Тревилю, капитану мушкетеров.

— Неужели?

— Точь-в-точь как я имел честь докладывать вашему сиятельству.

Хозяин, не обладавший особой проницательностью, не заметил, какое выражение появилось при этих его словах на лице незнакомца. Отойдя от окна, о косяк которого он до сих пор опирался, тот озабоченно нахмурил брови.

— Дьявол! — процедил он сквозь зубы. — Неужели Тревиль подослал ко мне этого гасконца? Уж очень он молод! Но удар шпагой — это удар шпагой, каков бы ни был возраст того, кто его нанесет. А мальчишка внушает меньше опасений. Случается, что мелкое препятствие может помешать достижению великой цели.

Незнакомец на несколько минут задумался.

— Послушайте, хозяин! — сказал он наконец. — Не возьметесь ли вы избавить меня от этого сумасброда? Убить его мне не позволяет совесть, а между тем... — на лице его появилось выражение холодной жестокости, — а между тем он мешает мне. Где он сейчас?

— В комнате моей жены, во втором этаже. Ему делают перевязку.

— Вещи и сумка при нем? Он не снял камзола?

— И камзол и сумка остались внизу, на кухне. Но раз этот юный сумасброд вам мешает...

— Разумеется, мешает. Он создает в вашей гостинице суматоху, которая беспокоит порядочных людей... Отправляйтесь к себе, приготовьте мне счет и предупредите моего слугу.

— Как? Ваше сиятельство уже покидает нас?

— Это было вам известно и раньше. Я ведь приказал вам оседлать мою лошадь. Разве мое распоряжение не исполнено?

— Исполнено. Ваше сиятельство может убедиться — лошадь оседлана и стоит у ворот.

— Хорошо, тогда сделайте, как я сказал.

«Вот так штука! — подумал хозяин. — Уж не испугался ли он мальчишки?»

Но повелительный взгляд незнакомца остановил поток его мыслей. Он подобострастно поклонился и вышел.

«Только бы этот проходимец не увидел миледи, — думал незнакомец. — Она скоро должна проехать. Она даже запаздывает. Лучше всего мне будет верхом выехать ей навстречу... Если б только я мог узнать, что написано в этом письме, адресованном де Тревилю!..»

И незнакомец, продолжая шептать что-то про себя, направился в кухню.

Трактирщик между тем, не сомневаясь в том, что именно присутствие молодого человека заставляет незнакомца покинуть его гостиницу, поднялся в комнату жены. Д'Артаньян уже вполне пришел в себя. Намекнув на то, что полиция может к нему придраться, так как он затеял ссору со знатным вельможей, — а в том, что незнакомец — знатный вельможа, трактирщик не сомневался, — хозяин постарался уговорить д'Артаньяна, несмотря на слабость, подняться и двинуться в путь. Д'Артаньян, еще полуоглушенный, без камзола, с головой, обвязанной полотенцем, встал и, тихонько подталкиваемый хозяином, начал спускаться с лестницы. Но первым, кого он увидел, переступив порог кухни и случайно бросив взгляд в окно, был его обидчик, который спокойно беседовал с кем-то, стоя у подножки дорожной кареты, запряженной парой крупных нормандских коней.

Его собеседница, голова которой виднелась в рамке окна кареты, была молодая женщина лет двадцати — двадцати двух. Мы уже упоминали о том, с какой быстротой д'Артаньян схватывал все особенности человеческого лица. Он увидел, что дама была молода и красива. И эта красота тем сильнее поразила его, что она была совершенно необычна для Южной Франции, где д'Артаньян жил до сих пор. Это была бледная белокурая женщина с длинными локонами, спускавшимися до самых плеч, с голубыми томными глазами, с розовыми губками и белыми, словно алебастр, руками. Она о чем-то оживленно беседовала с незнакомцем.

— Итак, его высокопреосвященство приказывает мне... — говорила дама.

— ...немедленно вернуться в Англию и оттуда сразу же прислать сообщение, если герцог покинет Лондон.

— А остальные распоряжения?

— Вы найдете их в этом ларце, который вскроете только по ту сторону Ла-Манша.

— Прекрасно. Ну, а вы что намерены делать?

— Я возвращаюсь в Париж.

— Не проучив этого дерзкого мальчишку?

Незнакомец собирался ответить, но не успел и рта раскрыть, как д'Артаньян, слышавший весь разговор, появился на пороге.

— Этот дерзкий мальчишка сам проучит кого следует! — воскликнул он. — И надеюсь, что тот, кого он собирается проучить, на этот раз не скроется от него.

— Не скроется? — переспросил незнакомец, сдвинув брови.

— На глазах у дамы, я полагаю, вы не решитесь сбежать?

— Вспомните... — вскрикнула миледи, видя, что незнакомец хватается за эфес своей шпаги, — вспомните, что малейшее промедление может все погубить!

— Вы правы, — поспешно произнес незнакомец. — Поезжайте своим путем. Я поеду своим.

И, поклонившись даме, он вскочил в седло, а кучер кареты обрушил град ударов кнута на спины своих лошадей. Незнакомец и его собеседница во весь опор помчались в противоположные стороны.

— А счет, счет кто оплатит? — завопил хозяин, расположение которого к гостю превратилось в глубочайшее презрение при виде того, как он удаляется, не рассчитавшись.

— Заплати, бездельник! — крикнул, не останавливаясь, всадник своему слуге, который швырнул к ногам трактирщика несколько серебряных монет и поскакал вслед за своим господином.

— Трус! Подлец! Самозваный дворянин! — закричал д'Артаньян, бросаясь, в свою очередь, вдогонку за слугой.

Но юноша был еще слишком слаб, чтобы перенести такое потрясение. Не успел он пробежать и десяти шагов, как в ушах у него зазвенело, голова закружилась, кровавое облако заволокло глаза, и он рухнул среди улицы, все еще продолжая кричать:

— Трус! Трус! Трус!

— Действительно жалкий трус! — проговорил хозяин, приближаясь к д'Артаньяну и стараясь лестью заслужить доверие бедного юноши и обмануть его, как цапля в басне обманывает улитку.

— Да, ужасный трус, — прошептал д'Артаньян. — Но зато она какая красавица!

— Кто она? — спросил трактирщик.

— Миледи, — прошептал д'Артаньян и вторично лишился чувств.

— Ничего не поделаешь, — сказал хозяин. — Двоих я упустил. Зато я могу быть уверен, что этот пробудет несколько дней. Одиннадцать экю я все же заработаю.

Мы знаем, что одиннадцать экю — это было все, что оставалось в кошельке д'Артаньяна.

Трактирщик рассчитывал, что его гость проболеет одиннадцать дней, платя по одному экю в день, но он не знал своего гостя. На следующий день д'Артаньян поднялся в пять часов утра, сам спустился в кухню, попросил достать ему кое-какие снадобья, точный список которых не дошел до нас, к тому еще вина, масла, розмарину и, держа в руке рецепт, данный ему матерью, изготовил бальзам, которым смазал свои многочисленные раны, сам меняя повязки и не допуская к себе никакого врача. Вероятно, благодаря целебному свойству бальзама и благодаря отсутствию врачей д'Артаньян в тот же вечер поднялся на ноги, а на следующий день был уже совсем здоров.

Но, расплачиваясь за розмарин, масло и вино — единственное, что потребил за этот день юноша, соблюдавший строжайшую диету, тогда как буланый конек поглотил, по утверждению хозяина, в три раза больше, чем можно было предположить, считаясь с его ростом, — д'Артаньян нашел у себя в кармане только потертый бархатный кошелек с одиннадцатью экю. Письмо, адресованное господину де Тревилю, исчезло.

Сначала юноша искал письмо тщательно и терпеливо. Раз двадцать выворачивал карманы штанов и жилета, снова и снова ощупывал свою дорожную сумку. Но, убедившись окончательно, что письмо исчезло, он пришел в такую ярость, что чуть снова не явилась потребность в вине и душистом масле, ибо, видя, как разгорячился молодой гость, грозивший в пух и прах разнести все в этом заведении, если не найдут его письма, хозяин вооружился дубиной, жена — метлой, а слуги — теми самыми палками, которые уже были пущены ими в ход вчера.

— Письмо, письмо с рекомендацией! — кричал д'Артаньян. — Подайте мне мое письмо, тысяча чертей! Или я насажу вас на вертел, как рябчиков!

К несчастью, некое обстоятельство препятствовало юноше осуществить свою угрозу. Как мы уже рассказывали, шпага его была сломана пополам в первой схватке, о чем он успел совершенно забыть. Поэтому, сделав попытку выхватить шпагу, он оказался вооружен лишь обломком длиной в несколько дюймов, который трактирщик аккуратно засунул в ножны, припрятав остаток клинка в надежде сделать из него шпиговальную иглу.

Это обстоятельство не остановило бы, вероятно, нашего пылкого юношу, если бы хозяин сам не решил наконец, что требование гостя справедливо.

— А в самом деле, — произнес он, опуская дубинку, — куда же делось письмо?

— Да, где же это письмо? — закричал д'Артаньян. — Предупреждаю вас: это письмо к господину де Тревилю, и оно должно найтись. А если оно не найдется, господин де Тревиль заставит его найти, поверьте!

Эта угроза окончательно запугала хозяина. После короля и кардинала имя г-на де Тревиля, пожалуй, чаще всего упоминалось не только военными, но и горожанами. Был еще, правда, отец Жозеф, но его имя произносилось не иначе как шепотом: так велик был страх перед «серым преосвященством», другом кардинала Ришелье.

Отбросив дубинку, знаком приказав жене бросить метлу, а слугам — палки, трактирщик сам подал добрый пример и занялся поисками письма.

— Разве в это письмо были вложены какие-нибудь ценности? — спросил он после бесплодных поисков.

— Еще бы! — воскликнул гасконец, рассчитывавший на это письмо, чтобы пробить себе путь при дворе. — В нем заключалось все мое состояние.

— Испанские боны? — осведомился хозяин.

— Боны на получение денег из личного казначейства его величества, — ответил д'Артаньян, который, рассчитывая с помощью этого письма поступить на королевскую службу, счел, что имеет право, не солгав, дать этот несколько рискованный ответ.

— Черт возьми! — воскликнул трактирщик в полном отчаянии.

— Но это не важно... — продолжал д'Артаньян со свойственным гасконцу апломбом, — это не важно, и деньги — пустяк. Само письмо — вот единственное, что имело значение. Я предпочел бы потерять тысячу пистолей, чем утратить это письмо!

С тем же успехом он мог бы сказать и «двадцать тысяч», но его удержала юношеская скромность.

Внезапно словно луч света сверкнул в мозгу хозяина, который тщетно обыскивал все помещение.

— Письмо вовсе не потеряно! — сказал он.

— Что? — вскрикнул д'Артаньян.

— Нет. Оно похищено у вас.

— Но кем похищено?

— Вчерашним неизвестным дворянином. Он спускался в кухню, где лежал ваш камзол. Он оставался там один. Бьюсь об заклад, что это дело его рук!

— Вы думаете? — неуверенно произнес д'Артаньян.

Ведь ему лучше, чем кому-либо, было известно, что письмо это могло иметь значение только для него самого, и он не представлял себе, чтобы кто-нибудь мог на него польститься. Несомненно, что никто из находившихся в гостинице проезжих, никто из слуг не мог бы извлечь какие-либо выгоды из этого письма.

— Итак, вы сказали, что подозреваете этого наглого дворянина? — переспросил д'Артаньян.

— Я говорю вам, что убежден в этом, — подтвердил хозяин. — Когда я сказал ему, что вашей милости покровительствует господин де Тревиль и что при вас даже письмо к этому достославному вельможе, он явно забеспокоился, спросил меня, где находится это письмо, и немедленно же сошел в кухню, где, как ему было известно, лежал ваш камзол.

— Тогда похититель — он! — воскликнул д'Артаньян. — Я пожалуюсь господину де Тревилю, а господин де Тревиль пожалуется королю!

Затем, с важностью вытащив из кармана два экю, он протянул их хозяину, который, сняв шапку, проводил его до ворот. Тут он вскочил на своего желто-рыжего коня, который без дальнейших приключений довез его до Сент-Антуанских ворот города Парижа. Там д'Артаньян продал коня за три экю — цена вполне приличная, если учесть, что владелец основательно загнал его к концу путешествия. Поэтому барышник, которому д'Артаньян уступил коня за вышеозначенную сумму, намекнул молодому человеку, что на такую неслыханную цену он согласился, только прельстившись необычайной мастью лошади.

Итак, д'Артаньян вступил в Париж пешком, неся под мышкой свой узелок, и бродил по улицам до тех пор, пока ему не удалось снять комнату, соответствующую его скудным средствам. Эта комната представляла собой подобие мансарды и находилась на улице Могильщиков, вблизи Люксембурга.

Внеся задаток, д'Артаньян сразу же перебрался в свою комнату и весь остаток дня занимался работой: обшивал свой камзол и штаны галуном, который мать спорола с почти совершенно нового камзола г-на д'Артаньяна-отца и потихоньку отдала сыну. Затем он сходил на набережную Железного Лома и дал приделать новый клинок к своей шпаге. После этого он дошел до Лувра и у первого встретившегося мушкетера справился, где находится дом г-на де Тревиля. Оказалось, что дом этот расположен на улице Старой Голубятни, то есть совсем близко от места, где поселился д'Артаньян, — обстоятельство, истолкованное им как предзнаменование успеха.

Затем, довольный своим поведением в Менге, не раскаиваясь в прошлом, веря в настоящее и полный надежд на будущее, он лег и уснул богатырским сном.

Как добрый провинциал, он проспал до девяти утра и, поднявшись, отправился к достославному г-ну де Тревилю, третьему лицу в королевстве, согласно суждению г-на д'Артаньяна-отца.

II

ПРИЕМНАЯ Г-НА ДЕ ТРЕВИЛЯ

Господин де Труавиль — имя, которое еще продолжают носить его родичи в Гаскони, или де Тревиль, как он в конце концов стал называть себя в Париже, — путь свой и в самом деле начал так же, как д'Артаньян, то есть без единого су в кармане, но с тем запасом дерзости, остроумия и находчивости, благодаря которому даже самый бедный гасконский дворянчик, питающийся лишь надеждами на отцовское наследство, нередко добивался большего, чем самый богатый перигорский или беррийский дворянин, опиравшийся на реальные блага. Его дерзкая смелость, его еще более дерзкая удачливость в такое время, когда удары шпаги сыпались как град, возвели его на самую вершину лестницы, именуемой придворным успехом, по которой он взлетел, шагая через три ступеньки.

Он был другом короля, как всем известно, глубоко чтившего память своего отца, Генриха IV. Отец г-на де Тревиля так преданно служил ему в войнах против Лиги, что за недостатком наличных денег, — а наличных денег всю жизнь не хватало беарнцу, который все долги свои оплачивал остротами, единственным, чего ему не приходилось занимать, — что за недостатком наличных денег, как мы уже говорили, король разрешил ему после взятия Парижа включить в свой герб льва на червленом поле с девизом: «Fidelis et fortis»*. То была большая честь, но малая прибыль. И, умирая, главный соратник великого Генриха оставил в наследство сыну всего только шпагу свою и девиз. Благодаря этому наследству и своему незапятнанному имени г-н де Тревиль был принят ко двору молодого принца, где он так доблестно служил своей шпагой и был так верен неизменному девизу, что Людовик XIII, один из лучших фехтовальщиков королевства, обычно говорил, что, если бы кто-нибудь из его друзей собрался драться на дуэли, он посоветовал бы ему пригласить в секунданты первым его, а вторым — г-на де Тревиля, которому, пожалуй, даже следовало бы отдать предпочтение.

Людовик XIII питал настоящую привязанность к де Тревилю — правда, привязанность королевскую, эгоистическую, но все же привязанность. Дело в том, что в эти трудные времена высокопоставленные лица вообще стремились окружить себя людьми такого склада, как де Тревиль. Много нашлось бы таких, которые могли считать своим девизом слово «сильный» — вторую часть надписи в гербе де Тревилей, но мало кто из дворян мог претендовать на эпитет «верный», составлявший первую часть этой надписи. Тревиль это право имел. Он был один из тех редких людей, что умеют повиноваться слепо и без рассуждений, как верные псы, отличаясь сообразительностью и крепкой хваткой. Глаза служили ему для того, чтобы улавливать, не гневается ли на кого-нибудь король, а рука — чтобы разить виновника: какого-нибудь Бема или Моревера, Польтро де Мере или Витри. Тревилю до сих пор

_____

* Верный и сильный (*лат.*).

23

недоставало только случая, чтобы проявить себя, но он выжидал его, чтобы ухватить за вихор, лишь только случай подвернется. Недаром Людовик XIII и назначил де Тревиля капитаном своих мушкетеров, игравших для него ту же роль, что ординарная стража для Генриха III и шотландская гвардия для Людовика XI.

Кардинал, со своей стороны, в этом отношении не уступал королю. Увидев, какой грозной когортой избранных окружил себя Людовик XIII, этот второй или, правильнее, первый властитель Франции также пожелал иметь свою гвардию. Поэтому он обзавелся собственными мушкетерами, как Людовик XIII обзавелся своими, и можно было наблюдать, как эти два властелина-соперника отбирали для себя во всех французских областях и даже в иностранных государствах людей, прославившихся своими ратными подвигами. Случалось нередко, что Ришелье и Людовик XIII по вечерам за партией в шахматы спорили о достоинствах своих воинов. Каждый из них хвалился выправкой и смелостью последних и, на словах осуждая стычки и дуэли, втихомолку подбивал своих телохранителей к дракам. Победа или поражение их мушкетеров доставляли им непомерную радость или подлинное огорчение. Так по крайней мере повествует в своих мемуарах человек, бывший участником большого числа этих побед и некоторых поражений.

Тревиль угадал слабую струнку своего повелителя и этому был обязан неизменным, длительным расположением короля, который не прославился постоянством в дружбе. Вызывающий вид, с которым он проводил парадным маршем своих мушкетеров перед кардиналом Арманом дю Плесси Ришелье, заставлял в гневе щетиниться седые усы его высокопреосвященщества. Тревиль до тонкости владел искусством войны того времени, когда приходилось жить либо за счет врага, либо за счет своих соотечественников; солдаты его составляли легион сорвиголов, повиновавшихся только ему одному.

Небрежно одетые, подвыпившие, исцарапанные, мушкетеры короля, или, вернее, мушкетеры г-на де Тревиля шатались по кабакам, по увеселительным местам и гульбищам, орали, покручивая усы, бряцая шпагами и с наслаждением задирая телохранителей кардинала, когда те встречались им на дороге. Затем из ножен с тысячью прибауток выхватывалась шпага. Случалось, их убивали, и они падали, убежденные, что будут оплаканы и отомщены; чаще же случалось, что убивали они, уверенные, что им не дадут сгнить в тюрьме: г-н де Тревиль, разумеется, вызволит их. Эти люди на все голоса расхваливали г-на де Тревиля, которого обожали, и, хоть все они были отчаянные головы, трепетали перед ним, как школьники перед учителем, повиновались ему по первому слову и готовы были умереть, чтобы смыть с себя малейший его упрек.

Господин де Тревиль пользовался вначале этим мощным рычагом на пользу королю и его приверженцам, позже — на пользу себе и своим друзьям. Впрочем, ни из каких мемуаров того времени не явствует, чтобы даже враги, — а их было у него немало как среди владевших пером, так и среди владевших шпагой, — чтобы даже враги обвиняли этого достойного человека в том, будто он брал какую-либо мзду за помощь, оказываемую его верными солдатами. Владея способностью вести интригу не хуже искуснейших интриганов, он оставался честным человеком. Более того: несмотря на изнурительные походы, на все тяготы военной жизни, он был отчаянным искателем веселых приключений, изощреннейшим дамским угодником, умевшим при случае щегольнуть изысканным мадригалом. О его победах над женщинами ходило столько же сплетен, сколько двадцатью годами раньше о сердечных делах Бассомпьера, — а это кое-что значило. Капитан мушкетеров вызывал восхищение, страх и любовь, другими словами — достиг вершин счастья и удачи.

Людовик XIV поглотил все мелкие созвездия своего двора, затмив их своим ослепительным сиянием, тогда как отец его, солнце, pluribus impar*, предоставлял каждому из своих любимцев, каждому из приближенных сиять собственным блеском. Кроме утреннего приема у короля и у кардинала, в Париже происходило больше двухсот таких «утренних приемов», пользовавшихся особым вниманием. Среди них утренний прием у де Тревиля собирал наибольшее число посетителей.

Двор его особняка, расположенного на улице Старой Голубятни, походил на лагерь уже с шести часов утра летом и с восьми часов зимой. Человек пятьдесят или шестьдесят мушкетеров, видимо, сменявшихся время от времени, с тем чтобы число их всегда оставалось внушительным, постоянно расхаживали по двору, вооруженные до зубов и готовые на

---

* Многим не равное (*лат.*).

все. По лестнице, такой широкой, что современный строитель на занимаемом ею месте выстроил бы целый дом, сновали вверх и вниз просители, искавшие каких-нибудь милостей, приезжие из провинции дворяне, жаждущие зачисления в мушкетеры, и лакеи в разноцветных, шитых золотом ливреях, явившиеся сюда с посланиями от своих господ. В приемной на длинных, расположенных вдоль стен скамьях сидели избранные, то есть те, кто был приглашен хозяином. С утра и до вечера в приемной стоял несмолкаемый гул, в то время как де Тревиль в кабинете, прилегавшем к этой комнате, принимал гостей, выслушивал жалобы, отдавал приказания и, как король со своего балкона в Лувре, мог, подойдя к окну, произвести смотр своим людям и вооружению.

В тот день, когда д'Артаньян явился сюда впервые, круг собравшихся казался необычайно внушительным, особенно в глазах провинциала. Провинциал, правда, был гасконец, и его земляки в те времена пользовались славой людей, которых трудно чем-либо смутить. Пройдя через массивные ворота, обитые длинными гвоздями с квадратными шляпками, посетитель оказывался среди толпы вооруженных людей. Люди эти расхаживали по двору, перекликались, затевали то ссору, то игру. Чтобы пробить себе путь сквозь эти бушующие людские волны, нужно было быть офицером, вельможей или хорошенькой женщиной.

Наш юноша с бьющимся сердцем прокладывал себе дорогу сквозь эту толкотню и давку, прижимая к худым ногам непомерно длинную шпагу, не отнимая руки от края широкополой шляпы и улыбаясь жалкой улыбкой провинциала, старающегося скрыть свое смущение. Миновав ту или иную группу посетителей, он вздыхал с некоторым облегчением, но ясно ощущал, что присутствующие оглядываются ему вслед, и впервые в жизни д'Артаньян, у которого до сих пор всегда было довольно хорошее мнение о своей особе, чувствовал себя неловким и смешным.

У самой лестницы положение стало еще затруднительнее. На нижних ступеньках четверо мушкетеров забавлялись веселой игрой, в то время как столпившиеся на площадке десять или двенадцать их приятелей ожидали своей очереди, чтобы принять участие в забаве. Один из четверых, стоя ступенькой выше прочих и обнажив шпагу, препятствовал или старался препятствовать остальным троим подняться по лестнице. Эти трое нападали на него, ловко орудуя шпагой.

Д'Артаньян сначала принял эти шпаги за фехтовальные рапиры, полагая, что острие защищено. Но вскоре, по некоторым царапинам на лицах участников игры, понял, что клинки были самым тщательным образом отточены и заострены. При каждой новой царапине не только зрители, но и сами пострадавшие разражались бурным хохотом.

Мушкетер, занимавший в эту минуту верхнюю ступеньку, блестяще отбивался от своих противников. Вокруг них собралась толпа. Условия игры заключались в том, что при первой же царапине раненый выбывал из игры и его очередь на аудиенцию переходила к победителю. За какие-нибудь пять минут трое оказались задетыми: у одного была поцарапана рука, у другого — подбородок, у третьего — ухо, причем защищавший ступеньку не был задет ни разу. Такая ловкость, согласно условиям, вознаграждалась продвижением на три очереди.

Как ни трудно было удивить нашего молодого путешественника или, вернее, заставить его показать, что он удивлен, все же эта игра поразила его. На его родине, в том краю, где кровь обычно так легко ударяет в голову, для вызова на дуэль все же требовался хоть какой-нибудь повод. Гасконада четверых игроков показалась ему самой необычайной из всех, о которых ему когда-либо приходилось слышать даже в самой Гаскони. Ему почудилось, что он перенесся в пресловутую страну великанов, куда впоследствии попал Гулливер и где натерпелся такого страха. А между тем до цели было еще далеко: оставались верхняя площадка и приемная.

На площадке уже не дрались — там сплетничали о женщинах, а в приемной — о дворе короля. На площадке д'Артаньян покраснел, в приемной затрепетал. Его живое и смелое воображение, делавшее его в Гаскони опасным для молоденьких горничных, а подчас и для их молодых хозяек, никогда, даже в горячечном бреду, не могло бы нарисовать ему и половины любовных прелестей и даже четверти любовных подвигов, служивших здесь темой разговора и приобретавших особую остроту от тех громких имен и сокровеннейших подробностей, которые при этом перечислялись. Но если на площадке был нанесен удар его добронравию, то в приемной поколебалось его уважение к кардиналу. Здесь д'Артаньян, к своему великому удивлению, услышал, как критикуют политику, заставлявшую трепетать всю Европу; нападкам подвергалась здесь и личная жизнь кардинала, хотя за малейшую попытку проникнуть в нее, как знал д'Артаньян, пострадало столько могущественных и знатных вельмож. Этот великий человек, которого так глубоко чтил т-н д'Артаньян-отец, служил здесь посмешищем для мушкетеров г-на де Тревиля. Одни потешались над его кривыми ногами и сутулой спиной; кое-кто распевал песенки о его возлюбленной, г-же д'Эгильон, и о его племяннице, г-же де Комбалэ, а другие тут же сговаривались подшутить над пажами и телохранителями кардинала, — все это представлялось д'Артаньяну немыслимым и диким.

Но если в эти едкие эпиграммы по адресу кардинала случайно вплеталось имя короля, казалось — чья-то невидимая рука на мгновение прикрывала эти насмешливые уста. Разговаривавшие в смущении оглядывались, словно опасаясь, что голоса их проникнут сквозь стену в кабинет г-на де Тревиля. Но почти тотчас же брошенный вскользь намек переводил снова разговор на его высокопреосвященство, голоса снова звучали громко, и ни один из поступков великого кардинала не оставался в тени.

«Всех этих людей, — с ужасом подумал д'Артаньян, — неминуемо засадят в Бастилию и повесят. А меня заодно с ними: меня сочтут их соучастником, раз я слушал и слышал их речи. Что сказал бы мой отец, так настойчиво внушавший мне уважение к кардиналу, если б знал, что я нахожусь в обществе подобных вольнодумцев!»

Д'Артаньян поэтому, как легко догадаться, не решался принять участие в разговоре. Но он глядел во все глаза и жадно слушал, напрягая все свои пять чувств, лишь бы ничего не упустить. Несмотря на все уважение к отцовским советам, он, следуя своим влечениям и вкусам, был склонен скорее одобрять, чем порицать происходившее вокруг него.

Принимая, однако, во внимание, что он был совершенно чужой среди этой толпы приверженцев г-на де Тревиля и его впервые видели здесь, к нему подошли узнать о цели его прихода. Д'Артаньян скромно назвал свое имя и, ссылаясь на то, что он земляк г-на де Тревиля, поручил слуге, подошедшему к нему с вопросом, исходатайствовать для него у г-на де Тревиля несколько минут аудиенции. Слуга покровительственным тоном обещал передать его просьбу в свое время.

Несколько оправившись от первоначального смущения, д'Артаньян мог теперь на досуге приглядеться к одежде и лицам окружающих.

Центром одной из самых оживленных групп был рослый мушкетер с высокомерным лицом и в необычном костюме, привлекавшем к нему общее внимание. На нем был не форменный мундир, ношение которого, впрочем, не считалось обязательным в те времена — времена меньшей свободы, но большей независимости, — а светло-голубой, порядочно выцветший и потертый камзол, поверх которого красовалась роскошная перевязь, шитая золотом и сверкавшая, словно солнечные блики на воде в ясный полдень. Длинный плащ алого бархата изящно спадал с его плеч, только спереди позволяя увидеть ослепительную перевязь, на которой висела огромных размеров шпага.

Этот мушкетер только что сменился с караула, жаловался на простуду и нарочно покашливал. Вот поэтому-то ему и пришлось накинуть плащ, как он пояснял, пренебрежительно роняя слова и покручивая ус, тогда как окружающие, и больше всех д'Артаньян, шумно восхищались шитой золотом перевязью.

— Ничего не поделаешь, — говорил мушкетер, — это входит в моду. Это расточительство, я и сам знаю, но модно. Впрочем, надо ведь куда-нибудь девать родительские денежки.

— Ах, Портос, — воскликнул один из присутствующих, — не старайся нас уверить, что этой перевязью ты обязан отцовским щедротам! Не преподнесла ли ее тебе дама под вуалью, с которой я встретил тебя в воскресенье около ворот Сент-Оноре?

— Нет, клянусь честью и даю слово дворянина, что я купил ее на собственные деньги, — ответил тот, кого называли Портосом.

— Да, — заметил один из мушкетеров, — купил точно так, как я — вот этот новый кошелек: на те самые деньги, которые моя возлюбленная положила мне в старый.

— Нет, право же, — возразил Портос, — и я могу засвидетельствовать, что заплатил за нее двенадцать пистолей.

Восторженные возгласы усилились, но сомнение оставалось.

— Разве не правда, Арамис? — спросил Портос, обращаясь к другому мушкетеру.

Этот мушкетер был прямой противоположностью тому, который обратился к нему, назвав его Арамисом. Это был молодой человек лет двадцати двух или двадцати трех, с простодушным и несколько слащавым выражением лица, с черными глазами и румянцем на щеках, покрытых, словно персик осенью, бархатистым пушком. Тонкие усы безупречно правильной линией оттеняли верхнюю губу. Казалось, он избегал опустить руки из страха, что жилы на них могут вздуться. Время от времени он пощипывал мочки ушей, чтобы сохранить их нежную окраску и прозрачность. Говорил он мало и медленно, часто кланялся, смеялся бесшумно, обнажая красивые зубы, за которыми, как и за всей своей внешностью, по-видимому, тщательно ухаживал. На вопрос своего друга он ответил утвердительным кивком.

Это подтверждение устранило, по-видимому, все сомнения насчет чудесной перевязи. Ею продолжали любоваться, но говорить о ней перестали, и разговор, постепенно подчиняясь неожиданным ассоциациям, перешел на другую тему.

— Какого вы мнения о том, что рассказывает конюший господина де Шале? — спросил другой мушкетер, не обращаясь ни к кому в отдельности, а ко всем присутствующим одновременно.

— Что же он рассказывает? — с важностью спросил Портос.

— Он рассказывает, что в Брюсселе встретился с Рошфором, этим преданнейшим слугой кардинала. Рошфор был в одеянии капуцина, и, пользуясь таким маскарадом, этот проклятый Рошфор провел господина де Лэга, как последнего болвана.

— Как последнего болвана, — повторил Портос. — Но правда ли это?

— Я слышал об этом от Арамиса, — заявил мушкетер.

— В самом деле?

— Ведь вам это прекрасно известно, Портос, — произнес Арамис. — Я рассказывал вам об этом вчера. Не стоит к этому возвращаться.

— «Не стоит возвращаться»! — воскликнул Портос — Вы так полагаете? «Не стоит возвращаться»! Черт возьми, как вы быстро решаете!.. Как! Кардинал выслеживает дворянина, он с помощью предателя, разбойника, висельника похищает у него письма и, пользуясь все тем же шпионом, на основании этих писем добивается казни Шале под нелепым предлогом, будто бы Шале собирался убить короля и женить герцога Орлеанского на королеве! Никто не мог найти ключа к этой загадке. Вы, к общему удовлетворению, сообщаете нам вчера разгадку тайны и, когда мы еще не успели даже опомниться, объявляете нам сегодня: «Не стоит к этому возвращаться»!

— Ну что ж, вернемся к этому, раз вы так желаете, — терпеливо согласился Арамис.

— Будь я конюшим господина де Шале, — воскликнул Портос, — я бы проучил этого Рошфора!

— А вас проучил бы Красный Герцог, — спокойно заметил Арамис.

— Красный Герцог... Браво, браво! Красный Герцог!.. — закричал Портос, хлопая в ладоши и одобрительно кивая. — Красный Герцог — это великолепно. Я постараюсь распространить эту остроту, будьте спокойны. Вот так остряк этот Арамис!.. Как жаль, что вы не имели возможности последовать своему призванию, дорогой мой! Какой очаровательный аббат получился бы из вас!

— О, это только временная отсрочка, — заметил Арамис. — Когда-нибудь я все же буду аббатом. Вы ведь знаете, Портос, что я в предвидении этого продолжаю изучать богословие.

— Он добьется своего, — сказал Портос. — Рано или поздно, но добьется.

— Скорее рано, — ответил Арамис.

— Он ждет только одного, чтобы снова облачиться в сутану, которая висит у него в шкафу позади одежды мушкетера! — воскликнул один из мушкетеров.

— Чего же он ждет? — спросил другой.

— Он ждет, чтобы королева подарила стране наследника.

— Незачем, господа, шутить по этому поводу, — заметил Портос. — Королева, слава богу, еще в таком возрасте, что это возможно.

— Говорят, что лорд Бекингэм во Франции!.. — воскликнул Арамис с лукавым смешком, который придавал этим как будто невинным словам некий двусмысленный оттенок.

— Арамис, друг мой, на этот раз вы не правы, — перебил его Портос, — и любовь к остротам заставляет вас перешагнуть известную границу. Если б господин де Тревиль услышал, вам бы не поздоровилось за такие слова.

— Не собираетесь ли вы учить меня, Портос? — спросил Арамис, в кротком взгляде которого неожиданно сверкнула молния.

— Друг мой, — ответил Портос, — будьте мушкетером или аббатом, но не тем и другим одновременно. Вспомните, Атос на днях сказал вам: вы едите из всех кормушек... Нет-нет, прошу вас, не будем ссориться. Это ни к чему. Вам хорошо известно условие, заключенное между вами, Атосом и мною. Вы ведь бываете у госпожи д'Эгильон и ухаживаете за ней; вы бываете у госпожи де Буа-Траси, кузины госпожи де Шеврез, и, как говорят, состоите у этой дамы в большой милости. О господа, вам незачем признаваться в своих успехах, никто не требует от вас исповеди — кому не ведома ваша скромность! Но раз уж вы, черт возьми, обладаете даром молчания, не забывайте о нем, когда речь идет о ее величестве. Пусть болтают что угодно и кто угодно о короле и кардинале, но королева священна, и если уж о ней говорят, то пусть говорят одно хорошее.

— Портос, вы самонадеянны, как Нарцисс, заметьте это, — произнес Арамис. — Вам ведь известно, что я не терплю поучений и готов выслушивать их только от Атоса. Что же касается вас, милейший, то ваша чрезмерно роскошная перевязь не внушает особого доверия к вашим благородным чувствам. Я стану аббатом, если сочту нужным. Пока что я мушкетер и, как таковой, говорю все, что мне вздумается. Сейчас мне вздумалось сказать вам, что вы мне надоели.

— Арамис!
— Портос!
— Господа!.. Господа!.. — послышалось со всех сторон.
— Господин де Тревиль ждет господина д'Артаньяна! — перебил их лакей, распахнув дверь кабинета.

Дверь кабинета, пока произносились эти слова, оставалась открытой, и все сразу умолкли. И среди этой тишины молодой гасконец пересек приемную и вошел к капитану мушкетеров, от души радуясь, что так своевременно избежал участия в развязке этой странной ссоры.

III

АУДИЕНЦИЯ

Господин де Тревиль был в самом дурном расположении духа. Тем не менее он учтиво принял молодого человека, поклонившегося ему чуть ли не до земли, и с улыбкой выслушал его приветствия. Беарнский акцент юноши напомнил ему молодость и родные края — воспоминания, способные в любом возрасте порадовать человека. Но тут же, подойдя к дверям приемной и подняв руку как бы в знак того, что он просит разрешения у д'Артаньяна сначала покончить с остальными, а затем уже приступить к беседе с ним, он трижды крикнул, с каждым разом повышая голос так, что в нем прозвучала вся гамма интонаций — от повелительной до гневной:

— Атос! Портос! Арамис!

Оба мушкетера, с которыми мы уже успели познакомиться и которым принадлежали два последних имени, сразу же отделились от товарищей и пошли в кабинет, дверь которого захлопнулась за ними, как только они перешагнули порог. Их манера держаться, хотя они и не были вполне спокойны, своей непринужденностью, исполненной одновременно и достоинства и покорности, вызвала восхищение д'Артаньяна, видевшего в этих людях неких полубогов, а в их начальнике — Юпитера-Громовержца, готового разразиться громом и молнией.

Когда оба мушкетера вошли и дверь за ними закрылась, когда гул разговоров в приемной, которым вызов мушкетеров послужил, вероятно, новой пищей, опять усилился, когда, наконец, г-н де Тревиль, хмуря брови, три или четыре раза прошелся молча по кабинету мимо Портоса и Арамиса, которые стояли безмолвно, вытянувшись, словно на смотру, он внезапно остановился против них и, окинув их с ног до головы гневным взором, произнес:

— Известно ли вам, господа, что́ мне сказал король, и не далее как вчера вечером? Известно ли вам это?

— Нет, — после короткого молчания ответствовали оба мушкетера. — Нет, сударь, нам ничего не известно.

— Но мы надеемся, что вы окажете нам честь сообщить об этом, — добавил Арамис в высшей степени учтиво и отвесил изящный поклон.

— Он сказал мне, что впредь будет подбирать себе мушкетеров из гвардейцев господина кардинала.

— Из гвардейцев господина кардинала? Как это так? — воскликнул Портос.

— Он пришел к заключению, что его кисленькое винцо требует подбавки доброго вина.

Оба мушкетера вспыхнули до ушей. Д'Артаньян не знал, куда ему деваться, и готов был провалиться сквозь землю.

— Да, да! — продолжал г-н де Тревиль, все более горячась. — И его величество совершенно прав, ибо, клянусь честью, господа мушкетеры играют жалкую роль при дворе! Господин кардинал вчера вечером за игрой в шахматы соболезнующим тоном, который очень задел меня, принялся рассказывать, что эти проклятые мушкетеры, эти головорезы — он произносил эти слова с особой насмешкой, которая понравилась мне еще меньше, — эти рубаки, добавил он, поглядывая на меня своими глазами дикой кошки, задержались позже разрешенного часа в кабачке на улице Феру. Его гвардейцы, совершавшие обход, — казалось, он расхохочется мне в лицо, — были принуждены задержать этих нарушителей ночного покоя. Тысяча чертей! Вы знаете, что это значит? Арестовать мушкетеров! Вы были в этой компании... да, вы, не отпирайтесь, вас опознали, и кардинал назвал ваши имена. Я виноват, виноват, ведь я сам подбираю себе людей. Вот хотя бы вы, Арамис: зачем вы выпросили у меня мушкетерский камзол, когда вам так к лицу была сутана? Ну а вы, Портос... вам такая роскошная золотая перевязь нужна, должно быть, чтобы повесить на ней соломенную шпагу? А Атос... Я не вижу Атоса. Где он?

— Сударь, — с грустью произнес Арамис, — он болен, очень болен.

— Болен? Очень болен, говорите вы? А чем он болен?

— Опасаются, что у него оспа, сударь, — сказал Портос, стремясь вставить и свое слово. — Весьма печальная история: эта болезнь может изуродовать его лицо.

— Оспа?.. Вот так славную историю вы тут рассказываете, Портос! Болеть оспой в его возрасте! Нет, нет!.. Он, должно быть, ранен... или убит... Ах, если б я мог знать!.. Тысяча чертей! Господа мушкетеры, я не желаю, чтобы мои люди шатались по подозрительным местам, затевали ссоры на улицах и пускали в ход шпаги в темных закоулках! Я не желаю в конце концов, чтобы мои люди служили посмешищем для гвардейцев господина кардинала! Эти гвардейцы — спокойные ребята, порядочные, ловкие. Их не за что арестовывать, да, кроме того, они и не дали бы себя арестовать. Я в этом уверен! Они предпочли бы умереть на месте, чем отступить хоть на шаг. Спасаться, бежать, удирать — на это способны только королевские мушкетеры.

Портос и Арамис дрожали от ярости. Они готовы были бы задушить г-на де Тревиля, если бы в глубине души не чувствовали, что только горячая любовь к ним заставляет его так говорить. Они постукивали каблуками о ковер, до крови кусали губы и изо всех сих сжимали эфесы шпаг.

В приемной слышали, что вызывали Атоса, Портоса и Арамиса, и по голосу г-на де Тревиля угадали, что он сильно разгневан. Десяток голов, терзаемых любопытством, прижался к двери в стремлении не упустить ни слова, и лица бледнели от ярости, тогда как уши, прильнувшие к скважине, не упускали ни звука, а уста повторяли одно за другим оскорбительные слова капитана, делая их достоянием всех присутствующих. В одно мгновение весь дом, от дверей кабинета и до самого подъезда, превратился в кипящий котел.

— Вот как! Королевские мушкетеры позволяют гвардейцам кардинала себя арестовывать! — продолжал г-н де Тревиль, в глубине души не менее разъяренный, чем его солдаты, отчеканивая слова и, словно удары кинжала, вонзая их в грудь своих слушателей. — Вот как! Шесть гвардейцев кардинала арестовывают шестерых мушкетеров его величества! Тысяча чертей! Я принял решение. Прямо отсюда я отправляюсь в Лувр и подаю в отставку, отказываюсь от звания капитана мушкетеров короля и прошу назначить меня лейтенантом гвардейцев кардинала. А если мне откажут, тысяча чертей, я сделаюсь аббатом!

При этих словах ропот за стеной превратился в бурю. Всюду раздавались проклятия и богохульства. Возгласы: «Тысяча чертей!», «Бог и все его ангелы!», «Смерть и преисподняя!» — повисли в воздухе. Д'Артаньян глазами искал, нет ли какой-нибудь портьеры, за которой он мог бы укрыться, и ощущал непреодолимое желание забраться под стол.

— Так вот, господин капитан! — воскликнул Портос, потеряв всякое самообладание. — Нас действительно было шестеро против шестерых, но на нас напали из-за угла, и, раньше чем мы успели обнажить шпаги, двое из нас были убиты наповал, а Атос так тяжело ранен, что не многим отличался от убитых; дважды он пытался подняться и дважды валился на землю. Тем не менее мы не сдались. Нет! Нас уволокли силой. По пути мы скрылись. Что касается Атоса, то его сочли мертвым и оставили спокойно лежать на поле битвы, полагая, что с ним не стоит возиться. Вот как было дело. Черт возьми, капитан! Не всякий бой можно выиграть. Великий Помпей проиграл Фарсальскую битву, а король Франциск Первый, который, как я слышал, кое-чего стоил, — бой при Павии.

— И я имею честь доложить, — сказал Арамис, — что одного из нападавших я заколол его собственной шпагой, так как моя шпага сломалась после первого же выпада. Убил или заколол — как вам будет угодно, сударь.

— Я не знал этого, — произнес г-н де Тревиль, несколько смягчившись. — Господин кардинал, как я вижу, кое-что преувеличил.

— Но молю вас, сударь... — продолжал Арамис, видя, что де Тревиль смягчился, и уже осмеливаясь обратиться к нему с просьбой, — молю вас, сударь, не говорите никому, что Атос ранен! Он был бы в отчаянии, если б это стало известно королю. А так как рана очень тяжелая — пронзив плечо, лезвие проникло в грудь, — можно опасаться...

В эту минуту край портьеры приподнялся, и на пороге показался мушкетер с благородным и красивым, но смертельно бледным лицом.

— Атос! — вскрикнули оба мушкетера.

— Атос! — повторил за ними де Тревиль.

— Вы звали меня, господин капитан, — сказал Атос, обращаясь к де Тревилю. Голос его звучал слабо, но совершенно спокойно. — Вы звали меня, как сообщили мне товарищи, и я поспешил явиться. Жду ваших приказаний, сударь!

И с этими словами мушкетер, безукоризненно одетый и, как всегда, подтянутый, твердой поступью вошел в кабинет. Де Тревиль, до глубины души тронутый таким проявлением мужества, бросился к нему.

— Я только что говорил этим господам, — сказал де Тревиль, — что запрещаю моим мушкетерам без надобности рисковать жизнью. Храбрецы дороги королю, а королю известно, что мушкетеры — самые храбрые люди на земле. Вашу руку, Атос!

И, не дожидаясь, чтобы вошедший ответил на это проявление дружеских чувств, де Тревиль схватил правую руку Атоса и сжал ее изо всех сил, не замечая, что Атос при всем своем самообладании вздрогнул от боли и сделался еще бледнее, хоть это и казалось невозможным.

Дверь оставалась полуоткрытой. Появление Атоса, о ране которого, несмотря на тайну, окружавшую все это дело, большинству было известно, поразило всех. Последние слова капитана были встречены гулом удовлетворения, и две или три головы в порыве восторга просунулись между портьерами. Де Тревиль, надо полагать, не преминул бы резким замечанием покарать за это нарушение этикета, но вдруг почувствовал, как рука Атоса судорожно дернулась в его руке, и, переведя взгляд на мушкетера, увидел, что тот готов потерять сознание. В то же мгновение Атос, собравший все силы, чтобы преодолеть боль, и все же сраженный ею, рухнул на пол как мертвый.

— Лекаря! — закричал г-н де Тревиль. — Моего или королевского, самого лучшего! Лекаря, или, тысяча чертей, мой храбрый Атос умрет!

На крик де Тревиля все собравшиеся в приемной хлынули к нему в кабинет, дверь которого он не подумал закрыть. Все суетились вокруг раненого. Но все старания были бы напрасны, если б лекарь не оказался в самом доме. Расталкивая толпу, он приблизился к Атосу, который все еще лежал без сознания, и, так как шум и суета мешали ему, он прежде всего потребовал, чтобы больного перенесли в соседнюю комнату. Г-н де Тревиль поспешно распахнул дверь и сам прошел вперед, указывая путь Портосу и Арамису, которые на руках вынесли своего друга. За ними следовал лекарь, а за лекарем дверь затворилась.

И тогда кабинет г-на де Тревиля, всегда вызывавший трепет у входивших, мгновенно превратился в отделение приемной. Все болтали, разглагольствовали, не понижая голоса, сыпали проклятиями и, не боясь сильных выражений, посылали кардинала и его гвардейцев ко всем чертям.

Немного погодя вернулись Портос и Арамис. Подле раненого остались только де Тревиль и лекарь.

Наконец возвратился и г-н де Тревиль. Раненый, по его словам, пришел в сознание. Врач считал, что его положение не должно внушать друзьям никаких опасений, так как слабость вызвана только большой потерей крови.

Затем г-н де Тревиль сделал знак рукой, и все удалились, за исключением д'Артаньяна, который, со свойственной гасконцу настойчивостью, остался на месте, не забывая, что ему назначена аудиенция. Когда все вышли и дверь закрылась, де Тревиль обернулся и оказался лицом к лицу с молодым человеком. Происшедшие события прервали нить его мыслей. Он осведомился о том, чего от него желает настойчивый проситель. Д'Артаньян назвался, сразу пробудив в памяти де Тревиля и прошлое и настоящее.

— Простите, любезный земляк, — произнес он с улыбкой, — я совершенно забыл о вас. Что вы хотите? Капитан — это тот же отец семейства, только отвечать он должен за большее, чем обыкновенный отец. Солдаты — взрослые дети, но так как я требую, чтобы распоряжения короля и особенно господина кардинала выполнялись...

Д'Артаньян не мог скрыть улыбку. Эта улыбка показала г-ну де Тревилю, что перед ним отнюдь не глупец, и он сразу перешел к делу.

— Я очень любил вашего отца, — сказал он. — Чем я могу быть полезен его сыну? Говорите скорее, время у меня уже на исходе.

— Сударь, — произнес д'Артаньян, — уезжая из Тарба в Париж, я надеялся в память той дружбы, о которой вы не забыли, просить у вас плащ мушкетера. Но после всего виденного мною за эти два часа я понял, что эта милость была бы столь огромна, что я боюсь оказаться недостойным ее.

— Это действительно милость, молодой человек, — ответил г-н де Тревиль. — Но для вас она, может быть, не так недоступна, как вы думаете или делаете вид, что думаете. Впрочем, одно из распоряжений его величества предусматривает подобный случай, и я вынужден, к сожалению, сообщить вам, что никого не зачисляют в мушкетеры, пока он не испытан в нескольких сражениях, не совершил каких-нибудь блестящих подвигов или не прослужил два года в другом полку, поскромнее, чем наш.

Д'Артаньян молча поклонился. Он еще более жаждал надеть форму мушкетера, с тех пор как узнал, насколько трудно достичь желаемого.

— Но... — продолжал де Тревиль, вперив в своего земляка такой пронзительный взгляд, словно он желал проникнуть в самую глубину его сердца, — но из уважения к вашему отцу, моему старому другу, как я вам уже говорил, я все же хочу что-нибудь сделать для вас, молодой человек. Наши беарнские юноши редко бывают богаты, и я не думаю, чтобы положение сильно изменилось с тех пор, как я покинул родные края. Полагаю, что денег, привезенных вами, вряд ли хватит на жизнь...

Д'Артаньян гордо выпрямился, всем своим видам давая понять, что он ни у кого не просит милостыни.

— Полно, полно, молодой человек, — продолжал де Тревиль, — мне эти повадки знакомы. Я приехал в Париж с четырьмя экю в кармане и вызвал бы на дуэль любого, кто осмелился бы сказать мне, что я не в состоянии купить Лувр.

Д'Артаньян еще выше поднял голову. Благодаря продаже коня он начинал свою карьеру, имея на четыре экю больше, чем имел на первых порах де Тревиль.

— Итак, — продолжал капитан, — вам необходимо сохранить привезенное, как бы значительна ни была эта сумма. Но вам также следует усовершенствоваться в искусстве владеть оружием — это необходимо дворянину. Я сегодня же напишу письмо начальнику Королевской академии, и с завтрашнего дня он примет вас, не требуя никакой платы. Не отказывайтесь от этого. Наши молодые дворяне, даже самые знатные и богатые, часто тщетно добиваются приема туда. Вы научитесь верховой езде, фехтованию, танцам. Вы завяжете полезные знакомства, а время от времени будете являться ко мне, докладывать, как у вас идут дела и чем я могу помочь вам.

Как ни чужды были д'Артаньяну придворные уловки, он все же почувствовал холодок, которым веяло от этого приема.

— Увы! — воскликнул он. — Я вижу, как недостает мне сейчас письма с рекомендацией, данного мне отцом.

— Действительно, — ответил де Тревиль, — я удивлен, что вы пустились в столь дальний путь без этого единственного волшебного ключа, столь необходимого нашему брату беарнцу.

— Письмо у меня было, сударь, и, слава богу, написанное как полагается! — воскликнул д'Артаньян. — Но у меня коварно похитили его!

И он рассказал обо всем, что произошло в Менге, описал незнакомого дворянина во всех подробностях, и речь его дышала жаром и искренностью, которые очаровали де Тревиля.

— Странная история... — задумчиво произнес капитан мушкетеров. — Вы, значит, громко называли мое имя?

— Да, конечно. Я был так неосторожен. Но что вы хотите! Такое имя, как ваше, должно было служить мне в пути щитом. Судите сами, как часто я прикрывался им.

Лесть была в те дни в моде, и де Тревиль был так же чувствителен к фимиаму, как любой король или кардинал. Он не мог поэтому удержаться от выражавшей удовольствие улыбки, но улыбка быстро угасла.

— Скажите мне... — начал он, сам возвращаясь к происшествию в Менге, — скажите, не было ли у этого дворянина легкого рубца на виске?

— Да, как бы ссадина от пули.

— Это был видный мужчина?

— Да.

— Высокого роста?

— Да.

— Бледный, с темными волосами?

— Да-да, именно такой. Каким образом, сударь, вы знаете этого человека? Ах, если когда-нибудь я разыщу его, — а я клянусь вам, что разыщу его хоть в аду...

— Он ожидал женщину? — перебил его де Тревиль.

— Уехал он, во всяком случае, только после того, как обменялся несколькими словами с той, которую поджидал.

— Вы не знаете, о чем они говорили?

— Вручив ей ларец, он сказал, что в нем она найдет его распоряжения, и предложил ей вскрыть ларец только в Лондоне.

— Эта женщина была англичанка?

— Он называл ее миледи.

— Это он! — прошептал де Тревиль. — Это он! А я полагал, что он еще в Брюсселе.

— О сударь, — воскликнул д'Артаньян, — скажите мне, кто он и откуда, и я не буду просить вас ни о чем, даже о зачислении в мушкетеры! Ибо прежде всего я должен рассчитаться с ним.

— Упаси вас бог от этого, молодой человек! — воскликнул де Тревиль. — Если вы встретите его на улице — спешите перейти на другую сторону. Не натыкайтесь на эту скалу: вы разобьетесь, как стекло.

— И все-таки, — произнес д'Артаньян, — если только я его встречу...

— Пока, во всяком случае, не советую вам разыскивать его, — сказал де Тревиль.

Внезапно де Тревиль умолк, пораженный странным подозрением. Страстная ненависть, которую юноша выражал по отношению к человеку, якобы похитившему у него отцовское письмо... Кто знает, не скрывался ли за этой ненавистью какой-нибудь коварный замысел? Не подослан ли этот молодой человек его высокопреосвященством? Не явился ли он с целью заманить его, де Тревиля, в ловушку? Этот человек, называющий себя д'Артаньяном, — не был ли он шпионом, которого пытаются ввести к нему в дом, чтобы он завоевал его доверие, а затем погубил его, как это бывало с другими? Он еще внимательнее, чем раньше, поглядел на д'Артаньяна. Вид этого подвижного лица, выражавшего ум, лукавство и притворную скромность, не слишком его успокоил.

«Я знаю, правда, что он гасконец, — подумал де Тревиль. — Но он с таким же успехом может применить свои способности на пользу кардиналу, как и мне. Испытаем его...»

— Друг мой, — проговорил он медленно, — перед сыном моего старого друга — ибо я принимаю на веру всю эту историю с письмом, — перед сыном моего друга я хочу искупить холодность, которую вы сразу ощутили в моем приеме, и раскрою перед вами тайны нашей политики. Король и кардинал — наилучшие друзья. Мнимые трения между ними служат лишь для того, чтобы обмануть глупцов. Я не допущу, чтобы мой земляк, красивый юноша, славный малый, созданный для успеха, стал жертвой этих фокусов и попал впросак, как многие другие, сломавшие себе на этом голову. Запомните, что я предан этим двум всемогущим господам и что каждый мой шаг имеет целью служить королю и господину кардиналу, одному из самых выдающихся умов, какие когда-либо создавала Франция. Отныне, молодой человек, примите это к сведению, и если, в силу ли семейных или дружеских связей, или подчиняясь голосу страстей, вы питаете к кардиналу враждебные чувства, подобные тем, которые нередко прорываются у иных дворян, — распрощаемся с вами. Я приду вам на помощь при любых обстоятельствах, но не приближу вас к себе. Надеюсь, во всяком случае, что моя откровенность сделает вас моим другом, ибо вы единственный молодой человек, с которым я когда-либо так говорил.

«Если кардинал подослал ко мне эту лису, — думал де Тревиль, — то, зная, как я его ненавижу, наверняка внушил своему шпиону, что лучший способ вкрасться ко мне в доверие — это наговорить про него черт знает что. И конечно, этот хитрец, несмотря на мои заверения, сейчас станет убеждать меня, что питает отвращение к его преосвященству».

Но все произошло совсем по-иному — не так, как ожидал де Тревиль. Д'Артаньян ответил с совершенной прямотой.

— Сударь, — произнес он просто, — я прибыл в Париж именно с такими намерениями. Отец мой советовал мне не покоряться никому, кроме короля, господина кардинала и вас, которых он считает первыми людьми во Франции.

Д'Артаньян, как можно заметить, присоединил имя де Тревиля к двум первым. Но это добавление, по его мнению, не могло испортить дело.

— Поэтому, — продолжал он, — я глубоко чту господина кардинала и преклоняюсь перед его действиями... Тем лучше для меня, если вы, как изволите говорить, вполне откровенны со мной. Значит, вы оказали мне честь, заметив сходство в наших взглядах. Но если вы отнеслись ко мне с некоторым недоверием, — а это было бы вполне естественно, — тогда, разумеется, я гублю себя этими словами в ваших глазах. Но все равно вы оцените мою прямоту, а ваше доброе мнение обо мне дороже всего на свете.

Де Тревиль был поражен. Такая проницательность, такая искренность вызывали восхищение, но все же полностью не устраняли сомнений. Чем больше выказывалось превосходство этого молодого человека перед другими молодыми людьми, тем больше было оснований остерегаться его, если де Тревиль ошибался в нем.

— Вы честный человек, — сказал он, пожимая д'Артаньяну руку, — но сейчас я могу сделать для вас только то, что предложил. Двери моего дома всегда будут для вас открыты. Позже, имея возможность являться ко мне в любое время, а следовательно, и уловить благоприятный случай, вы, вероятно, достигнете того, к чему стремитесь.

— Другими словами, сударь, — проговорил д'Артаньян, — вы ждете, чтобы я оказался достоин этой чести. Ну что ж, — добавил он с непринужденностью, свойственной гасконцу, — вам недолго придется ждать.

И он поклонился, собираясь удалиться, словно остальное касалось уже только его одного.

— Да погодите же, — сказал де Тревиль, останавливая его. — Я обещал вам письмо к начальнику академии. Или вы чересчур горды, молодой человек, чтобы принять его от меня?

— Нет, сударь, — возразил д'Артаньян. — И я отвечаю перед вами за то, что его не постигнет такая судьба, как письмо моего отца. Я так бережно буду хранить его, что оно, клянусь вам, дойдет по назначению, и горе тому, кто попытается похитить его у меня!

Это бахвальство вызвало на устах де Тревиля улыбку. Оставив молодого человека в амбразуре окна, где они только что беседовали, он уселся за стол, чтобы написать обещанное письмо. Д'Артаньян в это время, ничем не занятый, выбивал по стеклу какой-то марш, наблюдая за мушкетерами, которые один за другим покидали дом, и провожая их взглядом до самого поворота улицы.

Господин де Тревиль, написав письмо, запечатал его, встал и направился к молодому человеку, чтобы вручить ему конверт. Но в то самое мгновение, когда д'Артаньян протянул руку за письмом, де Тревиль с удивлением увидел, как юноша внезапно вздрогнул и, вспыхнув от гнева, бросился из кабинета с яростным криком:

— Нет, тысяча чертей! На этот раз ты от меня не уйдешь!

— Кто? Кто? — спросил де Тревиль.

— Он, похититель! — ответил на ходу д'Артаньян. — Ах негодяй! — И с этими словами он исчез за дверью.

— Сумасшедший! — пробормотал де Тревиль. — Если только... — медленно добавил он, — это не уловка, чтобы удрать, раз он понял, что подвох не удался.

IV

ПЛЕЧО АТОСА, ПЕРЕВЯЗЬ ПОРТОСА И ПЛАТОК АРАМИСА

Д'Артаньян как бешеный в три скачка промчался через приемную и выбежал на площадку лестницы, по которой собирался спуститься опрометью, как вдруг с разбегу столкнулся с мушкетером, выходившим от г-на де Тревиля через боковую дверь. Мушкетер закричал или, вернее, взвыл от боли.

— Простите меня... — произнес д'Артаньян, намереваясь продолжать свой путь, — простите меня, но я спешу.

Не успел он спуститься до следующей площадки, как железная рука ухватила его за перевязь и остановила на ходу.

— Вы спешите, — воскликнул мушкетер, побледневший как мертвец, — и под этим предлогом наскакиваете на меня, говорите «простите» и считаете дело исчерпанным? Не совсем так, молодой человек. Не вообразили ли вы, что если господин де Тревиль сегодня резко говорил с нами, то это дает вам право обращаться с нами пренебрежительно? Ошибаетесь, молодой человек. Вы не господин де Тревиль.

— Поверьте мне... — отвечал д'Артаньян, узнав Атоса, возвращавшегося к себе после перевязки, — поверьте мне, я сделал это нечаянно, и, сделав это нечаянно, я сказал: «Простите меня». По-моему, этого достаточно. А сейчас я повторяю вам — и это, пожалуй, лишнее, — что я спешу, очень спешу. Поэтому прошу вас: отпустите меня, не задерживайте.

— Сударь, — сказал Атос, выпуская из рук перевязь, — вы невежа. Сразу видно, что вы приехали издалека.

Д'Артаньян уже успел шагнуть вниз через три ступеньки, но слова Атоса заставили его остановиться.

— Тысяча чертей, сударь! — проговорил он. — Хоть я и приехал издалека, но не вам учить меня хорошим манерам, предупреждаю вас.

— Кто знает! — сказал Атос.

— Ах, если б я не так спешил, — воскликнул Д'Артаньян, — и если б я не гнался за одним человеком...

— Так вот, господин Торопыга, меня вы найдете, не гоняясь за мной, слышите?

— Где именно, не угодно ли сказать?

— Подле монастыря Дешо.

— В котором часу?

— Около двенадцати.

— Около двенадцати? Хорошо, буду на месте.

— Постарайтесь не заставить меня ждать. В четверть первого я вам уши на ходу отрежу.

— Отлично, — крикнул д'Артаньян, — явлюсь без десяти двенадцать!

И он пустился бежать как одержимый, все еще надеясь догнать незнакомца, который не мог отойти особенно далеко, так как двигался не спеша.

Но у ворот он увидел Портоса, беседовавшего с караульным. Между обоими собеседниками оставалось свободное пространство, через которое мог проскользнуть один человек. Д'Артаньяну показалось, что этого пространства достаточно, и он бросился напрямик, надеясь как стрела пронестись между ними. Но д'Артаньян не принял в расчет ветра. В тот миг, когда он собирался проскользнуть между разговаривавшими, ветер раздул длинный плащ Портоса, и д'Артаньян запутался в его складках. У Портоса, по-видимому, были веские причины не расставаться с этой важной частью своего одеяния, и, вместо того чтобы выпустить из рук полу, которую он придерживал, он потянул ее к себе, так что д'Артаньян, по вине упрямого Портоса проделав какое-то вращательное движение, оказался совершенно закутанным в бархат плаща.

Слыша проклятия, которыми осыпал его мушкетер, д'Артаньян, как слепой, ощупывал складки, пытаясь выбраться из-под плаща. Он больше всего опасался как-нибудь повредить роскошную перевязь, о которой мы уже рассказывали. Но, робко приоткрыв глаза, он увидел, что нос его упирается в спину Портоса, как раз между лопатками, другими словами — в самую перевязь.

Увы, как и многое на этом свете, что блестит только снаружи, перевязь Портоса сверкала золотым шитьем лишь спереди, а сзади была из простой буйволовой кожи. Портос, как истый хвастун, не имея возможности приобрести перевязь, целиком шитую золотом, приобрел перевязь, шитую золотом хотя бы лишь спереди. Отсюда и выдуманная простуда, и необходимость плаща.

— Дьявол! — завопил Портос, делая невероятные усилия, чтобы освободиться от д'Артаньяна, который копошился у него за спиной. — С ума вы спятили, что бросаетесь на людей?

— Простите, — проговорил д'Артаньян, выглядывая из-под локтя гиганта, — но я очень спешу. Я гонюсь за одним человеком...

— Глаза вы, что ли, забываете дома, когда гонитесь за кем-нибудь? — орал Портос.

— Нет... — с обидой произнес д'Артаньян, — нет, и мои глаза позволяют мне даже видеть то, чего не видят другие.

Понял ли Портос или не понял, но он дал полную волю своему гневу.

— Сударь, — прорычал он, — предупреждаю вас: если вы будете задевать мушкетеров, дело для вас кончится трепкой!

— Трепкой? — переспросил д'Артаньян. — Не сильно ли сказано?

— Сказано человеком, привыкшим смотреть в лицо своим врагам.

— Еще бы! Мне хорошо известно, что тыл вы не покажете никому.

И юноша, в восторге от своей озорной шутки, двинулся дальше, хохоча во все горло.

Портос в дикой ярости сделал движение, намереваясь броситься на обидчика.

— Потом, потом! — крикнул ему д'Артаньян. — Когда на вас не будет плаща!

— Значит, в час, позади Люксембургского дворца!

— Прекрасно, в час! — ответил д'Артаньян, заворачивая за угол.

Но ни на улице, по которой он пробежал, ни на той, которую он мог теперь охватить взглядом, не видно было ни души. Как ни медленно двигался незнакомец, он успел скрыться из виду или зайти в какой-нибудь дом. Д'Артаньян расспрашивал о нем всех встречных, спустился до перевоза, вернулся по улице Сены, прошел по улице Алого Креста. Ничего, ровно ничего! Все же эта погоня принесла ему пользу: по мере того как пот выступал у него на лбу, сердце его остывало.

Он углубился в размышления о происшедших событиях. Их было много, и все они оказались неблагоприятными. Было всего одиннадцать часов утра, а это утро успело уже принести ему немилость де Тревиля, который не мог не счесть проявлением развязности неожиданный уход д'Артаньяна.

Кроме того, он нарвался на два поединка с людьми, способными убить трех д'Артаньянов каждый, — одним словом, с двумя мушкетерами, то есть с существами, перед которыми он благоговел так глубоко, что в сердце своем ставил их выше всех людей.

Положение было невеселое. Убежденный, что будет убит Атосом, он, вполне понятно, не очень-то беспокоился о поединке с Портосом. Все же, поскольку надежда есть последнее, что угасает в душе человека, он стал надеяться, что, хотя и получит страшные раны, все же останется жив, и на этот случай, в расчете на будущую жизнь, уже бранил себя за свои ошибки:

«Какой я безмозглый грубиян! Этот несчастный и храбрый Атос был ранен именно в плечо, на которое я, как баран, налетел головой. Приходится только удивляться, что он не прикончил меня на месте — он вправе был это сделать: боль, которую я причинил ему, была, наверное, ужасна. Что же касается Портоса... о, что касается Портоса — ей-богу, тут дело забавнее!..»

И молодой человек, вопреки своим мрачным мыслям, не мог удержаться от смеха, поглядывая все же при этом по сторонам — не покажется ли такой беспричинный одинокий смех кому-нибудь обидным.

«Что касается Портоса, то тут дело забавнее. Но я все же глупец. Разве можно так наскакивать на людей — подумать только! — и заглядывать им под плащ, чтобы увидеть то, чего там нет! Он бы простил меня... конечно, простил, если б я не пристал к нему с этой проклятой перевязью. Я, правда, только намекнул, но как ловко намекнул! Ах! Чертов я гасконец — буду острить даже в аду на сковороде... Друг ты мой д'Артаньян, — продолжал он, обращаясь к самому себе с вполне понятным дружелюбием, — если ты уцелеешь, что маловероятно, нужно впредь быть образцово учтивым. Отныне все должны восхищаться тобой и ставить тебя в пример. Быть вежливым и предупредительным не значит еще быть трусом. Погляди только на Арамиса! Арамис — сама кротость, олицетворенное изящество. А разве может прийти кому-нибудь в голову назвать Арамиса трусом? Разумеется, нет! И отныне я во всем буду брать пример с него... Ах, вот как раз и он сам!»

Д'Артаньян, все время продолжая разговаривать с самим собой, поравнялся с особняком д'Эгильона и тут увидел Арамиса, который, остановившись перед самым домом, беседовал с двумя королевскими гвардейцами. Арамис, со своей стороны, заметил д'Артаньяна. Он не забыл, что г-н де Тревиль в присутствии этого юноши так жестоко вспылил сегодня утром. Человек, имевший возможность слышать, какими упреками осыпали мушкетеров, был ему неприятен, и Арамис сделал вид, что не замечает его. Д'Артаньян между тем, весь во власти своих планов — стать образцом учтивости и вежливости, приблизился к молодым людям и отвесил им изысканнейший поклон, сопровождаемый самой приветливой улыбкой. Арамис слегка поклонился, но без улыбки. Все трое при этом сразу прервали разговор.

Д'Артаньян был не так глуп, чтобы не заметить, что он лишний. Но он не был еще достаточно искушен в приемах высшего света, чтобы найти выход из неудобного положения, в каком оказывается человек, подошедший к людям, мало ему знакомым, и вмешавшийся в разговор, его не касающийся. Он тщетно искал способа, не теряя достоинства, убраться отсюда, как вдруг заметил, что Арамис уронил платок и, должно быть по рассеянности, наступил на него ногой. Д'Артаньяну показалось, что он нашел случай загладить свою неловкость. Наклонившись, он с самым любезным видом вытащил платок из-под ноги мушкетера, как крепко тот ни наступал на него.

— Вот ваш платок, сударь, — произнес он с чрезвычайной учтивостью, — вам, вероятно, жаль было бы его потерять.

Платок был действительно покрыт богатой вышивкой, и в одном углу его выделялись корона и герб. Арамис густо покраснел и скорее выхватил, чем взял платок из рук гасконца.

— Так, так, — воскликнул один из гвардейцев, — теперь наш скрытный Арамис не станет уверять, что у него дурные отношения с госпожой де Буа-Траси, раз эта милая дама была столь любезна, что одолжила ему свой платок!

Арамис бросил на д'Артаньяна один из тех взглядов, которые ясно дают понять человеку, что он нажил себе смертельного врага, но тут же перешел к обычному для него слащавому тону.

— Вы ошибаетесь, господа, — произнес он. — Платок этот вовсе не принадлежит мне, и я не знаю, почему этому господину взбрело на ум подать его именно мне, а не любому из вас. Лучшим подтверждением моих слов может служить то, что мой платок у меня в кармане.

С этими словами он вытащил из кармана свой собственный платок, также очень изящный и из тончайшего батиста, — а батист в те годы стоил очень дорого, — но без всякой вышивки и герба, а лишь помеченный монограммой владельца.

На этот раз д'Артаньян промолчал: он понял свою ошибку. Но приятели Арамиса не дали себя убедить, несмотря на все его уверения. Один из них с деланной серьезностью обратился к мушкетеру.

— Если дело обстоит так, как ты говоришь, дорогой мой Арамис, — сказал он, — я вынужден буду потребовать от тебя этот платок. Как тебе известно, Буа-Траси — мой близкий друг, и я не желаю, чтобы кто-либо хвастал вещами, принадлежащими его супруге.

— Ты не так просишь об этом, — ответил Арамис. — И, признавая справедливость твоего требования, я тем не менее откажу тебе из-за формы, в которую оно облечено.

— В самом деле, — робко заметил д'Артаньян, — я не видел, чтобы платок выпал из кармана господина Арамиса. Господин Арамис наступил на него ногой — вот я и подумал, что платок принадлежит ему.

— И ошиблись, — холодно произнес Арамис, словно не замечая желания д'Артаньяна загладить свою вину. — Кстати, — продолжал он, обращаясь к гвардейцу, сославшемуся на свою дружбу с Буа-Траси, — я вспомнил, дорогой мой, что связан с графом де Буа-Траси не менее нежной дружбой, чем ты, близкий его друг, так что... платок с таким же успехом мог выпасть из твоего кармана, как из моего.

— Нет, клянусь честью! — воскликнул гвардеец его величества.

— Ты будешь клясться честью, а я — ручаться честным словом, и один из нас при этом, очевидно, будет лжецом. Знаешь что, Монтаран? Давай лучше поделим его.

— Платок?

— Да.

— Великолепно! — закричали оба приятеля-гвардейца. — Соломонов суд! Арамис, ты в самом деле воплощенная мудрость!

Молодые люди расхохотались, и все дело, как ясно всякому, на том и кончилось. Через несколько минут разговор оборвался, и собеседники расстались, сердечно пожав друг другу руки. Гвардейцы зашагали в одну сторону, Арамис — в другую.

«Вот подходящее время, чтобы помириться с этим благородным человеком», — подумал д'Артаньян, который в продолжение всего этого разговора стоял в стороне. И, подчиняясь доброму порыву, он поспешил догнать мушкетера, который шел, не обращая больше на него внимания.

— Сударь, — произнес д'Артаньян, нагоняя мушкетера, — надеюсь, вы извините меня...

— Милостивый государь, — прервал его Арамис, — разрешите вам заметить, что в этом деле вы поступили не так, как подобало бы благородному человеку.

— Как, милостивый государь! — воскликнул д'Артаньян. — Вы можете предположить...

— Я предполагаю, сударь, что вы не глупец и вам, хоть вы и прибыли из Гаскони, должно быть известно, что без причины не наступают ногой на носовой платок. Париж, черт возьми, не вымощен батистовыми платочками.

— Сударь, вы напрасно стараетесь меня унизить, — произнес д'Артаньян, в котором задорный нрав начинал уже брать верх над мирными намерениями. — Я действительно прибыл из Гаскони, и, поскольку это вам известно, мне незачем вам напоминать, что гасконцы не слишком терпеливы. Так что, раз извинившись хотя бы за сделанную ими глупость, они бывают убеждены, что сделали вдвое больше положенного.

— Сударь, я сказал это вовсе не из желания искать с сами ссоры. Я, слава богу, не забияка какой-нибудь, и мушкетер я лишь временно. Дерусь я, только когда бываю вынужден, и всегда с большой неохотой. Но на этот раз дело нешуточное, тут речь о даме, которую вы скомпрометировали.

— Мы скомпрометировали! — воскликнул д'Артаньян.

— Как могли вы подать мне этот платок?

— Как могли вы обронить этот платок?

— Я уже сказал, сударь, и повторяю, что платок этот выпал не из моего кармана.

— Значит, сударь, вы солгали дважды, ибо я сам видел, как он выпал именно из вашего кармана.

— Ах, вот как вы позволяете себе разговаривать, господин гасконец? Я научу вас вести себя!

— А я отправлю вас назад служить обедню, господин аббат! Вытаскивайте шпагу, прошу вас, и сию же минуту!

— Нет-нет, милый друг, не здесь, во всяком случае. Не видите вы разве, что мы находимся против самого дома д'Эгильонов, который наполнен клевретами кардинала? Кто уверит меня, что не его высокопреосвященство поручил вам доставить ему мою голову? А я, знаете, до смешного дорожу своей головой. Мне представляется, что она довольно ловко сидит у меня на плечах. Поэтому я согласен убить вас, будьте спокойны, но убить без шума, в укромном местечке, где вы никому не могли бы похвастать своей смертью.

— Пусть так. Только не будьте слишком самоуверенны и захватите ваш платочек: принадлежит ли он вам или нет, но он может вам пригодиться.

— Вы, сударь, гасконец? — с иронией спросил Арамис.

— Да. И гасконцы обычно не откладывают поединка из осторожности.

— Осторожность, сударь, качество излишнее для мушкетера, я это знаю. Но она необходима служителям церкви. И так как мушкетер я только временно, то предпочитаю быть осторожным. В два часа я буду иметь честь встретиться с вами в доме господина де Тревиля. Там я укажу вам подходящее для поединка место.

Молодые люди раскланялись, затем Арамис удалился по улице, ведущей к Люксембургскому дворцу, а д'Артаньян, видя, что уже довольно поздно, зашагал в сторону монастыря Дешо.

«Ничего не поделаешь, — рассуждал он сам с собой, — поправить ничего нельзя. Одно утешение: если я буду убит, то буду убит мушкетером».

V

КОРОЛЕВСКИЕ МУШКЕТЕРЫ И ГВАРДЕЙЦЫ Г-НА КАРДИНАЛА

У д'Артаньяна в Париже не было ни одного знакомого. Поэтому он на поединок с Атосом отправился без секунданта, решив удовольствоваться секундантами противника. Впрочем, он заранее твердо решил принести храброму мушкетеру все допустимые извинения, не проявляя при этом, разумеется, слабости. Он решил это, опасаясь тяжелых последствий, которые может иметь подобная дуэль, когда человек, полный сил и молодости, дерется с раненым и ослабевшим противником. Если он окажется побежденным — противник будет торжествовать вдвойне; если же победителем будет он — его обвинят в вероломстве, скажут, что успех достался ему слишком легко.

Впрочем, либо мы плохо обрисовали характер нашего искателя приключений, либо читатель должен был уже заметить, что д'Артаньян был человек не совсем обыкновенный. Поэтому, хоть и твердя самому себе, что гибель его неизбежна, он не мог безропотно покориться неизбежности смерти, как сделал бы это другой, менее смелый и менее спокойный человек. Он вдумывался в различия характеров тех, с кем ему предстояло сражаться, и положение постепенно становилось для него яснее. Он надеялся, что, извинившись, завоюет дружбу Атоса, строгое лицо и благородная осанка которого произвели на него самое хорошее впечатление. Он льстил себя надеждой запугать Портоса историей с перевязью, которую он мог, в случае если не будет убит на месте, рассказать всем, а такой рассказ, преподнесенный в подходящей форме, не мог не сделать Портоса смешным в глазах друзей и товарищей. Что же касается хитроумного Арамиса, то он не внушал д'Артаньяну особого страха. Если даже предположить, что и до него дойдет очередь, то д'Артаньян твердо решил покончить с ним или же ударом в лицо, как Цезарь советовал поступать с солдатами Помпея, нанести ущерб красоте, которой Арамис так явно гордился.

Кроме того, в д'Артаньяне жила непоколебимая решимость, основанная на советах его отца, сущность которых сводилась к следующему: «Не покоряться никому, кроме короля, кардинала и господина де Тревиля». Вот почему д'Артаньян не шел, а летел по направлению к монастырю Дешо. Это было заброшенное здание, с выбитыми стеклами, окруженное бесплодными пустырями, в случае надобности служившими тому же назначению, что и Пре-о-Клер: там обыкновенно дрались люди, которым нельзя было терять время.

Когда д'Артаньян подходил к пустырю, находившемуся подле монастыря, пробило полдень. Атос ожидал его всего пять минут — следовательно, д'Артаньян был безукоризненно точен и самый строгий судья в законах дуэли не имел бы повода упрекнуть его.

Атос, которому рана причиняла еще тяжкую боль, хоть лекарь де Тревиля и наложил на нее свежую повязку, сидел на камне и ожидал противника, как всегда спокойный и полный благородного достоинства. Увидев д'Артаньяна, он встал и учтиво сделал несколько шагов ему навстречу. Д'Артаньян, со своей стороны, приблизился к противнику, держа шляпу в руке так, что перо волочилось по земле.

— Сударь, — сказал Атос, — я послал за двумя моими друзьями, которые и будут моими секундантами. Но друзья эти еще не пришли. Я удивляюсь их опозданию: это не входит в их привычки.

— У меня секундантов нет, — произнес д'Артаньян. — Я только вчера прибыл в Париж, и у меня нет здесь ни одного знакомого, кроме господина де Тревиля, которому рекомендовал меня мой отец, имевший честь некогда быть его другом.

Атос на мгновение задумался.

— Вы знакомы только с господином де Тревилем? — спросил он.

— Да, сударь, я знаком только с ним.

— Вот так история! — проговорил Атос, обращаясь столько же к самому себе, как и к своему собеседнику. — Вот так история! Но если я вас убью, я прослыву пожирателем детей.

— Не совсем так, сударь, — возразил д'Артаньян с поклоном, который не был лишен достоинства. — Не совсем так, раз вы делаете мне честь драться со мною, невзирая на рану, которая, очевидно, немало тяготит вас.

— Очень тяготит, даю вам слово. И вы причинили мне чертовскую боль, должен признаться. Но я буду держать шпагу в левой руке, как делаю всегда в подобных случаях. Таким образом, не думайте, что это облегчит ваше положение: я одинаково свободно действую обеими руками. Это создаст даже некоторое неудобство для вас. Левша очень стесняет противника, когда тот не подготовлен к этому. Я сожалею, что не поставил вас заранее в известность об этом обстоятельстве.

— Вы, сударь, — проговорил д'Артаньян, — бесконечно любезны, и я вам глубоко признателен.

— Я, право, смущен вашими речами, — сказал Атос с изысканной учтивостью. — Поговорим лучше о другом, если вы ничего не имеете против... Ах, дьявол, как больно вы мне сделали! Плечо так и горит!

— Если б вы разрешили... — робко пробормотал д'Артаньян.

— Что именно, сударь?

— У меня есть чудодейственный бальзам для лечения ран. Этот бальзам мне дала с собой матушка, и я испытал его на самом себе.

— И что же?

— А то, что не далее как через каких-нибудь три дня вы — я в этом уверен — будете исцелены, а по прошествии этих трех дней, когда вы поправитесь, сударь, я почту за великую честь скрестить с вами шпаги.

Д'Артаньян произнес эти слова с простотой, делавшей честь его учтивости и в то же время не дававшей повода сомневаться в его мужестве.

— Клянусь богом, сударь, — ответил Атос, — это предложение мне по душе. Не то чтобы я на него согласился, но от него за целую милю отдает благородством дворянина. Так говорили и действовали воины времен Карла Великого, примеру которых должен следовать каждый кавалер. Но мы, к сожалению, живем не во времена великого императора. Мы живем при почтенном господине кардинале, и за три дня, как бы тщательно мы ни хранили нашу тайну, говорю я, станет известно, что мы собираемся драться, и нам помешают осуществить наше намерение... Да, но эти лодыри окончательно пропали, как мне кажется!

— Если вы спешите, сударь, — произнес д'Артаньян с той же простотой, с какой минуту назад он предложил Атосу отложить дуэль на три дня, — если вы спешите и если вам угодно покончить со мной немедленно, прошу вас — не стесняйтесь.

— И эти слова также мне по душе, — сказал Атос, приветливо кивнув д'Артаньяну. — Это слова человека неглупого и, несомненно, благородного. Сударь, я очень люблю людей вашего склада и вижу: если мы не убьем друг друга, мне впоследствии будет весьма приятно беседовать с вами. Подождем моих друзей, прошу вас, мне некуда спешить, и так будет приличнее... Ах, вот один из них, кажется, идет!

Действительно, в конце улицы Вожирар в эту минуту показалась гигантская фигура Портоса.

— Как? — воскликнул д'Артаньян. — Ваш первый секундант — господин Портос?

— Да. Это вам почему-нибудь неприятно?

— Нет-нет!

— А вот и второй.

Д'Артаньян повернулся в сторону, куда указывал Атос, и узнал Арамиса.

— Как? — воскликнул он тоном, выражавшим еще большее удивление, чем в первый раз. — Ваш второй секундант — господин Арамис?

— Разумеется. Разве вам не известно, что нас никогда не видят друг без друга и что как среди мушкетеров, так и среди гвардейцев, при дворе и в городе нас называют Атос, Портос и Арамис или трое неразлучных. Впрочем, так как вы прибыли из Дакса или По...

— Из Тарба, — поправил д'Артаньян.

— ...вам позволительно не знать этих подробностей.

— Честное слово, — произнес д'Артаньян, — прозвища у вас, милостивые государи, удачные, и история со мной, если только она получит огласку, послужит доказательством, что ваша дружба основана не на различии характеров, а на сходстве их.

Портос в это время, подойдя ближе, движением руки приветствовал Атоса, затем, обернувшись, замер от удивления, как только узнал д'Артаньяна.

Упомянем вскользь, что Портос успел за это время переменить перевязь и скинуть плащ.

— Та-ак... — протянул он. — Что это значит?

— Я дерусь с этим господином, — сказал Атос, указывая на д'Артаньяна рукой и тем же движением как бы приветствуя его.

— Но и я тоже дерусь именно с ним, — заявил Портос.

— Только в час дня, — успокоительно заметил д'Артаньян.

— Но и я тоже дерусь с этим господином, — объявил Арамис, в свою очередь приблизившись к ним.

— Только в два часа, — все так же спокойно сказал д'Артаньян.

— По какому же поводу дерешься ты, Атос? — спросил Арамис.

— Право, затрудняюсь ответить, — сказал Атос. — Он больно толкнул меня в плечо. А ты, Портос?

— А я дерусь просто потому, что дерусь, — покраснев, ответил Портос.

Атос, от которого ничто не могло ускользнуть, заметил тонкую улыбку, скользнувшую по губам гасконца.

— Мы поспорили по поводу одежды, — сказал молодой человек.

— А ты, Арамис?

— Я дерусь из-за несогласия по одному богословскому вопросу, — сказал Арамис, делая знак д'Артаньяну, чтобы тот скрыл истинную причину дуэли.

Атос заметил, что по губам гасконца снова скользнула улыбка.

— Неужели? — переспросил Атос.

— Да, одно место из блаженного Августина, по поводу которого мы не сошлись во мнениях, — сказал д'Артаньян.

«Он, бесспорно, умен», — подумал Атос.

— А теперь, милостивые государи, когда все вы собрались здесь, — произнес д'Артаньян, — разрешите мне принести вам извинения.

При слове «извинения» лицо Атоса затуманилось, по губам Портоса скользнула пренебрежительная усмешка, Арамис же отрицательно покачал головой.

— Вы не поняли меня, господа, — сказал д'Артаньян, подняв голову. Луч солнца, коснувшись в эту минуту его головы, оттенил тонкие и смелые черты его лица. — Я просил у вас извинения на тот случай, если не буду иметь возможности дать удовлетворение всем троим. Ведь господин Атос имеет право первым убить меня, и это может лишить меня возможности уплатить свой долг чести вам, господин Портос; обязательство же, выданное вам, господин Арамис, превращается почти в ничто. А теперь, милостивые государи, повторяю еще раз: прошу простить меня, но только за это... Не начнем ли мы?

С этими словами молодой гасконец смело выхватил шпагу.

Кровь ударила ему в голову. В эту минуту он готов был обнажить шпагу против всех мушкетеров королевства, как обнажил ее сейчас против Атоса, Портоса и Арамиса.

Было четверть первого. Солнце стояло в зените, и место, избранное для дуэли, было залито его палящими лучами.

— Жарко, — сказал Атос, в свою очередь обнажая шпагу. — А между тем мне нельзя скинуть камзол. Я чувствую, что рана моя кровоточит, и боюсь смутить моего противника видом крови, которую не он пустил.

— Да, сударь, — ответил д'Артаньян. — Но будь эта кровь пущена мною или другими, могу вас уверить, что мне всегда будет больно видеть кровь столь храброго дворянина. Я буду драться, не снимая камзола, как и вы.

— Все это прекрасно. — воскликнул Портос, — но довольно любезностей! Не забывайте, что мы ожидаем своей очереди...

— Говорите от своего имени, Портос, когда говорите подобные нелепости, — перебил его Арамис. — Что до меня, то все сказанное этими двумя господами, на мой взгляд, прекрасно и вполне достойно двух благородных дворян.

— К вашим услугам, сударь, — проговорил Атос, становясь на свое место.

— Я ждал только вашего слова, — ответил д'Артаньян, скрестив с ним шпагу.

Но не успели зазвенеть клинки, коснувшись друг друга, как отряд гвардейцев кардинала под командой г-на де Жюссака показался из-за угла монастыря.

— Гвардейцы кардинала! — в один голос вскричали Портос и Арамис. — Шпаги в ножны, господа! Шпаги в ножны!

Но было уже поздно. Противников застали в позе, не оставлявшей сомнения в их намерениях.

— Эй! — крикнул де Жюссак, шагнув к ним и знаком приказав своим подчиненным последовать его примеру. — Эй, мушкетеры! Вы собрались здесь драться? А как же с эдиктами?

— Вы крайне любезны, господа гвардейцы, — сказал Атос с досадой, так как де Жюссак был участником нападения, имевшего место два дня назад. — Если бы мы застали вас дерущимися, могу вас уверить — мы не стали бы мешать вам. Дайте нам волю, и вы, не затрачивая труда, получите полное удовольствие.

— Милостивые государи, — сказал де Жюссак, — я вынужден, к великому сожалению, объявить вам, что это невозможно. Долг для нас — прежде всего. Вложите шпаги в ножны и следуйте за нами.

— Милостивый государь, — сказал Арамис, передразнивая де Жюссака, — мы с величайшим удовольствием согласились бы на ваше любезное предложение, если бы это зависело от нас. Но к несчастью, это невозможно: господин де Тревиль запретил нам это. Идите-ка своей дорогой — это лучшее, что вам остается сделать.

Насмешка привела де Жюссака в ярость.

— Если вы не подчинитесь, — воскликнул он, — мы вас арестуем!

— Их пятеро, — вполголоса заметил Атос, — а нас только трое. Мы снова потерпим поражение, или нам придется умереть на месте, ибо объявляю вам: побежденный, я не покажусь на глаза капитану.

Атос, Портос и Арамис в то же мгновение пододвинулись друг к другу, а де Жюссак поспешил выстроить своих солдат. Этой минуты было достаточно для д'Артаньяна: он решился. Произошло одно из тех событий, которые определяют судьбу человека. Ему предстояло выбрать между королем и кардиналом, и, раз выбрав, он должен будет держаться избранного. Вступить в бой — значило не подчиниться закону, значило рискнуть головой, значило стать врагом министра, более могущественного, чем сам король. Все это молодой человек понял в одно мгновение. И к чести его мы должны сказать: он ни на секунду не заколебался.

— Господа, — сказал он, обращаясь к Атосу и его друзьям, — разрешите мне поправить вас. Вы сказали, что вас трое, а мне кажется, что нас четверо.

— Но вы не мушкетер, — возразил Портос.

— Это правда, — согласился д'Артаньян, — на мне нет одежды мушкетера, но душой я мушкетер. Сердце мое — сердце мушкетера. Я чувствую это и действую как мушкетер.

— Отойдите, молодой человек! — крикнул де Жюссак, который по жестам и выражению лица д'Артаньяна, должно быть, угадал его намерения. — Вы можете удалиться, мы не возражаем. Спасайте свою шкуру! Торопитесь!

Д'Артаньян не двинулся с места.

— Вы в самом деле славный малый, — сказал Атос, пожимая ему руку.

— Скорей, скорей, решайтесь! — крикнул де Жюссак.

— Скорей, — заговорили Портос и Арамис, — нужно что-то предпринять.

— Этот молодой человек исполнен великодушия, — произнес Атос.

Но всех троих тревожила молодость и неопытность д'Артаньяна.

— Нас будет трое, из которых один раненый, и в придачу юноша, почти ребенок, а скажут, что нас было четверо.

— Да, но отступить!.. — воскликнул Портос.

— Это невозможно, — сказал Атос.

Д'Артаньян понял причину их нерешительности.

— Милостивые государи, — сказал он, — испытайте меня, и клянусь вам честью, что я не уйду с этого места, если мы будем побеждены!

— Как ваше имя, храбрый юноша? — спросил Атос.

— Д'Артаньян, сударь.

— Итак: Атос, Портос, Арамис, д'Артаньян! Вперед! — крикнул Атос.

— Ну как же, государи мои, — осведомился де Жюссак, — соблаговолите вы решиться наконец?

— Все решено, сударь, — ответил Атос.

— Каково же решение? — спросил де Жюссак.

— Мы будем иметь честь атаковать вас, — произнес Арамис, одной рукой приподняв шляпу, другой обнажая шпагу.

— Вот как... вы сопротивляетесь! — воскликнул де Жюссак.

— Тысяча чертей! Вас это удивляет?

И все девять сражающихся бросились друг на друга с яростью, не исключавшей, впрочем, известной обдуманности действий.

Атос бился с неким Каюзаком, любимцем кардинала, на долю Портоса выпал Бикара, тогда как Арамис очутился лицом к лицу с двумя противниками.

Что же касается д'Артаньяна, то его противником оказался сам де Жюссак.

Сердце молодого гасконца билось столь сильно, что готово было разорвать ему грудь. Видит бог, не от страха — он и тени страха не испытывал, — а от возбуждения. Он дрался, как разъяренный тигр, носясь вокруг своего противника, двадцать раз меняя тактику и местоположение. Жюссак был, по тогдашнему выражению, «мастер клинка», и притом многоопытный. Тем не менее он с величайшим трудом оборонялся против гибкого и ловкого противника, который, ежеминутно пренебрегая общепринятыми правилами, нападал одновременно со всех сторон, в то же время парируя удары, как человек, тщательно оберегающий свою кожу.

Эта борьба в конце концов вывела де Жюссака из терпения. Разъяренный тем, что ему не удается справиться с противником, которого он счел юнцом, он разгорячился и начал делать ошибку за ошибкой. Д'Артаньян, не имевший большого опыта, но зато помнивший теорию, удвоил быстроту движений. Жюссак, решив покончить с ним, сделал резкий выпад, стремясь нанести противнику страшный удар. Но д'Артаньян ловко отпарировал, и, в то время как Жюссак выпрямлялся, гасконец, словно змея, ускользнул из-под его руки и насквозь пронзил его своей шпагой. Жюссак рухнул как подкошенный.

Освободившись от своего противника, д'Артаньян быстрым и тревожным взглядом окинул поле битвы.

Арамис успел уже покончить с одним из своих противников, но второй сильно теснил его. Все же положение Арамиса было благоприятно, и он мог еще защищаться.

Бикара и Портос ловко орудовали шпагами. Портос был уже ранен в предплечье, Бикара — в бедро. Ни та, ни другая рана не угрожала жизни, и оба они с еще большим ожесточением продолжали изощряться в искусстве фехтования.

Атос, вторично раненный Каюзаком, с каждым мгновением все больше бледнел, но не отступал ни на шаг. Он только переложил шпагу в другую руку и теперь дрался левой.

Д'Артаньян, согласно законам дуэли, принятым в те времена, имел право поддержать одного из сражающихся. Остановившись в нерешительности и не зная, кому больше нужна его помощь, он вдруг уловил взгляд Атоса. Этот взгляд был мучительно красноречив. Атос скорее бы умер, чем позвал на помощь. Но взглянуть он мог и взглядом мог попросить о поддержке. Д'Артаньян понял и, рванувшись вперед, сбоку обрушился на Каюзака:

— Ко мне, господин гвардеец! Я убью вас!

Каюзак обернулся. Помощь подоспела вовремя. Атос, которого поддерживало только его неслыханное мужество, опустился на одно колено.

— Проклятие! — крикнул он. — Не убивайте его, молодой человек. Я должен еще свести с ним старый счет, когда поправлюсь и буду здоров. Обезоружьте его, выбейте шпагу... Вот так... Отлично! Отлично!

Это восклицание вырвалось у Атоса, когда он увидел, как шпага Каюзака отлетела на двадцать шагов. Д'Артаньян и Каюзак одновременно бросились за ней: один — чтобы вернуть ее себе, другой — чтобы завладеть ею. Д'Артаньян, более проворный, добежал первый и наступил ногой на лезвие.

Каюзак бросился к гвардейцу, которого убил Арамис, схватил его рапиру и собирался вернуться к д'Артаньяну, но по пути наскочил на Атоса, успевшего за эти короткие мгновения перевести дух. Опасаясь, что д'Артаньян убьет его врага, Атос желал возобновить бой.

Д'Артаньян понял, что помешать ему — значило бы обидеть Атоса. И действительно, через несколько секунд Каюзак упал: шпага Атоса вонзилась ему в горло.

В это же самое время Арамис приставил конец шпаги к груди поверженного им противника, вынудив его признать себя побежденным.

Оставались Портос и Бикара. Портос дурачился, спрашивая у Бикара, который, по его мнению, может быть час, и поздравляя его с ротой, которую получил его брат в Наваррском полку. Но все его насмешки не вели ни к чему: Бикара был один из тех железных людей, которые падают только мертвыми.

Между тем пора было кончать. Могла появиться стража и арестовать всех участников дуэли — и здоровых и раненых, роялистов и кардиналистов. Атос, Арамис и д'Артаньян окружили Бикара, предлагая ему сдаться. Один против всех, раненный в бедро, Бикара все же отказался. Но Жюссак, приподнявшись на локте, крикнул ему, чтобы он сдавался. Бикара был гасконец, как и д'Артаньян. Он остался глух и только засмеялся. Продолжая драться, он между двумя выпадами концом шпаги указал точку на земле.

— Здесь... — произнес он, пародируя слова Библии, — здесь умрет Бикара, один из всех, иже были с ним.

— Но ведь их четверо против тебя одного. Сдайся, приказываю тебе!

— Раз ты приказываешь, дело другое, — сказал Бикара. — Ты мой бригадир, и я должен повиноваться.

И, внезапно отскочив назад, он переломил пополам свою шпагу, чтобы не отдать ее противнику. Перекинув через стену монастыря обломки, он скрестил на груди руки, насвистывая какую-то кардиналистскую песенку.

Мужество всегда вызывает уважение, даже если это мужество врага. Мушкетеры отсалютовали смелому гвардейцу своими шпагами и спрятали их в ножны. Д'Артаньян последовал их примеру, а затем, с помощью Бикара, единственного из гвардейцев оставшегося на ногах, он отнес к крыльцу монастыря Жюссака, Каюзака и того из противников Арамиса, который был только ранен. Четвертый гвардеец, как мы уже говорили, был убит. Затем, позвонив в колокол у входа и унося с собой четыре шпаги из пяти, опьяненные радостью, они двинулись к дому г-на де Тревиля.

Они шли, держась под руки и занимая всю ширину улицы, заговаривая со всеми встречавшимися им мушкетерами, так что в конце концов это стало похоже на триумфальное шествие. Д'Артаньян был в упоении. Он шагал между Атосом и Портосом, с любовью обнимая их.

— Если я еще не мушкетер, — произнес он на пороге дома де Тревиля, обращаясь к своим новым друзьям, — я все же могу уже считать себя принятым в ученики, не правда ли?

VI

ЕГО ВЕЛИЧЕСТВО КОРОЛЬ ЛЮДОВИК ТРИНАДЦАТЫЙ

История эта наделала много шума. Г-н де Тревиль вслух бранил своих мушкетеров и втихомолку поздравлял их. Нельзя было, однако, терять время: следовало немедленно предупредить короля, и г-н де Тревиль поспешил в Лувр. Но было уже поздно: король сидел, запершись с кардиналом. Де Тревилю было сказано, что король занят и никого сейчас принять не может. Де Тревиль явился вечером, в час, когда король играл в карты. Король был в выигрыше, и так как его величество отличался чрезвычайной скупостью, то находился по этому случаю в прекрасном расположении духа.

— Подойдите-ка сюда, господин капитан! — закричал он, еще издали заметив де Тревиля. — Подойдите, чтобы я мог хорошенько выбранить вас. Известно ли вам, что его преосвященство явился ко мне с жалобой на ваших мушкетеров и так волновался, что после разговора даже слег в постель? Да что же это — головорезы, черти какие-то ваши мушкетеры?

— Нет, ваше величество, — ответил де Тревиль, с первых слов поняв, какой оборот примет дело. — Нет, как раз напротив: это добрейшие создания, кроткие, как агнцы, и стремящиеся, ручаюсь вам, только к одному — чтобы шпаги их покидали ножны лишь для службы вашему величеству. Но что поделаешь: гвардейцы господина кардинала всюду придираются к ним, и бедные молодые люди вынуждены защищаться, хотя бы во имя чести своего полка.

— Послушайте, господин де Тревиль! — воскликнул король. — Послушайте! Можно подумать, что речь идет о какой-то монашеской общине. В самом деле, дорогой мой капитан, у меня является желание лишить вас капитанского чина и пожаловать им мадемуазель де Шемро, которую я обещал сделать настоятельницей монастыря. Но не воображайте, что я поверю вам на слово. Меня, господин де Тревиль, называют Людовиком Справедливым, и вот мы сейчас увидим...

— Именно потому, что я полагаюсь на эту справедливость, я терпеливо и с полным спокойствием буду ждать решения вашего величества.

— Подождите, подождите, — сказал король. — Я недолго заставлю вас ждать.

Счастье в игре к этому времени начало изменять королю: он стал проигрывать и был не прочь — да простят нам такое выражение — увильнуть. Через несколько минут король поднялся и, пряча в карман деньги, лежавшие перед ним на столе и почти целиком выигранные им, сказал:

— Ла Вьевиль, займите мое место. Мне нужно поговорить с господином де Тревилем о важном деле... Ах да, тут у меня лежало восемьдесят луи — поставьте столько же, чтобы проигравшие не пострадали. Справедливость — прежде всего!

Затем он повернулся к де Тревилю.

— Итак, сударь, — заговорил он, направляясь с ним к одному из окон, — вы утверждаете, что именно гвардейцы его преосвященства затеяли ссору с вашими мушкетерами?

— Да, ваше величество, как и всегда.

— Как же все это произошло? Расскажите. Ведь вам, наверное, известно, дорогой мой капитан, что судья должен выслушать обе стороны.

— Господи боже мой! Все это произошло как нельзя более просто. Трое лучших моих солдат — имена их хорошо известны вашему величеству, имевшему не раз случай оценить их верность, а они, могу уверить ваше величество, всей душой преданы своей службе, — итак, трое моих солдат, господа Атос, Портос и Арамис, собирались на прогулку вместе с одним молодым гасконцем, которого я как раз сегодня утром поручил их вниманию. Они собирались, если не ошибаюсь, в Сен-Жермен и местом встречи назначили поляну около монастыря Дешо. Внезапно откуда-то появился господин де Жюссак в сопровождении господина Каюзака, Бикара и еще двух гвардейцев. Эти господа пришли сюда такой многочисленной компанией, по-видимому, не без намерения нарушить указы.

— Так, так, я только сейчас понял, — сказал король. — Они сами, значит, собирались здесь драться на дуэли?

— Я не обвиняю их, ваше величество, но ваше величество сами можете посудить: с какой целью пятеро вооруженных людей могут отправиться в такое уединенное место, как окрестности монастыря кармелиток?

— Вы правы, Тревиль, вы правы!

— Но, увидев моих мушкетеров, они изменили намерение, и личная вражда уступила место вражде между полками. Вашему величеству ведь известно, что мушкетеры, преданные королю, и только королю, — исконные враги гвардейцев, преданных господину кардиналу?

— Да, Тревиль, да, — с грустью произнес король. — Очень печально видеть во Франции это разделение на два лагеря. Очень печально, что у королевства две головы. Но все это кончится, Тревиль, все это кончится... Итак, вы говорите, что гвардейцы затеяли ссору с мушкетерами?

— Я говорю, что дело, вероятно, произошло именно так. Но ручаться не могу. Вы знаете, как трудно установить истину. Для этого нужно обладать той необыкновенной проницательностью, благодаря которой Людовик Тринадцатый прозван Людовиком Справедливым.

— Вы правы, Тревиль. Но мушкетеры ваши были не одни. С ними был юноша, почти ребенок.

— Да, ваше величество, и один раненый, так что трое королевских мушкетеров, из которых один был ранен, и с ними один мальчик устояли против пятерых самых прославленных гвардейцев господина кардинала и даже уложили четверых из них.

— Да ведь это победа! — воскликнул король, просияв. — Полная победа!

— Да, ваше величество, столь же полная, как у Сэ.

— Четыре человека, из которых один раненый и один почти ребенок, сказали вы?

— Едва ли его можно назвать даже молодым человеком. Но вел он себя во время этого столкновения так великолепно, что я возьму на себя смелость рекомендовать его вашему величеству.

— Как его зовут?

— Д'Артаньян, ваше величество. Это сын одного из моих самых старых друзей. Сын человека, который вместе с отцом вашего величества участвовал в войне добровольцем.

— И вы говорите, что этот юноша хорошо держался? Расскажите мне это поподробнее, Тревиль: вы ведь знаете, что я люблю рассказы о войнах и сражениях.

И король Людовик XIII, гордо откинувшись, покрутил ус.

— Ваше величество, — продолжал де Тревиль, — как я уже говорил, господин д'Артаньян — еще почти мальчик и, не имея чести состоять в мушкетерах, был одет как горожанин. Гвардейцы господина кардинала, приняв во внимание его крайнюю молодость и особенно то, что он не принадлежит к полку, предложили ему удалиться, раньше чем они произведут нападение...

— Вот видите, Тревиль, — перебил его король, — первыми напали они.

— Совершенно верно, ваше величество, сомнений в этом нет. Итак, они предложили ему удалиться, но он ответил, что он мушкетер душой, всецело предан вашему величеству и, следовательно, остается с господами мушкетерами.

— Славный юноша! — прошептал король.

— Он действительно остался с ними, и ваше величество приобрели прекрасного воина, ибо это он нанес господину

2*

де Жюссаку тот страшный удар шпагой, который приводит в такое бешенство господина кардинала.

— Это он ранил Жюссака? — воскликнул король. — Он? Мальчик? Это невозможно, Тревиль!

— Все произошло так, как я имел честь доложить вашему величеству.

— Жюссак — один из лучших фехтовальщиков во всей Франции!

— Что ж, ваше величество, он наскочил на противника, превосходящего его.

— Я хочу видеть этого юношу, Тревиль, я хочу его видеть, и если можно сделать для него что-нибудь, то мы займемся этим.

— Когда ваше величество соблаговолит принять его?

— Завтра в полдень, Тревиль.

— Привести его одного?

— Нет, приведите всех четверых вместе. Я хочу поблагодарить их всех одновременно. Преданные люди встречаются не часто, Тревиль, и преданность заслуживает награды.

— В полдень, ваше величество, мы будем в Лувре.

— С малого подъезда, Тревиль, с малого подъезда. Кардиналу незачем знать.

— Слушаюсь, ваше величество.

— Вы понимаете, Тревиль: указ — это все-таки указ. Ведь драться в конце концов запрещено.

— Но это столкновение, ваше величество, совершенно выходит за обычные рамки дуэли. Это стычка, и лучшее доказательство — то, что их было пятеро, гвардейцев кардинала, против трех моих мушкетеров и господина д'Артаньяна.

— Правильно, — сказал король. — Но все-таки, Тревиль, приходите с малого подъезда.

Тревиль улыбнулся. Он добился того, что дитя возмутилось против своего учителя, и это было уже много. Он почтительно склонился перед королем и, испросив его разрешения, удалился.

В тот же вечер все три мушкетера были уведомлены о чести, которая им будет оказана. Давно уже зная короля, они не слишком были взволнованы. Но д'Артаньян, при своем воображении гасконца, увидел в этом событии предзнаменование будущих успехов и всю ночь рисовал себе самые радужные картины. В восемь часов утра он уже был у Атоса.

Д'Артаньян застал мушкетера одетым и готовым к выходу. Так как прием у короля был назначен на полдень, Атос условился с Портосом и Арамисом отправиться в кабачок около люксембургских конюшен и поиграть там в мяч. Он пригласил д'Артаньяна пойти вместе с ними, и тот согласился, хотя и не был знаком с этой игрой. Было всего около девяти часов утра, и он не знал, куда девать время до двенадцати.

Портос и Арамис были уже на месте и перекидывались для забавы мячом. Атос, отличавшийся большой ловкостью во всех физических упражнениях, встал с д'Артаньяном по другую сторону площадки и предложил им сразиться. Но при первом же движении, хоть он и играл левой рукой, он понял, что рана его еще слишком свежа для такого упражнения. Д'Артаньян, таким образом, остался один, и так как он предупредил, что еще слишком неопытен для игры по всем правилам, то два мушкетера продолжали только перекидываться мячом, не считая очков. Один из мячей, брошенных мощной рукой Портоса, пролетая, чуть не коснулся лица д'Артаньяна, и юноша подумал, что, если бы мяч не пролетел мимо, а попал ему в лицо, аудиенция, вероятно, не могла бы состояться, так как он не был бы в состоянии явиться во дворец. А ведь от этой аудиенции, как представлялось его гасконскому воображению, зависело все его будущее. Он учтиво поклонился Портосу и Арамису и сказал, что продолжит игру, когда окажется способным помериться с ними силой. С этими словами он отошел за веревку, заняв место среди зрителей.

К несчастью для д'Артаньяна, среди зрителей находился один из гвардейцев его высокопреосвященства. Взбешенный поражением, которое всего только накануне понесли его товарищи, гвардеец этот поклялся себе отомстить за них. Случай показался ему подходящим.

— Неудивительно, — проговорил он, обращаясь к своему соседу, — что этот юноша испугался мяча. Это, наверное, ученик мушкетеров.

Д'Артаньян обернулся так круто, словно его ужалила змея, и в упор поглядел на гвардейца, который произнес эти дерзкие слова.

— В чем дело? — продолжал гвардеец, с насмешливым видом покручивая ус. — Глядите на меня сколько хотите, милейший: я сказал то, что сказал.

— А так как сказанное вами слишком ясно и не требует объяснений, — ответил д'Артаньян, — я попрошу вас следовать за мной.

— Когда именно? — спросил гвардеец все тем же насмешливым тоном.

— Сию же минуту, прошу вас.

— Вам, надеюсь, известно, кто я такой?

— Мне это совершенно неизвестно и к тому же безразлично.

— Напрасно! Возможно, что, узнав мое имя, вы не так бы спешили.

— Как же вас зовут?

— Бернажу, к вашим услугам.

— Итак, господин Бернажу, — спокойно ответил д'Артаньян, — я буду ждать вас у выхода.

— Идите, сударь. Я следую за вами.

— Не проявляйте излишней поспешности, сударь, чтобы никто не заметил, что мы вышли вместе. Для того дела, которым мы займемся, нам не нужны лишние свидетели.

— Хорошо, — согласился гвардеец, удивленный, что его имя не произвело должного впечатления.

Имя Бернажу в самом деле было известно всем, за исключением разве только одного д'Артаньяна. Ибо это было имя участника чуть ли не всех столкновений и схваток, происходивших ежедневно, невзирая на все указы короля и кардинала.

Портос и Арамис были так увлечены игрой, Атос же так внимательно наблюдал за ними, что никто из них даже и не заметил ухода молодого человека, который, как он обещал гвардейцу кардинала, остановился на пороге. Через несколько минут гвардеец последовал за ним. Д'Артаньян торопился, боясь опоздать на прием к королю, назначенный в полдень. Оглянувшись вокруг, он увидел, что улица пуста.

— Честное слово, — произнес он, обращаясь к своему противнику, — вам повезло, хоть вы и называетесь Бернажу! Вы наскочили только на ученика-мушкетера. Впрочем, не беспокойтесь: я сделаю все, что могу. Защищайтесь!

— Мне кажется... — сказал гвардеец, которому д'Артаньян бросил вызов, — мне кажется, что место выбрано неудачно. Нам было бы удобнее где-нибудь за Сен-Жерменским аббатством или на Пре-о-Клер.

— Слова ваши вполне благоразумны, — сказал д'Артаньян. — К сожалению, у меня очень мало времени. Ровно в двенадцать у меня назначено свидание. Поэтому защищайтесь, сударь, защищайтесь!

Бернажу был не таков, чтобы ему дважды нужно было повторять подобное приглашение. В тот же миг шпага блеснула в его руке, и он ринулся на противника, которого он, принимая во внимание его молодость, рассчитывал припугнуть.

Но д'Артаньян накануне уже прошел хорошую школу. Весь еще трепеща от сознания победы, гордясь ожидаемой милостью, он был полон решимости ни на шаг не отступать. Шпаги, зазвенев, скрестились. Д'Артаньян держался твердо, и противник был вынужден отступить на шаг. Воспользовавшись тем, что при этом движении шпага Бернажу несколько отклонилась, д'Артаньян, высвободив свою шпагу, бросился вперед и коснулся острием плеча противника. Д'Артаньян немедленно отступил на шаг, подняв вверх шпагу. Но Бернажу крикнул ему, что это пустяки, и, смело ринувшись вперед, сам наскочил на острие шпаги д'Артаньяна. Тем не менее, так как он не падал и не признавал себя побежденным, а только отступал в сторону особняка г-на де Ла Тремуля, где служил один из его родственников, д'Артаньян, не имея понятия, насколько опасна последняя нанесенная им противнику рана, упорно его теснил и, возможно, прикончил бы его. Однако шум, доносившийся с улицы, был услышан в помещении, где играли в мяч. Двое из друзей гвардейца, заметившие, как их друг обменялся несколькими словами с д'Артаньяном, а затем вышел вслед за ним, выхватив шпаги, выбежали из помещения и напали на победителя. Но в то же мгновение Атос, Портос и Арамис, в свою очередь, показались на пороге и, накинувшись на двух гвардейцев, атаковавших их молодого друга, заставили нападавших повернуться к ним лицом. В этот миг Бернажу упал, и гвардейцы, которых оказалось двое против четырех, подняли крик:

— На помощь, люди де Ла Тремуля.

На этот призыв из дома де Ла Тремуля высыпали все, кто там находился, и бросились на четырех мушкетеров.

Но тут и мушкетеры, в свою очередь, бросили боевой клич:

— На помощь, мушкетеры!

На этот крик всегда отзывались. Все знали, что мушкетеры — враги его высокопреосвященства, и они пользовались любовью за эту вражду к кардиналу. Поэтому гвардейцы других полков, не служившие Красному Герцогу, как прозвал его Арамис, при таких столкновениях принимали сторону королевских мушкетеров. Мимо как раз проходили трое гвардейцев из полка г-на Дезэссара, и двое из них ринулись на помощь четырем товарищам, тогда как третий помчался к дому де Тревиля, громко крича:

— На помощь, мушкетеры! На помощь!

Как и всегда, двор дома г-на де Тревиля был полон солдат его полка, которые и бросились на поддержку своим товарищам. Получилась всеобщая свалка, но перевес был на стороне мушкетеров. Гвардейцы кардинала и люди г-на де Ла Тремуля отступили во двор дома, едва успев захлопнуть за собой ворота, чтобы помешать противнику ворваться вместе с ними. Раненый Бернажу в тяжелом состоянии был уже до этого унесен в дом.

Возбуждение среди мушкетеров и их союзников дошло до предела, и уже возник вопрос, не следует ли поджечь дом в отместку за то, что люди де Ла Тремуля осмелились напасть на королевских мушкетеров. Брошенное кем-то, это предложение было принято с восторгом, но, к счастью, пробило одиннадцать часов. Д'Артаньян и его друзья вспомнили об аудиенции и, опасаясь, что такую великолепную шутку разыграют без их участия, постарались успокоить эти буйные головы. Несколько камней все же ударилось в ворота. Но ворота были крепкие. Это немного охладило толпу. Кроме того, вожаки успели отделиться от толпы и направлялись к дому де Тревиля, который ожидал их, уже осведомленный о случившемся.

— Скорее в Лувр! — сказал он. — В Лувр, не теряя ни минуты, и постараемся увидеться с королем раньше, чем его успеет предупредить кардинал. Мы представим ему это дело как продолжение вчерашнего, и оба сойдут за одно.

Господин де Тревиль в сопровождении четырех приятелей поспешил к Лувру. Но там, к великому удивлению капитана мушкетеров, ему было сообщено, что король отправился на охоту за оленем в Сен-Жерменский лес. Г-н де Тревиль заставил дважды повторить эту новость и с каждым разом все больше хмурился.

— Его величество еще вчера решил отправиться на охоту? — спросил он.

— Нет, ваше превосходительство, — ответил камердинер. — Сегодня утром главный егерь доложил ему, что ночью для него окружили оленя. Король сначала ответил, что не поедет, затем, не в силах отказаться от такого удовольствия, он все же поехал.

— Король до отъезда виделся с кардиналом? — спросил г-н де Тревиль.

— По всей вероятности, да, — ответил камердинер. — Сегодня утром я видел у подъезда запряженную карету его преосвященства. Я спросил, куда он собирается, и мне ответили: в Сен-Жермен.

— Нас опередили, — сказал де Тревиль. — Сегодня вечером, господа, я увижу короля. Что же касается вас, то я вам не советую показываться ему на глаза.

Совет был благоразумный, а главное, исходил от человека, так хорошо знавшего короля, что четыре приятеля и не пытались с ним спорить. Г-н де Тревиль предложил им разойтись по домам и ждать от него известий.

Вернувшись домой, де Тревиль подумал, что следовало поспешить и первым подать жалобу. Он послал одного из слуг к г-ну де Ла Тремулю с письмом, в котором просил его изгнать из своего дома гвардейца, состоящего на службе кардинала, и сделать выговор своим людям за то, что они осмелились напасть на мушкетеров. Г-н де Ла Тремуль, уже предупрежденный своим конюшим, родственником которого, как известно, был Бернажу, ответил, что ни г-ну де Тревилю, ни его мушкетерам не подобало жаловаться, а что, наоборот, жаловаться должен был бы он, ибо мушкетеры атаковали его слуг и собирались даже поджечь его дом. Спор между этими двумя вельможами мог затянуться надолго, и каждый из них, разумеется, стоял бы на своем, но де Тревиль придумал выход, который должен был все уяснить. Он решил лично отправиться к г-ну де Ла Тремулю.

Подъехав к дому г-на де Ла Тремуля, он приказал доложить о себе.

Вельможи учтиво раскланялись. Хотя и не связанные узами дружбы, они все же питали взаимное уважение. Оба они были люди чести и большой души. И так как де Ла Тремуль, будучи протестантом, редко бывал при дворе и поэтому не принадлежал ни к какой партии, он обычно в свои отношения к людям не вносил предубеждений. На этот раз все же де Тревиль был принят хотя и учтиво, но холоднее, чем всегда.

— Сударь, — проговорил капитан мушкетеров, — оба мы считаем себя обиженными, и я явился к вам, чтобы вместе с вами выяснить все обстоятельства этого дела.

— Пожалуйста, — ответил де Ла Тремуль, — но предупреждаю вас, что я хорошо осведомлен, и вся вина на стороне ваших мушкетеров.

— Вы, сударь, человек слишком рассудительный и справедливый, чтобы отказаться от предложения, с которым я прибыл к вам.

— Прошу вас, сударь, я слушаю.

— Как себя чувствует господин Бернажу, родственник вашего конюшего?

— Ему очень плохо, сударь. Кроме раны в предплечье, которая не представляет ничего опасного, ему нанесен был и второй удар, задевший легкое. Лекарь почти не надеется на выздоровление.

— Раненый в сознании?

— Да, в полном сознании.

— Он может говорить?

— С трудом, но говорит.

— Так вот, сударь, пойдемте к нему и именем бога, перед которым ему, может быть, суждено скоро предстать, будем заклинать его сказать правду. Пусть он станет судьей в своем собственном деле, сударь, и я поверю всему, что он скажет.

Господин де Ла Тремуль на мгновение задумался, но, решив, что трудно сделать более разумное предложение, сразу же согласился.

Оба они спустились в комнату, где лежал раненый. При виде этих знатных господ, пришедших навестить его, больной попробовал приподняться на кровати, но был так слаб, что, утомленный сделанным усилием, повалился назад, почти потеряв сознание.

Господин де Ла Тремуль подошел к нему и поднес к его лицу флакон с солью, которая и привела его в чувство. Тогда г-н де Тревиль, не желавший, чтобы его обвинили в воздействии на больного, предложил де Ла Тремулю самому расспросить раненого.

Все произошло так, как и предполагал г-н де Тревиль. Находясь между жизнью и смертью, Бернажу не мог скрыть истину. И он рассказал все так, как оно произошло на самом деле.

Только к этому и стремился де Тревиль. Он пожелал Бернажу скорейшего выздоровления, простился с де Ла Тремулем, вернулся к себе домой и немедленно же послал сказать четырем друзьям, что ожидает их к обеду.

У г-на де Тревиля собиралось самое лучшее общество — кстати сказать, сплошь противники кардинала. Понятно поэтому, что разговор в течение всего обеда вертелся вокруг двойного поражения, понесенного гвардейцами его преосвященства. И так как д'Артаньян был героем обоих сражений, то именно на него посыпались все хвалы, которые Атос, Портос и Арамис рады были уступить ему не только как добрые товарищи, но и как люди, которых превозносили настолько часто, что они на этот раз могли отказаться от своей доли.

Около шести часов де Тревиль объявил, что пора отправляться в Лувр. Но так как час, назначенный для аудиенции, миновал, он уже не испрашивал разрешения пройти с малого подъезда, а вместе с четырьмя своими спутниками занял место в приемной. Король еще не возвращался с охоты.

Наши молодые друзья ждали уже около получаса, как вдруг все двери распахнулись и было возвещено о прибытии его величества. Д'Артаньян затрепетал. Следующие минуты, по всей видимости, должны были решить всю его дальнейшую судьбу. Затаив дыхание, он впился взором в дверь, в которую должен был войти король.

Людовик XIII показался на пороге. Он опередил своих спутников. Король был в совершенно запыленном охотничьем костюме и в ботфортах. В руках он держал плеть. С первого же взгляда д'Артаньян понял, что не миновать грозы.

Как ни ясно было, что король не в духе, придворные все же выстроились вдоль его пути: в королевских приемных предпочитают попасть под гневный взгляд, чем вовсе не удостоиться взгляда. Все три мушкетера поэтому, не колеблясь, шагнули вперед, в то время как д'Артаньян, наоборот, постарался укрыться за их спинами. Но хотя король знал в лицо Атоса, Портоса и Арамиса, он прошел мимо, даже не взглянув на них, не заговорив, словно никогда их не видел. Что же касается де Тревиля, то он, когда взгляд короля остановился на нем, с такой твердостью выдержал этот взгляд, что король поневоле отвел глаза. Вслед за этим его величество, произнеся какие-то нечленораздельные звуки, проследовал в свои апартаменты.

— Дела плохи, — с улыбкой произнес Атос. — И не сегодня еще нас пожалуют в кавалеры ордена.

— Подождите здесь десять минут, — сказал г-н де Тревиль. — И если я к этому времени не вернусь, отправляйтесь ко мне домой: дальнейшее ожидание будет бесполезно.

Четверо друзей прождали десять минут, четверть часа, двадцать минут. Видя, что де Тревиль не появляется, они удалились, очень встревоженные.

Господин де Тревиль между тем смело вошел в кабинет короля и застал его величество в самом дурном расположении духа. Король сидел в кресле, похлопывая рукояткой бича по ботфортам. Де Тревиль, не смущаясь, спокойно осведомился о состоянии его здоровья.

— Плохо, сударь, я чувствую себя плохо, — ответил король. — Мне скучно.

Это действительно была одна из самых тяжелых болезней Людовика XIII. Случалось, он уводил кого-нибудь из своих приближенных к окну и говорил ему: «Скучно, сударь! Давайте поскучаем вместе».

— Как! — воскликнул де Тревиль. — Ваше величество скучаете? Разве ваше величество не наслаждались сегодня охотой?

— Удовольствие, нечего сказать! — пробурчал король. — Все вырождается, клянусь душой! Не знаю уж, дичь ли не оставляет больше следов, собаки ли потеряли чутье. Мы травим матерого оленя, шесть часов преследуем его, и, когда мы почти загнали его и Сен-Симон уже подносит к губам рог, чтобы протрубить победу, вдруг свора срывается в сторону и бросается за каким-то одногодком. Вот увидите, мне придется отказаться от травли, как я отказался от соколиной охоты. Ах, господин де Тревиль, я несчастный король! У меня оставался всего один кречет, и тот третьего дня околел...

— В самом деле, ваше величество, мне понятно ваше отчаяние: несчастье велико. Но кажется, у вас осталось довольно много соколов, ястребов и других ловчих птиц?

— И никого, кто мог бы обучить их. Сокольничие вымирают. Я один еще владею искусством соколиной охоты. После меня все будет кончено. Будут охотиться с помощью капканов, западней и силков! Если бы только мне успеть подготовить учеников... Но нет, господин кардинал не дает мне ни минуты покоя, твердит об Испании, твердит об Австрии, твердит об Англии!.. Да, кстати о кардинале: господин де Тревиль, я вами не доволен.

Де Тревиль только этого и ждал. Он давно знал короля и понял, что все его жалобы служат лишь предисловием, чем-то вроде возбуждающего средства, в котором он черпает решимость. Только теперь он заговорит о том, о чем готовился заговорить.

— В чем же я имел несчастье провиниться перед вашим величеством? — спросил де Тревиль, изображая на лице величайшее удивление.

— Так-то вы выполняете ваши обязанности, сударь? — продолжал король, избегая прямого ответа на слова де Тревиля. — Разве для того я назначил вас капитаном мушкетеров, чтобы ваши подчиненные убивали людей, чтобы они подняли на ноги целый квартал и чуть не сожгли весь Париж? И вы ни словом не заикнулись об этом! Впрочем, — продолжал король, — я, верно, напрасно сетую на вас. Виновные, вероятно, уже за решеткой, и вы явились доложить мне, что над ними учинен суд.

— Нет, ваше величество, — спокойно ответил де Тревиль, — я как раз пришел просить суда у вас.

— Над кем же? — воскликнул король.

— Над клеветниками, — сказал де Тревиль.

— Вот это новость! — воскликнул король. — Не станете ли вы отрицать, что ваши три проклятых мушкетера, эти Атос, Портос и Арамис, вместе с этим беарнским молодцом как бешеные накинулись на несчастного Бернажу и отделали его так, что он сейчас, верно, уж близок к последнему издыханию? Не станете ли вы отрицать, что они вслед за этим осадили дом герцога де Ла Тремуля и собирались поджечь его, пусть в дни войны, это было бы не так уж плохо, ибо дом этот — настоящее гнездо гугенотов, но в мирное время это могло бы послужить крайне дурным примером для других. Так вот, скажите: не собираетесь ли вы все это отрицать?

— И кто же рассказал вашему величеству эту сказку? — все так же сдержанно произнес де Тревиль.

— Кто рассказал, сударь? Кто же, как не тот, кто бодрствует, когда я сплю, кто трудится, когда я забавляюсь, кто правит всеми делами внутри страны и за ее пределами — во Франции и в Европе?

— Его величество, по всей вероятности, подразумевает господа бога, — произнес де Тревиль, — ибо в моих глазах только бог может стоять так высоко над вашим величеством.

— Нет, сударь, я имею в виду опору королевства, моего единственного слугу, единственного друга — господина кардинала.

— Господин кардинал — это еще не его святейшество.

— Что вы хотите сказать, сударь?

— Что непогрешим лишь один папа и что эта непогрешимость не распространяется на кардиналов.

— Вы хотите сказать, что он обманывает, что он предает меня? Следовательно, вы обвиняете его? Ну, скажите прямо, признайтесь, что вы обвиняете его!

— Нет, ваше величество. Но я говорю, что сам он обманут. Я говорю, что ему сообщили ложные сведения. Я говорю, что он поспешил обвинить мушкетеров вашего величества, к которым он несправедлив, и что черпал он сведения из дурных источников.

— Обвинение исходит от господина де Ла Тремуля, от самого герцога.

— Я мог бы ответить, ваше величество, что герцог слишком близко принимает к сердцу это дело, чтобы можно было положиться на его беспристрастие. Но я далек от этого, ваше величество. Я знаю герцога как благородного и честного человека и готов положиться на его слова, но только при одном условии...

— При каком условии?

— Я хотел бы, чтобы ваше величество призвали его к себе и допросили, но допросили бы сами, с глазу на глаз, без свидетелей, и чтобы я был принят вашим величеством сразу же после ухода герцога.

— Вот как! — произнес король. — И вы полностью положитесь на то, что скажет господин де Ла Тремуль?

— Да, ваше величество.

— И вы подчинитесь его суждению?

— Да.

— И согласитесь на любое удовлетворение, которого он потребует?

— Да, ваше величество.

— Ла Шене! — крикнул король. — Ла Шене!

Доверенный камердинер Людовика XIII, всегда дежуривший у дверей, вошел в комнату.

— Ла Шене, — сказал король, — пусть сию же минуту отправятся за господином де Ла Тремулем. Мне нужно сегодня же вечером поговорить с ним.

— Ваше величество даст мне слово, что между де Ла Тремулем и мной не примет никого? — спросил де Тревиль.

— Никого, — ответил король.

— В таком случае, до завтра, ваше величество.

— До завтра, сударь.

— В котором часу ваше величество прикажет?

— В каком вам угодно.

— Но я опасаюсь явиться слишком рано и разбудить ваше величество.

— Разбудить меня? Да разве я сплю? Я больше не сплю, сударь. Дремлю изредка — вот и все. Приходите так рано, как захотите, хоть в семь часов. Но берегитесь, если ваши мушкетеры виновны!

— Если мои мушкетеры виновны, то виновники будут преданы в руки вашего величества, и вы изволите поступить с ними так, как найдете нужным. Есть ли у вашего величества еще какие-либо пожелания? Я слушаю. Я готов повиноваться.

— Нет, сударь, нет. Меня не напрасно зовут Людовиком Справедливым. До завтра, сударь, до завтра.

— Бог да хранит ваше величество!

Как плохо ни спал король, г-н де Тревиль в эту ночь спал еще хуже. Он с вечера послал сказать всем трем мушкетерам и их товарищу, чтобы они были у него ровно в половине седьмого утра. Он взял их с собой во дворец, ничего не обещая им и ни за что не ручаясь, и не скрыл от них, что их судьба, как и его собственная, висит на волоске.

Войдя в малый подъезд, он велел им ждать. Если король все еще гневается на них, они могут незаметно удалиться. Если король согласится их принять, их позовут.

В личной приемной короля де Тревиль увидел Ла Шене, который сообщил ему, что вчера вечером не удалось застать герцога де Ла Тремуля дома, что, когда он вернулся, было уже слишком поздно являться во дворец и что герцог сейчас только прибыл и в эту минуту находится у короля.

Последнее обстоятельство было очень по душе г-ну де Тревилю. Теперь он мог быть уверен, что никакое чуждое влияние не успеет сказаться между уходом де Ла Тремуля и его собственной аудиенцией у короля.

Действительно, не прошло и десяти минут, как двери распахнулись и де Тревиль увидел де Ла Тремуля, выходившего из кабинета. Герцог направился прямо к нему.

— Господин де Тревиль, — сказал он, — его величество вызвал меня, чтобы узнать все подробности о случае, происшедшем возле моего дома. Я сказал ему правду, то есть признал, что виновны были мои люди и что я готов принести вам извинения. Раз я встретился с вами, разрешите мне сделать это сейчас, и прошу вас считать меня всегда в числе ваших друзей.

— Господин герцог, — произнес де Тревиль, — я так глубоко был уверен в вашей высокой честности, что не пожелал иметь другого заступника перед королем, кроме вас. Я вижу, что не обманулся, и благодарю вас за то, что во Франции остались еще такие мужи, о которых, не ошибаясь, можно сказать то, что я сказал о вас.

— Прекрасно, прекрасно! — воскликнул король, который, стоя в дверях, слышал этот разговор. — Только скажите ему, Тревиль, раз он называет себя вашим другом, что я тоже желал бы быть в числе его друзей, но он невнимателен ко мне. Вот уж скоро три года, как я не видел его, и увидел только после того, как послал за ним. Передайте ему от меня, передайте, ибо это вещи, которые король сам сказать не может.

— Благодарю, ваше величество, благодарю. Но я хотел бы заверить ваше величество — это не относится к господину де Тревилю, разумеется, — я хотел бы заверить ваше величество, что не те, кого ваше величество видит в любое время дня, наиболее преданы ему.

— Вы слышали, значит, что я сказал, герцог? Тем лучше, тем лучше! — проговорил король, сделав шаг вперед. — А, это вы, Тревиль? Где же ваши мушкетеры? Я ведь еще третьего дня просил вас привести их. Почему вы не сделали этого?

— Они внизу, ваше величество, и, с вашего разрешения, Ла Шене их позовет.

— Да, да, пусть они явятся сию же минуту. Скоро восемь, а в девять я жду кое-кого... Можете идти, герцог, и непременно бывайте при дворе... Входите, Тревиль.

Герцог поклонился и пошел к выходу. В ту минуту, когда он отворял дверь, на верхней площадке лестницы как раз показались три мушкетера и д'Артаньян. Их привел Ла Шене.

— Подойдите, храбрецы, подойдите, — произнес король. — Дайте мне побранить вас.

Мушкетеры с поклоном приблизились. Д'Артаньян следовал позади.

— Тысяча чертей! Как это вы вчетвером за два дня вывели из строя семерых гвардейцев кардинала? — продолжал Людовик XIII. — Это много, чересчур много. Если так пойдет дальше, его преосвященству через три недели придется заменить состав своей роты новым. А я буду вынужден применять указы во всей их строгости. Одного — еще куда ни шло, я не возражаю. Но семерых за два дня — повторяю, это много, слишком много.

— Поэтому-то, как ваше величество может видеть, они смущены, полны раскаяния и просят их простить.

— Смущены и полны раскаяния? Гм... — недоверчиво проговорил король. — Я не верю их хитрым рожам. Особенно вот тому, с физиономией гасконца. Подойдите-ка сюда, сударь мой!

Д'Артаньян, поняв, что эти слова относятся к нему, приблизился с самым сокрушенным видом.

— Вот как? Что же вы мне рассказывали о каком-то молодом человеке? Ведь это ребенок, совершеннейший ребенок! И это он нанес такой страшный удар Жюссаку?

— И два великолепных удара шпагой Бернажу.

— В самом деле?

— Не считая того, — вставил Атос, — что, если бы он не спас меня от рук Каюзака, я не имел бы чести в эту минуту принести мое нижайшее почтение вашему величеству.

— Значит, он настоящий демон, этот ваш молодой беарнец, тысяча чертей, как сказал бы мой покойный отец! При таких делах легко изодрать не один камзол и изломать немало шпаг. А ведь гасконцы по-прежнему бедны, не правда ли?

— Должен признать, ваше величество, — сказал де Тревиль, — что золотых россыпей в их горах пока еще не найдено, хотя богу следовало бы сотворить для них такое чудо в награду за горячую поддержку, оказанную ими вашему покойному отцу в его борьбе за престол.

— Из этого следует, что гасконцы и меня сделали королем, не правда ли, Тревиль, раз я сын моего отца? Что ж, в добрый час, это мне по душе... Ла Шене, пойдите и поройтесь у меня во всех карманах — не наберется ли сорока пистолей и, если наберется, принесите их мне сюда. А пока что, молодой человек, положа руку на сердце, расскажите мне, как все произошло.

Д'Артаньян рассказал о вчерашнем происшествии во всех подробностях: как, не в силах уснуть от радости, что увидит его величество, он явился за три часа до аудиенции к своим друзьям, как они вместе отправились в кабачок и как Бернажу, подметив, что он опасается, как бы мяч не попал ему в лицо, стал над ним насмехаться и за эти насмешки чуть не поплатился жизнью, а г-н де Ла Тремуль, бывший здесь совершенно ни при чем, чуть не поплатился своим домом.

— Так! Все именно так, как мне рассказал герцог!.. Бедный кардинал! Семь человек за два дня, да еще самых дорогих его сердцу!.. Но теперь хватит, господа, слышите? Хватит! Вы отплатили за улицу Феру, и даже с излишком. Вы можете быть удовлетворены.

— Если ваше величество удовлетворены, то удовлетворены и мы, — сказал де Тревиль.

— Да, я удовлетворен, — произнес король и, взяв из рук Ла Шене горсть золотых монет, вложил их в руку д'Артаньяну. — И вот, — добавил он, — доказательство, что я доволен.

В те времена понятия о гордости, распространенные в наши дни, не были еще в моде. Дворянин получал деньги из рук короля и нисколько не чувствовал себя униженным. Д'Артаньян поэтому без стеснения опустил полученные им сорок пистолей в карман и даже рассыпался в изъявлениях благодарности его величеству.

— Ну и отлично, — сказал король, взглянув на стенные часы, — отлично. Сейчас уже половина девятого, и вы можете удалиться. Я ведь говорил, что в девять кое-кого жду. Благодарю вас за преданность, господа. Я могу рассчитывать на нее и впредь, не правда ли?

— Ваше величество, — в один голос воскликнули четыре приятеля, — мы дали бы себя изрубить в куски за нашего короля!

— Хорошо, хорошо! Но лучше оставайтесь неизрубленными. Так будет лучше и полезнее для меня... Тревиль, — добавил король вполголоса, пока молодые люди уходили, — так как у вас нет свободной вакансии в полку, да и, кроме того, мы решили не принимать в полк без испытания, поместите этого юношу в гвардейскую роту вашего зятя, господина Дезэссара... Ах, черт возьми, я заранее радуюсь гримасе, которую состроит господин кардинал! Он будет взбешен, но мне все равно. Я действовал по справедливости.

И король приветливым жестом отпустил де Тревиля, который отправился к своим мушкетерам. Он застал их за дележом сорока пистолей, полученных д'Артаньяном.

Кардинал, как и предвидел король, действительно пришел в ярость и целую неделю не являлся вечером играть в шахматы. Это не мешало королю при встречах приветствовать его очаровательной улыбкой и нежнейшим голосом осведомляться:

— Как же, господин кардинал, поживают ваши верные телохранители, эти бедные Бернажу и Жюссак?

VII

МУШКЕТЕРЫ У СЕБЯ ДОМА

Когда, покинув Лувр, д'Артаньян спросил своих друзей, как лучше употребить свою часть сорока пистолей, Атос посоветовал ему заказать хороший обед в «Сосновой шишке», Портос — нанять слугу, а Арамис — обзавестись достойной любовницей.

Обед состоялся в тот же день, и новый слуга подавал к столу. Обед был заказан Атосом, а лакей рекомендован Портосом. То был пикардиец, которого славный мушкетер нанял в тот самый день по случаю этого самого обеда; он увидел его на мосту Ла-Турнель, где Планше — так звали слугу — плевал в воду, любуясь разбегавшимися кругами. Портос утверждал, что такое занятие свидетельствует о склонности к созерцанию и рассудительности, и, не наводя о нем дальнейших справок, увел его с собой. Важный вид дворянина, к которому, как предполагал Планше, он поступает на службу, прельстил его, и он был несколько разочарован, увидев, что место уже занято неким его собратом, по имени Мушкетон. Портос объяснил ему, что дом его, хотя и поставленный на широкую ногу, нуждается лишь в одном слуге и Планше придется поступить к д'Артаньяну. Однако, прислуживая на пиру, который давал его господин, и видя, как тот, расплачиваясь, вытащил из кармана пригоршню золотых монет, Планше решил, что счастье его обеспечено, и возблагодарил небо за то, что попал к такому крезу. Он пребывал в этой уверенности вплоть до окончания обеда, остатками от которого вознаградил себя за долгое воздержание. Но вечером, когда он постилал постель своему господину, блестящие мечты его рассеялись. Во всей квартире, состоявшей из спальни и передней, была единственная кровать. Планше улегся в передней на одеяле, взятом с кровати д'Артаньяна, которому с тех пор пришлось обходиться без него.

Атос также имел слугу, которого воспитал на особый лад. Звали его Гримо. Этот достойный господин — мы, разумеется, имеем в виду Атоса — был очень молчалив. Вот уже пять или шесть лет, как он жил в теснейшей дружбе с Портосом и Арамисом. За это время друзья не раз видели на его лице улыбку, но никогда не слышали его смеха. Слова его были кратки и выразительны, он говорил всегда то, что хотел сказать, и больше ничего: никаких прикрас, узоров и красот. Он говорил лишь о существенном, не касаясь подробностей.

Хотя Атосу было не более тридцати лет и он был прекрасен телом и душой, никто не слышал, чтобы у него была возлюбленная. Он никогда не говорил о женщинах, но никогда не мешал другим говорить на эту тему, хотя легко было заметить, что подобный разговор, в который он изредка только вставлял горькое слово или мрачное замечание, был ему крайне неприятен. Его сдержанность, нелюдимость и неразговорчивость делали его почти стариком. Поэтому, не считая нужным менять свои привычки, он приучил Гримо исполнять его требования: тот повиновался простому знаку или легкому движению губ. Разговаривал с ним Атос только при самых необычайных обстоятельствах.

Случалось, что Гримо, который как огня боялся своего господина, хотя и был горячо привязан к нему и преклонялся перед его умом, полагая, что уловил его желания, бросался исполнять их и делал как раз обратное тому, что хотел Атос. Тогда Атос пожимал плечами и без малейшего гнева колотил Гримо. В такие дни он бывал несколько разговорчивее.

Портос, как мы уже успели узнать, был прямой противоположностью Атоса: он не только много разговаривал, но разговаривал громко. Надо, впрочем, отдать ему справедливость: ему было безразлично, слушают его или нет. Он разговаривал ради собственного удовольствия — ради удовольствия слушать самого себя. Он говорил решительно обо всем, за исключением наук, ссылаясь на глубокое отвращение, которое, по его словам, ему с детства внушали ученые. Вид у него был не столь величавый, как у Атоса, и сознание превосходства Атоса в начале их знакомства нередко вызывало у Портоса раздражение. Он прилагал поэтому все усилия, чтобы превзойти его хотя бы богатством своего одеяния. Но стоило Атосу в своем простом мушкетерском плаще ступить хоть шаг, откинув назад голову, как он сразу занимал подобающее ему место, отодвигая разодетого Портоса на второй план.

Портос в утешение себе наполнял приемную г-на де Тревиля и караульное помещение Лувра громогласными рассказами о своих успехах у женщин, чего никогда не делал Атос. В самое последнее время, перейдя от жен известных судей к женам прославленных военных, от чиновниц — к баронессам,

Портос прозрачно намекал на какую-то иностранную княгиню, увлекшуюся им.

Старая пословица говорит: «Каков хозяин, таков и слуга». Перейдем поэтому от слуги Атоса к слуге Портоса, от Гримо к Мушкетону.

Мушкетон был нормандец, идиллическое имя которого, Бонифаций, его господин заменил несравненно более звучным — Мушкетон. Он поступил на службу к Портосу, поставив условием, что его будут кормить и одевать, но кормить и одевать роскошно. Кроме того, он просил предоставлять ему каждый день два свободных часа для занятия ремеслом, которое должно покрыть все остальные его потребности. Портос согласился на эти условия: они были ему как раз по душе. Он заказывал Мушкетону камзолы, которые выкраивались из старой одежды и запасных плащей самого Портоса. Благодаря ловкости одного портного, который перешивал и перелицовывал его обноски и жена которого явно стремилась отвлечь Портоса от его аристократических привычек, Мушкетон, сопровождая своего господина, имел очень представительный вид.

Что касается Арамиса, характер которого мы, кажется, достаточно хорошо описали, хотя за его развитием, как и за развитием характера его друзей, мы проследим в дальнейшем, — то лакея его звали Базен.

Ввиду того что господин его надеялся принять когда-нибудь духовный сан, слуга, как и подобает слуге духовного лица, был неизменно одет в черное. Это был берриец лет тридцати пяти — сорока, кроткий, спокойный, толстенький. Свободное время, предоставляемое ему его господином, он посвящал чтению духовных книг и умел в случае необходимости приготовить превосходный обед, состоящий всего из нескольких блюд, но зато отличных. В остальном он был нем, слеп и глух, и верность его могла выдержать любое испытание.

Теперь, познакомившись, хотя поверхностно, и с господами и с их слугами, перейдем к жилищу каждого.

Атос жил на улице Феру, в двух шагах от Люксембурга. Он занимал две небольшие комнаты, опрятно убранные, которые ему сдавала хозяйка дома, еще не старая и еще очень красивая, напрасно обращавшая на него нежные взоры. Остатки былой роскоши кое-где виднелись на стенах этого скромного обиталища, например: шпага, богато отделанная и, несомненно, принадлежавшая еще эпохе Франциска I, один эфес которой, украшенный драгоценными камнями, должен был стоить не менее двухсот пистолей. Атос, однако, даже в самые тяжелые минуты ни разу не соглашался заложить или продать ее. Эта шпага долгое время составляла предмет вожделений Портоса. Он готов был отдать десять лет жизни за право владеть ею.

Однажды, готовясь к свиданию с какой-то герцогиней, он попытался одолжить шпагу у Атоса. Атос молча вывернул все карманы, собрал все, что было у него ценного: кошельки, пряжки и золотые цепочки, и предложил их Портосу. Что же касается шпаги, сказал он, она прикована к стене и покинет ее только тогда, когда владелец ее покинет это жилище. Кроме шпаги, внимание привлекал еще портрет знатного вельможи времен Генриха III, одетого с чрезвычайным изяществом и с орденом Святого Духа на груди. Портрет имел с Атосом известное сходство, некоторые общие с ним фамильные черты, указывавшие на то, что этот знатный вельможа, кавалер королевских орденов, был его предком.

И в довершение всего этого — ларец изумительной ювелирной работы, украшенный тем же гербом, что шпага и портрет, красовался на выступе камина, своим утонченным изяществом резко отличаясь от всего окружающего. Ключ от этого ларца Атос всегда носил при себе. Но однажды он открыл его в присутствии Портоса, и Портос мог убедиться, что ларец содержит только письма и бумаги — надо полагать, любовную переписку и семейный архив.

Портос занимал большую и на вид роскошную квартиру на улице Старой Голубятни. Каждый раз, проходя с кем-нибудь из приятелей мимо своих окон, у одного из которых всегда стоял Мушкетон в парадной ливрее, Портос поднимал голову и, указывая рукой вверх, говорил: «Вот моя обитель». Но застать его дома никогда не удавалось, никогда и никого он не приглашал подняться с ним наверх, и никто не мог составить себе представление, какие действительные богатства кроются за этой роскошной внешностью.

Что касается Арамиса, то он жил в маленькой квартирке, состоявшей из гостиной, столовой и спальни. Спальня, как и все остальные комнаты, расположенная в первом этаже, выходила окном в маленький тенистый и свежий садик, густая зелень которого делала его недоступным для любопытных глаз.

Как устроился д'Артаньян, нам уже известно, и мы успели познакомиться с его слугой Планше.

Д'Артаньян был по природе своей очень любопытен, как, впрочем, и большинство людей, владеющих даром интриги. Он напрягал все свои силы, чтобы узнать, кто же на самом деле были Атос, Портос и Арамис. Ибо под этими прозвищами все они скрывали свои дворянские имена, и в частности, Атос, в котором за целую милю можно было угадать настоящего вельможу. Он обратился к Портосу, надеясь получить сведения об Атосе и Арамисе, и к Арамису, чтобы узнать, кто такой Портос.

Портос, к сожалению, о своем молчаливом товарище знал лишь то, что было известно по слухам. Говорили, что он пережил большое горе, причиной которого была любовь, и что чья-то подлая измена якобы отравила жизнь этого достойного человека. Но об обстоятельствах этой измены никто ничего не знал.

Что касается Портоса, то, за исключением его настоящего имени, которое, так же как и имена обоих его товарищей, было известно лишь одному г-ну де Тревилю, о его жизни нетрудно было все узнать. Тщеславный и болтливый, он весь был виден насквозь, как кристалл. И, лишь поверив всему тому похвальному, что он сам говорил о себе, можно было впасть в заблуждение на его счет.

Зато Арамис, хотя и могло показаться, что у него нет никаких тайн, был весь окутан таинственностью. Скупо отвечая на вопросы, касавшиеся других, он тщательно обходил все относившиеся к нему самому. Однажды, когда после долгих расспросов д'Артаньян узнал от Арамиса о тех слухах, которые гласили, будто их общий друг Портос добился победы над какой-то герцогиней, он попытался проникнуть в тайну любовных приключений своего собеседника.

— Ну а вы, любезный друг мой, — сказал он, — вы, так прекрасно рассказывающий о чужих связях с баронессами, графинями и герцогинями, а вы-то сами?..

— Простите, — прервал его Арамис. — Я говорю об этих вещах только потому, что Портос сам болтает о них, и потому, что он при мне громогласно рассказывал эти милые истории. Но поверьте мне, любезный господин д'Артаньян, что, если б они стали мне известны из другого источника или если б он поверил мне их как тайну, не могло бы быть духовника скромнее меня.

— Я не сомневаюсь в этом, — сказал д'Артаньян, — но мне все же кажется, что и вам довольно хорошо знакомы кое-какие гербы, о чем свидетельствует некий вышитый платочек, которому я обязан честью нашего знакомства.

Арамис на этот раз не рассердился, но, приняв самый скромный вид, ласково ответил:

— Не забывайте, друг мой, что я собираюсь приобщиться к церкви и потому чуждаюсь светских развлечений. Виденный вами платок не был подарен мне, а лишь оставлен у меня по забывчивости одним из моих друзей. Я вынужден был спрятать его, чтобы не скомпрометировать их — его и даму, которую он любит... Что же касается меня, то я не имею и не хочу иметь любовницы, следуя в этом отношении мудрейшему примеру Атоса, у которого, так же как у меня, нет дамы сердца.

— Но, черт возьми, вы ведь не аббат, раз вы мушкетер!

— Мушкетер только временно, дорогой мой. Как говорит кардинал — мушкетер против воли. Но в душе я служитель церкви, поверьте мне. Атос и Портос втянули меня в это дело, чтобы я хоть чем-нибудь был занят. У меня, как раз в ту пору, когда я должен был быть рукоположен, произошла небольшая неприятность с... Впрочем, это не может вас интересовать, и я отнимаю у вас драгоценное время.

— Отнюдь нет, все это меня очень интересует! — воскликнул д'Артаньян. — И мне сейчас решительно нечего делать.

— Да, но мне пора читать молитвы, — сказал Арамис, — затем мне нужно сложить стихи, о которых меня просила госпожа д'Эгильон. После этого мне придется зайти на улицу Сент-Оноре, чтобы купить румян для госпожи де Шеврез. Вы видите сами, дорогой мой, что если вам спешить некуда, то я зато очень спешу.

И Арамис приветливо протянул руку своему молодому товарищу и простился с ним.

Как ни старался д'Артаньян, ему больше ничего не удалось узнать о своих трех новых друзьях. Он решил верить в настоящем тому, что рассказывали об их прошлом, надеясь, что будущее обогатит его более подробными и более достоверными сведениями. Пока Атос представлялся ему Ахиллом, Портос — Аяксом, а Арамис — Иосифом.

В общем, молодые люди жили весело. Атос играл, и всегда несчастливо. Но он никогда не занимал у своих друзей ни одного су, хотя его кошелек всегда был раскрыт для них. И если он играл на честное слово, то на следующее же утро, уже в шесть часов, посылал будить своего кредитора, чтобы вручить ему следуемую сумму.

Портос играл изредка. В такие дни если он выигрывал, то бывал великолепен и дерзок. Если же он проигрывал, то бесследно исчезал на несколько дней, после чего появлялся с бледным и вытянутым лицом, но с деньгами в кармане.

Арамис никогда не играл. Он был самым дурным мушкетером и самым скучным гостем за столом. Всегда оказывалось, что ему нужно идти заниматься. Случалось, в самый разгар пира, когда все в пылу беседы, возбужденные вином, предполагали еще два, если не три часа просидеть за столом, Арамис, взглянув на часы, поднимался и с любезной улыбкой на устах прощался с присутствующими, торопясь, как он говорил, повидаться с назначившим ему свидание ученым богословом. В другой раз он спешил домой, чтобы потрудиться над диссертацией, и просил друзей не отвлекать его.

В таких случаях Атос улыбался своей чарующей улыбкой, которая так шла к его благородному лицу, а Портос пил и клялся, что из Арамиса в лучшем случае получится какой-нибудь деревенский священник,

Планше, слуга д'Артаньяна, с достоинством принял выпавшую на его долю удачу. Он получал тридцать су в день, целый месяц возвращался домой веселый, как птица, и был ласков и внимателен к своему господину. Когда над квартирой на улице Могильщиков начали скапливаться тучи, другими словами — когда сорок пистолей короля Людовика XIII растаяли почти без остатка, Планше стал рассыпаться в жалобах, которые Атос находил тошнотворными, Портос — неприличными, а Арамис — просто смешными. Атос посоветовал д'Артаньяну рассчитать этого проходимца; Портос предлагал предварительно выдрать его; Арамис же изрек, что господин просто не должен слышать ничего, кроме лестного, о себе.

— Всем вам легко говорить, — сказал д'Артаньян. — Вам, Атос, когда вы живете с Гримо в полном молчании, запрещая ему разговаривать, и поэтому никогда не слышите от него дурного слова; вам, Портос, когда вы ведете роскошный образ жизни и вашему Мушкетону представляетесь божеством; наконец, вам, Арамис, всегда увлеченному богословскими занятиями и тем самым уже умеющему внушить величайшее почтение вашему слуге Базену, человеку кроткому и благочестивому. Но как мне, не имея ни почвы под ногами, ни средств, не будучи ни мушкетером, ни даже гвардейцем, — как мне внушить любовь, страх или почтение моему Планше?

— Вопрос важный, — ответили трое друзей. — Это дело внутреннее, домашнее. Слуг, как и женщин, надо уметь сразу поставить на то место, на котором желаешь их видеть. Поразмыслите об этом.

Д'Артаньян, поразмыслив, решил на всякий случай избить Планше и выполнил это с той добросовестностью, какую вкладывал во все, что делал. Отодрав его как следует, он запретил Планше покидать дом и службу без его разрешения.

— Имей в виду, — добавил д'Артаньян, — что будущее не обманет меня. Придут лучшие времена, и твоя судьба будет устроена, если ты останешься со мной. А я слишком добрый господин, чтобы позволить тебе загубить свою судьбу, и не соглашусь отпустить тебя, как ты просишь.

Этот способ действий внушил мушкетерам глубокое уважение к дипломатическим способностям д'Артаньяна. Планше также исполнился восхищения и уже больше не заикался об уходе.

Молодые люди постепенно зажили общей жизнью. Д'Артаньян, не имевший никаких привычек, так как впервые приехал из провинции и окунулся в совершенно новый для него мир, усвоил привычки своих друзей.

Вставали в восемь часов зимой, в шесть часов летом и шли к г-ну де Тревилю узнать пароль и попытаться уловить, что нового носится в воздухе. Д'Артаньян, хоть и не был мушкетером, с трогательной добросовестностью исполнял службу. Он постоянно бывал в карауле, так как всегда сопровождал того из своих друзей, кто нес караульную службу. Его знали в казарме мушкетеров, и все считали его добрым товарищем. Г-н де Тревиль, оценивший его с первого взгляда и искренне к нему расположенный, неизменно расхваливал его перед королем.

Все три мушкетера тоже очень любили своего молодого товарища. Дружба, связывавшая этих четырех людей, и постоянная потребность видеться ежедневно по нескольку раз — то по поводу какого-нибудь поединка, то по делу, то ради какого-нибудь развлечения — заставляли их по целым дням гоняться друг за другом. Всегда можно было встретить этих неразлучных, рыщущих в поисках друг друга от Люксембурга до площади Сен-Сюльпис или от улицы Старой Голубятни до Люксембурга.

Обещания, данные де Тревилем, между тем постепенно осуществлялись. В один прекрасный день король приказал кавалеру Дезэссару принять д'Артаньяна кадетом в свою гвардейскую роту. Д'Артаньян со вздохом надел мундир гвардейца: он готов был бы отдать десять лет своей жизни за право обменять его на мушкетерский плащ. Но г-н де Тревиль обещал оказать ему эту милость не ранее, чем после двухлетнего испытания — срок, который, впрочем, мог быть сокращен, если бы д'Артаньяну представился случай оказать услугу королю или каким-либо другим способом особо отличиться. Получив это обещание, д'Артаньян удалился и на следующий же день приступил к несению своей службы.

Теперь наступил черед Атоса, Портоса и Арамиса ходить в караул вместе с д'Артаньяном, когда тот бывал на посту. Таким образом, рота г-на Дезэссара в тот день, когда в нее вступил д'Артаньян, приняла в свои ряды не одного, а четырех человек.

VIII

ПРИДВОРНАЯ ИНТРИГА

Тем временем сорока пистолям короля Людовика XIII, как и всему на белом свете, имеющему начало, пришел конец. И с этой поры для четырех товарищей наступили трудные дни. Вначале Атос содержал всю компанию на свои средства. Затем его сменил Портос, и благодаря одному из его исчезновений, к которым все уже привыкли, он еще недели две мог удовлетворять все их насущные потребности. Пришел наконец черед и Арамиса, которому, по его словам, удалось продажей своих богословских книг выручить несколько пистолей.

Затем, как бывало всегда, пришлось прибегнуть к помощи г-на де Тревиля, который выдал небольшой аванс в счет причитающегося им содержания. Но на эти деньги не могли долго протянуть три мушкетера, у которых накопилось немало неоплаченных долгов, и гвардеец, у которого долгов еще вовсе не было.

В конце концов, когда стало ясно, что скоро почувствуется уже недостаток в самом необходимом, они с трудом наскребли еще восемь или десять пистолей, с которыми Портос отправился играть. Но ему в этот день не везло: он спустил все и проиграл еще двадцать пять пистолей на честное слово.

И тогда стесненные обстоятельства превратились в настоящую нужду. Можно было встретить изголодавшихся мушкетеров, которые в сопровождении слуг рыскали по улицам и по кордегардиям в надежде, что кто-нибудь из друзей угостит их обедом. Ибо, по словам Арамиса, в дни процветания нужно было расшвыривать обеды направо и налево, чтобы в дни невзгод хоть изредка пожинать таковые.

Атос получал приглашения четыре раза и каждый раз приводил с собой своих друзей вместе с их слугами. Портос был приглашен шесть раз и предоставил своим друзьям воспользоваться этим. Арамис был зван восемь раз. Этот человек, как можно было уже заметить, производил мало шума, но много делал.

Что же касается д'Артаньяна, у которого еще совсем не было знакомых в столице, то ему удалось только однажды позавтракать шоколадом у священника родом из Гаскони и один раз получить приглашение на обед к гвардейскому корвету. Он привел с собой всю свою армию и к священнику, у которого они уничтожили целиком весь его двухмесячный запас, и к корнету, который проявил неслыханную щедрость. Но как говорил Планше, сколько ни съел, все равно поел только раз.

Д'Артаньян был смущен тем, что добыл только полтора обеда — завтрак у священника мог сойти разве что за полуобед — в благодарность за пиршества, предоставленные Атосом, Портосом и Арамисом. Он считал, что становится обузой для остальных, в своем юношеском простодушии забывая, что кормил всю компанию в течение месяца. Его озабоченный ум деятельно заработал. Он пришел к заключению, что союз четырех молодых, смелых, предприимчивых и решительных людей должен был ставить себе иную цель, кроме прогулок в полупьяном виде, занятий фехтованием и более или менее остроумных проделок.

И в самом деле, четверо таких людей, как они, четверо людей, готовых друг для друга пожертвовать всем — от кошелька до жизни, — всегда поддерживающих друг друга и никогда не отступающих, выполняющих вместе или порознь любое решение, принятое совместно, четыре кулака, угрожающие вместе или порознь любому врагу, неизбежно должны были, открыто или тайно, прямым или окольным путем, хитростью или силой, пробить себе дорогу к намеченной цели, как бы отдалена она ни была или как бы крепко ни была она защищена. Удивляло д'Артаньяна только то, что друзья его не додумались до этого давно.

Он размышлял об этом, и даже весьма основательно, ломая голову в поисках путей, по которым должна была быть направлена эта необыкновенная, четырежды увеличенная сила, с помощью которой — он в этом не сомневался — можно было, словно опираясь на рычаг Архимеда, перевернуть мир, — как вдруг послышался осторожный стук в дверь. Д'Артаньян разбудил Планше и приказал ему отпереть.

Пусть читатель из этих слов — «разбудил Планше» — не делает заключения, что уже наступила ночь или еще не занялся день. Ничего подобного. Только что пробило четыре часа. Два часа назад Планше пришел к своему господину с просьбой дать ему пообедать, и тот ответил ему пословицей: «Кто спит — тот обедает». И Планше заменил сном еду.

Планше ввел в комнату человека, скромно одетого, по-видимому горожанина.

Планше очень хотелось, вместо десерта, узнать, о чем будет речь, но посетитель объявил д'Артаньяну, что ему нужно поговорить о важном деле, требующем тайны.

Д'Артаньян выслал Планше и попросил посетителя сесть.

Наступило молчание. Хозяин и гость вглядывались друг в друга, словно желая предварительно составить себе друг о друге представление. Наконец д'Артаньян поклонился, показывая, что готов слушать.

— Мне говорили о господине д'Артаньяне как о мужественном молодом человеке, — произнес посетитель. — И эта слава, которая им вполне заслужена, побудила меня доверить ему мою тайну.

— Говорите, сударь, говорите, — произнес д'Артаньян, чутьем уловивший, что дело обещает некие выгоды.

Посетитель снова на мгновение умолк, а затем продолжал:

— Жена моя служит кастеляншей у королевы, сударь. Женщина она красивая и умная. Меня женили на ней вот уже года три назад. Хотя приданое у нее было и небольшое, но зато господин де Ла Порт, старший камердинер королевы, приходится ей крестным и покровительствует ей...

— Дальше, сударь, что же дальше?

— А дальше... — сказал посетитель, — дальше то, что мою жену похитили вчера утром, когда она выходила из бельевой.

— Кто же похитил вашу жену?

— Я, разумеется, ничего не могу утверждать, но у меня на подозрении один человек

— Кто же это у вас на подозрении?

— Человек, который уже давно преследует ее.

— Черт возьми!

— Но, осмелюсь сказать, сударь, мне представляется, что в этом деле замешана не так любовь, как политика.

— Не так любовь, как политика... — задумчиво повторил д'Артаньян. — Что же вы предполагаете?

— Не знаю, могу ли я сказать вам, что я предполагаю...

— Сударь, заметьте себе, что я вас ни о чем не спрашивал. Вы сами явились ко мне. Вы сами сказали, что собираетесь доверить мне тайну. Поступайте, как вам угодно. Вы еще можете удалиться, ничего не открыв мне.

— Нет, сударь, нет! Вы кажетесь мне честным молодым человеком, и я доверюсь вам. Я думаю, что причина тут — не собственные любовные дела моей жены, а любовные дела одной дамы, много выше ее стоящей.

— Так! Не любовные ли дела госпожи де Буа-Траси? — воскликнул д'Артаньян, желавший показать, будто он хорошо осведомлен о придворной жизни.

— Выше, сударь, много выше!

— Госпожи д'Эгильон?

— Еще выше.

— Госпожи де Шеврез?

— Выше, много выше.

— Но ведь не...

— Да, сударь, именно так, — чуть слышно в страхе прошептал посетитель.

— С кем?

— С кем же, как не с герцогом...

— С герцогом?..

— Да, сударь, — еще менее внятно пролепетал гость.

— Но откуда вам все это известно?

— Ах... Откуда известно?..

— Да, откуда? Полное доверие, или... вы сами понимаете...

— Я знаю об этом, сударь, от моей собственной жены.

— А она сама откуда знает?

— От господина де Ла Порта. Не говорил я вам разве, что она крестница господина де Ла Порта, доверенного лица королевы? Так вот, господин де Ла Порт поместил мою жену у ее величества, чтобы наша бедная королева имела подле себя хоть кого-нибудь, кому она могла бы довериться, эта бедняжка, которую покинул король, преследует кардинал и предают все.

— Так, так, положение становится яснее.

— Жена моя, сударь, четыре дня назад приходила ко мне — одним из условий ее службы было разрешение навещать меня два раза в неделю. Как я имел уже честь разъяснить вам, жена моя очень любит меня, и вот она пришла ко мне и под секретом рассказала, что королева сейчас в большой тревоге.

— В самом деле?

— Да. Господин кардинал, по словам моей жены, преследует и притесняет королеву больше чем когда-либо. Он не может ей простить историю с сарабандой. Вам ведь известна история с сарабандой?

— Еще бы! Мне ли не знать ее! — ответил д'Артаньян, не знавший ничего, но желавший показать, что ему все известно.

— Так что сейчас это уже не ненависть — это месть!

— Неужели?

— И королева предполагает...

— Что же предполагает королева?

— Она предполагает, что герцогу Бекингэму отправлено письмо от ее имени.

— От имени королевы?

— Да, чтобы вызвать его в Париж, а когда он прибудет, заманить его в какую-нибудь ловушку.

— Черт возьми!.. Но ваша жена, сударь мой, какое отношение ваша жена имеет ко всему этому?

— Всем известна ее преданность королеве. Ее либо желают убрать подальше от ее госпожи, либо запугать и выведать тайны ее величества, либо соблазнить деньгами, чтобы сделать из нее шпионку.

— Возможно, — сказал д'Артаньян. — Но человек, похитивший ее, вам известен?

— Я уже говорил вам: мне кажется, что я его знаю.

— Его имя?

— Имени я не знаю. Мне известно только, что это любимчик кардинала, преданный ему, как пес.

— Но вам когда-нибудь приходилось его видеть?

— Да, жена мне однажды показывала его.

— Нет ли у него каких-нибудь примет, по которым его можно было бы узнать?

— О, конечно! Это господин важного вида, черноволосый, смуглый, с пронзительным взглядом и белыми зубами. И на виске у него шрам.

— Шрам на виске! — воскликнул д'Артаньян. — И к тому же белые зубы, этот взгляд, сам смуглый, черноволосый, важного вида. Это он, незнакомец из Менга!

— Незнакомец из Менга, сказали вы?

— Да-да! Но это не имеет отношения к делу. То есть я ошибся: это очень его упрощает. Если ваш враг в то же время и мой, я отомщу за нас обоих, вот в все. Но где мне найти этого человека?

— Этого я не знаю.

— У вас нет никаких сведений, где он живет?

— Никаких. Однажды, когда я провожал жену обратно в Лувр, он вышел оттуда в ту самую минуту, когда она входила, и она мне указала на него.

— Дьявол! Дьявол! — пробормотал д'Артаньян. — Все это очень неопределенно. Кто дал вам знать о похищении вашей жены?

— Господин де Ла Порт.

— Сообщил он вам какие-нибудь подробности?

— Они ему не были известны.

— И вы ничего не узнали из других источников?

— Кое-что узнал. Я получил...

— Что получили?

— Не знаю... Может быть, это будет очень неосторожно с моей стороны...

— Вы снова возвращаетесь к тому же самому. Но теперь, должен вам заметить, поздновато отступать.

— Да я не отступаю, тысяча чертей! — воскликнул гость, пытаясь с помощью проклятий вернуть себе мужество. — Клянусь вам честью Бонасье...

— Ваше имя Бонасье?

— Да, это моя фамилия.

— Итак, вы сказали: «Клянусь честью Бонасье»... Простите, что я перебил вас. Но мне показалось, что я уже где-то слыхал ваше имя.

— Возможно, сударь. Я хозяин этого дома.

— Ах, вот как! — проговорил д'Артаньян, слегка приподнявшись и кланяясь. — Вы хозяин этого дома?

— Да, сударь, да. И так как вы проживаете в моем доме уже три месяца и, должно быть, за множеством важных дел забывали уплачивать за квартиру, я же ни разу не побеспокоил вас, то мне и показалось, что вы примете во внимание мою учтивость...

— Ну как же, как же, господин Бонасье! — сказал д'Артаньян. — Поверьте, что я преисполнен благодарности за такое обхождение и сочту своим долгом, если я хоть чем-нибудь могу быть вам полезен.

— Я верю вам, верю вам, сударь! Я так и собирался сказать вам. Клянусь честью Бонасье, я вполне доверяю вам!

— В таком случае продолжайте и доскажите все до конца.

Посетитель вынул из кармана листок бумаги и протянул его д'Артаньяну.

— Письмо! — воскликнул молодой человек.

— Полученное сегодня утром.

Д'Артаньян раскрыл его и, так как начинало смеркаться, подошел к окну. Гость последовал за ним.

«Не ищите вашу жену, — прочел д'Артаньян. — Вам вернут ее, когда минет в ней надобность. Если вы предпримете какие-либо поиски — вы погибли».

— Вот это по крайней мере ясно, — сказал д'Артаньян. — Но в конце концов это всего лишь угроза.

— Да, но эта угроза приводит меня в ужас. Я ведь, сударь, человек не военный и боюсь Бастилии.

— Гм... Да и я люблю Бастилию не более вашего. Если б речь шла о том, чтобы пустить в ход шпагу, — дело другое.

— А я-то, сударь, так рассчитывал на вас в этом деле!

— Неужели?

— Видя вас всегда в кругу таких великолепных мушкетеров и зная, что это мушкетеры господина де Тревиля — следовательно, враги господина кардинала, я подумал, что вы и ваши друзья, становясь на защиту нашей бедной королевы, будете в то же время рады сыграть злую шутку с его преосвященством.

— Разумеется.

— И затем я подумал, что раз вы должны мне за три месяца за квартиру и я никогда не напоминал вам об этом...

— Да-да, вы уже приводили этот довод, и я нахожу его убедительным.

— Рассчитываю не напоминать вам о плате за квартиру и впредь, сколько бы времени вы ни оказали мне чести прожить в моем доме...

— Прекрасно!

— ...я намерен, кроме того, предложить вам пистолей пятьдесят, если, вопреки вероятности, вы сейчас сколько-нибудь стеснены в деньгах...

— Чудесно! Но значит, вы богаты, господин Бонасье?

— Я человек обеспеченный, правильнее сказать. Торгуя галантереей, я скопил капиталец, приносящий в год тысячи две-три экю. Кроме того, я вложил некую сумму в последнюю поездку знаменитого мореплавателя Жана Моке. Так что, вы сами понимаете, сударь... Но что это? — неожиданно вскрикнул г-н Бонасье.

— Что? — спросил д'Артаньян.

— Там, там...

— Где?

— На улице, против ваших окон, в подъезде! Человек, закутанный в плащ!

— Это он! — в одно и то же время вскрикнули д'Артаньян и Бонасье, узнав каждый своего врага.

— А, на этот раз... — воскликнул д'Артаньян, — на этот раз он от меня не уйдет!

И, выхватив шпагу, он выбежал из комнаты.

На лестнице он столкнулся с Атосом и Портосом, которые шли к нему. Они расступились, и д'Артаньян пролетел между ними как стрела.

— Куда бежишь? — крикнули ему вслед мушкетеры.

— Незнакомец из Менга? — крикнул в ответ д'Артаньян и скрылся.

Д'Артаньян неоднократно рассказывал друзьям о своей встрече с незнакомцем, а также о появлении прекрасной путешественницы, которой этот человек решился доверить какое-то важное послание.

Атос считал, что д'Артаньян отцовское письмо потерял в суматохе. Дворянин, по его мнению, — а по описанию д'Артаньяна он пришел к выводу, что неизвестный, без сомнения, был дворянином, — дворянин не мог быть способен на такую низость, как похищение письма.

Портос склонен был видеть во всей истории просто любовное свидание, назначенное дамой кавалеру или кавалером даме, свидание, которому помешали своим присутствием д'Артаньян и его желтая лошадь.

Арамис же сказал, что история эта окутана какой-то тайной и лучше не пытаться разгадывать такие вещи.

Поэтому из слов, вырвавшихся у д'Артаньяна, они сразу же поняли, о ком идет речь. Считая, что д'Артаньян, догнав незнакомца или потеряв его из виду, в конце концов вернется домой, они продолжали подниматься по лестнице.

Комната д'Артаньяна, когда они вошли в нее, была пуста: домовладелец, опасаясь последствий столкновения, которое должно было произойти между его жильцом и незнакомцем, и основываясь на тех чертах характера д'Артаньяна, о которых сам он упоминал, решил, что благоразумнее будет удрать.

IX

ХАРАКТЕР Д'АРТАНЬЯНА ВЫРИСОВЫВАЕТСЯ

Спустя полчаса, как и предвидели Атос и Портос, д'Артаньян вернулся домой. И на этот раз он снова упустил незнакомца, скрывшегося словно по волшебству. Д'Артаньян со шпагой в руке обегал все ближайшие улицы, но не нашел никого, кто напоминал бы человека, которого он искал. В конце концов он пришел к тому, с чего ему, возможно, следовало начать: он постучал в дверь, к которой прислонялся незнакомец. Но напрасно он десять — двенадцать раз подряд ударял молотком в дверь — никто не отзывался. Соседи, привлеченные шумом и появившиеся на пороге своих домов или выглянувшие в окна, уверяли, что здание это, все двери которого плотно закрыты, вот уже шесть месяцев стоит никем не обитаемое.

Пока д'Артаньян бегал по улицам и колотил в двери, Арамис успел присоединиться к обоим своим товарищам, так что д'Артаньян, вернувшись, застал всю компанию в полном сборе.

— Ну что же? — спросили все три мушкетера в один голос, взглянув на д'Артаньяна, который вошел весь в поту, с лицом, искаженным гневом.

— Ну что же! — воскликнул юноша, швыряя шляпу на кровать. — Этот человек, должно быть, сущий дьявол. Он исчез, как тень, как призрак, как привидение!

— Вы верите в привидения? — спросил Атос Портоса.

— Я верю только тому, что видел, и так как я никогда не видел привидений, то не верю в них, — ответил Портос.

— Библия, — произнес Арамис, — велит нам верить в них: тень Самуила являлась Саулу, и это догмат веры, который я считаю невозможным брать под сомнение.

— Как бы там ни было, человек он или дьявол, телесное создание или тень, иллюзия или действительность, но человек этот рожден мне на погибель. Бегство его заставило меня упустить дело, на котором можно было заработать сотню пистолей, а то и больше.

— Каким образом? — в один голос воскликнули Портос и Арамис.

Атос, как всегда избегая лишних слов, только вопросительно взглянул на д'Артаньяна.

— Планше, — сказал д'Артаньян, обращаясь к своему слуге, который, приоткрыв дверь, просунул в щель голову, надеясь уловить хоть отрывки разговора, — спуститесь вниз к владельцу этого дома, господину Бонасье, и попросите прислать нам полдюжины бутылок вина Божанси. Я предпочитаю его всем другим.

— Вот так штука! — воскликнул Портос. — Вы пользуетесь, по-видимому, неограниченным кредитом у вашего хозяина?

— Да, — ответил д'Артаньян. — С нынешнего дня. И будьте спокойны: если вино его окажется скверным, мы пошлем к нему за другим.

— Нужно потреблять, но не злоупотреблять, — поучительным тоном заметил Арамис.

— Я всегда говорил, что д'Артаньян самый умный из нас четверых, — сказал Атос и, произнеся эти слова, на которые д'Артаньян ответил поклоном, погрузился в обычное для него молчание.

— Но все-таки что произошло? — спросил Портос.

— Да, посвятите нас в эту тайну, дорогой друг, — подхватил Арамис. — Если только в эту историю не замешана честь дамы: тогда вам лучше сохранить вашу тайну при себе.

— Будьте спокойны, — сказал д'Артаньян, — ничья честь не пострадает от того, что я должен сообщить.

И затем он во всех подробностях передал друзьям свой разговор с хозяином дома, добавив, что похититель жены этого достойного горожанина оказался тем самым незнакомцем, с которым у него произошло столкновение в гостинице «Вольный мельник».

— Дело неплохое, — сказал Атос, с видом знатока отхлебнув вина и кивком головы подтвердив, что вино хорошее. — У этого доброго человека можно будет вытянуть пятьдесят — шестьдесят пистолей. Остается только рассудить, стоит ли из-за шестидесяти пистолей рисковать четырьмя головами.

— Не забывайте, — воскликнул д'Артаньян, — что здесь речь идет о женщине, о женщине, которую похитили, которая, несомненно, подвергается угрозам... возможно, пыткам, и все это только потому, что она верна своей повелительнице!

— Осторожней, д'Артаньян, осторожней! — сказал Арамис. — Вы чересчур близко, по-моему, принимаете к сердцу судьбу госпожи Бонасье. Женщина сотворена нам на погибель, и она источник всех наших бед.

Атос при этих словах Арамиса закусил губу и нахмурился.

— Я тревожусь не о госпоже Бонасье, — воскликнул д'Артаньян, — а о королеве, которую покинул король, преследует кардинал и которая видит, как падают одна за другой головы всех ее приверженцев!

— Почему она любит тех, кого мы ненавидим всего сильней, — испанцев и англичан?

— Испания — ее родина, — отвечал д'Артаньян, — и вполне естественно, что она любит испанцев, детей ее родной земли. Что же касается вашего второго упрека, то она, как мне говорили, любит не англичан, а одного англичанина.

— Должен признаться, — заметил Атос, — что англичанин этот достоин любви. Никогда не встречал я человека с более благородной внешностью.

— Не говоря уже о том, — добавил Портос, — что одевается он бесподобно. Я был в Лувре, когда он рассыпал свои жемчуга, и, клянусь богом, подобрал две жемчужины, которые продал затем по двести пистолей за штуку. А ты, Арамис, знаешь его?

— Так же хорошо, как и вы, господа. Я был одним из тех, кто задержал его в амьенском саду, куда меня провел господин де Пютанж, конюший королевы. В те годы я был еще в семинарии. История эта, как мне казалось, была оскорбительна для короля.

— И все-таки, — сказал д'Артаньян, — если б я знал, где находится герцог Бекингэм, я готов был бы за руку привести его к королеве, хотя бы лишь назло кардиналу! Ведь наш самый жестокий враг — это кардинал, и, если б нам представился случай сыграть с ним какую-нибудь злую шутку, я был бы готов рискнуть даже головой.

— И галантерейщик, — спросил Атос, — дал вам понять, д'Артаньян, будто королева опасается, что Бекингэма сюда вызвали подложным письмом?

— Она этого боится.

— Погодите... — сказал Арамис.

— В чем дело? — спросил Портос.

— Ничего, продолжайте. Я стараюсь вспомнить кое-какие обстоятельства.

— И сейчас я убежден... — продолжал д'Артаньян, — я убежден, что похищение этой женщины связано с событиями, о которых мы говорили, а возможно, и с прибытием герцога Бекингэма в Париж.

— Этот гасконец необычайно сообразителен! — с восхищением воскликнул Портос.

— Я очень люблю его слушать, — сказал Атос. — Меня забавляет его произношение.

— Послушайте, милостивые государи! — заговорил Арамис.

— Послушаем Арамиса! — воскликнули друзья.

— Вчера я находился в пустынном квартале у одного ученого богослова, с которым я изредка советуюсь, когда того требуют мои ученые труды...

Атос улыбнулся.

— Он живет в отдаленном квартале, — продолжал Арамис, — в соответствии со своими наклонностями и родом занятий. И вот в тот миг, когда я выходил от него...

Тут Арамис остановился.

— Ну и что же? В тот миг, когда вы выходили...

Арамис словно сделал усилие, как человек, который, завравшись, натыкается на какое-то неожиданное препятствие. Но глаза слушателей впились в него, все напряженно ждали продолжения рассказа, и отступать было поздно.

— У этого богослова есть племянница... — продолжал Арамис.

— Вот как! У него есть племянница! — перебил его Портос.

— Весьма почтенная дама, — пояснил Арамис.

Трое друзей рассмеялись.

— Если вы смеетесь и сомневаетесь в моих словах, — сказал Арамис, — вы больше ничего не узнаете.

— Мы верим, как магометане, и немы, как катафалки, — сказал Атос.

— Итак, я продолжаю, — снова заговорил Арамис. — Эта племянница изредка навещает своего дядю. Вчера она случайно оказалась там в одно время со мной, и мне пришлось проводить ее до кареты...

— Ах вот как! У нее есть карета, у племянницы богослова? — снова перебил Портос, главным недостатком которого было неумение держать язык за зубами. — Прелестное знакомство, друг мой.

— Портос, — сказал Арамис, — я уже однажды заметил вам: вы недостаточно скромны, и это вредит вам в глазах женщин.

— Господа, господа, — воскликнул д'Артаньян, догадывавшийся о подоплеке всей истории, — дело серьезное! Постараемся не шутить, если это возможно. Продолжайте, Арамис, продолжайте!

— Внезапно какой-то человек высокого роста, черноволосый, с манерами дворянина, напоминающий вашего незнакомца, д'Артаньян...

— Может быть, это он самый, — заметил д'Артаньян.

— ...в сопровождении пяти или шести человек, следовавших за ним в десятке шагов, подошел ко мне и произнес: «Господин герцог», а затем продолжал: «И вы, сударыня», уже обращаясь к даме, которая опиралась на мою руку...

— К племяннице богослова?

— Да замолчите же, Портос! — крикнул на него Атос. — Вы невыносимы.

— «Благоволите сесть в карету и не пытайтесь оказать сопротивление или поднять малейший шум» — так сказал этот человек.

— Он принял вас за Бекингэма! — воскликнул д'Артаньян.

— Я так полагаю, — ответил Арамис.

— А даму? — спросил Портос.

— Он принял ее за королеву! — сказал д'Артаньян.

— Совершенно верно, — подтвердил Арамис.

— Этот гасконец — сущий дьявол! — воскликнул Атос. Ничто не ускользнет от него.

— В самом деле, — сказал Портос, — ростом и походкой Арамис напоминает красавца герцога. Но мне кажется, что одежда мушкетера...

— На мне был длинный плащ, — сказал Арамис.

— В июле месяце! — воскликнул Портос. — Неужели твой ученый опасается, что ты будешь узнан?

— Я допускаю, — сказал Атос, — что шпиона могла обмануть фигура, но лицо...

— На мне была широкополая шляпа, — объяснил Арамис.

— О боже, — воскликнул Портос, — сколько предосторожностей ради изучения богословия!..

— Господа! Господа! — прервал их д'Артаньян. — Не будем тратить время на шутки. Разойдемся в разные стороны и примемся за поиски жены галантерейщика — тут кроется разгадка всей интриги.

— Женщина такого низкого звания! Неужели вы так полагаете, д'Артаньян? — спросил Портос, презрительно выпятив нижнюю губу.

— Она крестница де Ла Порта, доверенного камердинера королевы. Разве я не говорил вам этого, господа? И кроме того, возможно, что в расчеты ее величества и входило на этот раз искать поддержки столь низко. Головы высоких людей видны издалека, у кардинала хорошее зрение.

— Что же, — сказал Портос, — сговаривайтесь с галантерейщиком, и за хорошую цену.

— Этого не нужно, — сказал д'Артаньян. — Мне кажется, что, если не заплатит он, нам хорошо заплатят другие...

В эту минуту послышались торопливые шаги на лестнице, дверь с шумом распахнулась, и несчастный галантерейщик ворвался в комнату, где совещались друзья.

— Господа! — возопил он. — Ради всего святого, спасите меня! Внизу четверо солдат, они пришли арестовать меня. Спасите меня! Спасите!

Портос и Арамис поднялись со своих мест.

— Минутку! — воскликнул д'Артаньян, сделав им знак вложить обратно в ножны полуобнаженные шпаги. — Здесь не храбрость нужна, а осторожность.

— Не можем же мы допустить... — возразил Портос.

— Предоставьте д'Артаньяну действовать по-своему, — сказал Атос. — Повторяю вам: он умнее нас всех. Я по крайней мере объявляю, что подчиняюсь ему... Поступай как хочешь, д'Артаньян.

В эту минуту четверо солдат появились в дверях передней. Но, увидев четырех мушкетеров при шпагах, они остановились, не решаясь двинуться дальше.

— Входите, господа, входите! — крикнул им д'Артаньян. — Вы здесь у меня, а все мы верные слуги короля и господина кардинала.

— В таком случае, милостивые государи, вы не воспрепятствуете нам выполнить полученные приказания? — спросил один из них — по-видимому, начальник отряда.

— Напротив, господа, мы даже готовы помочь вам, если окажется необходимость.

— Да что же он такое говорит? — пробормотал Портос.

— Ты глупец, — шепнул Атос, — молчи!

— Но вы же мне обещали... — чуть слышно пролепетал несчастный галантерейщик.

— Мы можем спасти вас, только оставаясь на свободе, — быстро шепнул ему д'Артаньян. — А если мы попытаемся заступиться за вас, нас арестуют вместе с вами.

— Но мне кажется...

— Пожалуйте, господа, пожалуйте! — громко произнес д'Артаньян. — У меня нет никаких оснований защищать этого человека. Я видел его сегодня впервые, да еще при каких обстоятельствах... он сам вам расскажет: он пришел требовать с меня за квартиру!.. Правду я говорю, господин Бонасье? Отвечайте.

— Чистейшая правда, — пролепетал галантерейщик. — Но господин мушкетер не сказал...

— Ни слова обо мне, ни слова о моих друзьях и особенно ни слова о королеве, или вы погубите всех! — прошептал д'Артаньян. — Действуйте, господа, действуйте! Забирайте этого человека.

И д'Артаньян толкнул совершенно растерявшегося галантерейщика в руки стражников.

— Вы невежа, дорогой мой. Приходите требовать денег... это у меня-то, у мушкетера!.. В тюрьму! Повторяю вам, господа: забирайте его в тюрьму и держите под замком как можно дольше, пока я успею собрать деньги на платеж.

Полицейские рассыпались в словах благодарности и увели свою жертву.

Они уже начали спускаться с лестницы, когда д'Артаньян вдруг хлопнул начальника по плечу.

— Не выпить ли мне за ваше здоровье, а вам за мое? — предложил он, наполняя два бокала божансийским вином, полученным от г-на Бонасье.

— Слишком много чести для меня, — пробормотал начальник стражников. — Очень благодарен.

— Итак, за ваше здоровье, господин... как ваше имя?

— Буаренар.

— Господин Буаренар!

— За ваше, милостивый государь! Как ваше уважаемое имя, разрешите теперь спросить?

— Д'Артаньян.

— За ваше здоровье, господин д'Артаньян!

— А главное — вот за чье здоровье! — крикнул д'Артаньян словно в порыве восторга. — За здоровье короля и за здоровье кардинала!

Будь вино плохое, начальник стражи, быть может, усомнился бы в искренности д'Артаньяна, но вино было хорошее, и он поверил.

— Что за гадость вы тут сделали? — сказал Портос, когда глава альгвазилов удалился вслед за своими подчиненными и четыре друга остались одни. — Как не стыдно! Четверо мушкетеров позволяют арестовать несчастного, прибегшего к их помощи! Дворянин пьет с сыщиком!

— Портос, — заметил Арамис, — Атос уже сказал тебе, что ты глупец, и мне приходится с ним согласиться... Д'Артаньян, ты великий человек, и, когда ты займешь место господина де Тревиля, я буду просить тебя оказать покровительство и помочь мне стать настоятелем монастыря.

— Ничего не понимаю! — воскликнул Портос. — Вы одобряете поступок д'Артаньяна?

— Еще бы, черт возьми! — сказал Арамис. — Не только одобряю то, что он сделал, но даже поздравляю его.

— А теперь, господа, — произнес д'Артаньян, не пытаясь даже объяснить Портосу свое поведение, — один за всех, и все за одного — это отныне наш девиз, не так ли?

— Но... — начал было Портос.

— Протяни руку и клянись! — в один голос воскликнули Арамис и Атос.

Сраженный их примером, все же бормоча что-то про себя, Портос протянул руку, и все четверо хором произнесли слова, подсказанные им д'Артаньяном:

— Все за одного, один за всех!

— Отлично. Теперь пусть каждый отправляется к себе домой, — сказал д'Артаньян, словно бы он всю жизнь только и делал, что командовал. — И будьте осторожны, ибо с этой минуты мы вступили в борьбу с кардиналом.

X

МЫШЕЛОВКА В СЕМНАДЦАТОМ ВЕКЕ

Мышеловка отнюдь не изобретение наших дней. Как только общество изобрело полицию, полиция изобрела мышеловку.

Принимая во внимание, что читатели наши не привыкли еще к особому языку парижской полиции и что мы впервые за пятнадцать с лишним лет нашей сочинительской работы употребляем такое выражение применительно к этой штуке, постараемся объяснить, о чем идет речь.

Когда в каком-нибудь доме, все равно в каком, арестуют человека, подозреваемого в преступлении, арест этот держится в тайне. В первой комнате квартиры устраивают засаду из четырех или пяти полицейских, дверь открывают всем, кто бы ни постучал, захлопывают ее за ними и арестовывают пришедшего. Таким образом, не проходит и двух-трех дней, как все постоянные посетители этого дома оказываются под замком.

Вот что такое мышеловка.

В квартире г-на Бонасье устроили именно такую мышеловку, и всех, кто туда показывался, задерживали и допрашивали люди г-на кардинала. Так как в помещение, занимаемое д'Артаньяном во втором этаже, вел особый ход, то его гости никаким неприятностям не подвергались.

Приходили к нему, впрочем, только его три друга. Все трое занимались розысками, каждый по-своему, но пока еще ничего не нашли, ничего не обнаружили. Атос решился даже задать несколько вопросов г-ну де Тревилю, что, принимая во внимание обычную неразговорчивость славного мушкетера, крайне удивило капитана. Но де Тревиль ничего не знал, кроме того, что в тот день, когда он в последний раз видел кардинала, короля и королеву, кардинал казался озабоченным, король как будто был чем-то обеспокоен, а покрасневшие глаза королевы говорили о том, что она либо не спала ночь, либо плакала. Последнее обстоятельство его не поразило: королева со времени своего замужества часто не спала по ночам и много плакала.

Господин де Тревиль на всякий случай все же напомнил Атосу, что он должен преданно служить королю и особенно королеве, и просил передать это пожелание и его друзьям.

Что же касается д'Артаньяна, то он засел у себя дома. Свою комнату он превратил в наблюдательный пункт. В окно он видел всех, кто приходил и попадался в западню. Затем, разобрав паркет, так что от нижнего помещения, где происходил допрос, его отделял один только потолок, он получил возможность слышать все, что говорилось между сыщиками и обвиняемым. Допросы, перед началом которых задержанных тщательно обыскивали, сводились почти неизменно к следующему:

«Не поручала ли вам госпожа Бонасье передать что-нибудь ее мужу или другому лицу?»

«Не поручал ли вам господин Бонасье передать что-нибудь его жене или другому лицу?»

«Не поверяли ли они вам устно каких-нибудь тайн?»

«Если бы им что-нибудь было известно, — подумал д'Артаньян, — они не спрашивали бы о таких вещах. Теперь вопрос: что, собственно, они стремятся узнать? Очевидно, находится ли Бекингэм в Париже и не было ли у него или не предстоит ли ему свидание с королевой».

Д'Артаньян остановился на этом предположении, которое, судя по всему, не было лишено вероятности.

А пока мышеловка действовала непрерывно, и внимание д'Артаньяна не ослабевало.

Вечером, на другой день после ареста несчастного Бонасье, после ухода Атоса, который отправился к г-ну де Тревилю, едва часы пробили девять и Планше, еще не постеливший на ночь постель, собирался приняться за это дело, кто-то постучался с улицы во входную дверь. Дверь сразу же отворилась, затем захлопнулась: кто-то попал в мышеловку.

Д'Артаньян бросился к месту, где был разобран пол, лег навзничь и весь превратился в слух.

Вскоре раздались крики, затем стоны, которые, по-видимому, пытались заглушить. Допроса не было и в помине.

«Дьявол! — подумал д'Артаньян. — Мне кажется, что это женщина: ее обыскивают, она сопротивляется... Они применяют силу... Негодяи!..»

Д'Артаньяну приходилось напрягать всю свою волю, чтобы не вмешаться в происходившее там, внизу.

— Но я же говорю вам, господа, что я хозяйка этого дома, я же говорю вам, что я госпожа Бонасье, что я служу королеве! — кричала несчастная женщина.

— Госпожа Бонасье! — прошептал д'Артаньян. — Неужели мне повезло и я нашел то, что разыскивают все?

— Вас-то мы и поджидали! — отвечали ей.

Голос становился все глуше. Поднялась какая-то шумная возня. Женщина сопротивлялась так, как женщина может сопротивляться четверым мужчинам.

— Пустите меня... пусти... — прозвучал еще голос женщины. Это были последние членораздельные звуки.

— Они затыкают ей рот, сейчас они уведут ее! — воскликнул д'Артаньян, вскакивая, словно на пружине. — Шпагу!.. Да она при мне... Планше!

— Что прикажете?

— Беги за Атосом, Портосом и Арамисом. Кого-нибудь из них троих ты наверняка застанешь, а может быть, все трое уже вернулись домой. Пусть захватят оружие, пусть спешат, пусть бегут сюда... Ах, вспомнил: Атос у господина де Тревиля.

— Но куда же вы, куда же вы, сударь?

— Я спущусь вниз через окно! — крикнул д'Артаньян. — Так будет скорее. А ты заделай дыру в паркете, подмети пол, выходи через дверь и беги, куда я приказал.

— О сударь, сударь, вы убьетесь! — закричал Планше.

— Молчи, осел! — крикнул д'Артаньян.

И, ухватившись рукой за подоконник, он соскочил со второго этажа, к счастью, не очень высокого; он даже не ушибся.

И тут же, подойдя к входным дверям, он тихонько постучал, прошептав:

— Сейчас я тоже попадусь в мышеловку, и горе тем кошкам, которые посмеют тронуть такую мышь!

Не успел молоток удариться в дверь, как шум внутри замер. Послышались шаги, дверь распахнулась, и д'Артаньян, обнажив шпагу, ворвался в квартиру г-на Бонасье, дверь которой, очевидно снабженная пружиной, сама захлопнулась за ним.

И тогда остальные жильцы этого злополучного дома, а также и ближайшие соседи услышали отчаянные крики, топот, звон шпаг и грохот передвигаемой мебели. Немного погодя все те, кого встревожил шум и кто высунулся в окно, чтобы узнать, в чем дело, могли увидеть, как снова раскрылась дверь и четыре человека, одетые в черное, не вышли, а вылетели из нее, словно стая вспугнутых ворон, оставив на полу и на углах столов перья, выдранные из их крыльев, другими словами — лоскутья одежды и обрывки плащей.

Победа досталась д'Артаньяну, нужно сказать, без особого труда, так как лишь один из сыщиков оказался вооруженным, да и то защищался только для виду. Остальные, правда, пытались оглушить молодого человека, швыряя в него стульями, табуретками и даже горшками. Но несколько царапин, нанесенных шпагой гасконца, нагнали на них страх. Десяти минут было достаточно, чтобы нанести им полное поражение, и д'Артаньян стал господином на поле боя.

Соседи, распахнувшие окна с хладнокровием, свойственным парижанам в те времена постоянных мятежей и вооруженных столкновений, захлопнули их тотчас же после бегства четырех одетых в черное. Чутье подсказывало им, что пока все кончено.

Кроме того, было уже довольно поздно, а тогда, как и теперь, в квартале, пролегавшем к Люксембургскому дворцу, спать укладывались рано.

Д'Артаньян, оставшись наедине с г-жой Бонасье, повернулся к ней. Бедняжка почти без чувств лежала в кресле. Д'Артаньян окинул ее быстрым взглядом.

То была очаровательная женщина лет двадцати пяти или двадцати шести, темноволосая, с голубыми глазами, чуть-чуть вздернутым носиком, чудесными зубками. Мраморно-белая кожа ее отливала розовым, подобно опалу. На этом, однако, кончались черты, по которым ее можно было принять за даму высшего света. Руки были белые, но форма их была грубовата. Ноги также не указывали на высокое происхождение. К счастью для д'Артаньяна, его еще не могли смутить такие мелочи.

Разглядывая г-жу Бонасье и, как мы уже говорили, остановив внимание на ее ножках, он вдруг заметил лежавший на полу батистовый платочек, который он поднял. На уголке платка выделялся герб, виденный им однажды на платке, из-за которого они с Арамисом чуть не перерезали друг другу горло.

Д'Артаньян с тех самых пор питал недоверие к платкам с гербами. Поэтому он, ничего не говоря, вложил поднятый им платок в карман г-жи Бонасье. Молодая женщина в эту минуту пришла в себя. Открыв глаза и в страхе оглядевшись кругом, она увидела, что квартира пуста и она одна со своим спасителем. Она сразу же с улыбкой протянула ему руки. Улыбка г-жи Бонасье была полна очарования.

— Ах, сударь, — проговорила она, — вы спасли меня! Позвольте мне поблагодарить вас.

— Сударыня, — ответил д'Артаньян, — я сделал только то, что сделал бы на моем месте любой дворянин. Вы поэтому не обязаны мне никакой благодарностью.

— О нет, нет, и я надеюсь доказать вам, что умею быть благодарной! Но что было нужно от меня этим людям, которых я сначала приняла за воров, и почему здесь нет господина Бонасье?

— Эти люди, сударыня, были во много раз опаснее воров. Это люди господина кардинала. Что же касается вашего мужа, господина Бонасье, то его нет здесь потому, что его вчера арестовали и увезли в Бастилию.

— Мой муж в Бастилии? — воскликнула г-жа Бонасье. — Что же он мог сделать? Ведь он — сама невинность!

И какое-то подобие улыбки скользнуло по все еще испуганному лицу молодой женщины.

— Что он сделал, сударыня? — произнес д'Артаньян. — Мне кажется, единственное его преступление заключается в том, что он имеет одновременно счастье и несчастье быть вашим супругом.

— Но значит, вам известно, сударь...

— Мне известно, что вы были похищены.

— Но кем, кем? Известно ли вам это? О, если вы знаете это, скажите мне!

— Человеком лет сорока — сорока пяти, черноволосым, смуглым, с рубцом на левом виске...

— Верно, верно! Но имя его?

— Имя?.. Вот этого-то я и не знаю.

— А муж мой знал, что я была похищена?

— Он узнал об этом из письма, написанного самим похитителем.

— А догадывается ли он, — спросила г-жа Бонасье, смутившись, — о причине этого похищения?

— Он предполагал, как мне кажется, что здесь была замешана политика.

— Я сомневалась в этом вначале, но сейчас я такого же мнения. Итак, он ни на минуту не усомнился во мне, этот добрый господин Бонасье?

— О, ни на одну минуту! Он так гордился вашим благоразумием и вашей любовью.

Улыбка еще раз чуть заметно скользнула по розовым губкам этой хорошенькой молодой женщины.

— Но как вам удалось бежать? — продолжал допытываться д'Артаньян.

— Я воспользовалась минутой, когда осталась одна, и так как с сегодняшнего утра мне стала ясна причина моего похищения, то я с помощью простынь спустилась из окна. Я думала, что мой муж дома, и прибежала сюда.

— Чтоб искать у него защиты?

— О нет! Бедный, милый мой муж! Я знала, что он не способен защитить меня. Но так как он мог другим путем услужить нам, я хотела его предупредить.

— О чем?

— Нет, это уже не моя тайна! Я поэтому не могу раскрыть ее вам.

— Кстати, — сказал д'Артаньян, — простите, сударыня, что, хоть я и гвардеец, все же я вынужден призвать вас к осторожности: мне кажется, место здесь неподходящее для того, чтобы поверять какие-либо тайны. Сыщики, которых я прогнал, вернутся с подкреплением. Если они застанут нас здесь, мы погибли. Я, правда, послал уведомить трех моих друзей, но кто знает, застали ли их дома...

— Да-да, вы правы! — с испугом воскликнула г-жа Бонасье. — Бежим, скроемся скорее отсюда!

С этими словами она схватила д'Артаньяна под руку и потянула его к двери.

— Но куда бежать? — вырвалось у д'Артаньяна. — Куда скрыться?

— Прежде всего подальше от этого дома! Потом увидим.

Даже не прикрыв за собой дверей, они, выйдя из дома, побежали по улице Могильщиков, завернули на Королевский Ров и остановились только у площади Сен-Сюльпис.

— А что же нам делать дальше? — спросил д'Артаньян. — Куда мне проводить вас?

— Право, не знаю, что ответить вам... — сказала г-жа Бонасье. — Я собиралась через моего мужа вызвать господина де Ла Порта и от него узнать, что произошло в Лувре за последние три дня и не опасно ли мне туда показываться.

— Но ведь я могу пойти и вызвать господина де Ла Порта, — сказал д'Артаньян.

— Конечно. Но беда в одном: господина Бонасье в Лувре знали, и его бы пропустили, а вас не знают, и двери для вас будут закрыты.

— Пустяки! — возразил д'Артаньян. — У какого-нибудь из входов в Лувр, верно, есть преданный вам привратник, который, услышав пароль...

Г-жа Бонасье пристально поглядела на молодого человека.

— А если я скажу вам этот пароль, — прошептала она, — забудете ли вы его тотчас же после того, как воспользуетесь им?

— Честное слово, слово дворянина! — произнес д'Артаньян тоном, не допускавшим сомнений.

— Хорошо. Я верю вам. Вы, кажется, славный молодой человек. И от вашей преданности, быть может, зависит ваше будущее.

— Я не требую обещаний и честно сделаю все, что будет в моих силах, чтобы послужить королю и быть приятным королеве, — сказал д'Артаньян. — Располагайте мною как другом.

— Но куда вы спрячете меня на это время?

— Нет ли у вас человека, к которому бы господин де Ла Порт мог за вами прийти?

— Нет, я не хочу никого посвящать в это дело.

— Подождите, — произнес д'Артаньян. — Мы рядом с домом Атоса... Да, правильно.

— Кто это — Атос?

— Один из моих друзей.

— Но если он дома и увидит меня?

— Его нет дома, и, пропустив вас в квартиру, я ключ унесу с собой.

— А если он вернется?

— Он не вернется. В крайнем случае ему скажут, что я привел женщину и эта женщина находится у него.

— Но это может меня очень сильно скомпрометировать, понимаете ли вы это?

— Какое вам дело! Никто вас там не знает. И к тому же мы находимся в таком положении, что можем пренебречь приличиями.

— Хорошо. Пойдемте же к вашему другу. Где он живет?

— На улице Феру, в двух шагах отсюда.

— Идем.

И они побежали дальше. Атоса, как и предвидел д'Артаньян, не было дома. Д'Артаньян взял ключ, который ему, как другу Атоса, всегда беспрекословно давали, поднялся по лестнице, впустил г-жу Бонасье в маленькую квартирку, уже описанную нами выше.

— Располагайтесь как дома, — сказал он. — Погодите: заприте дверь изнутри и никому не отпирайте иначе, как если постучат три раза... вот так. — И он стукнул три раза — два раза подряд и довольно сильно, третий раз после паузы и слабее.

— Хорошо, — сказала г-жа Бонасье. — Теперь моя очередь дать вам наставление.

— Слушаю вас.

— Отправляйтесь в Лувр и постучитесь у калитки, выходящей на улицу Эшель. Попросите Жермена.

— Хорошо. А затем?

— Он спросит, что вам угодно, и вместо ответа вы скажете два слова: Тур и Брюссель. Тогда он исполнит ваше приказание.

— Что же я прикажу ему?

— Вызвать господина де Ла Порта, камердинера королевы.

— А когда он вызовет его и господин де Ла Порт выйдет?

— Вы пошлете его ко мне.

— Прекрасно. Но где и когда я увижу вас снова?

— А вам очень хочется встретиться со мной опять?

— Конечно!

— Тогда предоставьте мне позаботиться об этом и будьте спокойны.

— Я полагаюсь на ваше слово.

— Можете положиться.

Д'Артаньян поклонился г-же Бонасье, бросив ей самый влюбленный взгляд, каким только можно было охватить всю ее маленькую фигурку, и, пока сходил с лестницы, услышал, как дверь позади него захлопнулась и ключ дважды повернулся в замке. Мигом добежал он до Лувра. Подходя к калитке с улицы Эшель, он услышал, как пробило десять часов. Все события, описанные нами, промелькнули за какие-нибудь полчаса.

Все произошло так, как говорила г-жа Бонасье. Услышав пароль, Жермен поклонился. Не прошло и десяти минут, как Ла Порт был уже в комнате привратника. Д'Артаньян в двух словах рассказал ему обо всем, что произошло, и сообщил, где находится г-жа Бонасье. Ла Порт дважды повторил адрес и поспешил к выходу. Но, не сделав и двух шагов, он вдруг вернулся.

— Молодой человек, — сказал он, обращаясь к д'Артаньяну, — разрешите дать вам совет.

— Какой именно?

— То, что произошло, может доставить вам неприятности.

— Вы думаете?

— Да. Нет ли у вас друга, у которого отстают часы?

— Ну, что же дальше?

— Навестите его, с тем чтобы потом он мог засвидетельствовать, что в половине десятого вы находились у него. Юристы называют это алиби.

Д'Артаньян нашел совет благоразумными и что было сил помчался к г-ну де Тревилю. Но, не заходя в гостиную, где, как всегда, было много народу, он попросил разрешения пройти в кабинет. Так как д'Артаньян часто бывал здесь, просьбу его сразу же удовлетворили, и слуга отправился доложить г-ну де Тревилю, что его молодой земляк, желая сообщить нечто важное, просит принять его. Минут через пять г-н де Тревиль уже прошел в кабинет. Он спросил у д'Артаньяна, чем он может быть ему полезен и чему он обязан его посещением в такой поздний час.

— Простите, сударь! — сказал д'Артаньян, который, воспользовавшись минутами, пока оставался один, успел переставить часы на три четверти часа назад. — Я думал, что в двадцать пять минут десятого еще не слишком поздно явиться к вам.

— Двадцать пять минут десятого? — воскликнул г-н де Тревиль, поворачиваясь к стенным часам. — Да нет, не может быть!

— Поглядите сами, — сказал д'Артаньян, — и вы убедитесь.

— Да, правильно, — произнес де Тревиль. — Я был уверен, что уже позднее. Но что же вам от меня нужно?

Тогда д'Артаньян пустился в пространный рассказ о королеве. Он поделился своими тревогами по поводу ее положения, сообщил, что он слышал относительно замыслов кардинала, направленных против Бекингэма, и речь его была полна такой уверенности и такого спокойствия, что де Тревиль не мог ему не поверить, тем более что и он сам, как мы уже говорили, уловил нечто новое в отношениях между кардиналом, королем и королевой.

Когда пробило десять часов, д'Артаньян расстался с г-ном де Тревилем, который, поблагодарив его за сообщенные ему сведения и посоветовав всегда верой и правдой служить королю и королеве, вернулся в гостиную.

Спустившись с лестницы, д'Артаньян вдруг вспомнил, что забыл свою трость. Поэтому он быстро поднялся обратно, вошел в кабинет и тут же сразу передвинул стрелки на место, чтобы на следующее утро никто не мог заметить, что часы отставали. Уверенный теперь, что у него есть свидетель, готовый установить его алиби, он спустился вниз и вышел на улицу.

XI

ИНТРИГА ЗАВЯЗЫВАЕТСЯ

Выйдя от г-на де Тревиля, д'Артаньян в задумчивости избрал самую длинную дорогу для возвращения домой.

О чем же думал молодой гасконец, так далеко уклоняясь от своего пути, поглядывая на звезды и то улыбаясь, то вздыхая?

Он думал о г-же Бонасье. Ученику-мушкетеру эта молодая женщина казалась чуть ли не идеалом возлюбленной. Хорошенькая, полная таинственности, посвященная чуть ли не во все придворные интриги, которые налагали на ее прелестные черты особый отпечаток озабоченности, она казалась не слишком недоступной, что придает женщине несказанное очарование в глазах неопытного любовника. Кроме того, д'Артаньян вырвал ее из рук этих демонов, собиравшихся обыскать ее и, быть может, подвергнуть истязаниям, и эта незабываемая услуга породила в ней чувство признательности, так легко переходящее в нечто более нежное.

Д'Артаньян уже представлял себе — настолько быстро летят мечты на крыльях воображения, — как к нему приближается посланец молодой женщины и вручает записку о предстоящем свидании, а в придачу к ней и золотую цепочку или перстень с алмазом. Мы говорили уже, что молодые люди тех времен принимали без стеснения подарки от своего короля. Добавим к этому, что в те времена не слишком требовательной морали они не выказывали чрезмерной гордости и по отношению к своим возлюбленным. Их дамы почти всегда оставляли им на память ценные и долговечные подарки, словно стараясь закрепить их неустойчивые чувства неразрушимой прочностью своих даров.

В те времена путь себе прокладывали с помощью женщин и не стыдились этого. Те, что были только красивы, дарили свою красоту, и отсюда, должно быть, произошла пословица, что «самая прекрасная девушка может отдать лишь то, что имеет». Богатые отдавали часть своих денег, и можно было назвать немало героев той щедрой на приключения эпохи, которые не добились бы ни чинов, ни побед на поле брани, если бы не набитые более или менее туго кошельки, которые возлюбленные привязывали к их седлу.

Д'Артаньян был беден. Налет провинциальной нерешительности — этот хрупкий цветок, этот пушок персика — был быстро унесен вихрем не слишком-то нравственных советов, которыми три мушкетера снабжали своего друга. Подчиняясь странным обычаям своего времени, д'Артаньян чувствовал себя в Париже словно в завоеванном городе, почти так, как чувствовал бы себя во Фландрии: испанцы — там, женщины — здесь. И там и тут был враг, с которым полагалось бороться, была контрибуция, которую полагалось наложить.

Все же мы должны сказать, что сейчас д'Артаньяном руководило более благородное и бескорыстное чувство. Правда, галантерейщик говорил ему, что он богат. Д'Артаньяну нетрудно было догадаться, что у такого простачка-мужа, каким был г-н Бонасье, кошельком, по всей вероятности, распоряжалась жена. Но все это нисколько не повлияло на те чувства, которые вспыхнули в нем при виде г-жи Бонасье, и любовь, зародившаяся в его сердце, была почти совершенно чужда какой-либо корысти. Мы говорим «почти», ибо мысль о том, что красивая, приветливая и остроумная молодая женщина к тому же и богата, не мешает увлечению и даже наоборот — усиливает его.

С достатком сопряжено множество аристократических мелочей, которые приятно сочетаются с красотой. Тонкий, сверкающий белизной чулок, кружевной воротничок, изящная туфелька, красивая ленточка в волосах не превратят уродливую женщину в хорошенькую, но хорошенькую сделают красивой, не говоря уж о руках, которые от всего этого выигрывают.

Руки женщины, чтобы остаться красивыми, должны быть праздными.

Кроме того, д'Артаньян — состояния его денежных средств мы не скрыли от читателя, — д'Артаньян отнюдь не был миллионером. Он, правда, надеялся когда-нибудь стать им, но срок, который он сам намечал для этой благоприятной перемены, был довольно отдаленный. А пока — что за ужас видеть, как любимая женщина жаждет тысячи мелочей, которые составляют всю радость этих слабых существ, и не иметь возможности предложить ей эту тысячу мелочей! Если женщина богата, а любовник ее беден, она по крайней мере может сама купить себе то, чего он не имеет возможности ей преподнести. И хотя приобретает она обычно все эти безделушки на деньги мужа, ему редко бывают за то признательны.

Д'Артаньян, готовясь стать нежнейшим любовником, оставался преданнейшим другом. Всецело увлеченный прелестной г-жой Бонасье, он не забывал и о своих приятелях. Она была женщиной, с которой лестно было прогуляться по поляне Сен-Дени или по Сен-Жерменской ярмарке в сопровождении Атоса, Портоса и Арамиса, перед которыми д'Артаньян был не прочь похвастать своей победой. Затем, после долгой прогулки, появляется аппетит. Д'Артаньян с некоторого времени стал это замечать. Можно будет время от времени устраивать один из тех очаровательных обедов, когда рука касается руки, а нога — ножки возлюбленной. И наконец, в особо трудные минуты, когда положение становится безвыходным, д'Артаньян будет иметь возможность выручать своих друзей.

А как же г-н Бонасье, которого д'Артаньян передал в руки сыщиков, громко отрекаясь от него и шепотом обещая спасение и помощь? Мы вынуждены признаться нашим читателям, что д'Артаньян и не вспоминал о нем, а если и вспоминал, то лишь для того, чтобы мысленно пожелать ему, где бы он ни находился, оставаться там, где он есть. Любовь из всех видов страсти — самая эгоистичная.

Пусть, однако, наши читатели не беспокоятся: если д'Артаньян забыл или сделал вид, что забыл своего хозяина, ссылаясь на то, что не знает, куда его отправили, мы-то не забываем о нем, и нам его местопребывание известно. Но временно последуем примеру влюбленного гасконца — к почтенному галантерейщику мы вернемся позже.

Предаваясь любовным мечтам, разговаривая с ночным небом и улыбаясь звездам, д'Артаньян шел вверх по улице Шерш-Миди, или Шасс-Миди, как ее называли в те годы. Оказавшись поблизости от дома, где жил Арамис, он решил зайти к своему другу, чтобы объяснить ему, зачем он посылал к нему Планше с просьбой немедленно прийти в мышеловку. Если Арамис был у себя, когда пришел Планше, он, без сомнения, поспешил на улицу Могильщиков и, не застав там никого, кроме разве что двух своих товарищей, не мог понять, что все это должно было значить. Необходимо было объяснить, почему д'Артаньян позвал своего друга. Вот что громко говорил себе д'Артаньян.

В глубине души он видел в этом удобный повод поговорить о прелестной г-же Бонасье, которая целиком заполонила если не сердце его, то мысли. Не от того, кто влюблен впервые, можно требовать умения молчать. Первой любви сопутствует такая бурная радость, что ей нужен исход, иначе она задушит влюбленного.

Уже два часа, как Париж погрузился во мрак, и улицы его начинали пустеть. Все часы Сен-Жерменского предместья пробили одиннадцать. Было тепло и тихо. Д'Артаньян шел переулком, находившимся в том месте, где сейчас пролегает улица Асса. Воздух был напоен благоуханием, которое ветер доносил с улицы Вожирар, из садов, освеженных вечерней росой и прохладой ночи. Издали, хоть и заглушенные плотными ставнями, доносились песни гуляк, веселившихся в каком-то кабачке. Дойдя до конца переулка, д'Артаньян свернул влево. Дом, где жил Арамис, был расположен между улицей Кассет и улицей Сервандони.

Д'Артаньян миновал улицу Кассет и издали видел уже дверь дома своего друга, над которой ветки клена, переплетенные густо разросшимся диким виноградом, образовывали плотный зеленый навес. Внезапно д'Артаньяну почудилось, что какая-то тень свернула с улицы Сервандони. Эта тень была закутана в плащ, и д'Артаньяну сначала показалось, что это мужчина. Но низкий рост, неуверенность походки и движений быстро убедили его, что перед ним женщина. Словно сомневаясь, тот ли это дом, который она ищет, женщина поднимала голову, чтобы лучше определить, где она находится, останавливалась, делала несколько шагов назад, снова шла вперед. Д'Артаньян был заинтригован.

«Не предложить ли ей свои услуги? — подумал он. — Судя по походке, она молода... возможно, хороша собой. Конечно! Но женщина, бегающая по улицам в такой поздний час, могла выйти только на свидание со своим возлюбленным. Черт возьми! Помешать свиданию — дурной способ, чтобы завязать знакомство».

Молодая женщина между тем продвигалась вперед, отсчитывая дома и окна. Это, впрочем, не требовало ни особого труда, ни времени. В той части улицы было только три дома, и всего два окна выходило на эту улицу. Одно из них было окно небольшой пристройки, параллельной флигелю, который занимал Арамис, второе было окно самого Арамиса.

«Клянусь богом! — подумал д'Артаньян, которому вдруг вспомнилась племянница богослова. — Клянусь богом, было бы забавно, если б эта запоздалая голубка искала дом нашего друга! Но я душу готов отдать в заклад, что похоже на то. Ну, дорогой мой Арамис, на этот раз я добьюсь правды!»

И д'Артаньян, стараясь занимать как можно меньше места, укрылся в самом темном углу подле каменной скамьи, стоявшей в глубине какой-то ниши.

Молодая женщина подходила все ближе. Сомнений в том, что она молода, уже не могла оставаться; помимо походки, выдавшей ее почти сразу, обличал ее и голос: она слегка кашлянула, и по этому кашлю д'Артаньян определил, что голосок у нее свежий и звонкий. И тут же он подумал, что кашель этот — условный сигнал.

То ли на этот сигнал было отвечено таким же сигналом, то ли, наконец, она и без посторонней помощи определила, что достигла цели, — только женщина вдруг решительно направилась к окну Арамиса и трижды с равными промежутками постучала согнутым пальцем в ставень.

— Ну конечно, она стучится к Арамису! — прошептал д'Артаньян. — Вот оно что, господин лицемер! Знаю я теперь, как вы изучаете богословие!

Не успела женщина постучать, как внутренняя рама раскрылась, и сквозь ставень мелькнул свет,

— Ага... — проговорил подслушивавший не у дверей, а у окна, — ага, посетительницу ожидали! Сейчас раскроется ставень, и дама заберется через окно. Прекрасно!

Но к великому удивлению д'Артаньяна, ставень оставался закрытым. Огонь, мелькнувший на мгновение, исчез, и все снова погрузилось во мрак. Д'Артаньян решил, что это ненадолго, и продолжал стоять, весь превратившись в зрение и слух.

Он оказался прав. Через несколько секунд изнутри раздались два коротких удара в ставень.

Молодая женщина, стоявшая на улице, в ответ стукнула один раз, и ставень раскрылся.

Можно себе представить, как жадно д'Артаньян смотрел и слушал.

К несчастью, источник света был перенесен в другую комнату. Но глаза молодого человека успели привыкнуть к темноте. Да, кроме того, глаза гасконцев, как уверяют, обладают способностью, подобно глазам кошек, видеть во мраке.

Д'Артаньян увидел, что молодая женщина вытащила из кармана какой-то белый свёрточек и поспешно развернула его. Это был платок. Развернув его, она указала своему собеседнику на уголок платка.

Д'Артаньяну живо представился платочек, найденный им у ног г-жи Бонасье и заставивший его вспомнить о том, который обронил Арамис.

Какую, черт возьми, роль играл этот платок?

С того места, где стоял молодой гасконец, он не мог видеть лицо Арамиса, — он ни на минуту не усомнился, что именно Арамис беседует с дамой, стоящей под окном. Любопытство взяло верх над осторожностью, и, пользуясь тем, что внимание обоих действующих лиц этой сцены было целиком поглощено платком, он выбрался из своего убежища с быстротой молнии, однако бесшумно, перебежал улицу и прильнул к такому месту стены, откуда взор его мог проникнуть в глубину комнаты Арамиса.

Заглянув в окно, д'Артаньян чуть не вскрикнул от удивления: не Арамис разговаривал с ночной посетительницей, а женщина. К сожалению, д'Артаньян, хотя и мог в темноте различить контуры ее фигуры, не мог разглядеть ее лицо.

В эту минуту женщина, находившаяся в комнате, вынула из кармана другой платок и заменила им тот, который ей подали. После этого обе женщины обменялись несколькими словами. Наконец ставень закрылся. Женщина, стоявшая на улице, обернулась и прошла в трех-четырех шагах от д'Артаньяна, опустив на лицо капюшон своего плаща. Но предосторожность эта запоздала — д'Артаньян успел узнать г-жу Бонасье.

Госпожа Бонасье! Подозрение, что это она, уже мелькнуло у него, когда она вынула из кармана платок. Но как мало вероятного было в том, чтобы г-жа Бонасье, пославшая за г-ном де Ла Портом, который должен был проводить ее в Лувр, вдруг в половине двенадцатого ночи бегала по улицам, рискуя снова быть похищенной!

Это делалось, значит, во имя чего-то очень важного. А что же может быть важно для двадцатипятилетней женщины, если не любовь?

Но ради себя ли самой или какого-то третьего лица шла она на такой риск? Вот вопрос, который задавал себе д'Артаньян. Демон ревности терзал его сердце, как если бы он был уже признанным любовником.

Существовало, впрочем, простое средство, чтобы удостовериться, куда спешит г-жа Бонасье. Нужно было проследить за ней. Это средство было столь простым, что д'Артаньян прибег к нему не задумываясь.

Но при виде молодого человека, который отделился от стены, словно статуя, вышедшая из ниши, и при звуке его шагов г-жа Бонасье вскрикнула и бросилась бежать.

Д'Артаньян погнался за ней. Для него не представляло трудности догнать женщину, путавшуюся в складках своего плаща. Он настиг ее поэтому раньше, чем она пробежала треть улицы, на которую свернула. Несчастная совсем обессилела — не столько от усталости, сколько от страха, — и, когда д'Артаньян положил руку ей на плечо, она упала на одно колено и сдавленным голосом вскрикнула:

— Убейте меня, если хотите! Все равно я ничего не скажу!

Д'Артаньян поднял ее, охватив рукой ее стан. Но, чувствуя, как тяжело она повисла на его руке, и понимая, что она близка к обмороку, он поспешил успокоить ее, уверяя в своей преданности. Эти уверения ничего не значили для г-жи Бонасье: такие уверения можно расточать и с самыми дурными намерениями. Но голос, произносивший их, — вот в чем была сила. Молодой женщине показалось, что она узнаёт этот голос. Она открыла глаза, взглянула на человека, так сильно напугавшего ее, и, узнав д'Артаньяна, вскрикнула от радости.

— Ах, это вы! Это вы! — повторяла она. — Боже, благодарю тебя!

— Да, это я, — сказал д'Артаньян. — Я, которого бог послал, чтобы оберегать вас.

— И потому только вы и следили за мной? — спросила с лукавой улыбкой молодая женщина, насмешливый нрав которой брал уже верх. Страх ее исчез, как только она узнала друга в том, кого принимала за врага.

— Нет, — ответил д'Артаньян, — нет, признаюсь вам. Случай поставил меня на вашем пути. Я увидел, как женщина стучится в окно одного из моих друзей...

— Одного из ваших друзей? — перебила его г-жа Бонасье.

— Разумеется. Арамис — один из моих самых близких друзей.

— Арамис? Кто это?

— Да полно! Неужели вы станете уверять меня, что не знаете Арамиса?

— Я впервые слышу это имя.

— Значит, вы в первый раз приходили к этому дому?

— Конечно.

— И вы не знали, что здесь живет молодой человек?

— Нет.

— Мушкетер?

— Да нет же, нет!

— Следовательно, вы искали не его?

— Конечно, нет. Да вы и сами могли видеть, что лицо, с которым я разговаривала, — женщина.

— Это правда. Но женщина эта — приятельница Арамиса?

— Не знаю.

— Но разве она живет у него?

— Это меня не касается.

— Но кто она?

— О, эта тайна — не моя.

— Дорогая госпожа Бонасье, вы очаровательны, но в то же время вы невероятно таинственная женщина.

— Разве я от этого проигрываю?

— Нет, напротив, вы прелестны.

— Если так, дайте мне опереться на вашу руку.

— С удовольствием. А теперь?

— А теперь проводите меня.

— Куда?

— Туда, куда я иду.

— Но куда вы идете?

— Вы увидите, раз доведете меня до дверей.

— Нужно будет подождать вас?

— Это будет излишне.

— Вы, значит, будете возвращаться не одна?

— Быть может — да, быть может — нет.

— Но лицо, которое пойдет провожать вас, будет ли это мужчина или женщина?

— Не знаю еще.

— Но зато я узнаю!

— Каким образом?

— Я подожду и увижу, с кем вы выйдете.

— В таком случае — прощайте!

— Как так?

— Вы больше не нужны мне.

— Но вы сами просили...

— Помощи дворянина, а не надзора шпиона.

— Это слово чересчур жестоко.

— Как называют того, кто следит за человеком вопреки его воле?

— Нескромным.

— Это слово чересчур мягко.

— Ничего не поделаешь, сударыня. Вижу, что приходится исполнять все ваши желания.

— Почему вы лишили себя заслуги исполнить это желание сразу же?

— А разве нет заслуги в раскаянии?

— Вы в самом деле раскаиваетесь?

— И сам не знаю... Одно я знаю: я готов исполнить все, чего пожелаете, если вы позволите мне проводить вас до того места, куда вы идете.

— И затем вы оставите меня?

— Да.

— И не станете следить за мной?

— Нет.

— Честное слово?

— Слово дворянина!

— Тогда дайте вашу руку — и идем!

Д'Артаньян предложил г-же Бонасье руку, и молодая женщина оперлась на нее, уже готовая смеяться, но еще дрожа. Так они дошли до конца улицы Лагарп. Здесь молодая женщина как будто заколебалась, как колебалась раньше на улице Вожирар, но затем по некоторым признакам, по-видимому, узнала нужную дверь.

— А теперь, — сказала она, подходя к этой двери, — мне надо сюда. Тысячу раз благодарю за благородную помощь.

Вы оградили меня от опасностей, которым я подвергалась бы, если бы была одна. Но настало время выполнить ваше обещание. Я пришла туда, куда мне было нужно.

— А на обратном пути вам нечего будет опасаться?

— Разве только воров.

— А разве это пустяк?

— А что они могут отнять у меня? У меня нет при себе ни одного денье.

— Вы забываете прекрасный вышитый платок с гербом.

— Какой платок?

— Тот, что я подобрал у ваших ног и вложил вам в карман.

— Молчите, молчите, несчастный! — воскликнула молодая женщина. — Или вы хотите погубить меня?

— Вы сами видите, что вам еще грозит опасность, раз одного слова достаточно, чтобы привести вас в трепет, и вы признаете, что, если б это слово достигло чьих-нибудь ушей, вы бы погибли. Послушайте, сударыня, — воскликнул д'Артаньян, схватив ее руку и пронизывая ее пламенным взглядом, — послушайте, будьте смелее, доверьтесь мне! Неужели вы не прочли в моих глазах, что сердце мое исполнено расположения и преданности вам?

— Я это чувствую. Поэтому вы можете расспрашивать меня о всех моих тайнах, но чужие тайны — это другое дело.

— Хорошо, — сказал д'Артаньян. — Но я раскрою их. Раз эти тайны могут влиять на вашу судьбу, они должны стать и моими.

— Сохрани вас бог от этого! — воскликнула молодая женщина, и в голосе ее прозвучала такая тревога, что д'Артаньян невольно вздрогнул. — Умоляю вас, не вмешивайтесь ни во что, касающееся меня, не пытайтесь помочь мне в выполнении того, что на меня возложено. Я умоляю вас об этом во имя того чувства, которое вы ко мне питаете, во имя услуги, которую вы мне оказали и которую я никогда в жизни не забуду! Поверьте моим словам! Не думайте обо мне, я не существую больше для вас, словно вы меня никогда не видели.

— Должен ли Арамис поступить так же, как я? — спросил д'Артаньян, задетый ее словами.

— Вот уже два или три раза вы произнесли это имя, сударь. А между тем я говорила вам, что оно мне незнакомо.

— Вы не знаете человека, в окно которого вы стучались? Да что вы, сударыня! Вы считаете меня чересчур легковерным.

— Признайтесь, что вы сочинили всю эту историю и выдумали этого Арамиса, лишь бы вызвать меня на откровенность.

— Я ничего не сочиняю, сударыня, я ничего не выдумываю. Я говорю чистейшую правду.

— И вы говорите, что один из ваших друзей живет в этом доме?

— Я говорю это и повторяю в третий раз: это дом, где живет мой друг, и друг этот — Арамис.

— Все это со временем разъяснится, — прошептала молодая женщина, — а пока, сударь, молчите!

— Если бы вы могли читать в моем сердце, открытом перед вами, — сказал д'Артаньян, — вы увидели бы в нем такое горячее любопытство, что сжалились бы надо мной, и такую любовь, что вы в ту же минуту удовлетворили бы это любопытство! Не нужно опасаться тех, кто вас любит.

— Вы очень быстро заговорили о любви, — сказала молодая женщина, покачав головой.

— Любовь проснулась во мне быстро и впервые. Ведь мне нет и двадцати лет.

Госпожа Бонасье искоса взглянула на него.

— Послушайте, я уже напал на след, — сказал д'Артаньян. — Три месяца назад я чуть не подрался на дуэли с Арамисом из-за такого же платка, как тот, который вы показали женщине, находившейся у него, из-за платка с таким же точно гербом.

— Клянусь вам, сударь, — произнесла молодая женщина, — вы ужасно утомляете меня этими расспросами.

— Но вы, сударыня, вы, такая осторожная... если б у вас при аресте нашли такой платок, вас бы это разве не скомпрометировало?

— Почему? Разве инициалы не мои? «К. Б.» — Констанция Бонасье.

— Или Камилла де Буа-Траси.

— Молчите, сударь! Молчите! Если опасность, которой я подвергаюсь, не может остановить вас, то подумайте об опасностях, угрожающих вам.

— Мне?

— Да, вам. За знакомство со мной вы можете заплатить тюрьмой, заплатить жизнью.

— Тогда я больше не отойду от вас!

— Сударь... — проговорила молодая женщина, с мольбой ломая руки, — сударь, я взываю к чести военного, к благо-

123

родству дворянина — уйдите! Слышите: бьет полночь, меня ждут в этот час.

— Сударыня, — сказал д'Артаньян с поклоном, — я не смею отказать тому, кто так просит меня. Успокойтесь, я ухожу.

— Вы не пойдете за мной, не станете выслеживать меня?

— Я немедленно вернусь к себе домой.

— Ах, я знала, что вы честный юноша! — воскликнула г-жа Бонасье, протягивая ему одну руку, а другой берясь за молоток у небольшой двери, проделанной в каменной стене.

Д'Артаньян схватил протянутую ему руку и страстно припал к ней губами.

— Лучше бы я никогда не встречал вас! — воскликнул он с той грубостью, которую женщины нередко предпочитают изысканной любезности, ибо она позволяет заглянуть в глубину мыслей и доказывает, что чувство берет верх над рассудком.

— Нет... — проговорила г-жа Бонасье почти ласково, пожимая руку д'Артаньяну, который все еще не отпускал ее руки, — нет, я не могу сказать этого: то, что не удалось сегодня, возможно, удастся в будущем. Кто знает, если я когда-нибудь буду свободна, не удовлетворю ли я тогда ваше любопытство...

— А любовь моя — может ли и она питаться такой надеждой? — в порыве восторга воскликнул юноша.

— О, тут я не хочу себя связывать! Это будет зависеть от тех чувств, которые вы сумеете мне внушить.

— Значит, пока что, сударыня...

— Пока что, сударь, я испытываю только благодарность.

— Вы чересчур милы, — с грустью проговорил д'Артаньян, — и злоупотребляете моей любовью.

— Нет, я только пользуюсь вашим благородством, сударь. Но поверьте, есть люди, умеющие не забывать своих обещаний.

— О, вы делаете меня счастливейшим из смертных! Не забывайте этого вечера, не забывайте этого обещания!

— Будьте спокойны! Когда придет время, я вспомню все. А сейчас уходите, ради всего святого, уходите! Меня ждали равно в двенадцать, и я уже запаздываю.

— На пять минут.

— При известных обстоятельствах пять минут — это пять столетий.

— Когда любишь!

— А кто вам сказал, что дело идет не о влюбленном?

— Вас ждет мужчина! — вскрикнул д'Артаньян. — Мужчина!

— Ну вот, наш спор начинается сначала, — произнесла г-жа Бонасье с легкой улыбкой, в которой сквозил оттенок нетерпения.

— Нет-нет! Я ухожу, ухожу. Я верю вам, я хочу, чтобы вы поверили в мою преданность, даже если эта преданность и граничит с глупостью. Прощайте, сударыня, прощайте!

И, словно не чувствуя себя в силах отпустить ее руку иначе, как оторвавшись от нее, он неожиданно бросился прочь. Г-жа Бонасье между тем, взяв в руки молоток, постучала в дверь точно так же, как прежде в окно: три медленных удара через равные промежутки. Добежав до угла, д'Артаньян оглянулся. Дверь успела раскрыться и захлопнуться. Хорошенькой жены галантерейщика уже не было видно.

Д'Артаньян продолжал свой путь. Он дал слово не подсматривать за г-жой Бонасье, и, даже если б жизнь его зависела от того, куда именно она шла, или от того, кто будет ее провожать, он все равно пошел бы к себе домой, раз дал слово, что сделает это. Не прошло и пяти минут, как он уже был на улице Могильщиков.

«Бедный Атос! — думал он. — Он не поймет, что́ все это значит. Он уснул, должно быть, ожидая меня, или же отправился домой, а там узнал, что у него была женщина. Женщина у Атоса! Впрочем, была ведь женщина у Арамиса. Все это очень странно, и мне очень хотелось бы знать, чем все это кончится».

— Плохо, сударь, плохо! — послышался голос, в котором д'Артаньян узнал голос Планше.

Дело в том, что, разговаривая с самим собой вслух, как это случается с людьми, чем-либо сильно озабоченными, он незаметно для самого себя очутился в подъезде своего дома, в глубине которого поднималась лестница, ведущая в его квартиру.

— Как — плохо? Что ты хочешь этим сказать, дурак? — спросил д'Артаньян. — Что здесь произошло?

— Всякие несчастья.

— Какие?

— Во-первых, арестовали господина Атоса.

— Арестовали? Атос арестован? За что?

— Его застали у вас. Его приняли за вас.

— Кто же его арестовал?

— Стражники. Их позвали на помощь те люди в черном, которых вы прогнали.

— Но почему он не назвался, не объяснил, что не имеет никакого отношения к этому делу?

— Он бы ни за что этого не сделал, сударь. Вместо этого он подошел поближе ко мне и шепнул: «Сейчас необходимо быть свободным твоему господину, а не мне. Ему известно всё, а мне ничего. Пусть думают, что он под арестом, и это даст ему время действовать. Дня через три я скажу им, кто я, и им придется меня выпустить».

— Браво, Атос! Благородная душа! — прошептал д'Артаньян. — Узнаю его в этом поступке. Что же сделали стражники?

— Четверо из них увели его, не знаю куда — в Бастилию или в Фор-Левек. Двое остались с людьми в черном, которые всё перерыли и унесли все бумаги. Двое других в это время стояли в карауле у дверей. Затем, кончив свое дело, они все ушли, опустошив дом и оставив двери раскрытыми.

— А Портос и Арамис?

— Я не застал их, и они не приходили.

— Но они могут прийти с минуты на минуту. Ведь ты попросил передать им, что я их жду?

— Да, сударь.

— Хорошо. Тогда оставайся на месте. Если они придут, расскажи им о том, что произошло. Пусть они ожидают меня в кабачке «Сосновая шишка». Здесь оставаться для них небезопасно. Возможно, что за домом следят. Я бегу к господину де Тревилю, чтобы поставить его в известность, и приду к ним в кабачок.

— Слушаюсь, сударь, — сказал Планше.

— Но ты побудешь здесь? Не струсишь? — спросил д'Артаньян, возвращаясь назад и стараясь ободрить своего слугу.

— Будьте спокойны, сударь, — ответил Планше. — Вы еще не знаете меня. Я умею быть храбрым, когда постараюсь, поверьте мне. Вся штука в том, чтобы постараться. Кроме того, я из Пикардии.

— Итак, решено, — сказал д'Артаньян. — Ты скорее дашь убить себя, чем покинешь свой пост?

— Да, сударь. Нет такой вещи, которой бы я не сделал, чтобы доказать моему господину, как я ему предан.

«Великолепно! — подумал д'Артаньян. — По-видимому, средство, которое я применил к этому парню, удачно. Придется пользоваться им при случае».

И со всей скоростью, на которую были способны его ноги, уже порядочно за этот день утомленные беготней, он направился на улицу Старой Голубятни.

Господина де Тревиля не оказалось дома. Его рота несла караул в Лувре. Он находился там вместе со своей ротой.

Необходимо было добраться до г-на де Тревиля. Его нужно было уведомить о случившемся.

Д'Артаньян решил попробовать, не удастся ли проникнуть в Лувр. Пропуском ему должна была служить форма гвардейца роты г-на Дезэссара.

Он пошел по улице Пти-Огюстен и дальше по набережной, рассчитывая пройти через Новый мост. Мелькнула у него мысль воспользоваться паромом, но, уже спустившись к реке, он машинально сунул руку в карман и убедился, что у него нечем заплатить за перевоз.

Дойдя до улицы Генего, он вдруг заметил людей, выходивших из-за угла улицы Дофина. Их было двое — мужчина и женщина. Что-то в их облике поразило д'Артаньяна.

Женщина фигурой напоминала г-жу Бонасье, а мужчина был поразительно похож на Арамиса.

Женщина к тому же была закутана в черную накидку, которая в памяти д'Артаньяна запечатлелась такой, какой он видел ее на фоне окна на улице Вожирар и двери на улице Лагарп. Мужчина же был в форме мушкетера.

Капюшон накидки был низко опущен на лицо женщины, мужчина прикрывал свое лицо носовым платком. Эта предосторожность доказывала, что оба они старались не быть узнанными.

Они пошли по мосту. Путь д'Артаньяна также вел через мост, раз он собирался в Лувр. Д'Артаньян последовал за ними.

Он не прошел и десяти шагов, как уже был твердо уверен, что женщина — г-жа Бонасье, а мужчина — Арамис.

И сразу же все подозрения, порожденные ревностью, вновь проснулись в его душе.

Он был обманут, обманут другом и обманут женщиной, которую любил уже как любовницу. Г-жа Бонасье клялась ему всеми богами, что не знает Арамиса, и менее четверти часа спустя он встречает ее под руку с Арамисом.

Д'Артаньян даже не подумал о том, что с хорошенькой галантерейщицей он познакомился всего каких-нибудь три часа назад, что она ничем с ним не связана, разве только чувством благодарности за освобождение из рук сыщиков собиравшихся ее похитить, и что она ему ничего не обещала. Он чувствовал себя любовником, оскорбленным, обманутым, осмеянным. Бешенство охватило его, и кровь волной залила его лицо. Он решил узнать правду.

Молодая женщина и ее спутник заметили, что за ними следят, и ускорили шаг. Д'Артаньян почти бегом обогнал их и затем, повернув обратно, столкнулся с ними в тот миг, когда они проходили мимо изваяния Самаритянки, освещенного фонарем, который отбрасывал свет на всю эту часть моста.

Д'Артаньян остановился перед ними, и они были также вынуждены остановиться.

— Что вам угодно, сударь? — спросил, отступая на шаг, мушкетер, иностранный выговор которого заставил д'Артаньяна понять, что в одной части своих предположений он, во всяком случае, ошибся.

— Это не Арамис! — воскликнул он.

— Нет, сударь, не Арамис. Судя по вашему восклицанию, вы приняли меня за другого, потому я прощаю вам.

— Вы прощаете мне? — воскликнул д'Артаньян.

— Да, — произнес незнакомец. — Разрешите мне пройти, раз у вас ко мне нет никакого дела.

— Вы правы, сударь, — сказал д'Артаньян, — у меня к вам нет никакого дела. Но у меня есть дело к вашей даме.

— К моей даме? Вы же не знаете ее! — с удивлением спросил незнакомец.

— Вы ошибаетесь, сударь, я ее знаю.

— Ах, — воскликнула с упреком г-жа Бонасье, — вы дали мне слово дворянина и военного, я думала, что могу положиться на вашу честь!

— А вы, сударыня, вы... — смущенно пролепетал д'Артаньян, — вы обещали мне...

— Обопритесь на мою руку, сударыня, — произнес иностранец, — и пойдемте дальше.

Д'Артаньян, оглушенный, растерянный, продолжал стоять, скрестив руки на груди, перед г-жой Бонасье и ее спутником.

Мушкетер шагнул вперед и рукой отстранил д'Артаньяна.

Д'Артаньян, отскочив назад, выхватил шпагу. Иностранец с быстротой молнии выхватил свою.

— Ради всего святого, милорд! — вскрикнула г-жа Бонасье, бросаясь между ними и руками хватаясь за шпаги.

— Милорд! — вскрикнул д'Артаньян, осененный внезапной мыслью. — Милорд!.. Простите, сударь... Но неужели вы...

— Милорд — герцог Бекингэм, — вполголоса проговорила г-жа Бонасье. — И теперь вы можете погубить всех нас.

— Милорд и вы, сударыня, прошу вас, простите, простите меня!.. Но я ведь люблю ее, милорд, и ревновал. Вы ведь знаете, милорд, что такое любовь! Простите меня и скажите, не могу ли я отдать свою жизнь за вашу милость?

— Вы честный юноша, — произнес герцог, протягивая д'Артаньяну руку, которую тот почтительно пожал. — Вы предлагаете мне свои услуги — я принимаю их. Проводите нас до Лувра и, если заметите, что кто-нибудь за нами следует, убейте этого человека.

Д'Артаньян, держа в руках обнаженную шпагу, пропустил г-жу Бонасье и герцога на двадцать шагов вперед и последовал за ними, готовый в точности исполнить приказание благородного и изящного министра Карла I.

К счастью, однако, молодому герою не представился в этот вечер случай доказать на деле свою преданность, и молодая женщина вместе с представительным мушкетером, никем не потревоженные, достигли Лувра и были впущены через калитку против улицы Эшель. Что касается д'Артаньяна, то он поспешил в кабачок «Сосновая шишка», где его ожидали Портос и Арамис.

Не объясняя им, по какому поводу он их побеспокоил, он только сообщил, что сам справился с делом, для которого, как ему показалось, могла понадобиться их помощь.

А теперь, увлеченные нашим повествованием, предоставим нашим трем друзьям вернуться каждому к себе домой и проследуем по закоулкам Лувра за герцогом Бекингэмом и его спутницей.

XII

ДЖОРДЖ ВИЛЛЬЕРС, ГЕРЦОГ БЕКИНГЭМСКИЙ

Госпожа Бонасье и герцог без особых трудностей вошли в Лувр. Г-жу Бонасье знали как женщину, принадлежавшую к штату королевы, а герцог был в форме мушкетеров г-на де Тревиля, рота которого, как мы уже упоминали, в тот вечер несла караул во дворце. Впрочем, Жермен был слепо предан королеве, и, случись что-нибудь, г-жу Бонасье обвинили бы только в том, что она провела в Лувр своего любовника. Этим бы все и кончилось. Она приняла бы грех на себя, доброе имя ее было бы, правда, загублено, но что значит для сильных мира доброе имя какой-то жалкой галантерейщицы!

Войдя во двор, герцог и г-жа Бонасье прошли шагов двадцать пять вдоль каменной ограды. Затем г-жа Бонасье нажала на ручку небольшой служебной, двери, открытой днем, но обычно запиравшейся на ночь. Дверь подалась. Они вошли. Кругом было темно, но г-же Бонасье были хорошо знакомы все ходы и переходы в этой части Лувра, отведенной для дворцовых служащих. Заперев за собой дверь, она взяла герцога за руку, сделала осторожно несколько шагов, ухватилась за перила, коснулась ногой ступеньки и начала подниматься. Герцог следовал за ней. Они достигли третьего этажа. Здесь г-жа Бонасье свернула вправо, провела своего спутника по длинному коридору и спустилась на один этаж, прошла еще несколько шагов, вложила ключ в замок, отперла дверь и ввела герцога в комнату, освещенную только ночной лампой.

— Побудьте здесь, милорд, — шепнула она. — Сейчас придут.

Сказав это, она вышла в ту же дверь и заперла ее за собой на ключ, так что герцог оказался пленником в полном смысле этого слова,

Нельзя не отметить, что герцог Бекингэм, несмотря на полное одиночество, в котором он очутился, не почувствовал страха. Одной из наиболее замечательных черт его характера была жажда приключений и любовь ко всему романтическому. Смелый, мужественный и предприимчивый, он не впервые рисковал жизнью при подобных обстоятельствах. Ему было уже известно, что послание Анны Австрийской, заставившее его примчаться в Париж, было подложным и должно было заманить его в ловушку. Но вместо того чтобы вернуться в Лондон, он, пользуясь случившимся, просил передать королеве, что не уедет, не повидавшись с ней. Королева вначале решительно отказала, затем, опасаясь, что герцог, доведенный ее отказом до отчаяния, натворит каких-нибудь безумств, уже решилась принять его, с тем чтобы упросить немедленно уехать. Но в тот самый вечер, когда она приняла это решение, похитили г-жу Бонасье, которой было поручено отправиться за герцогом и провести его в Лувр. Два дня никто не знал, что с нею, и все приостановилось. Но лишь только г-жа Бонасье, вырвавшись на свободу, повидалась с де Ла Портом, все снова пришло в движение, и она довела до конца опасное предприятие, которое, не будь она похищена, осуществилось бы тремя днями раньше.

Оставшись один, герцог подошел к зеркалу. Мушкетерское платье очень шло к нему.

Ему было тридцать пять лет, и он недаром слыл самым красивым вельможей и самым изысканным кавалером как во всей Франции, так и в Англии.

Любимец двух королей, обладатель многих миллионов, пользуясь неслыханной властью в стране, которую он по своей прихоти то будоражил, то успокаивал, подчиняясь только своим капризам, Джордж Вилльерс, герцог Бекингэмский, вел сказочное существование, способное даже спустя столетия вызывать удивление потомков.

Уверенный в себе, убежденный, что законы, управляющие другими людьми, не имеют к нему отношения, уповая на свое могущество, он шел прямо к цели, поставленной себе, хотя бы эта цель и была так ослепительна и высока, что всякому другому казалось бы безумием даже помышлять о ней. Все это вместе придало ему решимости искать встреч с прекрасной и недоступной Анной Австрийской и, ослепив ее, пробудить в ней любовь.

Итак, Джордж Вилльерс остановился, как мы уже говорили, перед зеркалом. Поправив свои прекрасные золотистые волосы, несколько примятые мушкетерской шляпой, закрутив усы, преисполненный радости, счастливый и гордый тем, что близок долгожданный миг, он улыбнулся своему отражению, полный гордости и надежды.

В эту самую минуту отворилась дверь, скрытая в обивке стены, и в комнату вошла женщина. Герцог увидел ее в зеркале. Он вскрикнул — эта была королева!

Анне Австрийской было в то время лет двадцать шесть или двадцать семь, и она находилась в полном расцвете своей красоты.

У нее была походка королевы или богини. Отливавшие изумрудом глаза казались совершенством красоты и были полны нежности и в то же время величия.

Маленький ярко-алый рот не портила даже нижняя губа, слегка выпяченная, как у всех отпрысков австрийского королевского дома, — она была прелестна, когда улыбалась, но умела выразить и глубокое пренебрежение.

Кожа ее славилась своей нежной и бархатистой мягкостью, руки и плечи поражали красотой очертаний, и все поэты эпохи воспевали их в своих стихах. Наконец, волосы ее, белокурые в юности и принявшие постепенно каштановый оттенок, завитые и слегка припудренные, очаровательно обрамляли ее лицо, которому самый строгий критик мог пожелать разве только несколько менее яркой окраски, а самый требовательный скульптор — больше тонкости в линии носа.

Герцог Бекингэм на мгновение застыл, ослепленный: никогда Анна Австрийская не казалась ему такой прекрасной во время балов, празднеств и увеселений, как сейчас, когда она, в простом платье белого шелка, вошла в комнату в сопровождении доньи Эстефании, единственной из ее испанских прислужниц, не ставшей еще жертвой ревности короля и происков кардинала Ришелье.

Анна Австрийская сделала шаг навстречу герцогу, Бекингэм упал к ее ногам и, раньше чем королева успела помешать ему, поднес край ее платья к своим губам.

— Герцог, вы уже знаете, что не я продиктовала то письмо.

— О да, сударыня, да, ваше величество! — воскликнул герцог. — Я знаю, что был глупцом, безумцем, поверив, что мрамор может ожить, снег — излучить тепло. Но что же делать: когда любишь, так легко поверить в ответную любовь! А затем, я совершил это путешествие не даром, если я все же вижу вас.

— Да, — ответила Анна Австрийская, — но вам известно, почему я согласилась увидеться с вами. Беспощадный ко всем моим горестям, вы упорно отказывались покинуть этот город, хотя, оставаясь здесь, вы рискуете жизнью и заставляете меня рисковать моей честью. Я согласилась увидеться с вами, чтобы сказать, что все разделяет нас — морские глубины, вражда между нашими королевствами, святость принесенных клятв. Святотатство — бороться против всего этого, милорд! Я согласилась увидеться с вами, наконец, для того, чтобы сказать вам, что мы не должны больше встречаться.

— Продолжайте, сударыня, продолжайте, королева! — проговорил Бекингэм. — Нежность вашего голоса смягчает жестокость ваших слов... Вы говорите о святотатстве. Но святотатство — разлучать сердца, которые бог создал друг для друга!

— Милорд, — воскликнула королева, — вы забываете: я никогда не говорила, что люблю вас!

— Но вы никогда не говорили мне и того, что не любите меня. И право же, произнести такие слова — это было бы слишком жестоко со стороны вашего величества. Ибо, скажите мне, где вы найдете такую любовь, как моя, любовь, которую не могли погасить ни разлука, ни время, ни безнадежность? Любовь, готовую удовлетвориться оброненной ленточкой, задумчивым взглядом, нечаянно вырвавшимся словом? Вот уже три года, сударыня, как я впервые увидел вас, и вот уже три года, как я вас так люблю! Хотите, я расскажу, как вы были одеты, когда я впервые увидел вас? Хотите, я подробно опишу даже отделку на вашем платье?.. Я вижу вас как сейчас. Вы сидели на подушках, по испанскому обычаю. На вас было зеленое атласное платье, шитое серебром и золотом, широкие свисающие рукава были приподняты выше локтя, оставляя свободными ваши прекрасные руки, вот эти дивные руки, и скреплены застежками из крупных алмазов. Шею прикрывали кружевные рюши. На голове у вас была маленькая шапочка того же цвета, что и платье, а на шапочке — перо цапли... О да, да, я закрываю глаза — и вижу вас такой, какой вы были тогда! Я открываю их — и вижу вас такой, как сейчас, то есть во сто крат прекраснее!

— Какое безумие! — прошептала Анна Австрийская, у которой не хватало мужества рассердиться на герцога за то, что он так бережно сохранил в своем сердце ее образ. — Какое безумие питать такими воспоминаниями бесполезную страсть!

— Чем же мне жить иначе? Ведь нет у меня ничего, кроме воспоминаний! Они мое счастье, мое сокровище, моя надежда! Каждая встреча с вами — это алмаз, который я прячу в сокровищницу моей души. Сегодняшняя встреча — четвертая драгоценность, оброненная вами и подобранная мной. Ведь за три года, сударыня, я видел вас всего четыре раза: о первой встрече я только что говорил вам, второй раз я видел вас у госпожи де Шеврез, третий раз — в амьенских садах...

— Герцог, — краснея, прошептала королева, — не вспоминайте об этом вечере!

— О нет, напротив: вспомним о нем, сударыня! Это самый счастливый, самый радостный вечер в моей жизни. Помните ли вы, какая была ночь? Воздух был нежен и напоен благоуханиями. На синем небе поблескивали звезды. О, в тот раз, сударыня, мне удалось на короткие мгновения остаться с вами наедине. В тот раз вы готовы были обо всем рассказать мне — об одиночестве вашем и о страданиях вашей души. Вы опирались на мою руку... вот на эту самую. Наклоняясь, я чувствовал, как ваши дивные волосы касаются моего лица, и каждое прикосновение заставляло меня трепетать с ног до головы. Королева, о королева моя! Вы не знаете, какое небесное счастье, какое райское блаженство заключено в таком мгновении!.. Все владения мои, богатство, славу, все дни, которые осталось мне еще прожить, готов я отдать за такое мгновение, за такую ночь! Ибо в ту ночь, сударыня, в ту ночь вы любили меня, клянусь вам!..

— Милорд, возможно... да, очарование местности, прелесть того дивного вечера, действие вашего взгляда, все бесчисленные обстоятельства, сливающиеся подчас вместе, чтобы погубить женщину, объединились вокруг меня в тот роковой вечер. Но вы видели, милорд, королева пришла на помощь слабеющей женщине: при первом же слове, которое вы осмелились произнести, при первой вольности, на которую я должна была ответить, я позвала свою прислужницу.

— О да, это правда. И всякая другая любовь, кроме моей, не выдержала бы такого испытания. Но моя любовь, преодолев его, разгорелась еще сильнее, завладела моим сердцем навеки. Вы думали, что, вернувшись в Париж, спаслись от меня, вы думали, что я не осмелюсь оставить сокровища, которые мой господин поручил мне охранять. Но какое мне дело до всех сокровищ, до всех королей на всем земном шаре! Не прошло и недели, как я вернулся, сударыня. На этот раз вам не в чем было упрекнуть меня. Я рискнул милостью моего короля, рискнул жизнью, чтобы увидеть вас хоть на одно мгновение, я даже не коснулся вашей руки, и вы простили меня, увидев мое раскаяние и покорность.

— Да, но клевета воспользовалась всеми этими безумствами, в которых я — вы знаете это сами, милорд, — была неповинна. Король, подстрекаемый господином кардиналом, страшно разгневался. Госпожа де Верне была удалена, Пютанж изгнан из Франции, госпожа де Шеврез впала в немилость. Когда же вы пожелали вернуться во Францию в качестве посла, король лично — вспомните, милорд, — король лично воспротивился этому.

— Да, и Франция заплатит войной за отказ своего короля. Я лишен возможности видеть вас, сударыня, — что ж, я хочу, чтобы вы каждый день слышали обо мне. Знаете ли вы, что за цель имела экспедиция на остров Рэ и союз с протестантами Ла-Рошели, который я замышляю? Удовольствие увидеть вас. Я не могу надеяться с оружием в руках овладеть Парижем, это я знаю. Но за этой войной последует заключение мира, заключение мира потребует переговоров, вести переговоры будет поручено мне. Тогда уж не посмеют не принять меня, и я вернусь в Париж, и увижу вас хоть на одно мгновение, и буду счастлив. Тысячи людей, правда, за это счастье заплатят своей жизнью. Но мне не будет до этого никакого дела, лишь бы увидеть вас! Все это, быть может, безумие, бред, но скажите, у какой женщины был обожатель более страстный? У какой королевы — более преданный слуга?

— Милорд, милорд, в свое оправдание вы приводите доводы, порочащие вас. Милорд, доказательства любви, о которых вы говорите, — ведь это почти преступление.

— Только потому, что вы не любите меня, сударыня. Если бы вы любили меня, все это представлялось бы вам иным. Но если б вы любили меня... если б вы любили меня, счастье было бы чрезмерным, и я сошел бы с ума! Да, госпожа де Шеврез, о которой вы только что упомянули, госпожа де Шеврез была менее жестока: Голланд любил ее, и она отвечала на его любовь.

— Госпожа де Шеврез не была королевой, — прошептала Анна Австрийская, не в силах устоять перед выражением такого глубокого чувства.

— Значит, вы любили бы меня, вы, сударыня, если б не были королевой? Скажите, любили бы? Осмелюсь ли я поверить, что только сан заставляет вас быть столь непреклонной? Могу ли поверить, что, будь вы госпожа де Шеврез, бедный Бекингэм мог бы лелеять надежду?.. Благодарю за эти сладостные слова, о моя прекрасная королева, тысячу раз благодарю!

— Милорд, милорд, вы не так поняли, не так истолковали мои слова. Я не хотела сказать...

— Молчите, молчите! — проговорил герцог. — Если счастье мне даровала ошибка — не будьте так жестоки, чтобы исправлять ее. Вы сами сказали: меня заманили в ловушку. Возможно, мне это будет стоить жизни... Так странно: у меня в последнее время предчувствие близкой смерти... — И по устам герцога скользнула печальная и в то же время чарующая улыбка.

— О господи! — воскликнула Анна, и ужас, прозвучавший в ее голосе, лучше всяких слов доказывал, насколько сильнее было ее чувство к герцогу, чем она желала показать.

— Я сказал это, сударыня, отнюдь не для того, чтобы испугать вас. О нет! То, что я сказал, просто смешно, и поверьте, меня нисколько не беспокоит такая игра воображения. Но слова, только что произнесенные вами, надежда, почти поданная мне, искупили заранее все, даже мою гибель.

— Теперь и я признаюсь вам, герцог, — проговорила Анна. — И меня тоже преследует предчувствие, преследуют сны. Мне снилось, что я вижу вас: вы лежали на земле, окровавленный, раненный...

— Раненный в левый бок, ножом? — перебил ее герцог.

— Да, именно так, милорд: в левый бок, ножом. Кто мог рассказать вам, что я видела такой сон? Я поверяла его только богу, да и то в молитве.

— Этого довольно, сударыня. Вы любите меня, и это все.

— Я люблю вас? Я?

— Да, вы. Разве бог послал бы вам те же сны, что и мне, если б вы не любили меня? Разве являлись бы нам те же предчувствия, если б сердце не связывало наши жизни? Вы любите меня, моя королева! Будете ли вы оплакивать меня?

— О боже! Боже! — воскликнула Анна Австрийская. — Это больше, чем я в силах вынести. Герцог, молю вас, ради всего святого, оставьте меня, уйдите! Я не знаю, люблю ли я вас или нет, но я твердо знаю, что не нарушу своих клятв. Сжальтесь же надо мной, уезжайте! Если вас ранят во Франции, если вы умрете во Франции, если у меня будет хоть мысль, что любовь ко мне стала причиной вашей гибели, я не перенесу этого, я сойду с ума! Уезжайте же, уезжайте, умоляю вас!

— О, как вы прекрасны сейчас! Как я люблю вас! — проговорил Бекингэм.

— Уезжайте! Уезжайте! Молю вас! Позже вы вернетесь. Вернитесь сюда в качестве посла, в качестве министра, вернитесь в сопровождении телохранителей, готовых защитить вас, слуг, обязанных охранять вас... Тогда я не буду трепетать за вашу жизнь и буду счастлива увидеть вас.

— Неужели правда то, что вы говорите мне?

— Да...

— Тогда... тогда в знак вашего прощения дайте мне что-нибудь, какую-нибудь вещицу, принадлежащую вам, которая служила бы доказательством, что все это не приснилось мне.

Какую-нибудь вещицу, которую вы носили и которую я тоже мог бы носить... перстень, цепочку...

— И вы уедете... уедете, если я исполню вашу просьбу?

— Да.

— Немедленно?

— Да.

— Вы покинете Францию? Вернетесь в Англию?

— Да, клянусь вам.

— Подождите тогда, подождите...

Анна Австрийская удалилась к себе и почти тотчас же вернулась, держа в руках ларец розового дерева с золотой инкрустацией, воспроизводившей ее монограмму.

— Возьмите это, милорд, — сказала она. — Возьмите и храните на память обо мне.

Герцог Бекингэм взял ларец и вновь упал к ее ногам.

— Вы обещали мне уехать, — произнесла королева.

— И я сдержу свое слово! Вашу руку, сударыня, вашу руку, и я удалюсь.

Королева Анна протянула руку, закрыв глаза и другой рукой опираясь на Эстефанию, ибо чувствовала, что силы готовы оставить ее.

Бекингэм страстно прильнул губами к этой прекрасной руке.

— Не позднее чем через полгода, сударыня, — проговорил он, поднимаясь, — я вновь увижу вас, хотя бы мне для этого пришлось перевернуть небо и землю!

И, верный данному слову, он выбежал из комнаты.

В коридоре он нашел г-жу Бонасье, которая с теми же предосторожностями и с тем же успехом вывела его за пределы Лувра.

XIII

ГОСПОДИН БОНАСЬЕ

Во всей этой истории, как читатель мог заметить, был один человек, которым, несмотря на тяжелое его положение, никто не интересовался. Человек этот был г-н Бонасье, почтенная жертва интриг политических и любовных, так тесно сплетавшихся между собой в ту эпоху, богатую рыцарскими подвигами и в то же время любовными похождениями.

К счастью — помнит ли или не помнит об этом читатель, — мы обещали не терять его из виду.

Сыщики, арестовавшие его, препроводили его прямым путем в Бастилию и там, трепещущего, провели мимо взвода солдат, заряжавших свои мушкеты.

Затем, оказавшись в полуподземном длинном коридоре, он подвергся со стороны своих провожатых самому жестокому обращению и был осыпан самыми грубыми ругательствами. Сыщики, видя, что имеют дело с человеком недворянского происхождения, обошлись с ним как с последним нищим.

Спустя полчаса явился писарь, положивший конец его мучениям, но не его беспокойству, дав распоряжение отвести его в комнату для допроса. Обычно арестованных допрашивали в их камерах, но с г-ном Бонасье не считали нужным стесняться.

Двое конвойных, схватив злополучного галантерейщика, заставили его пройти по двору, ввели в коридор, где стояло трое часовых, открыли какую-то дверь и втолкнули его в комнату со сводчатым потолком, где были только стол, стул и где находился комиссар. Комиссар восседал на стуле и что-то писал за столом.

Конвойные подвели арестанта к столу и по знаку комиссара удалились на такое расстояние, чтобы до них не мог достигнуть его голос.

Комиссар, который до сих пор склонял голову над своими бумагами, вдруг поднял глаза, желая проверить, кто стоит перед ним. Вид у комиссара был неприветливый — заостренный нос, желтые выдающиеся скулы, глаза маленькие, но живые и проницательные. В лице было нечто напоминающее одновременно и куницу и лису. Голова на длинной, подвижной шее, вытягивающейся из-за ворота черной судейской мантии, покачивалась, словно голова черепахи, вытягивающаяся из-под ее брони.

Комиссар прежде всего осведомился об имени и фамилии г-на Бонасье, о роде занятий и месте его жительства.

Допрашиваемый ответил, что зовут его Жак-Мишель Бонасье, что ему пятьдесят один год, что он бывший владелец галантерейной лавки, ныне оставивший торговлю, и живет на улице Могильщиков, в доме номер одиннадцать.

Комиссар после этого, вместо продолжения допроса, произнес длинную речь об опасности, которая грозит маленькому человеку, осмелившемуся сунуться в политику. Кроме того, он пустился в пространное повествование о могуществе и силе г-на кардинала, этого непревзойденного министра, этого победителя всех прежних министров, являющего блистательный пример для министров будущих, действиям и власти которого никто не может противиться безнаказанно.

По окончании этой части своей речи, вперив ястребиный взгляд в несчастного Бонасье, комиссар предложил ему поразмыслить о своем положении.

Размышления галантерейщика были несложны: он проклинал день и час, когда г-н де Ла Порт вздумал женить его на своей крестнице, и в особенности тот час, когда эта крестница была причислена к бельевой королевы.

Основой характера г-на Бонасье был глубочайший эгоизм в соединении с отчаянной скупостью, приправленной величайшей трусостью. Любовь, испытываемая им к молодой жене, была чувством второстепенным и не могла бороться с врожденными свойствами, только что перечисленными нами.

Бонасье серьезно обдумал то, что ему сказали.

— Но, господин комиссар, — заговорил он с полным хладнокровием, — поверьте, что я более чем кто-либо знаю и ценю все достоинства его несравненного высокопреосвященства, который оказывает нам честь управлять нами.

— Неужели? — недоверчиво спросил комиссар. — А если это действительно так, то как же вы попали в Бастилию?

— Как или, вернее, за что я нахожусь здесь — вот этого я никак не могу сказать вам, ибо мне это и самому неизвестно. Но уж наверное, не за поступки, которые могли бы быть неугодны господину кардиналу.

— Но вы должны были совершить какое-нибудь преступление, раз вас обвиняют в государственной измене.

— В государственной измене? — в ужасе вскричал Бонасье. — В государственной измене?.. Да как же несчастный галантерейщик, который не терпит гугенотов и ненавидит испанцев, может быть обвинен в государственной измене? Вы сами подумайте, господин комиссар! Ведь это же совершенно немыслимо!

— Господин Бонасье... — произнес комиссар, глядя на обвиняемого так, словно его маленькие глазки обладали способностью читать в глубине сердец. — Господин Бонасье, у вас есть жена?

— Да, сударь, — с дрожью ответил галантерейщик, чувствуя, что вот именно сейчас начнутся осложнения. — У меня... у меня была жена.

— Как это — была? Куда же вы ее дели, если она у вас была?

— Ее похитили у меня, сударь.

— Похитили? — переспросил комиссар. — Вот как!

Бонасье по этому «вот как!» понял, что дело его все больше запутывается.

— Итак, ее похитили, — продолжал комиссар. — Ну а знаете ли вы, кто именно ее похитил?

— Мне кажется, что знаю.

— Кто же это?

— Заметьте, господин комиссар, что я ничего не утверждаю. Я только подозреваю.

— Кого же вы подозреваете? Ну, откровенно.

Господин Бонасье растерялся: следовало ли ему во всем отпираться или все выложить начистоту? Если он станет отрицать все, могут предположить, что он знает слишком много и не смеет в этом признаться. Сознаваясь, он докажет свою добрую волю. Он решил поэтому сказать все.

— Я подозреваю мужчину высокого роста, черноволосого, смуглого, важного на вид, похожего на знатного вельможу. Он несколько раз следовал за нами, как мне показалось, когда я поджидал жену у выхода из Лувра и отводил ее домой.

Комиссар как будто несколько встревожился.

— А имя его? — спросил он.

— О, имени его я не знаю. Но если бы мне пришлось встретиться с ним, я сразу узнал бы его даже среди тысячи других, ручаюсь вам.

Комиссар нахмурился.

— Вы говорите, что узнали бы его среди тысячи других? — переспросил он.

— Я хотел сказать... — пробормотал Бонасье, заметив, что ответил неудачно. — Я хотел сказать...

— Вы ответили, что узнали бы его, — сказал комиссар. — Хорошо. На сегодня достаточно. Необходимо, раньше чем мы продолжим этот разговор, уведомить кое-кого о том, что вам известен похититель вашей жены.

— Но ведь я не говорил вам, что он мне известен! — в отчаянии воскликнул Бонасье. — Я говорил как раз обратное...

— Уведите заключенного! — приказал комиссар, обращаясь к двум стражникам.

— Куда прикажете его отвести? — спросил писарь.

— В камеру.

— В которую?

— Господи, да в любую! Лишь бы она покрепче запиралась, — произнес комиссар безразличным тоном, вселившим ужас в несчастного Бонасье.

«О боже, боже! — думал он. — Беда обрушилась на мою голову! Жена, наверное, совершила какое-нибудь ужасное преступление. Меня считают ее сообщником и покарают вместе с нею. Она, наверное, призналась, сказала, что посвящала меня во всё. Женщины ведь такие слабые создания!.. В камеру, в первую попавшуюся! Ну конечно! Ночь коротка... А завтра — колесо, виселица... О боже, боже! Сжалься надо мною!»

Не обращая ни малейшего внимания на жалобные сетования г-на Бонасье, сетования, к которым они, впрочем, давно должны были привыкнуть, караульные подхватили арестанта с двух сторон под руки и увели в камеру. Комиссар поспешно принялся строчить какое-то письмо. Писарь в ожидании стоял возле него.

Бонасье в эту ночь не сомкнул глаз — не потому, что камера была особенно неудобна, но страшная тревога не позволяла ему уснуть. Всю ночь он просидел на скамеечке, вздрагивая при малейшем звуке. И когда первые лучи солнца скользнули сквозь решетку окна, ему показалось, что само солнце приняло траурный оттенок.

Вдруг он услышал, как отодвигается засов, и даже подскочил от ужаса. Он решил, что за ним пришли, чтобы отвести на эшафот.

Поэтому, когда в дверях вместо палача появился вчерашний комиссар со своим писарем, он готов был броситься им на шею.

— Ваше дело, дорогой мой, крайне запуталось со вчерашнего дня, — сказал комиссар. — И я советую вам сказать правду. Только ваше чистосердечное раскаяние может смягчить гнев кардинала.

— Но я готов все сказать! — воскликнул Бонасье. — По крайней мере все, что я знаю. Прошу вас, спрашивайте меня.

— Прежде всего: где находится ваша жена?

— Ведь я говорил вам, что она похищена.

— Да, но вчера после пяти часов дня она благодаря вашей помощи сбежала.

— Моя жена сбежала? — воскликнул Бонасье. — Несчастная! Но, сударь, если она сбежала, то не по моей вине, клянусь вам!

— Для чего вы днем заходили к вашему жильцу, господину д'Артаньяну, с которым о чем-то долго совещались?

— Да, это правда, господин комиссар. Признаюсь в этом и признаюсь, что это была ошибка. Я действительно был у господина д'Артаньяна.

— С какой целью вы заходили к нему?

— С целью попросить его разыскать мою жену. Я полагал, что имею право требовать ее назад. По-видимому, я ошибся и очень прошу вас простить меня.

— Что же вам ответил господин д'Артаньян?

— Господин д'Артаньян обещал помочь мне. Но я вскоре убедился, что он предает меня.

— Вы стараетесь ввести суд в заблуждение! Д'Артаньян сговорился с вами, и в силу этого сговора он разогнал полицейских, которые арестовали вашу жену, и скрыл ее от преследования.

— Господин д'Артаньян похитил мою жену? Да что вы мне тут рассказываете?

— К счастью, господин д'Артаньян в наших руках, и вам будет устроена с ним очная ставка.

— Ну что ж, я этому рад! — воскликнул г-н Бонасье. — Хотелось бы увидеть хоть одно знакомое лицо...

— Введите господина д'Артаньяна! — приказал комиссар, обращаясь к караульным.

Караульные ввели Атоса.

— Господин д'Артаньян, — произнес комиссар, обращаясь к Атосу, — расскажите, что произошло между вами и этим господином.

— Но это вовсе не господин д'Артаньян! — вскричал Бонасье.

— Как — не господин д'Артаньян? — в свою очередь, закричал комиссар.

— Ну конечно, нет! — сказал Бонасье.

— Как же зовут этого господина? — спросил комиссар.

— Не могу вам сказать: я с ним не знаком.

— Вы с ним не знакомы?

— Нет.

— Вы никогда его не видели?

— Видал, но не знаю, как его зовут.

— Ваше имя? — спросил комиссар.

— Атос, — ответил мушкетер.

— Но ведь это не человеческое имя, это название какой-нибудь горы! — воскликнул несчастный комиссар, начинавший терять голову.

— Это мое имя, — спокойно сказал Атос.

— Но вы сказали, что вас зовут д'Артаньян.

— Я это говорил?

— Да, вы.

— Разрешите! Меня спросили: «Вы господин д'Артаньян?» — на что я ответил: «Вы так полагаете?» Стражники закричали, что они в этом уверены. Я не стал спорить с ними. Кроме того, ведь я мог и ошибиться.

— Сударь, вы оскорбляете достоинство суда.

— Ни в какой мере, — спокойно сказал Атос.

— Вы господин д'Артаньян!

— Вот видите, вы снова это утверждаете.

— Но, господин комиссар, — вскричал Бонасье, — уверяю вас, тут не может быть никакого сомнения! Господин д'Артаньян — мой жилец, и, следовательно, хоть он и не платит мне за квартиру, или именно поэтому, я-то должен его знать. Господин д'Артаньян — молодой человек лет девятнадцати — двадцати, не более, а этому господину по меньшей мере тридцать. Господин д'Артаньян состоит в гвардейской роте господина Дезэссара, а этот господин — мушкетер из роты господина де Тревиля. Поглядите на его одежду, господин комиссар, поглядите на одежду!

— Правильно! — пробормотал комиссар. — Это, черт возьми, правильно!

В эту минуту распахнулась дверь, и гонец, которого ввел один из надзирателей Бастилии, подал комиссару какое-то письмо.

— Ах, негодная! — воскликнул комиссар.

— Как? Что вы сказали? О ком вы говорите? Не о моей жене, надеюсь?

— Нет, именно о ней. Хороши ваши дела, нечего сказать!

— Что же это такое? — воскликнул галантерейщик в полном отчаянии. — Будьте добры объяснить мне, господин комиссар, каким образом мое дело может ухудшиться от того, что делает моя жена в то время, как я сижу в тюрьме?

— Потому что все совершаемое вашей женой — только продолжение задуманного вами совместно плана! Чудовищного плана!

— Клянусь вам, господин комиссар, что вы глубоко заблуждаетесь, что я и понятия не имею о том, что намеревалась совершить моя жена, что я не имею ни малейшего отношения к тому, что она сделала, и, если она наделала глупостей, я отрекаюсь от нее, отказываюсь, проклинаю ее!

— Вот что, господин комиссар, — сказал вдруг Атос. — Если я вам больше не нужен, прикажите отвести меня куда-нибудь. Он порядочно надоел мне, ваш господин Бонасье.

— Отведите арестованных в их камеры, — приказал комиссар, одним и тем же движением указывая на Атоса и Бонасье, — и пусть их охраняют как можно строже.

— Если вы имеете претензии к господину д'Артаньяну, — с обычным своим спокойствием сказал Атос, — я не совсем понимаю, в какой мере я могу заменить его.

— Делайте, как вам приказано! — закричал комиссар. — И никаких сношений с внешним миром! Слышите!

Атос, пожав плечами, последовал за караульными, а Бонасье всю дорогу так плакал и стонал, что мог бы разжалобить тигра.

Галантерейщика отвели в ту самую камеру, где он провел ночь, и оставили его там на весь день. И весь день Бонасье плакал, как настоящий галантерейщик: да ведь, по его же собственным словам, в нем не было и тени воинского духа.

Вечером, около девяти часов, уже собираясь лечь спать, он услышал шаги в коридоре. Шаги приближались к его камере; дверь открылась, и вошли караульные солдаты.

— Следуйте за мной, — произнес полицейский чиновник, вошедший вместе с солдатами.

— Следовать за вами? — воскликнул Бонасье. — Следовать за вами в такой час? Куда это, господи помилуй?

— Туда, куда нам приказано вас доставить.

— Но это не ответ!

— Это единственное, что мы можем сказать вам.

— О боже, боже! — прошептал несчастный галантерейщик. — На этот раз я погиб!

И он, совершенно убитый, без всякого сопротивления последовал за караульными.

Его провели по тому же коридору, по которому он уже проходил, затем они пересекли двор, прошли через другое здание и, наконец, достигли ворот главного двора, где ждала карета, окруженная четырьмя верховыми. Бонасье посадили в карету, полицейский чиновник устроился рядом с ним, дверцы заперли на ключ, и оба оказались как бы в передвижной тюрьме.

Карета двинулась вперед медленно, словно траурная колесница. Сквозь решетку, защищавшую окно, арестованный мог видеть только дома и мостовую. Но коренной парижанин, каким был Бонасье, узнавал каждую улицу по тумбам, вывескам и фонарям. Подъезжая к церкви Святого Павла, возле которой казнили узников Бастилии, приговоренных к смерти, он чуть не лишился чувств и дважды перекрестился. Он думал, что карета здесь остановится. Но карета проехала мимо.

Несколько позже он снова пережил безграничный ужас. Они проезжали вдоль кладбища Святого Якова, где хоронили государственных преступников. Одно только его несколько успокоило: прежде чем их похоронить, им обычно отрубали голову, а его собственная голова пока еще крепко сидела на плечах. Но когда он увидел, что карета сворачивает к Гревской площади, когда он увидел островерхую крышу городской ратуши и карета въехала под арку, он решил, что все кончено, и попытался исповедаться перед полицейским чиновником. В ответ на отказ чиновника выслушать его он принялся так жалобно кричать, что тот пригрозил заткнуть ему рот кляпом, если он не замолчит.

Эта угроза немного успокоила Бонасье. Если его собирались казнить на Гревской площади, не стоило затыкать ему рот: они ведь уже почти достигли места казни. И действительно, карета проехала через роковую площадь, не останавливаясь. Приходилось опасаться еще только Трагуарского Креста. А туда именно карета и завернула.

На этот раз не могло быть сомнений: на площади Трагуарского Креста казнили приговоренных низкого звания. Бонасье напрасно льстил себе, считая себя достойным площади Святого Павла или Гревской площади. Его путешествие и его жизнь закончатся у Трагуарского Креста. Ему не виден был еще злосчастный крест, но он почти ощущал, как этот крест движется ему навстречу. Шагах в двадцати от рокового места он вдруг услышал гул толпы, и карета остановилась. Этого несчастный Бонасье, истерзанный всеми пережитыми волнениями, уже не в силах был перенести. Он издал слабый крик, который можно было принять за последний стон умирающего, и лишился чувств.

XIV

НЕЗНАКОМЕЦ ИЗ МЕНГА

Толпа на площади собралась не в ожидании человека, которого должны были повесить, а сбежалась смотреть на повешенного.

Карета поэтому, на минуту задержавшись, тронулась дальше, проехала сквозь толпу, миновала улицу Сент-Оноре, повернула на улицу Добрых Детей и остановилась у невысокого подъезда.

Двери распахнулись, и двое гвардейцев приняли в свои объятия Бонасье, поддерживаемого полицейским. Его втолкнули в длинный вестибюль, ввели вверх по какой-то лестнице и оставили в передней.

Все движения, какие требовались от него, он совершал машинально.

Он шел, как ходят во сне, видел окружающее словно сквозь туман. Слух улавливал какие-то звуки, но не осознавал их. Если бы его в эти минуты казнили, он бы не сделал ни одного движения, чтобы защититься, не испустил бы ни одного вопля, чтобы вымолить пощаду.

Он так и остался сидеть на банкетке, прислонясь к стене и опустив руки, в том самом месте, где караульные усадили его.

Но постепенно, оглядываясь кругом и не видя никаких предметов, угрожающих его жизни, ничего, представляющего опасность, видя, что стены покрыты мягкой кордовской кожей, красные тяжелые шелковые портьеры подхвачены золотыми шнурами, а банкетка, на которой он сидел, достаточно мягка и удобна, он понял, что страх его напрасен, и начал поворачивать голову вправо и влево и то поднимать ее, то опускать.

Эти движения, которым никто не препятствовал, придали ему некоторую храбрость, и он рискнул согнуть сначала одну ногу, затем другую. В конце концов, опершись руками о сиденье диванчика, он слегка приподнялся и оказался на ногах.

В эту минуту какой-то офицер представительного вида приподнял портьеру, продолжая говорить с кем-то находившимся в соседней комнате. Затем он обернулся к арестованному.

— Это вы Бонасье? — спросил он.

— Да, господин офицер, — пробормотал галантерейщик, чуть живой от страха. — Это я, к вашим услугам.

146

— Войдите, — сказал офицер.

Он отодвинулся, пропуская арестованного. Бонасье беспрекословно повиновался и вошел в комнату, где его, по-видимому, ожидали.

Это был просторный кабинет, стены которого были увешаны разного рода оружием; ни один звук не доносился сюда извне. Хотя был всего лишь конец сентября, в камине уже горел огонь. Всю середину комнаты занимал квадратный стол с книгами и бумагами, поверх которых лежала развернутая огромная карта города Ла-Рошели.

У камина стоял человек среднего роста, гордый, надменный, с широким лбом и пронзительным взглядом. Худощавое лицо его еще больше удлиняла остроконечная бородка, над которой закручивались усы. Этому человеку было едва ли более тридцати шести — тридцати семи лет, но в волосах и бородке уже мелькала седина. Хотя при нем не было шпаги, все же он походил на военного, а легкая пыль на его сапогах указывала, что он в этот день ездил верхом.

Человек этот был Арман-Жан дю Плесси, кардинал де Ришелье, не такой, каким принято у нас изображать его, то есть не согбенный старец, страдающий от тяжкой болезни, расслабленный, с угасшим голосом, погруженный в глубокое кресло, словно в преждевременную могилу, живущий только силой своего ума и поддерживающий борьбу с Европой одним напряжением мысли, а такой, каким он в действительности был в те годы: ловкий и любезный кавалер, уже и тогда слабый телом, но поддерживаемый неукротимой силой духа, сделавшего из него одного из самых замечательных людей своего времени. Оказав поддержку герцогу Невэрскому в его мантуанских владениях, захватив Ним, Кастр и Юзэс, он готовился изгнать англичан с острова Рэ и приступить к осаде Ла-Рошели.

Ничто, таким образом, на первый взгляд не изобличало в нем кардинала, и человеку, не знавшему его в лицо, трудно было догадаться, кто стоит перед ним.

Злополучный галантерейщик остановился в дверях, а взгляд человека, только что описанного нами, впился в него, словно желая проникнуть в глубину его прошлого.

— Это тот самый Бонасье? — спросил он после некоторого молчания.

— Да, ваша светлость, — ответил офицер.

— Хорошо. Подайте мне его бумаги и оставьте нас.

Офицер взял со стола требуемые бумаги, подал их и, низко поклонившись, вышел.

Бонасье в этих бумагах узнал протоколы его допросов в Бастилии. Человек, стоявший у камина, время от времени поднимал глаза от бумаг и останавливал их на арестанте, и тогда несчастному казалось, что два кинжала впиваются в самое его сердце.

После десяти минут чтения и десяти секунд наблюдения для кардинала все было ясно.

— Это существо никогда не участвовало в заговоре, но все же посмотрим... — прошептал он. — Вы обвиняетесь в государственной измене, — медленно проговорил кардинал.

— Мне об этом уже сообщили, ваша светлость! — воскликнул Бонасье, титулуя своего собеседника так, как его только что титуловал офицер. — Но клянусь вам, что я ничего не знаю.

Кардинал подавил улыбку.

— Вы состояли в заговоре с вашей женой, с госпожой де Шеврез и с герцогом Бекингэмом.

— Действительно, ваша светлость, — сказал Бонасье, — она при мне называла эти имена.

— По какому поводу?

— Она говорила, что кардинал де Ришелье заманил герцога Бекингэма в Париж, чтобы погубить его, а вместе с ним и королеву.

— Она так говорила? — с гневом вскричал кардинал.

— Да, ваша оветлость, но я убеждал ее, что ей не следует говорить такие вещи и что его высокопреосвященство не способны...

— Замолчите, вы, глупец! — сказал кардинал.

— Вот это самое сказала и моя жена, ваша светлость.

— Известно ли вам, кто похитил вашу жену?

— Нет, ваша светлость.

— Но вы кого-то подозревали?

— Да, ваша светлость. Но эти подозрения как будто вызвали неудовольствие господина комиссара, и я уже отказался от них.

— Ваша жена бежала. Вы знали об этом?

— Нет, ваша светлость. Я узнал об этом только в тюрьме через посредство господина комиссара. Он очень любезный человек.

Кардинал второй раз подавил улыбку.

— Значит, вам не известно, куда девалась ваша жена после своего бегства?

— Совершенно ничего, ваша светлость. Надо полагать, что она вернулась в Лувр.

— В час ночи ее еще там не было.

— Господи боже мой! Что же с нею случилось?

— Это станет известно, не беспокойтесь. От кардинала ничто не остается сокрытым. Кардинал знает все.

— В таком случае, ваша светлость, как вы думаете, не согласится ли кардинал сообщить, куда девалась моя жена?

— Возможно. Но вы должны предварительно рассказать все, что вам известно об отношениях вашей жены с госпожой де Шеврез.

— Но, ваша светлость, я ровно ничего не знаю. Я никогда не видал этой дамы.

— Когда вы заходили за вашей женой в Лувр, она прямо возвращалась домой?

— Очень редко. У нее были дела с какими-то торговцами полотном, куда я и провожал ее.

— А сколько было этих торговцев?

— Два, ваша светлость.

— Где они жили?

— Один на улице Вожирар, другой на улице Лагарп.

— Входили вы к ним вместе с нею?

— Никогда. Я ждал ее у входа.

— А как она объясняла свое желание заходить одной?

— Никак не объясняла. Говорила, чтобы я подождал, — я и ждал.

— Вы очень покладистый муж, любезный мой господин Бонасье! — сказал кардинал.

«Он называет меня «любезным господином Бонасье»; — подумал галантерейщик. — Дела, черт возьми, идут хорошо!»

— Могли бы вы узнать двери, куда она входила?

— Да.

— Помните ли вы номера?

— Да.

— Назовите их.

— Номер двадцать пять по улице Вожирар и номер семьдесят пять по улице Лагарп.

— Хорошо, — сказал кардинал. И, взяв со стола серебряный колокольчик, он позвонил.

Вошел тот же офицер.

— Сходите за Рошфором, — вполголоса приказал Ришелье, — пусть он тотчас придет, если только вернулся.

— Граф здесь, — сказал офицер. — Он настоятельно просит ваше преосвященство принять его.

— Пусть он зайдет! — воскликнул кардинал. — Пусть зайдет!

Офицер выбежал из комнаты с той быстротой, с которой все слуги кардинала обычно старались исполнять его приказания.

— Ах, «ваше преосвященство»! — прошептал Бонасье, в ужасе выпучив глаза.

Не прошло и пяти секунд после ухода офицера, как дверь распахнулась и вошел новый посетитель.

— Это он! — вскричал Бонасье.

— Кто — он? — спросил кардинал.

— Он, похититель моей жены!

Кардинал снова позвонил. Вошел офицер.

— Отведите этого человека и сдайте солдатам, которые его привезли. Пусть он подождет, пока я снова вызову его.

— Нет, ваша светлость, нет, это не он! — завопил Бонасье. — Я ошибся! Ее похитил другой, совсем не похожий на этого! Этот господин — честный человек!

— Уведите этого болвана! — сказал кардинал.

Офицер взял Бонасье за локоть и вывел в переднюю, где его ожидали караульные.

Человек, только что вошедший к кардиналу, проводил Бонасье нетерпеливым взглядом и, как только дверь затворилась за ним, быстро подошел к Ришелье.

— Они виделись, — произнес он.

— Кто? — спросил кардинал.

— Она и он.

— Королева и герцог? — воскликнул Ришелье.

— Да.

— Где же?

— В Лувре.

— Вы уверены?

— Совершенно уверен.

— Кто вам сказал?

— Госпожа де Ланнуа, которая, как вы знаете, всецело предана вашему преосвященству.

— Почему она не сообщила об этом раньше?

— То ли случайно, то ли из недоверия, но королева приказала госпоже де Сюржи остаться ночевать у нее в спальне и затем не отпускала ее весь день.

150

— Так... Мы потерпели поражение. Постараемся отыграться.

— Я все силы приложу, чтобы помочь вашей светлости. Будьте в этом уверены.

— Как все это произошло?

— В половине первого ночи королева сидела со своими придворными дамами...

— Где именно?

— В своей спальне...

— Так...

— ...как вдруг ей передали платок, посланный кастеляншей...

— Дальше!

— Королева сразу обнаружила сильное волнение и, несмотря на то что была нарумянена, заметно побледнела...

— Дальше! Дальше!

— Поднявшись, она произнесла изменившимся голосом: «Подождите меня десять минут, я скоро вернусь», — затем открыла дверь и вышла.

— Почему госпожа де Ланнуа не сообщила вам немедленно обо всем?

— У нее не было еще полной уверенности. К тому же королева ведь приказала: «Подождите меня». И она не решилась ослушаться.

— Сколько времени королева отсутствовала?

— Три четверти часа.

— Никто из придворных дам не сопровождал ее?

— Одна только донья Эстефания.

— Затем королева вернулась?

— Да, но лишь для того, чтобы взять ларчик розового дерева, украшенный ее монограммой, с которым она и удалилась.

— А когда она вернулась, ларчик был при ней?

— Нет.

— Знает ли госпожа де Ланнуа, что находилось в ларце?

— Да. Алмазные подвески, подаренные королеве его величеством.

— И вернулась она без этого ларца?

— Да.

— Госпожа де Ланнуа полагает, следовательно, что королева отдала ларец герцогу Бекингэму?

— Она в этом убеждена.

— Почему?

— Днем госпожа де Ланнуа как камер-фрейлина королевы всюду искала ларец, сделала вид, что обеспокоена его исчезновением, и в конце концов спросила королеву, не знает ли она, куда он исчез.

— И тогда королева?..

— Королева, густо покраснев, сказала, что накануне сломала один из подвесков и отправила его в починку к ювелиру.

— Нужно зайти к королевскому ювелиру и узнать, правда это или нет.

— Я уже был там.

— Ну и что же? Что сказал ювелир?

— Ювелир ни о чем не слыхал.

— Прекрасно, Рошфор! Не все еще потеряно, и кто знает, кто знает... все, может быть, к лучшему.

— Я ни на мгновение не сомневаюсь, что гений вашего преосвященства...

— ...исправит ошибки своего шпиона, не так ли?

— Я как раз это самое и собирался сказать, если бы ваше преосвященство позволили мне договорить.

— А теперь... известно ли вам, где скрывались герцогиня де Шеврез и герцог Бекингэм?

— Нет, ваша светлость. Мои шпионы не могли сообщить никаких точных сведений на этот счет.

— А я знаю.

— Вы, ваша светлость?

— Да. Во всяком случае, догадываюсь.

— Желает ли ваше преосвященство, чтобы я приказал арестовать обоих?

— Поздно. Они, должно быть, успели уехать.

— Можно, во всяком случае, удостовериться...

— Возьмите с собой десять моих гвардейцев и обыщите оба дома.

— Слушаюсь, ваше преосвященство.

Рошфор поспешно вышел.

Оставшись один, кардинал после минутного раздумья позвонил в третий раз.

В дверях появился все тот же офицер.

— Введите арестованного! — сказал кардинал.

Господина Бонасье снова ввели в кабинет. Офицер по знаку кардинала удалился.

— Вы обманули меня, — строго произнес кардинал.

— Я? — вскричал Бонасье. — Чтобы я обманул ваше высокопреосвященство!..

— Ваша жена, отправляясь на улицу Вожирар и на улицу Лагарп, заходила вовсе не к торговцам полотном.

— К кому же она ходила, боже правый?

— Она ходила к герцогине де Шеврез и к герцогу Бекингэму.

— Да... — произнес Бонасье, углубляясь в воспоминания, — да, кажется, ваше высокопреосвященство правы. Я несколько раз говорил жене: странно, что торговцы полотном живут в таких домах — в домах без вывесок. И каждый раз жена моя принималась хохотать. Ах, ваша светлость, — продолжал Бонасье, бросаясь к ногам его высокопреосвященства, — вы и в самом деле кардинал, великий кардинал, гений, перед которым преклоняются все!

Сколь ни ничтожно было торжество над таким жалким созданием, как Бонасье, кардинал все же один миг наслаждался им.

Затем, словно внезапно осененный какой-то мыслью, он с легкой улыбкой, скользнувшей по его губам, протянул руку галантерейщику.

— Встаньте, друг мой, — сказал он. — Вы порядочный человек.

— Кардинал коснулся моей руки, я коснулся руки великого человека! — вскричал Бонасье. — Великий человек назвал меня своим другом!

— Да, друг мой, да! — произнес кардинал отеческим тоном, которым он умел иногда говорить, тоном, который мог обмануть только людей, плохо знавших Ришелье. — Вас напрасно обвиняли, и потому вас следует вознаградить. Вот, возьмите этот кошель, в нем сто пистолей, и простите меня.

— Чтобы я простил вас, ваша светлость! — сказал Бонасье, не решаясь дотронуться до мешка с деньгами — вероятно, из опасения, что все это только шутка. — Вы вольны были арестовать меня, вольны пытать меня, повесить, вы наш властелин, и я не смел бы даже пикнуть! Простить вас, ваша светлость! Подумать страшно!

— Ах, любезный господин Бонасье, вы удивительно великодушны! Вижу это и благодарю вас. Итак, вы возьмете этот кошель и уйдете отсюда не слишком недовольный.

— Я ухожу в полном восхищении.

— Итак, прощайте. Или, лучше, до свидания, ибо, я надеюсь, мы еще увидимся.

— Когда будет угодно вашему преосвященству! Я весь к услугам вашего преосвященства.

— Мы будем видеться часто, будьте спокойны. Беседа с вами доставила мне необычайное удовольствие.

— О, ваше преосвященство!..

— До свидания, господин Бонасье, до свидания!

И кардинал сделал знак рукой, в ответ на который Бонасье поклонился до земли. Затем, пятясь задом, он вышел из комнаты, и кардинал услышал, как он в передней что есть мочи завопил: «Да здравствует его светлость! Да здравствует его преосвященство! Да здравствует великий кардинал!»

Кардинал с улыбкой прислушался к этому шумному проявлению восторженных чувств мэтра Бонасье.

— Вот человек, который отныне даст себя убить за меня, — проговорил он, когда крики Бонасье заглохли вдали.

И кардинал с величайшим вниманием склонился над картой Ла-Рошели, развернутой, как мы уже говорили, у него на столе, и принялся карандашом вычерчивать на ней линию знаменитой дамбы, которая полтора года спустя закрыла доступ в гавань осажденного города. Он был целиком поглощен своими стратегическими планами, как вдруг дверь снова раскрылась и вошел Рошфор.

— Ну, как же? — с живостью спросил кардинал, и быстрота, с которой он поднялся, указывала на то, какое большое значение он придавал поручению, данному им графу.

— Вот как обстоит дело, — ответил граф. — В домах, указанных вашим преосвященством, действительно проживала молодая женщина лет двадцати шести — двадцати восьми и мужчина лет тридцати пяти — сорока. Мужчина прожил там четыре дня, женщина — пять. Женщина уехала сегодня ночью, а мужчина — утром.

— Это были они! — воскликнул кардинал и, взглянув на стенные часы, добавил: — Сейчас уже поздно посылать за ними погоню: герцогиня уже в Туре, а Бекингэм в Булони. Придется настигнуть его в Лондоне.

— Какие будут приказания вашего преосвященства?

— Ни слова о случившемся. Пусть королева ничего не подозревает, пусть не знает, что мы проникли в ее тайну. Пусть предполагает, что мы занимаемся раскрытием какого-нибудь заговора... Вызовите ко мне канцлера Сегье.

— А что ваше преосвященство сделали с этим человеком?

— С каким человеком? — спросил кардинал.

— С этим Бонасье?

— Сделал с ним все, что можно было с ним сделать. Я сделал из него шпиона, и он будет следить за собственной женой.

Граф Рошфор поклонился с видом человека, признающего недосягаемое превосходство своего повелителя, и удалился.

Оставшись один, кардинал снова опустился в кресло, набросал письмо, которое запечатал своей личной печатью, и позвонил. В четвертый раз вошел все тот же дежурный офицер.

— Позовите ко мне Витре, — произнес кардинал, — и скажите ему, чтобы он был готов отправиться в дальнюю дорогу.

Через несколько минут перед ним уже стоял вызванный им человек в высоких ботфортах со шпорами, готовый отправиться в путь.

— Витре, — сказал Ришелье, — вы немедленно помчитесь в Лондон. Вы ни на одну секунду нигде не остановитесь в пути. Вы передадите это письмо в руки миледи. Вот приказ на выплату двухсот пистолей. Отправьтесь к моему казначею, он вам вручит наличными. Вы получите столько же, если вернетесь через шесть дней и хорошо выполните мое поручение.

Не отвечая ни слова, гонец поклонился, взял письмо и чек на двести пистолей и вышел.

Вот что было написано в письме:

«Миледи! Будьте на первом же балу, на котором появится герцог Бекингэм. На его камзоле вы увидите двенадцать алмазных подвесков; приблизьтесь к нему и отрежьте два из них.

Сообщите мне тотчас же, как только подвески будут в ваших руках».

XV

ВОЕННЫЕ И СУДЕЙСКИЕ

На следующий день после того, как разыгрались все эти события, д'Артаньян и Портос, видя, что Атос не появляется, сообщили г-ну де Тревилю о его исчезновении.

Что касается Арамиса, то, испросив отпуск на пять дней, он, как говорили, отбыл в Руан по семейным делам.

Господин де Тревиль был отцом своих солдат. Едва успев надеть форму мушкетера, самый незаметный из них и никому не известный мог так же твердо надеяться на помощь капитана, как мог бы надеяться на помощь брата.

Поэтому де Тревиль немедленно отправился к главному уголовному судье. Вызвали офицера, командовавшего постом у Алого Креста, и, сверяя последовательно полученные сведения, удалось установить, что Атос помещен в Фор-Левек.

Атос прошел через все испытания, которым, как мы видели, подвергся Бонасье.

Мы присутствовали при очной ставке, устроенной обоим заключенным. Атос, до этой минуты умалчивавший обо всем из опасения, что станут беспокоить д'Артаньяна и лишат его необходимой свободы действий, теперь утверждал, что зовут его Атос, а не д'Артаньян.

Он объявил, кроме этого, что не знает ни господина, ни госпожи Бонасье, что никогда не разговаривал ни с одним из них. Около десяти часов вечера он зашел навестить своего друга г-на д'Артаньяна, но до этого часа находился у г-на де Тревиля, где он обедал. Не менее двадцати свидетелей могут подтвердить это обстоятельство. И он назвал несколько громких имен, среди прочих также и герцога де Ла Тремуля.

Второй комиссар был, так же как и первый, смущен простыми и твердыми показаниями этого мушкетера, над которым он между тем жаждал одержать верх, что всегда заманчиво для судейского чиновника в борьбе с человеком военным. Но имена г-на де Тревиля и герцога де Ла Тремуля смутили его.

Атоса также повезли к кардиналу, но кардинал, к сожалению, находился в Лувре, у короля.

Это было как раз в то время, когда г-н де Тревиль, выйдя от главного уголовного судьи и от коменданта Фор-Левека и не получив доступа к Атосу, прибыл к королю.

В качестве капитана мушкетеров г-н де Тревиль в любой час мог видеть короля.

Мы знаем, как сильно было недоверие короля к королеве, недоверие, умело разжигаемое кардиналом, который по части интриг значительно больше опасался женщин, чем мужчин. Одной из главных причин его предубеждения против Анны Австрийской была дружба королевы с г-жой де Шеврез. Обе эти женщины беспокоили его больше, чем войны с Испанией, недоразумения с Англией и запутанное состояние финансов. По его мнению и глубокому убеждению, г-жа де Шеврез помогала королеве не только в политических интригах, но — что еще гораздо больше тревожило его — в интригах любовных.

При первых же словах кардинала о том, что г-жа де Шеврез, сосланная в Тур и, как предполагалось, находившаяся в этом городе, тайно приезжала в Париж и, пробыв пять дней, сбила с толку полицию, король пришел в неистовый гнев. Капризный и вероломный, король желал, чтобы его называли Людовиком Справедливым и Людовиком Целомудренным. Потомки с трудом разберутся в этом характере, который история пытается объяснить, приводя многочисленные факты, но не прибегая к рассуждениям.

Когда же кардинал добавил, что не только г-жа де Шеврез приезжала в Париж, но что королева возобновила с ней связь при помощи шифра, в те времена называвшегося кабалистическим, когда он стал утверждать, что, в то время как он, кардинал, уже готов был распутать тончайшие нити этой интриги и, вооружившись всеми доказательствами, намеревался арестовать на месте преступления посредницу между изгнанницей и королевой, какой-то мушкетер осмелился силой прервать ход судебного следствия и, обнажив шпагу, обрушился на честных чиновников, которым было поручено беспристрастное расследование этого дела, чтобы обо всем доложить королю, — Людовик XIII потерял всякое самообладание. Охваченный безмолвным бешенством, которое, когда оно прорывалось, внушало этому монарху способность совершать самые жестокие поступки, он, побледнев, сделал шаг к дверям, ведущим в апартаменты королевы. А между тем кардинал еще не успел произнести имя Бекингэма.

Именно в этот миг появился де Тревиль, холодный, вежливый, безукоризненный во всем своем облике. Увидев здесь кардинала, взглянув на искаженное лицо короля, де Тревиль догадался обо всем, что здесь произошло, и почувствовал себя сильным, как Самсон перед филистимлянами.

Людовик XIII уже схватился за ручку двери. Звук шагов де Тревиля заставил его обернуться.

— Вы явились как раз вовремя, — произнес король, который, дав волю своим страстям, терял уже способность что-либо скрыть. — Хорошие вещи рассказывают мне о ваших мушкетерах!

— А у меня, — холодно ответил де Тревиль, — найдется немало хорошего рассказать вашему величеству о судейских.

— Я не понимаю вас, — надменным тоном произнес король.

— Имею честь доложить вашему величеству, — с тем же спокойствием продолжал де Тревиль, — что кучка чиновников, комиссаров и полицейских, людей весьма почтенных, но, очевидно, крайне враждебных к военным, позволила себе арестовать в одном доме, провести открыто по улицам и заключить в Фор-Левек — все это ссылаясь на приказ, который мне не согласились предъявить, — одного из моих мушкетеров или, вернее, ваших мушкетеров, ваше величество, человека безукоризненного поведения, прославленного, если осмелюсь так выразиться, известного вашему величеству с самой лучшей стороны, — господина Атоса.

— Атоса? — почти невольно повторил король. — Да, мне, кажется, знакомо это имя...

— Пусть ваше величество потрудится вспомнить, — сказал де Тревиль. — Господин Атос — тот самый мушкетер, который на известной вам злополучной дуэли имел несчастье тяжело ранить господина де Каюзака... Да, кстати, ваше преосвященство, — продолжал де Тревиль, обращаясь к кардиналу, — господин Каюзак вполне поправился, не правда ли?

— Да, благодарю, — проговорил кардинал, от гнева прикусив губу.

— Итак, господин Атос зашел навестить своего друга, — продолжал де Тревиль, — молодого беарнца, кадета гвардии вашего величества, из роты Дезэссара. Молодого человека не оказалось дома. Не успел господин Атос опуститься на стул и взять в руки книгу, намереваясь подождать своего друга, как целая толпа сыщиков и солдат, смешавшихся вместе, осадила дом, взломала несколько дверей...

Кардинал знаком пояснил королю: «Это по поводу того дела, о котором я вам говорил...»

— Все это нам известно, — произнес король. — Ибо все это делалось ради нашей пользы.

— Итак, — продолжал де Тревиль, — ради вашей пользы был схвачен один из моих мушкетеров, ни в чем не повинный, ради вашей пользы он под охраной двух солдат был, словно злодей, проведен по улицам города, сквозь толпу, осыпавшую оскорблениями этого благородного человека, десятки раз проливавшего свою кровь за ваше величество и готового в любую минуту снова пролить ее?

— Да что вы? — сказал король, заколебавшись. — Неужели дело происходило именно так?

— Господин де Тревиль, — произнес кардинал, сохраняя совершенное хладнокровие, — не сказал вам, что этот ни в чем не повинный мушкетер, что этот благородный человек за час до того с обнаженной шпагой напал на четырех комиссаров, посланных мною для расследования по делу чрезвычайной важности.

— Пусть ваше преосвященство докажет это! — воскликнул де Тревиль с искренностью чисто гасконской и резкостью чисто военной. — Дело в том, что за час до этого господин Атос, человек — как я осмелюсь доложить вашему величеству — весьма знатного происхождения, оказал мне честь отобедать у меня и беседовал у меня в гостиной с герцогом де Ла Тремулем и графом де Шалю.

Король взглянул на кардинала.

— Все, о чем я говорил, — произнес кардинал в ответ на безмолвный вопрос короля, — изложено в протоколе, составленном пострадавшими. Имею честь представить его вашему величеству.

— Неужели протокол судейских чиновников стоит честного слова, военного? — гордо спросил де Тревиль.

— Полно, полно, Тревиль, — сказал король, — замолчите!

— Если его преосвященство подозревает кого-либо из моих мушкетеров, — ответил де Тревиль, — то ведь справедливость господина кардинала достаточно известна всем, и я сам прошу о расследовании.

— В доме, где происходил этот обыск, — проговорил кардинал все с тем же хладнокровием, — живет, если я не ошибаюсь, некий беарнец, друг этого мушкетера?

— Ваше преосвященство имеет в виду д'Артаньяна?

— Я имею в виду молодого человека, которому вы, господин де Тревиль, покровительствуете.

— Да, ваше преосвященство, совершенно верно.

— Не считаете ли вы возможным, что этот молодой человек дурно влиял...

— ...на господина Атоса, человека, который вдвое старше его? — перебил де Тревиль. — Нет, ваша светлость, не считаю возможным. Кроме того, господин д'Артаньян также провел вечер у меня.

— Вот так история! — воскликнул кардинал. — По-видимому, решительно все провели вечер у вас!

— Не подвергает ли ваше преосвященство сомнению мои слова? — спросил де Тревиль, которому краска гнева залила лицо.

— Нет, боже меня упаси! — произнес кардинал. — Но в котором часу д'Артаньян был у вас?

— О, это я могу совершенно точно сообщить вашему высокопреосвященству: когда он вошел, я как раз заметил, что часы показывали половину десятого, хотя мне казалось, что уже позднее.

— А в котором часу он покинул ваш дом?

— В половине одиннадцатого. Через час после этих событий.

— Но в конце-то концов... — сказал кардинал, который ни на минуту не усомнился в правдивости де Тревиля и чувствовал, что победа ускользает от него, — но ведь в конце-то концов Атоса задержали в этом самом доме на улице Могильщиков.

— Разве другу воспрещается навещать друга, мушкетеру моей роты — поддерживать братскую дружбу с гвардейцем из роты господина Дезэссара?

— Да, если дом, где он встречается со своим другом, подозрителен.

— Дело ведь в том, что дом этот подозрителен, Тревиль, — вставил король. — Вы этого, может быть, не знали...

— Да, ваше величество, я действительно этого не знал. Но я убежден, что это не относится к части дома, занятой господином д'Артаньяном, ибо я могу вас уверить, что нет более преданного слуги вашего величества и более глубокого почитателя господина кардинала.

— Не этот ли самый д'Артаньян ранил когда-то де Жюссака в злополучной схватке у монастыря кармелиток? — спросил король, взглянув на кардинала, покрасневшего от досады.

— А на следующий день поразил Бернажу, — поспешил заметить де Тревиль. — Да, ваше величество, он самый; у вашего величества отличная память.

— Так что же мы решим? — спросил король.

— Это скорее дело вашего величества, чем мое, — сказал кардинал. — Я настаиваю на виновности этого Атоса.

— А я отрицаю ее! — воскликнул де Тревиль. — Но у его величества есть судьи, и судьи разберутся.

— Совершенно верно, — сказал король. — Предоставим это дело судьям. Им судить, они и рассудят.

— Печально все же, — вновь заговорил де Тревиль, — что в такое злосчастное время, как наше, самая чистая жизнь, самая неоспоримая добродетель не может оградить человека от позора и преследований. И армия, смею вас заверить, не очень-то будет довольна тем, что становится предметом жестоких преследований по поводу каких-то полицейских историй.

Слова были неосторожны. Но Тревиль бросил их, зная им цену. Он хотел вызвать взрыв, а взрыв сопровождается пламенем, которое освещает все кругом.

— Полицейские истории! — вскричал король, ухватившись за слова де Тревиля. — Полицейские истории! Какое понятие вы имеете обо всем этом, сударь? Займитесь вашими мушкетерами и не сбивайте меня с толку! Послушать вас, так можно подумать, что стоит арестовать мушкетера — и Франция уже в опасности. Сколько шуму из-за какого-то мушкетера! Я прикажу арестовать их целый десяток, черт возьми! Сотню! Всю роту! И никому не позволю пикнуть!

—. Если мушкетеры подозрительны вашему величеству, значит, они виновны, — сказал де Тревиль. — Поэтому я готов, ваше величество, отдать вам мою шпагу. Ибо, обвинив моих солдат, господин кардинал, не сомневаюсь, в конце концов возведет обвинение и против меня. Поэтому лучше будет, если я признаю себя арестованным вместе с господином Атосом, с которым это уже произошло, и с господином д'Артаньяном, с которым это, вероятно, в ближайшем будущем произойдет.

— Гасконский упрямец, замолчите вы наконец! — сказал король.

— Ваше величество, — ответил де Тревиль, ничуть не понижая голоса, — пусть вернут мне моего мушкетера или пусть его судят.

— Его будут судить, — сказал кардинал.

— Если так — тем лучше. Прошу в таком случае у вашего величества разрешения защищать его.

Король побоялся вспышки.

— Если бы у его преосвященства, — сказал он, — не было причин личного свойства...

Кардинал понял, к чему клонит король, и предупредил его.

— Прошу прощения, — проговорил он, — но если ваше величество считает меня пристрастным, я отказываюсь от участия в суде.

— Вот что, — сказал король, — поклянитесь именем моего отца, что Атос находился у вас, когда происходили эти события, и не принимал в них участия.

— Клянусь вашим славным отцом и вами, которого я люблю и почитаю превыше всего на свете!

— Подумайте, ваше величество, — произнес кардинал. — Если мы освободим заключенного, то уж никогда не узнаем истины.

— Господин Атос всегда окажется на месте и будет готов дать ответ, как только господа судейские сочтут нужным допросить его, — сказал де Тревиль. — Он никуда не скроется, господин кардинал, будьте покойны. Ответственность за него я принимаю на себя.

— И в самом деле, он не убежит, — согласился король. — Его всегда можно будет найти, как сказал господин де Тревиль. Кроме того, — добавил он, понизив голос и умоляюще взглянув на кардинала, — не будем вызывать у них беспокойства, это лучшая политика.

Эта политика Людовика XIII заставила Ришелье улыбнуться.

— Приказывайте, ваше величество. Вы имеете право помилования.

— Помилование может быть применено только к виновным, — сказал де Тревиль, желавший, чтобы последнее слово осталось за ним. — А мой мушкетер невиновен. Поэтому ваше величество окажете ему не милость, а справедливость.

— Он в Фор-Левеке? — спросил король.

— Да, ваше величество, и в одиночной камере, без права сношения с внешним миром, как последний преступник.

— Черт возьми! — пробормотал король. — Что же нужно сделать?

— Подписать приказ об освобождении, и все будет кончено, — сказал кардинал. — Я такого же мнения, как ваше величество, и считаю поручительство господина де Тревиля более чем достаточным.

Тревиль поклонился, преисполненный радости, к которой примешивалась тревога. Этой неожиданной уступчивости он предпочел бы настойчивое сопротивление со стороны кардинала.

Король подписал приказ об освобождении, и де Тревиль поспешил удалиться, унося его с собой.

В ту минуту, когда он уже выходил, кардинал, приветливо улыбнувшись ему, обратился к королю:

— Какое единодушие между начальником и солдатами царит у ваших мушкетеров, ваше величество! Это весьма полезно для службы и делает честь всей роте.

«Можно не сомневаться, что он в самом ближайшем будущем сыграет со мной какую-нибудь скверную шутку, — подумал де Тревиль. — Никогда не угадаешь, что у него на уме. Но нужно спешить. Король в любую минуту может изменить свое решение, а засадить снова в Бастилию или в Фор-Левек человека, только что оттуда выпущенного, в конце концов сложнее, чем оставить в заключении узника, уже сидящего там».

Господин де Тревиль с торжеством вступил в Фор-Левек и освободил Атоса, неизменно сохранявшего вид спокойного безразличия.

При первой же встрече с д'Артаньяном де Тревиль сказал ему:

— На этот раз вам повезло. С вами рассчитались за ранение де Жюссака. Неоплаченным остается еще поражение Бернажу. Будьте настороже.

Де Тревиль был прав, не доверяя кардиналу и считая, что не все еще кончено. Не успел капитан мушкетеров закрыть за собой дверь, как его преосвященство повернулся к королю.

— Теперь, когда мы остались наедине, — сказал он, — если угодно вашему величеству, поговорим о важных вещах. Ваше величество! Герцог Бекингэм провел пять дней в Париже и отбыл только сегодня утром.

XVI

О ТОМ, КАК КАНЦЛЕР СЕГЬЕ НЕ МОГ НАЙТИ КОЛОКОЛ, ЧТОБЫ УДАРИТЬ В НЕГО, ПО СВОЕМУ ОБЫКНОВЕНИЮ

Трудно даже представить себе, какое впечатление эти слова произвели на Людовика XIII. Он вспыхнул, но тут же краска сбежала с его лица. И кардинал сразу понял, что одним ударом отвоевал потерянные позиции.

— Герцог Бекингэм в Париже! — воскликнул король. — Зачем же он приезжал сюда?

— Надо полагать, чтобы вступить в заговор с вашими врагами — испанцами и гугенотами.

— Нет! Клянусь, нет! Чтобы в заговоре с госпожой де Шеврез, госпожой де Лонгвиль и всеми Конде посягнуть на мою честь!

— Ваше величество, как можете вы допустить такую мысль! Королева так благоразумна, а главное — так любит ваше величество.

— Женщина слаба, господин кардинал. Что же касается большой любви, то у меня свое мнение на этот счет.

— Тем не менее, — сказал кардинал, — я утверждаю, что герцог приезжал в Париж с целями чисто политическими.

— А я уверен, что с совершенно другими целями. Но если королева виновата, то горе ей!

— В самом деле, — произнес кардинал, — как ни тяжко мне допустить даже мысль о такой возможности... Ваше величество напомнили мне одну вещь: госпожа де Ланнуа, которую я, следуя приказу вашего величества, несколько раз допрашивал, сегодня утром сообщила мне, что в позапрошлую ночь ее величество очень поздно не ложилась, что сегодня утром королева много плакала и что весь день она писала.

— Все понятно! — воскликнул король. — Писала, разумеется, ему! Кардинал, добудьте мне все бумаги королевы.

— Но как же достать их, ваше величество? Мне кажется, что ни я, ни ваше величество не можем взять это на себя.

— А как поступили с женой маршала д'Анкра? — воскликнул король в порыве неудержимого гнева. — Обыскали ее шкафы и в конце концов ее самое.

— Жена маршала д'Анкра — всего лишь жена маршала д'Анкра, какая-то искательница приключений из Флоренции, тогда как августейшая супруга вашего величества — Анна Австрийская, королева Франции, то есть одна из величайших владетельных особ в мире.

— Тем страшнее ее вина, герцог! Чем легче она забыла высоту своего сана, тем глубже она пала. Да, кроме того, я давно уже решил положить конец всем этим интригам — политическим и любовным. При ней, если не ошибаюсь, состоит некий Ла Порт?

— Которого я, должен признаться, считаю главной пружиной в этом деле, — вставил кардинал.

— Значит, и вы, так же как я, думаете, что она обманывает меня?

— Я думаю и повторяю, ваше величество, что королева в заговоре против власти короля, но я не сказал — против его чести.

— А я вам говорю — в заговоре против того и другого. Я вам говорю, что королева меня не любит, что она любит другого. Я вам говорю, что она любит этого подлого Бекингэма! Почему вы не арестовали его, когда он был в Париже?

— Арестовать герцога? Арестовать первого министра короля Карла Первого? Да что вы, ваше величество! Какой шум! А если бы — в чем я по-прежнему сомневаюсь, — если бы подозрения вашего величества сколько-нибудь оправдались, какая страшная огласка, какой неслыханный позор!

— Но раз он сам подвергал себя опасности, как какой-нибудь бродяга или вор, нужно было...

Людовик XIII умолк, сам испугавшись того, что готово было сорваться с его уст, и Ришелье, вытянув шею, напрасно ожидал этих слов, застывших на королевских устах.

— Нужно было?..

— Ничего, — произнес король, — ничего... Но в течение всего времени, что он был в Париже, вы не выпускали его из виду?

— Нет, ваше величество.

— Где он жил?

— На улице Лагарп, номер семьдесят пять.

— Где это?

— Недалеко от Люксембургского дворца.

— И вы уверены, что он не виделся с королевой?

— Я считаю королеву слишком преданной своему долгу.

— Но они в переписке. Это ему королева писала весь день. Герцог, я должен получить эти письма!

— Ваше величество, разве...

— Герцог! Чего бы это ни стоило, я хочу получить эти письма.

— Но я должен заметить вашему величеству...

— Неужели и вы предаете меня, господин кардинал? Вы все время противитесь моим желаниям. Неужели и вы в сговоре с испанцами и англичанами, с госпожой де Шеврез и с королевой?

— Ваше величество, — со вздохом произнес кардинал, — мне казалось, что я огражден от таких подозрений.

— Господин кардинал, вы слышали меня: я хочу иметь эти письма.

— Есть только один способ...

— Какой?

— Поручить эту миссию канцлеру, господину Сегье. Это дело целиком по его части.

— Пусть за ним немедленно пошлют!

— Он, должно быть, у меня. Я как раз вызвал его к себе, а отправляясь в Лувр, я распорядился, чтобы он, когда явится, подождал меня.

— Пусть за ним немедленно пошлют.

— Воля вашего величества будет исполнена, но...

— Что за «но»?

— Но королева, возможно, откажется подчиниться.

— Подчиниться моим приказаниям?

— Да, если она не будет уверена, что это приказание исходит от короля.

— Ну так вот, чтобы она не сомневалась, я сам предупрежу ее.

— Ваше величество, надеюсь, не забудете, что я сделал все возможное, лишь бы предотвратить разрыв.

— Да, герцог, я знаю, что вы крайне снисходительны к королеве... может быть, даже чересчур снисходительны. Мы еще вернемся к этому позже, предупреждаю вас.

— Когда будет угодно вашему величеству. Но я всегда буду горд и счастлив принести себя в жертву во имя мира и согласия между вами и королевой Франции.

— Прекрасно, кардинал, прекрасно! Но пока что пошлите за господином канцлером. Я пройду к королеве.

И Людовик XIII, открыв дверь, вышел в коридор, соединявший его половину с апартаментами Анны Австрийской.

Королева сидела в кругу своих придворных дам — г-жи де Гито, г-жи де Сабле, г-жи де Монбазон и г-жи де Гемене. В углу пристроилась и камеристка — донья Эстефания, приехавшая вместе с королевой из Мадрида.

Госпожа де Гемене читала вслух, и все внимательно слушали чтицу, за исключением королевы, затеявшей это чтение лишь для того, чтобы иметь возможность предаться ходу своих мыслей, делая вид, будто она слушает.

Мысли эти, хоть и позлащенные последними отблесками любви, все же были полны печали. Лишенная доверия своего супруга, преследуемая ненавистью кардинала, который не мог ей простить того, что она отвергла его нежные чувства, Анна Австрийская имела перед глазами пример королевы-матери, которую эта ненависть терзала в течение всей ее жизни, хотя Мария Медичи, если верить мемуарам того времени, вначале и дарила кардиналу то счастье, в котором так упорно отказывала ему королева Анна. Анна Австрийская видела, как падают ее самые преданные слуги, самые доверенные друзья, самые дорогие ее сердцу любимцы. Как те несчастные, что наделены роковым даром, она навлекала несчастье на все, к чему прикасалась. Ее дружба была роковой и влекла за собой преследования. Г-жа де Шеврез и г-жа де Верне были сосланы, и даже Ла Порт не скрывал от своей повелительницы, что с минуты на минуту ожидает ареста.

Королева была целиком погружена в эти мрачные размышления, когда дверь вдруг раскрылась и в комнату вошел король.

Чтица сразу умолкла, все дамы встали со своих мест, и наступило мертвое молчание.

Не считая нужным поздороваться, король сделал несколько шагов и остановился перед королевой.

— Сударыня, — произнес он изменившимся голосом, — сейчас к вам зайдет господин канцлер. Он сообщит вам нечто такое, о чем я поручил ему поставить вас в известность.

Несчастная королева, которой непрерывно грозили разводом, ссылкой и даже судом, побледнела, несмотря на свои румяна.

— Но чем вызвано это посещение, ваше величество? — не в силах сдержаться, спросила она. — Что скажет мне господин канцлер, чего не могли бы мне сказать вы сами?

Король, не отвечая, круто повернулся на каблуках, и почти в ту же минуту дежурный гвардейский капитан Гито доложил о приходе канцлера.

Когда канцлер вошел, короля уже не было в комнате: он успел выйти через другую дверь.

Канцлер вошел красный от смущения, но с улыбкой на устах. Ввиду того, что нам, вероятно, еще предстоит встретиться с ним по ходу нашего повествования, нелишним будет нашим читателям уже сейчас ближе познакомиться с ним.

Канцлер был лицо довольно любопытное. Де Рош Ле Маль, каноник Собора богоматери, бывший некогда камердинером кардинала, рекомендовал г-на де Сегье его преосвященству как человека всецело преданного. Кардинал поверил этой рекомендации, и ему не пришлось раскаиваться.

О г-не де Сегье ходили самые разнообразные слухи. Между прочим, рассказывали следующую историю.

После бурно проведенной молодости он удалился в монастырь, чтобы там хоть в течение некоторого срока искупить безумства своей юности.

Но, вступая в эту святую обитель, бедный грешник не успел достаточно быстро захлопнуть за собой дверь и помешать страстям, от которых он бежал, ворваться в нее вслед за ним. Он беспрестанно подвергался искушениям, и настоятель, которому он поведал об этом горе, посоветовал ему, чтобы отгонять демона-искусителя, хвататься в такие минуты за веревку колокола и звонить что есть мочи. Услышав этот звон, монахи поймут, что соблазны обуревают одного из их братьев, и все братство станет на молитву.

Совет этот пришелся будущему канцлеру по душе. Он заклинал злого духа с помощью целого потока молитв, творимых другими монахами. Но дьявол не так-то легко отступает с однажды занятых им позиций. По мере того как усиливались заклинания, дьявол усиливал соблазны, так что колокол оглушительно гудел день и ночь, возвещая о страстном желании кающегося умертвить свою плоть.

Монахам не оставалось ни минуты отдыха. Днем они только и делали, что поднимались и спускались по лестнице, ведущей в часовню; ночью, сверх обычных молитв, им приходилось по двадцать раз соскакивать с коек и простираться ниц на полу своих келий.

Неизвестно, отступился ли дьявол или дело это надоело монахам, но по прошествии трех месяцев кающийся вновь появился в свете, где пользовался репутацией самого страшного одержимого, какого когда-либо видели на земле.

По выходе из монастыря он принял судейское звание, занял место своего дядюшки, став президентом в парламенте, перешел — что доказывало его редкую проницательность — на сторону кардинала, был назначен канцлером, служил верным орудием в руках его преосвященства в его ненависти к королеве-матери и в его происках против Анны Австрийской; натравливал судей в течение всего дела Шале, поддерживал великого эконома Лафема во всех его начинаниях, и в конце концов, полностью завоевав доверие кардинала, доверие, достойно заслуженное им, он взял на себя необычайное поручение, для выполнения которого явился сейчас к королеве.

Королева, когда он вошел, все еще стояла, но, увидев его, сразу опустилась в кресло, знаком приказав своим дамам занять места на подушках и пуфах. Затем она гордо повернулась к вошедшему.

— Что вам угодно, сударь? — спросила Анна Австрийская. — И с какой целью вы явились сюда?

— По поручению короля, невзирая на глубокое уважение, которое я имею честь питать к вашему величеству, я вынужден произвести тщательный обыск среди ваших бумаг.

— Как, сударь! — воскликнула королева. — Обыск у меня?.. У меня?.. Какая неслыханная низость!

— Прошу извинить меня, ваше величество, но сейчас я лишь орудие в руках короля. Разве его величество не были только что здесь и не просили вас быть готовой к этому посещению?

— Ищите же, сударь... Я преступница, надо полагать... Эстефания, подайте ключи от всех моих столов и бюро.

Канцлер для виду порылся в ящиках, хотя и был уверен, что королева не там хранит важное письмо, написанное днем.

После того как канцлер раз двадцать выдвинул и вновь задвинул ящики бюро, ему все же пришлось, преодолев некоторую нерешительность, сделать последний шаг в этом деле, другими словами — обыскать королеву.

Канцлер повернулся к Анне Австрийской.

— Сейчас, — произнес он тоном, в котором сквозили растерянность и смущение, — мне остается приступить к главной части обыска.

— Какой? — спросила королева, которая не понимала или не желала понять намерений канцлера.

— Его величество знает, что сегодня днем королевой было написано письмо. Его величеству известно, что это письмо еще не отослано по назначению. Этого письма не оказалось ни в вашем столе, ни в бюро. Между тем оно где-нибудь спрятано.

— Но осмелитесь ли вы коснуться вашей королевы? — произнесла Анна Австрийская, выпрямившись во весь рост и устремляя на канцлера взгляд, в котором вспыхнула угроза.

— Я верный слуга короля и выполняю все, что приказывает его величество.

— Что ж, это правда! — сказала Анна Австрийская. — И шпионы господина кардинала сослужили ему верную службу. Я действительно написала сегодня письмо, и письмо это не отправлено. Письмо здесь.

И королева положила свою прекрасную руку на грудь.

— В таком случае дайте мне это письмо, ваше величество, — сказал канцлер.

— Я отдам его только королю, сударь, — ответила Анна.

— Если бы король желал лично получить от вашего величества письмо, он бы сам попросил его у вас. Но повторяю вам: он поручил мне потребовать у вас письмо, с тем что если вы откажетесь...

— Продолжайте!

— ...он мне же поручил взять его у вас.

— Как? Что вы хотите сказать?

— Что мои полномочия идут далеко, и мне, чтобы найти эти бумаги, дано разрешение произвести даже личный обыск вашего величества.

— Какой ужас! — вскричала королева.

— Поэтому прошу вас, сударыня, проявить уступчивость.

— Ваше поведение неслыханно грубо, понимаете ли вы это, сударь?

— Король приказывает, ваше величество. Прошу извинить меня.

— Я не потерплю этого! Нет-нет, лучше смерть! — вскричала королева, в которой вскипела гордая кровь повелителей Испании и Австрии.

Канцлер низко поклонился, затем, с явным намерением не отступать ни на шаг в исполнении порученной ему задачи, точно так, как сделал бы это палач в застенке, он приблизился к Анне Австрийской, из глаз которой сразу же брызнули слезы ярости.

Королева, как мы уже говорили, была очень хороша собой. Рискованно поэтому было дать кому-либо такое поручение, но король, весь во власти своей ревности к герцогу Бекингэму, уже ни к кому другому не ревновал.

Надо полагать, что канцлер Сегье в эту минуту искал глазами веревку пресловутого колокола, но, не найдя ее, протянул руку к тому месту, где, по собственному признанию королевы, было спрятано письмо.

Анна Австрийская отступила на шаг и так побледнела, словно готова была умереть. Чтобы не упасть, она левой рукой оперлась на стол, стоявший позади нее, а правой вынула из-за корсажа письмо и подала его канцлеру.

— Возьмите, сударь, это письмо! — воскликнула королева голосом, прерывающимся от волнения. — Возьмите его и избавьте меня от вашего мерзкого присутствия.

Канцлер, дрожа от вполне понятного волнения, взял письмо и, поклонившись до земли, вышел.

Не успела дверь закрыться за ним, как королева почти без чувств упала на руки своих дам.

Канцлер отнес письмо к королю, не заглянув в него. Рука короля, протянутая за письмом, дрожала. Он начал искать адрес, которого не было, страшно побледнел, медленно развернул письмо и, с первых же слов увидев, что оно обращено к испанскому королю, быстро пробежал его до конца.

Это был полный план нападения на кардинала. Королева предлагала своему брату и австрийскому королю, которые чувствовали себя оскорбленными политикой Ришелье, постоянно стремившегося унизить австрийский королевский дом, пригрозить объявлением войны Франции и поставить условием сохранения мира отставку кардинала. О любви в этом письме не было ни слова.

Король, сразу повеселев, послал узнать, во дворце ли еще кардинал. Ему ответили, что его преосвященство в кабинете и ожидает распоряжений его величества.

Король немедленно отправился к нему.

— Представьте себе, герцог, — сказал король, — правы оказались вы, а не я. Вся интрига действительно политического свойства, и о любви нет и речи в этом письме. Но зато в нем очень много говорится о вас.

Кардинал взял письмо и прочел с величайшим вниманием. Дойдя до конца, он перечел его вновь.

— Ну что ж, ваше величество, — сказал он, — вы видите сами, до чего доходят мои враги: вам угрожают двумя войнами, если вы не удалите меня. На вашем месте, ваше величество, я, право же, уступил бы столь энергичным настояниям. Я же, со своей стороны, был бы безмерно счастлив уйти от дел.

— Что вы говорите, герцог!

— Я говорю, ваше величество, что здоровье мое разрушается в этой чрезмерно напряженной борьбе и бесконечных трудах. Я говорю, что, по всей видимости, буду не в силах выдержать утомление при осаде Ла-Рошели и лучше будет, если вы назначите туда господина де Конде, для которого ведение войны есть его прямое дело, а не меня, служителя церкви, которому не позволяют отдаться его призванию, заставляя заниматься делами, к которым у него нет никакой склонности. Это обеспечит вам счастье в вашей семейной жизни и, я не сомневаюсь, укрепит вашу славу за рубежом.

— Будьте спокойны, герцог, — ответил король. — Я все понимаю. Все лица, поименованные в этом письме, понесут должную кару. Не избежит ее и королева.

— Ах, что вы говорите, ваше величество! Да упаси бог, чтобы королева претерпела из-за меня хоть малейшую неприятность! Королева всегда считала меня своим врагом, хотя ваше величество сами можете засвидетельствовать, что я постоянно горячо заступался за нее, даже перед вами. О, если бы она оскорбила честь вашего величества изменой, тогда другое дело, и я первый бы сказал: «Нет пощады виновной!» К счастью, об этом и речи нет, и ваше величество могли вновь в этом убедиться.

— Это верно, господин кардинал, — сказал король. — И вы, как всегда, были правы. Но королева тем не менее заслужила мой гнев.

— Вы сами, ваше величество, виновны перед ней. И было бы вполне понятно, если б она разгневалась на вас. Ваше величество обошлись с ней чересчур сурово.

— Вот именно так я всегда буду обходиться с моими врагами, а также и с вашими, какое бы высокое положение они ни занимали и какой бы опасности я ни подвергался, проявляя такую строгость.

— Королева враг мне, но не вам, ваше величество. Напротив, она преданная супруга, покорная и безупречная. Позвольте же мне вступиться за нее перед вашим величеством.

— Так пусть она пойдет на уступки, пусть сама сделает первый шаг!

— Напротив, ваше величество, подайте вы добрый пример. Ведь виновны были вы, заподозрив королеву.

— Мне сделать первый шаг! — воскликнул король. — Ни за что!

— Ваше величество, умоляю вас!

— Да, кроме того, как найти подходящий повод?

— Сделав что-нибудь, что могло бы доставить ей удовольствие.

— Что же именно?

— Дайте бал. Вы знаете, как королева любит танцы. Ручаюсь вам, что ее гнев не устоит перед таким проявлением внимания.

— Господин кардинал, ведь вам известно, что я не любитель светских развлечений.

— Раз она знает, какое отвращение вы питаете к таким забавам, она тем более будет вам благодарна. Да к тому же ей представится случай приколоть прекрасные алмазные подвески, которые вы ей недавно поднесли ко дню рождения и с которыми она еще нигде не успела появиться.

— Увидим, господин кардинал, увидим, — проговорил король, наслаждаясь сознанием, что королева оказалась виновной в преступлении, мало его беспокоившем, и невинной в том, чего он больше всего опасался, и поэтому готовый помириться с ней. — Увидим. Но, клянусь честью, вы слишком снисходительны.

— Ваше величество, — ответил кардинал, — предоставьте строгость министрам. Снисходительность — добродетель королей; прибегните к ней, и вы увидите, что это пойдет на пользу.

Вслед за этим, услышав, что часы пробили одиннадцать, кардинал с низким поклоном попросил разрешения удалиться и простился с королем, умоляя его помириться с королевой.

Анна Австрийская, ожидавшая упреков после того, как у нее отобрали письмо, крайне удивилась, заметив на следующий день, что король делает попытки к примирению. В первые минуты она была готова отвергнуть их: гордость женщины и достоинство королевы были так глубоко уязвлены, что она не могла сразу забыть обиду. Но, поддавшись уговорам своих придворных дам, она в конце концов постаралась сделать вид, будто начинает забывать о случившемся. Король, воспользовавшись этой переменой, сообщил ей, что в самом ближайшем будущем предполагает дать большой бал.

Бал представлял собой такую редкость для несчастной Анны Австрийской, что при этом известии, как и предполагал кардинал, последний след обиды исчез — если не из сердца ее, то с лица. Она спросила, на какой день назначено празднество, но король ответил, что на этот счет еще нужно будет сговориться с кардиналом.

И в самом деле, король каждый день спрашивал кардинала, когда будет устроено это празднество, и каждый день кардинал под каким-нибудь предлогом отказывался твердо назвать число.

Прошла неделя.

На восьмой день после описанных нами событий кардинал получил письмо, отправленное из Лондона и содержавшее только следующие строки:

«Я достала их. Не могу выехать из Лондона, потому что у меня не хватит денег. Вышлите мне пятьсот пистолей, и, получив их, я через четыре или пять дней буду в Париже».

В тот самый день, когда кардинал получил это письмо, король обратился к нему с обычным вопросом.

Ришелье посчитал по пальцам и мысленно сказал себе: «Она пишет, что приедет через четыре или пять дней после получения денег. Дней пять пройдет, пока деньги прибудут в Лондон, и дней пять — пока она приедет сюда. Всего, значит, десять дней. Нужно принять в расчет противный ветер, всякие досадные случайности и недомогания. Предположим, двенадцать дней...»

— Ну как же, герцог, вы рассчитали? — спросил король.

— Да, ваше величество. Сегодня у нас двадцатое сентября. Городские старшины устраивают третьего октября празднество. Все складывается великолепно. Никто не подумает, что вы идете на уступки королеве. — Помолчав, кардинал добавил: — Не забудьте, кстати, накануне праздника сказать королеве, что вы желали бы видеть, к лицу ли ей алмазные подвески.

XVII

СУПРУГИ БОНАСЬЕ

Кардинал уже вторично в разговоре с королем упоминал об алмазных подвесках. Людовика XIII поразила такая настойчивость, и он решил, что за этим советом кроется тайна.

Он не раз чувствовал себя обиженным по той причине, что кардинал, имевший превосходную полицию — хотя она и не достигала совершенства полиции, современной нам, — оказывался лучше осведомленным о семейных делах короля, чем сам король. На этот раз король решил, что беседа с Анной Австрийской должна пролить свет на какое-то обстоятельство, непонятное ему. Он надеялся затем вернуться к кардиналу, проникнув в какие-то тайны, известные или неизвестные его преосвященству. И в том и в другом случае это должно было поднять престиж короля в глазах его министра.

Людовик XIII пошел к королеве и, по своему обыкновению, начал разговор с угроз, относившихся к ее приближенным. Анна Австрийская слушала, опустив голову, давая излиться потоку, в надежде, что должен же наступить конец. Но не этого желал король. Король желал ссоры, в пылу которой должен был пролиться свет — безразлично какой. Он был убежден, что у кардинала есть какая-то затаенная мысль и что он готовит ему одну из тех страшных неожиданностей, непревзойденным мастером которых он был. Его настойчивые обвинения привели его к желанной цели.

— Ваше величество, — воскликнула Анна Австрийская, выведенная из терпения смутными намеками, — почему вы не скажете прямо, что у вас на душе? Что я сделала? Какое преступление совершила? Не может быть, чтобы ваше величество поднимали весь этот шум из-за письма, написанного мною брату.

Король не нашелся сразу, что ответить на такой прямой вопрос. Он подумал, что сейчас самое время сказать те слова, которые должны были быть сказаны только накануне празднества.

— Сударыня, — проговорил он с важностью, — в ближайшие дни будет устроен бал в ратуше. Я считаю необходимым, чтобы вы, из уважения к нашим славным старшинам, появились на этом балу в парадном платье и непременно с алмазными подвесками, которые я подарил вам ко дню рождения. Вот мой ответ.

Ответ этот был ужасен. Анна Австрийская подумала, что королю известно все и что он только по настоянию кардинала был скрытен всю эту неделю. Такая скрытность, впрочем, была в характере короля. Королева страшно побледнела и оперлась о маленький столик своей прелестной рукой, сейчас казавшейся вылепленной из воска. Глядя на короля глазами, полными ужаса, она не произнесла ни слова.

— Вы слышите, сударыня? — спросил король, наслаждаясь ее замешательством, хоть и не угадывая его причины. — Вы слышите?

— Слышу, сударь, — пролепетала королева.

— Вы будете на этом балу?

— Да.

— И на вас будут ваши алмазные подвески?

— Да.

Королева стала еще бледнее. Король заметил это и, упиваясь ее тревогой с той холодной жестокостью, которая составляла одну из самых неприятных сторон его характера, проговорил:

— Итак, решено! Вот и все, что я хотел сказать вам.

— Но на какой день назначен бал? — спросила Анна Австрийская.

Людовик XIII почувствовал, что ему не следует отвечать на этот вопрос: голос королевы был похож на голос умирающей.

— Весьма скоро, сударыня, — ответил король. — Но я не помню в точности числа, нужно будет спросить у кардинала.

— Значит, это его высокопреосвященство посоветовал вам дать бал? — воскликнула королева.

— Да, сударыня. Но к чему этот вопрос? — с удивлением спросил король.

— И он же посоветовал сам напомнить мне об алмазных подвесках?

— Как вам сказать...

— Это он, ваше величество, он!

— Не все ли равно — он или я? Не считаете ли вы эту просьбу преступной?

— Нет, сударь.

— Значит, вы будете?

— Да.

— Прекрасно, — сказал король, идя к выходу. — Надеюсь, вы исполните ваше обещание.

Королева сделала реверанс, не столько следуя этикету, сколько потому, что у нее подгибались колени.

Король ушел очень довольный.

— Я погибла! — прошептала королева. — Погибла! Кардинал знает все. Это он натравливает на меня короля, который пока еще ничего не знает, но скоро узнает. Я погибла! Боже мой! Боже мой!..

Она опустилась на колени и, закрыв лицо дрожащими руками, углубилась в молитву.

Положение действительно было ужасно. Герцог Бекингэм вернулся в Лондон, г-жа де Шеврез находилась в Туре. Зная, что за ней следят настойчивее, чем когда-либо, королева смутно догадывалась, что предает ее одна из ее придворных дам, но не знала, кто именно. Ла Порт не имел возможности выходить за пределы Лувра; она не могла довериться никому на свете.

Ясно представив себе, как велико несчастье, угрожающее ей, и как она одинока, королева не выдержала и разрыдалась.

— Не могу ли я чем-нибудь помочь вашему величеству? — произнес вдруг нежный, полный сострадания голос.

Королева порывисто обернулась; нельзя было ошибиться, услышав этот голос: так говорить мог только друг.

И действительно, у одной из дверей, ведущей в комнату королевы, стояла хорошенькая г-жа Бонасье. Она была занята уборкой платьев и белья королевы в соседней маленькой комнатке и не успела выйти, когда появился король. Таким образом, она слышала все.

Королева, увидев, что она не одна, громко вскрикнула. В своей растерянности она не сразу узнала молодую женщину, приставленную к ней Ла Портом.

— О, не бойтесь, ваше величество! — воскликнула молодая женщина, ломая руки и плача при виде отчаяния своей повелительницы. — Я предана вашему величеству душой и телом, и, как ни далека я от вас, как ни ничтожно мое звание, мне кажется, что я придумала, как вызволить ваше величество из беды.

— Вы! О небо! Вы! — вскричала королева. — Но взгляните мне в глаза. Меня окружают предатели. Могу ли я довериться вам?

— Ваше величество, — воскликнула молодая женщина, падая на колени, — клянусь моей душой, я готова умереть за ваше величество!

Этот крик вырвался из самой глубины сердца и не оставлял никаких сомнений в его искренности.

— Да, — продолжала г-жа Бонасье, — да, здесь есть предатели. Но именем пресвятой девы клянусь, что нет человека более преданного вашему величеству, чем я! Эти подвески, о которых спрашивал король... вы отдали их герцогу Бекингэму, не правда ли? Эти подвески лежали в шкатулке розового дерева, которую он унес с собою? Или я ошибаюсь, или не то говорю?

— О боже, боже! — шептала королева, у которой зубы стучали от страха.

— Так вот, — продолжала г-жа Бонасье, — эти подвески надо вернуть.

— Да, конечно, надо. Но как, как это сделать? — вскричала королева.

— Надо послать кого-нибудь к герцогу.

— Но кого? Кого? Кому можно довериться?

— Положитесь на меня, ваше величество. Окажите мне эту честь, моя королева, и я найду гонца!

— Но придется написать!

— Это необходимо. Хоть два слова, начертанные рукою вашего величества, и ваша личная печать.

— Но эти два слова — это мой приговор, развод, ссылка...

— Да, если они попадут в руки негодяя. Но я ручаюсь, что эти строки будут переданы по назначению.

— О господи! Мне приходится вверить вам мою жизнь, честь, мое доброе имя!

— Да, сударыня, придется. И я спасу вас.

— Но как? Объясните мне по крайней мере!

— Моего мужа дня два или три назад освободили. Я еще не успела повидаться с ним. Это простой, добрый человек, одинаково чуждый и ненависти и любви. Он сделает все, что я захочу. Он отправится в путь, не зная, что он везет, и он передаст письмо вашего величества, не зная, что оно от вашего величества, по адресу, который будет ему указан.

Королева в горячем порыве сжала обе руки молодой женщины, глядя на нее так, словно желала прочесть все таившееся в глубине ее сердца.

Но, видя в ее прекрасных глазах только искренность, она нежно поцеловала ее.

— Сделай это, — воскликнула она, — и ты спасешь мою жизнь, спасешь мою честь!

— О, не преувеличивайте услуги, которую я имею счастье оказать вам! Мне нечего спасать: ведь ваше величество — просто жертва гнусных происков.

— Это правда, дитя мое, — проговорила королева. — И ты не ошибаешься.

— Так дайте мне письмо, ваше величество. Время не терпит.

Королева подбежала к маленькому столику, на котором находились чернила, бумага и перья; она набросала две строчки, запечатала письмо своей печатью и протянула его г-же Бонасье.

— Да, — сказала королева, — но мы забыли об одной очень важной вещи.

— О какой?

— О деньгах.

Госпожа Бонасье покраснела.

— Да, правда, — проговорила она. — И я должна признаться, что мой муж...

— У твоего мужа денег нет? Ты это, верно, хотела сказать?

— Нет, деньги у него есть. Он очень скуп — это его главный порок. Но пусть ваше величество не беспокоится, мы придумаем способ...

— Дело в том, что и у меня нет денег, — промолвила королева. (Тех, кто прочтет мемуары г-жи де Моттвиль, не удивит этот ответ.) — Но погоди...

Анна Австрийская подошла к своей шкатулке.

— Возьми этот перстень, — сказала она. — Говорят, что он стоит очень дорого. Мне подарил его мой брат, испанский король. Он принадлежит лично мне, и я могу располагать им. Возьми это кольцо, обрати его в деньги, и пусть твой муж едет.

— Через час ваше желание будет исполнено.

— Ты видишь адрес, — прошептала королева так тихо, что с трудом можно было разобрать слова. — «Милорду герцогу Бекингэму, Лондон».

— Письмо будет передано ему в руки.

— Великодушное дитя! — воскликнула королева.

Госпожа Бонасье поцеловала королеве руку, спрятала письмо в корсаж и унеслась, легкая, как птица.

Десять минут спустя она уже была дома. Она и в самом деле, как говорила королеве, не видела еще мужа после его освобождения. Не знала она и о перемене, происшедшей в его отношении к кардиналу, перемене, которой особенно способствовали два или три посещения графа Рошфора, ставшего ближайшим другом Бонасье.

Граф без особого труда заставил его поверить, что похищение его жены было совершено без всякого дурного умысла и являлось исключительно мерой политической предосторожности.

Она застала г-на Бонасье одного: бедняга с трудом наводил порядок в доме. Мебель оказалась почти вся поломанной, шкафы — почти пустыми: правосудие, по-видимому, не принадлежит к тем трем вещам, о которых царь Соломон говорит, что они не оставляют после себя следа. Что до служанки, то она сбежала тотчас же после ареста своего хозяина. Бедная девушка была так перепугана, что шла, не останавливаясь, от Парижа до самой своей родины — Бургундии.

Почтенный галантерейщик сразу по прибытии домой уведомил жену о своем благополучном возвращении, и жена ответила поздравлением и сообщила, что воспользуется первой свободной минутой, которую ей удастся урвать от своих обязанностей, чтобы повидаться со своим супругом.

Этой первой минуты пришлось дожидаться целых пять дней, что при других обстоятельствах показалось бы г-ну Бонасье слишком долгим сроком. Но разговор с кардиналом и посещения графа Рошфора доставляли ему богатую пищу для размышлений, а, как известно, ничто так не сокращает время, как размышления.

К тому же размышления Бонасье были самого радужного свойства. Рошфор называл его своим другом, своим любезным Бонасье и не переставал уверять его, что кардинал самого лучшего мнения о нем. Галантерейщик уже видел себя на пути к богатству и почестям.

Госпожа Бонасье тоже много размышляла за это время, но нужно признаться, что думы ее были чужды честолюбия. Помимо воли, мысли ее постоянно возвращались к красивому и смелому юноше, влюбленному, по-видимому, столь страстно. Выйдя в восемнадцать лет замуж за г-на Бонасье, живя постоянно среди приятелей своего мужа, неспособных внушить какое-либо чувство молодой женщине с душой более возвышенной, чем можно было ожидать у женщины в ее положении, г-жа Бонасье не поддавалась дешевым соблазнам. Но дворянское звание в те годы, больше чем когда-либо, производило сильное впечатление на обыкновенных горожан, а д'Артаньян был дворянин. Кроме того, он носил форму гвардейца, которая, после формы мушкетера, выше всего ценилась дамами. Он был, повторяем, красив, молод и предприимчив. Он говорил о любви как человек влюбленный и жаждущий завоевать любовь. Всего этого было достаточно, чтобы вскружить двадцатипятилетнюю головку, а г-жа Бонасье как раз достигла этой счастливой поры жизни.

Оба супруга поэтому, хотя и не виделись целую неделю — а за эту неделю ими были пережиты значительные события, —

встретились, поглощенные каждый своими мыслями. Г-н Бонасье проявил все же искреннюю радость и с распростертыми объятиями пошел навстречу своей жене.

Госпожа Бонасье подставила ему лоб для поцелуя.

— Нам нужно поговорить, — сказала она.

— О чем же? — с удивлением спросил Бонасье.

— Мне нужно сказать вам нечто очень важное... — начала г-жа Бонасье.

— Да, кстати, и я тоже должен задать вам несколько довольно серьезных вопросов, — прервал ее Бонасье. — Объясните мне, пожалуйста, почему вас похитили?

— Сейчас речь не об этом, — ответила г-жа Бонасье.

— А о чем же? О моем заточении?

— Я узнала о нем в тот же день. Но за вами не было никакого преступления, вы не были замешаны ни в какой интриге, наконец, вы не знали ничего, что могло бы скомпрометировать вас или кого-либо другого, и я придала этому происшествию лишь то значение, которого оно заслуживало.

— Вам легко говорить, сударыня! — сказал Бонасье, обиженный недостаточным вниманием, проявленным женой. — Но известно ли вам, что я провел целые сутки в Бастилии?

— Сутки проходят быстро. Не будем же говорить о вашем заточении и вернемся к тому, что привело меня сюда.

— Как это — что привело вас сюда! Разве вас привело сюда не желание увидеться с мужем, с которым вы были целую неделю разлучены? — спросил галантерейщик, задетый за живое.

— Конечно, прежде всего это. Но кроме того, и другое.

— Говорите!

— Это — дело чрезвычайной важности, от которого, быть может, зависит вся наша будущая судьба.

— Наше положение сильно изменилось за то время, что я не видел вас, госпожа Бонасье, и я не удивлюсь, если через несколько месяцев оно будет внушать зависть очень многим.

— Да, особенно если вы точно выполните то, что я вам укажу.

— Мне?

— Да, вам. Нужно совершить одно доброе, святое дело, и вместе с тем можно будет заработать много денег.

Госпожа Бонасье знала, что упоминанием о деньгах она заденет слабую струнку своего мужа.

Но любой человек, хотя бы и галантерейщик, поговорив десять минут с кардиналом Ришелье, уже делался совершенно иным.

— Много денег? — переспросил Бонасье, выпятив нижнюю губу.

— Да, много.

— Сколько примерно?

— Может быть, целую тысячу пистолей.

— Значит, то, о чем вы собираетесь просить меня, очень важно?

— Да.

— Что же нужно будет сделать?

— Вы немедленно отправитесь в путь. Я дам вам письмо, которое вы будете хранить как зеницу ока и вручите в собственные руки тому, кому оно предназначено.

— И куда же я поеду?

— В Лондон.

— Я? В Лондон? Да вы шутите! У меня нет никаких дел в Лондоне.

— Но другим нужно, чтобы вы поехали в Лондон.

— Кто эти другие? Предупреждаю вас, что я ничего больше не стану делать вслепую и что я не только желаю знать, чем я рискую, но и ради кого я рискую.

— Знатная особа посылает вас, и знатная особа вас ждет. Награда превзойдет ваши желания — вот все, что я могу вам обещать.

— Снова интрига! Вечные интриги! Благодарю! Теперь меня не проведешь: господин кардинал мне кое-что разъяснил.

— Кардинал! — вскричала г-жа Бонасье. — Вы виделись с кардиналом?

— Да, он вызывал меня! — заявил галантерейщик.

— И вы последовали этому приглашению, неосторожный вы человек?

— Должен признаться, что у меня не было выбора — идти или не идти: меня вели двое конвойных. Должен также признаться, что так как я тогда еще не знал его преосвященства, то, если б я мог уклониться от этого посещения, я был бы очень рад.

— Он грубо обошелся с вами, грозил вам?

— Он подал мне руку и назвал своим другом, своим другом! Слышите, сударыня? Я — друг великого кардинала!

— Великого кардинала?

— Уж не собираетесь ли вы оспаривать у него этот титул?

— Я ничего не оспариваю, но я говорю вам, что милость министра — вещь непрочная и что только сумасшедший свяжет свою судьбу с министром. Есть власть, стоящая выше его силы, — власть, покоящаяся не на прихоти человека или на исходе каких-либо событий. Такой власти и надо служить.

— Мне очень жаль, сударыня, но для меня нет другой власти, кроме власти великого человека, которому я имею честь служить.

— Вы служите кардиналу?

— Да, сударыня. И как его слуга, я не допущу, чтобы вы впутывались в заговоры против безопасности государства и чтобы вы, вы помогали интригам женщины, которая, не будучи француженкой, сердцем принадлежит Испании. К счастью, у нас есть великий кардинал: его недремлющее око следит за всем и проникает до глубины сердец.

Бонасье слово в слово повторил фразу, слышанную от графа Рошфора. Он запомнил ее и только ждал случая блеснуть ею. Но бедная молодая женщина, рассчитывавшая на своего мужа и в этой надежде поручившаяся за него королеве, задрожала и от ужаса перед опасностью, которую чуть не навлекла на себя, и от сознания своей беспомощности. Все же, зная слабости своего мужа, а особенно его алчность, она еще не теряла надежды заставить его исполнить ее волю.

— Ах так, значит, вы кардиналист, сударь! — воскликнула она. — Ах, так вы служите тем, кто истязает вашу жену, оскорбляет вашу королеву!

— Интересы одного человека — ничто перед всеобщим благом. Я за тех, кто спасает государство! — напыщенно произнес Бонасье.

Это снова была фраза графа Рошфора, которую Бонасье запомнил и нашел случай вставить.

— Да имеете ли вы понятие, что такое государство, о котором вы говорите? — спросила, пожимая плечами, г-жа Бонасье. — Оставайтесь лучше простым мещанином, без всяких ухищрений, и станьте на сторону тех, кто предлагает вам наибольшие выгоды.

— Как сказать... — протянул Бонасье, похлопывая по лежавшему подле него туго набитому мешку, который зазвенел серебряным звоном. — Что вы на это скажете, почтеннейшая проповедница?

— Откуда эти деньги?

— Вы не догадываетесь?

— От кардинала?

— От него и от моего друга, графа Рошфора.

— От графа Рошфора? Но ведь он-то меня и похитил!

— Вполне возможно.

— И вы принимаете деньги от этого человека?

— Не говорили ли вы, что это похищение имело причину чисто политическую?

— Но целью этого похищения было заставить меня предать мою госпожу, вырвать у меня под пыткой признания, которые могли бы угрожать чести, а может быть, и жизни моей августейшей повелительницы!

— Сударыня, — сказал Бонасье, — ваша августейшая повелительница — вероломная испанка, и все, что делает кардинал, делается по праву.

— Сударь, — вскричала молодая женщина, — я знала, что вы трусливы, алчны и глупы, но я не знала, что вы подлец!

— Сударыня... — проговорил Бонасье, впервые видевший свою жену в таком гневе и струсивший перед семейной бурей, — сударыня, что вы говорите?

— Я говорю, что вы негодяй! — продолжала г-жа Бонасье, заметив, что она снова начинает приобретать влияние на своего мужа. — Так, значит, вы, вы стали заниматься политикой да сделались к тому же и сторонником кардинала? Так, значит, вы телом и душой продаетесь дьяволу, да еще за деньги?

— Не дьяволу, а кардиналу.

— Это одно и то же! — воскликнула молодая женщина. — Кто говорит «Ришелье» — говорит «сатана».

— Замолчите, сударыня, замолчите! Вас могут услышать!

— Да, вы правы, и мне будет стыдно за вашу трусость.

— Но чего вы, собственно, требуете?

— Я вам уже сказала: я требую, чтобы вы сию же минуту отправились в путь и чтобы вы честно выполнили поручение, которым я удостаиваю вас. На этих условиях я готова все забыть и простить вам. И более того, — она протянула ему руку, — я верну вам свою дружбу.

Бонасье был труслив и жаден, но жену свою он любил: он растрогался. Пятидесятилетнему мужу трудно долго сердиться на двадцатипятилетнюю жену. Г-жа Бонасье увидела, что он колеблется.

— Ну как же? Вы решились?

— Но, дорогая моя, подумайте сами: чего вы требуете от меня? Лондон находится далеко, очень далеко от Парижа, к тому же возможно, что ваше поручение связано с опасностями.

— Не все ли равно, раз вы избежите их!

— Знаете что, госпожа Бонасье? — сказал галантерейщик. — Знаете что: я решительно отказываюсь. Интриги меня пугают. Я-то ведь видел Бастилию! Бр-р-р! Это ужас — Бастилия! Стоит мне вспомнить, так мороз по коже подирает. Мне грозили пытками! А знаете ли вы, что такое пытки? Деревянные клинья загоняют между пальцами ноги, пока не треснут кости... Нет, решительно нет! Я не поеду. А почему бы, черт возьми, вам не поехать самой? Мне начинает казаться, что я вообще был до сих пор в заблуждении на ваш счет: мне кажется, что вы мужчина, да еще из самых отчаянных.

— А вы... вы — женщина, жалкая женщина, глупая и тупая! Ах! Вы трусите? Хорошо. В таком случае, я сию же минуту заставлю именем королевы арестовать вас, и вас засадят в ту самую Бастилию, которой вы так боитесь!

Бонасье впал в глубокую задумчивость. Он обстоятельно взвесил в своем мозгу, с чьей стороны грозит большая опасность — со стороны ли кардинала или со стороны королевы. Гнев кардинала был куда опаснее.

— Прикажете арестовать меня именем королевы? — сказал он наконец. — А я сошлюсь на его преосвященство.

Тут только г-жа Бонасье поняла, что зашла чересчур далеко, и ужаснулась. Со страхом вглядывалась она в это тупое лицо, на котором выражалась непоколебимая решимость перетрусившего глупца.

— Хорошо, — сказала она. — Возможно, что вы в конце концов правы. Мужчина лучше разбирается в политике, особенно вы, господин Бонасье, раз вам довелось беседовать с кардиналом. И все же мне очень обидно, — добавила она, — что мой муж, человек, на любовь которого я, казалось, могла положиться, не пожелал исполнить мою прихоть.

— Ваши прихоти могут завести слишком далеко, — покровительственным тоном произнес Бонасье. — И я побаиваюсь их.

— Придется отказаться от моей затеи, — со вздохом промолвила молодая женщина. — Пусть так. Не будем больше об этом говорить.

— Если бы вы хоть толком сказали мне, что я должен был сделать в Лондоне, — помолчав немного, заговорил Бонасье, с некоторым опозданием вспомнивший, что Рошфор велел ему выведывать тайны жены.

— Вам это ни к чему знать, — ответила молодая женщина, которую теперь удерживало недоверие. — Дело шло о пустяке, о безделушке, которую иногда так жаждет женщина, о покупке, на которой можно было хорошо заработать.

Но чем упорнее молодая женщина старалась скрыть свои мысли, тем больше Бонасье убеждался, что тайна, которую она отказывалась доверить ему, имеет важное значение. Он поэтому решил немедленно бежать к графу Рошфору и дать ему знать, что королева ищет гонца, чтобы отправить его в Лондон.

— Простите, дорогая, но я должен покинуть вас, — сказал он. — Не зная, что вы сегодня придете, я назначил свидание одному приятелю. Я задержусь недолго, и, если вы подождете меня минутку, я, кончив разговор с приятелем, сразу же вернусь за вами и, так как уже темнеет, провожу вас в Лувр.

— Благодарю вас, сударь, — ответила г-жа Бонасье. — Вы недостаточно храбры, чтобы оказать мне какую-либо помощь. Я могу вернуться в Лувр одна.

— Как вам будет угодно, госпожа Бонасье, — сказал бывший галантерейщик. — Скоро ли я увижу вас снова?

— Должно быть, на будущей неделе я получу возможность немного освободиться от службы и воспользуюсь этим, чтобы привести в порядок наши вещи, которые, надо думать, несколько пострадали.

— Хорошо, буду ждать вас. Вы на меня не сердитесь?

— Я? Нисколько.

— Значит, до скорого свидания?

— До скорого свидания.

Бонасье поцеловал руку жены и поспешно удалился.

— Да, — проговорила г-жа Бонасье, когда входная дверь захлопнулась за ее мужем и она оказалась одна, — этому дурню только не хватало стать кардиналистом. А я-то ручалась королеве, я-то обещала моей несчастной госпоже... О боже, боже! Она сочтет меня одной из тех подлых тварей, которыми кишит дворец и которых поместили около нее, чтобы они шпионили за ней... Ах господин Бонасье! Я никогда особенно не любила вас, а теперь дело хуже: я ненавижу вас и даю слово, что рассчитаюсь с вами!

Не успела она произнести эти слова, как раздался стук в потолок, заставивший ее поднять голову.

— Дорогая госпожа Бонасье, — донесся сквозь потолок чей-то голос, — отворите маленькую дверь на лестницу, и я спущусь к вам!

XVIII

ЛЮБОВНИК И МУЖ

— Да, сударыня, — сказал д'Артаньян, входя в дверь, которую отворила ему молодая женщина, — разрешите мне сказать вам: жалкий у вас муж.

— Значит, вы слышали наш разговор? — живо спросила г-жа Бонасье, с беспокойством глядя на д'Артаньяна.

— От начала и до конца.

— Но каким же образом, боже мой?

— Таким же образом, каким мне удалось услышать и несколько более оживленный разговор между вами и сыщиками кардинала.

— Что же вы поняли из нашего разговора?

— Тысячу разных вещей. Во-первых, что ваш муж, к счастью, глупец и тупица; затем, что вы находитесь в затруднении, чему я несказанно рад, так как это даст мне возможность оказать вам услугу, — а видит бог, я готов броситься за вас в огонь; и, наконец, что королеве нужен смелый, находчивый и преданный человек, готовый поехать по ее поручению в Лондон. Я обладаю, во всяком случае, некоторыми из требуемых качеств, и вот я жду ваших распоряжений.

Госпожа Бонасье ответила не сразу, но сердце ее забилось от радости и глаза загорелись надеждой.

— А что будет мне порукой, — спросила она, — если я решусь доверить вам эту задачу?

— Порукой пусть служит моя любовь к вам. Ну, говорите же, приказывайте! Что я должен сделать?

— Боже мой, — прошептала молодая женщина, — могу ли я доверить вам такую тайну! Ведь вы еще почти дитя!

— Вижу, вам нужно, чтобы кто-нибудь поручился за меня.

— Признаюсь, меня бы это очень успокоило.

— Знаете ли вы Атоса?

— Нет.

— Портоса?

— Нет.

— Арамиса?

— Нет. Кто они, все эти господа?

— Мушкетеры его величества. Знаете ли вы их капитана, господина де Тревиля?

— О да! Его я знаю — не лично, но понаслышке: королева не раз говорила о нем как о благородном и честном дворянине.

— Вы, надеюсь, не считаете возможным, чтобы он предал вас в угоду кардиналу?

— Разумеется, нет.

— В таком случае, откройте ему вашу тайну и спросите, можете ли вы довериться мне, как бы важна, драгоценна и страшна ни была эта тайна.

— Но ведь она принадлежит не мне, и я не имею права открыть ее!

— Ведь собирались же вы доверить ее господину Бонасье! — с обидой сказал д'Артаньян.

— Как доверяют письмо дуплу дерева, крылу голубя, ошейнику собаки.

— Но вы же видите, как я вас люблю!

— Да, вы это говорите.

— Я честный человек!

— Думаю, что так.

— Я храбр!

— О, в этом я убеждена.

— Тогда испытайте меня!

Госпожа Бонасье, борясь с последними сомнениями, посмотрела на молодого человека. Но в глазах его был такой огонь, голос звучал так убедительно, что она чувствовала желание довериться ему. Да и, кроме того, другого выхода не было. Приходилось пойти на риск. Чрезмерная осторожность, как и чрезмерная доверчивость были одинаково опасны для королевы.

Затем — мы вынуждены признаться в том — заставило ее заговорить и невольное чувство, испытываемое ею к этому юноше.

— Послушайте, — сказала она, — я уступаю вашим настояниям и полагаюсь на вас. Но клянусь перед богом, который нас слышит, что, если вы предадите меня, хотя бы враги мои меня помиловали, я покончу с собой, обвиняя вас в моей гибели!

— А я, — проговорил д'Артаньян, — клянусь перед богом, что, если буду схвачен, выполняя ваше поручение, я лучше умру, чем скажу или сделаю что-нибудь, могущее на кого-либо набросить тень!

И тогда молодая женщина посвятила его в тайну, часть которой случай уже приоткрыл перед ним на мосту против Самаритянки.

Это было их объяснением в любви.

Д'Артаньян сиял от гордости и счастья. Эта тайна, которой он владел, эта женщина, которую он любил, придавали ему исполинские силы.

— Я еду, — сказал он. — Еду сию же минуту!

— Как это — вы едете? — воскликнула г-жа Бонасье, — А полк, а командир?

— Клянусь душой, вы заставили меня забыть обо всем, дорогая Констанция! Вы правы, мне нужен отпуск.

— Снова препятствие! — с болью прошептала г-жа Бонасье.

— О, с этим препятствием, — промолвил после минутного размышления д'Артаньян, — я легко справлюсь, не беспокойтесь.

— Как?

— Я сегодня же вечером отправлюсь к господину де Тревилю и попрошу его добиться для меня этой милости у его зятя, господина Дезэссара.

— Но это еще не все...

— Что же вас смущает? — спросил д'Артаньян, видя, что г-жа Бонасье не решается продолжать.

— У вас, может быть, нет денег?

— «Может быть» тут излишне, — ответил, улыбаясь, д'Артаньян.

— Если так, — сказала г-жа Бонасье, открывая шкаф и вынимая оттуда мешок, который полчаса назад так любовно поглаживал ее супруг, — возьмите этот мешок.

— Мешок кардинала! — расхохотавшись, сказал д'Артаньян, а он, как мы помним, благодаря разобранным доскам пола слышал от слова до слова весь разговор между мужем и женой.

— Да, мешок кардинала, — подтвердила г-жа Бонасье. — Как видите, внешность у него довольно внушительная.

— Тысяча чертей! — воскликнул д'Артаньян. — Это будет вдвойне забавно: спасти королеву с помощью денег его преосвященства!

— Вы милый и любезный юноша, — сказала г-жа Бонасье. — Поверьте, что ее величество не останется в долгу.

— О, я уже полностью вознагражден! — воскликнул д'Артаньян. — Я люблю вас, вы разрешаете мне говорить вам это... Мог ли я надеяться на такое счастье!..

— Тише! — вдруг прошептала, задрожав, г-жа Бонасье.

— Что такое?

— На улице разговаривают...

— Голос?..

— Моего мужа. Да, я узнаю́ его!

Д'Артаньян подбежал к дверям и задвинул засов.

— Он не войдет, пока я не уйду. А когда я уйду, вы ему отопрете.

— Но ведь и я должна буду уйти. Да и как объяснить ему исчезновение денег, если я окажусь здесь?

— Вы правы, нужно выбраться отсюда.

— Выбраться? Но как же? Он увидит нас, если мы выйдем.

— Тогда нужно подняться ко мне.

— Ах! — вскрикнула г-жа Бонасье. — Вы говорите это таким тоном, что мне страшно...

Слеза блеснула во взоре г-жи Бонасье при этих словах. Д'Артаньян заметил эту слезу и, растроганный, смущенный, упал к ее ногам.

— У меня, — произнес он, — вы будете в безопасности, как в храме, даю вам слово дворянина!

— Идем, — сказал она. — Вверяю вам себя, мой друг.

Д'Артаньян осторожно отодвинул засов, и оба, легкие, как тени, через внутреннюю дверь проскользнули на площадку, бесшумно поднялись по лестнице и вошли в комнату д'Артаньяна.

Оказавшись у себя, молодой человек для большей безопасности загородил дверь. Подойдя затем к окну, они увидели г-на Бонасье, который разговаривал с незнакомцем, закутанным в плащ.

При виде человека в плаще д'Артаньян вздрогнул и, выхватив наполовину шпагу, бросился к дверям.

Это был незнакомец из Менга.

— Что вы собираетесь сделать? — вскричала г-жа Бонасье. — Вы погубите нас!

— Но я поклялся убить этого человека! — воскликнул д'Артаньян.

— Ваша жизнь сейчас посвящена вашей задаче и не принадлежит вам. Именем королевы запрещаю вам подвергать себя какой-либо опасности, кроме тех, которые ждут вас в путешествии!

— А вашим именем вы мне ничего не приказываете?

— Моим именем... — произнесла г-жа Бонасье с сильным волнением, — моим именем я умоляю вас о том же! Но послушаем — мне кажется, они говорят обо мне.

Д'Артаньян вернулся к окну и прислушался.

Господин Бонасье уже отпер дверь своего дома и, видя, что квартира пуста, вернулся к человеку в плаще, которого на минуту оставил одного.

— Она ушла, — сказал Бонасье. — Должно быть, вернулась в Лувр.

— Вы уверены, — спросил человек в плаще, — что она не догадалась, зачем вы ушли?

— Нет, — самодовольно ответил Бонасье. — Она для этого слишком легкомысленная женщина.

— А молодой гвардеец дома?

— Не думаю. Как видите, ставни у него закрыты, и сквозь щели не проникает ни один луч света.

— Все равно не мешает удостовериться.

— Каким образом?

— Нужно постучать к нему в дверь.

— Я справлюсь у его слуги.

— Идите.

Бонасье скрылся в подъезде, прошел через ту же дверь, через которую только что проскользнули беглецы, поднялся до площадки д'Артаньяна и постучал.

Никто не отозвался. Портос на этот вечер для пущего блеска попросил уступить ему Планше; что же касается д'Артаньяна, то он и не думал подавать какие-либо признаки жизни.

Когда Бонасье забарабанил в дверь, молодые люди почувствовали, как сердца затрепетали у них в груди.

— Там никого нет, — сказал Бонасье.

— Все равно зайдемте лучше к вам. Там будет спокойнее, чем на улице.

— Ах! — воскликнула г-жа Бонасье. — Мы теперь больше ничего не услышим.

— Напротив, — успокоил ее д'Артаньян, — нам теперь будет еще лучше слышно.

Д'Артаньян снял несколько квадратов паркета, превращавших пол его комнаты в некое подобие Дионисиева уха, разложил на полу ковер, опустился на колени и знаком предложил г-же Бонасье последовать его примеру и наклониться над отверстием.

— Вы уверены, что никого нет дома? — спросил незнакомец.

— Я отвечаю за это, — ответил Бонасье.

— И вы полагаете, что ваша жена...

— Вернулась во дворец.

— Ни с кем предварительно не поговорив?

— Уверен в этом.

— Это очень важно знать точно, понимаете?

— Значит, сведения, которые я вам сообщил, можно считать ценными?

— Очень ценными, не скрою от вас, дорогой мой Бонасье.

— Так что кардинал будет мною доволен?

— Не сомневаюсь.

— Великий кардинал!

— Вы хорошо помните, что ваша жена в беседе с вами не называла никаких имен?

— Кажется, нет.

— Она не называла госпожи де Шеврез, или герцога Бекингэма, или госпожи де Верне?

— Нет, она сказала только, что собирается послать меня в Лондон, чтобы оказать услугу очень высокопоставленному лицу.

— Предатель! — прошептала г-жа Бонасье.

— Тише, — проговорил д'Артаньян, взяв ее руку, которую она в задумчивости не отняла у него.

— И все-таки, — продолжал человек в плаще, — вы глупец, что не сделали вида, будто соглашаетесь. Письмо сейчас было бы у вас в руках, государство, которому угрожают, было бы спасено, а вы...

— А я?

— А вы... были бы пожалованы званием дворянина.

— Он вам говорил...

— Да, я знаю, что он хотел обрадовать вас этой неожиданностью.

— Успокойтесь, — произнес Бонасье. — Жена меня обожает, и еще не поздно.

— Глупец! — прошептала г-жа Бонасье.

— Тише! — чуть слышно проговорил д'Артаньян, сильнее сжимая ее руку.

— Как это — «не поздно»? — спросил человек в плаще.

— Я отправлюсь в Лувр, вызову госпожу Бонасье, скажу, что передумал, что все сделаю, получу письмо и побегу к кардиналу.

— Хорошо. Торопитесь. Я скоро вернусь, чтобы узнать, чего вы достигли.

Незнакомец вышел.

— Подлец! — сказала г-жа Бонасье, награждая этим эпитетом своего супруга.

— Тише! — повторил д'Артаньян, еще крепче сжимая ее руку.

Но дикий вопль в эту минуту прервал размышления д'Артаньяна и г-жи Бонасье. Это муж ее, заметивший исчезновение мешка с деньгами, взывал о помощи.

— О боже, боже! — воскликнула г-жа Бонасье. — Он поднимет на ноги весь квартал!

Бонасье кричал долго. Но так как подобные крики, часто раздававшиеся на улице Могильщиков, никого не могли заставить выглянуть на улицу, тем более что дом галантерейщика с некоторых пор пользовался дурной славой, Бонасье, видя, что никто не показывается, все продолжая кричать, выбежал из дома. Долго еще слышались его вопли, удалявшиеся в сторону улицы Дюбак.

— А теперь, — сказала г-жа Бонасье, — раз его нет, очередь за вами — уходите. Будьте мужественны и в особенности осторожны. Помните, что вы принадлежите королеве.

— Ей и вам! — воскликнул д'Артаньян. — Не беспокойтесь, прелестная Констанция. Я вернусь, заслужив ее благодарность, но заслужу ли я и вашу любовь?

Ответом послужил лишь яркий румянец, заливший щеки молодой женщины. Через несколько минут д'Артаньян, в свою очередь, вышел на улицу, закутанный в плащ, край которого воинственно приподнимали ножны длинной шпаги.

Госпожа Бонасье проводила его тем долгим и нежным взглядом, каким женщина провожает человека, пробудившего в ней любовь.

Но, когда он скрылся за углом улицы, она упала на колени.

— О господи! — прошептала она, ломая руки. — Защити **королеву**, защити меня!

XIX

ПЛАН КАМПАНИИ

Д'Артаньян прежде всего отправился к г-ну де Тревилю. Он знал, что не пройдет и нескольких минут, как кардинал будет обо всем осведомлен через проклятого незнакомца, который, несомненно, был доверенным лицом его преосвященства. И он с полным основанием считал, что нельзя терять ни минуты.

Сердце молодого человека было преисполнено радости. Ему представлялся случай приобрести в одно и то же время и славу и деньги, и, что самое замечательное, случай этот к тому же сблизил его с женщиной, которую он обожал. Провидение внезапно дарило ему больше, чем то, о чем он когда-либо смел мечтать.

Господин де Тревиль был у себя в гостиной, в обычном кругу своих знатных друзей. Д'Артаньян, которого в доме все знали, прошел прямо в кабинет и попросил слугу доложить, что желал бы переговорить с капитаном по важному делу.

Не прошло и пяти минут ожидания, как вошел г-н де Тревиль. Одного взгляда на сияющее радостью лицо молодого человека было достаточно — почтенный капитан понял, что произошло нечто новое.

В течение всего пути д'Артаньян задавал себе вопрос: довериться ли г-ну де Тревилю или только испросить у него свободы действий для одного секретного дела? Но г-н де Тревиль всегда вел себя по отношению к нему с таким благородством, он так глубоко был предан королю и королеве и так искренне ненавидел кардинала, что молодой человек решил рассказать ему все.

— Вы просили меня принять вас, мой молодой друг, — сказал де Тревиль.

— Да, сударь, — ответил д'Артаньян, — и вы извините меня, что я вас потревожил, когда узнаете, о каком важном деле идет речь.

— В таком случае говорите. Я слушаю вас.

— Дело идет, — понизив голос, произнес д'Артаньян, — не более и не менее как о чести, а может быть, и о жизни королевы.

— Что вы говорите! — воскликнул де Тревиль, озираясь, чтобы убедиться, не слышит ли их кто-нибудь, и снова остановил вопросительный взгляд на лице своего собеседника.

— Я говорю, сударь, — ответил д'Артаньян, — что случай открыл мне тайну...

— Которую вы, молодой человек, будете хранить, даже если бы за это пришлось заплатить жизнью.

— Но я должен посвятить в нее вас, сударь, ибо вы один в силах мне помочь выполнить задачу, возложенную на меня ее величеством.

— Эта тайна — ваша?

— Нет, сударь. Это тайна королевы.

— Разрешила ли вам ее величество посвятить меня в эту тайну?

— Нет, сударь, даже напротив; мне приказано строго хранить ее.

— Почему же вы собираетесь открыть ее мне?

— Потому что, как я уже сказал, я ничего не могу сделать без вашей помощи, и я опасаюсь, что вы откажете в милости, о которой я собираюсь просить, если не будете знать, для чего я об этом прошу.

— Сохраните вверенную вам тайну, молодой человек, и скажите, чего вы желаете.

— Я желал бы, чтобы вы добились для меня у господина Дезэссара отпуска на две недели.

— Когда?

— С нынешней ночи.

— Вы покидаете Париж?

— Я уезжаю, чтобы выполнить поручение.

— Можете ли вы сообщить мне, куда вы едете?

— В Лондон.

— Заинтересован ли кто-нибудь в том, чтобы вы не достигли цели?

— Кардинал, как мне кажется, отдал бы все на свете, чтобы помешать мне.

— И вы отправляетесь один?

— Я оправляюсь один.

— В таком случае вы не доберетесь дальше Бонди, ручаюсь вам словом де Тревиля!

— Почему?

— К вам подошлют убийцу.

— Я умру, выполняя свой долг!

— Но поручение ваше останется невыполненным.

— Это правда... — сказал д'Артаньян.

— Поверьте мне, — продолжал де Тревиль, — в такие предприятия нужно пускаться четверым, чтобы до цели добрался один.

— Да, вы правы, сударь, — сказал д'Артаньян. — Но вы знаете Атоса, Портоса и Арамиса и знаете также, что я могу располагать ими.

— Не раскрыв им тайны?

— Мы раз и навсегда поклялись слепо доверять и неизменно хранить преданность друг другу. Кроме того, вы можете сказать им, что доверяете мне всецело, и они положатся на меня так же, как и вы.

— Я могу предоставить каждому из них отпуск на две недели: Атосу, которого все еще беспокоит его рана, — чтобы он отправился на воды в Форж; Портосу и Арамису — чтобы они сопровождали своего друга, которого они не могут оставить одного в таком тяжелом состоянии. Отпускное свидетельство послужит доказательством, что поездка совершается с моего согласия.

— Благодарю вас, сударь. Вы бесконечно добры...

— Отправляйтесь к ним немедленно. Отъезд должен совершиться сегодня же ночью... Да, но сейчас напишите прошение на имя господина Дезэссара. Возможно, за вами уже следует по пятам шпион, и ваш приход ко мне, о котором в этом случае уже известно кардиналу, будет оправдан.

Д'Артаньян составил прошение, и, принимая его из рук молодого гасконца, де Тревиль объявил ему, что не позже чем через два часа все четыре отпускных свидетельства будут на квартире каждого из четырех участников поездки.

— Будьте добры послать мое свидетельство к Атосу, — попросил д'Артаньян. — Я опасаюсь, что, вернувшись домой, могу натолкнуться на какую-нибудь неприятную неожиданность.

— Не беспокойтесь. До свидания и счастливого пути... Да, подождите! — крикнул де Тревиль, останавливая д'Артаньяна.

Д'Артаньян вернулся.

— Деньги у вас есть?

Д'Артаньян щелкнул пальцами по сумке с монетами, которая была у него в кармане.

— Достаточно? — спросил де Тревиль.

— Триста пистолей.

— Отлично. С этим можно добраться на край света. Итак, отправляйтесь!

Д'Артаньян поклонился г-ну де Тревилю, который протянул ему руку. Молодой гасконец с почтительной благодарностью пожал эту руку. Со дня своего приезда в Париж он не мог нахвалиться этим прекрасным человеком, всегда таким благородным, честным и великодушным.

Первый, к кому зашел д'Артаньян, был Арамис. Он не был у своего друга с того памятного вечера, когда следил за г-жой Бонасье. Более того, он даже редко встречался в последнее время с молодым мушкетером, и каждый раз, когда видел его, ему казалось, будто на лице своего друга он замечал следы какой-то глубокой печали.

В этот вечер Арамис также еще не ложился и был мрачен и задумчив. Д'Артаньян попытался расспросить его о причинах его грусти. Арамис сослался на комментарий к восемнадцатой главе блаженного Августина, который ему нужно было написать по-латыни к будущей неделе, что якобы крайне его беспокоило.

Беседа обоих друзей длилась уже несколько минут, как вдруг появился один из слуг г-на де Тревиля и подал Арамису запечатанный пакет.

— Что это? — спросил мушкетер.

— Разрешение на отпуск, о котором вы, сударь, изволили просить, — ответил слуга.

— Но я вовсе не просил об отпуске! — воскликнул Арамис.

— Молчите и берите, — шепнул ему д'Артаньян. — И вот вам, друг мой, полпистоля за труды, — добавил он, обращаясь к слуге. — Передайте господину де Тревилю, что господин Арамис сердечно благодарит его.

Поклонившись до земли, слуга вышел.

— Что это значит? — спросил Арамис.

— Соберите все, что вам может понадобиться для двухнедельного путешествия, и следуйте за мной.

— Но я сейчас не могу оставить Париж, не узнав...

Арамис умолк.

— ...что с нею сталось, не так ли? — продолжал за него д'Артаньян.

— С кем? — спросил Арамис.

— С женщиной, которая была здесь. С женщиной, у которой вышитый платок.

— Кто сказал вам, что здесь была женщина? — воскликнул Арамис, побледнев как смерть.

— Я видел ее.

— И знаете, кто она?

— Догадываюсь, во всяком случае.

— Послушайте, — сказал Арамис. — Раз вы знаете так много разных вещей, то не известно ли вам, что сталось с этой женщиной?

— Полагаю, что она вернулась в Тур.

— В Тур?.. Да, возможно, вы знаете ее. Но как же она вернулась в Тур, ни слова не сказав мне?

— Она опасалась ареста.

— Но почему она мне не написала?

— Боялась навлечь на вас беду.

— Д'Артаньян! Вы возвращаете меня к жизни! — воскликнул Арамис. — Я думал, что меня презирают, обманывают. Я так был счастлив снова увидеться с ней! Я не мог предположить, что она рискует своей свободой ради меня, но, с другой стороны, какая причина могла заставить ее вернуться в Париж?

— Та самая причина, по которой мы сегодня уезжаем в Англию.

— Какая же это причина? — спросил Арамис.

— Когда-нибудь, Арамис, она станет вам известна. Но пока я воздержусь от лишних слов, памятуя о племяннице богослова.

Арамис улыбнулся, вспомнив сказку, рассказанную им когда-то друзьям.

— Ну что ж, раз она уехала из Парижа и вы в этом уверены, ничто меня больше здесь не удерживает, и я готов отправиться с вами. Вы сказали, что мы отправляемся...

— ...прежде всего к Атосу, и если вы собираетесь идти со мной, то советую поспешить, так как мы потеряли очень много времени. Да, кстати, предупредите Базена.

— Базен едет с нами?

— Возможно. Во всяком случае, будет полезно, чтобы он также пришел к Атосу.

Арамис позвал Базена и приказал ему прийти вслед за ними к Атосу.

— Итак, идем, — сказал Арамис, беря плащ, шпагу и засунув за пояс свои три пистолета.

В поисках какой-нибудь случайно затерявшейся монеты он выдвинул и задвинул несколько ящиков. Убедившись, что поиски его напрасны, он направился к выходу вслед за д'Артаньяном, мысленно задавая себе вопрос, откуда молодой гвардеец мог знать, кто была женщина, пользовавшаяся его гостеприимством, и знать лучше его самого, куда эта женщина скрылась.

Уже на пороге Арамис положил руку на плечо д'Артаньяну.

— Вы никому не говорили об этой женщине? — спросил он.

— Никому на свете.

— Не исключая Атоса и Портоса?

— Ни единого словечка.

— Слава богу!

И, успокоившись на этот счет, Арамис продолжал путь вместе с д'Артаньяном. Вскоре оба они достигли дома, где жил Атос.

Когда они вошли, Атос держал в одной руке разрешение на отпуск, в другой — письмо г-на де Тревиля, с недоумением разглядывая то и другое.

— Не объясните ли вы, что означает этот отпуск и письмо, которое я только что получил? — спросил он с удивлением.

«Любезный мой Атос, я согласен, раз этого настоятельно требует ваше здоровье, предоставить вам отдых на две недели. Можете ехать на воды в Форж или на любые другие, по вашему усмотрению. Поскорее поправляйтесь.

Благосклонный к вам

Тревиль».

— Это письмо и этот отпуск, Атос, означают, что вам надлежит следовать за мной.

— На воды в Форж?

— Туда или в иное место.

— Для службы королю?

— Королю и королеве. Разве мы не слуги их величеств?

Как раз в эту минуту появился Портос.

— Тысяча чертей! — воскликнул он, входя. — С каких это пор мушкетерам предоставляется отпуск, о котором они не просили?

— С тех пор, как у них есть друзья, которые делают это за них.

— Ага... — протянул Портос. — Здесь, по-видимому, есть какие-то новости.

— Да, мы уезжаем, — ответил Арамис.

— В какие края? — спросил Портос.

— Право, не знаю хорошенько, — ответил Атос. — Спроси у д'Артаньяна.

— Мы отправляемся в Лондон, господа, — сказал д'Артаньян.

— В Лондон! — воскликнул Портос. — А что же мы будем делать в Лондоне?

— Вот этого я не имею права сказать, господа. Вам придется довериться мне.

— Но для путешествия в Лондон нужны деньги, — заметил Портос, — а у меня их нет.

— У меня тоже.

— И у меня.

— У меня они есть, — сказал д'Артаньян, вытаскивая из кармана свой клад и бросая его на стол. — В этом мешке триста пистолей. Возьмем из них каждый по семьдесят пять — этого достаточно на дорогу в Лондон и обратно. Впрочем, успокойтесь: мы не все доберемся до Лондона.

— Это почему?

— Потому что, по всей вероятности, кое-кто из нас отстанет в пути.

— Так что же это — мы пускаемся в поход?

— И даже в очень опасный, должен вас предупредить!

— Черт возьми! — воскликнул Портос. — Но раз мы рискуем быть убитыми, я хотел бы по крайней мере знать, во имя чего.

— Легче тебе от этого будет? — спросил Атос.

— Должен признаться, — сказал Арамис, — что я согласен с Портосом.

— А разве король имеет обыкновение давать вам отчет? Нет. Он просто говорит вам: господа, в Гасконии или во Фландрии дерутся — идите драться. И вы идете. Во имя чего? Вы даже и не задумываетесь над этим.

— Д'Артаньян прав, — сказал Атос. — Вот наши три отпускных свидетельства, присланные господином де Тревилем, и вот триста пистолей, данные неизвестно кем. Пойдем умирать, куда нас посылают. Стоит ли жизнь того, чтобы так много спрашивать! Д'Артаньян, я готов идти за тобой.

— И я тоже! — сказал Портос.

— И я тоже! — сказал Арамис. — Кстати, я не прочь сейчас уехать из Парижа. Мне необходимо развлечься.

— Развлечений у вас хватит, господа, будьте спокойны, — заметил д'Артаньян.

— Прекрасно. Когда же мы отправляемся? — спросил Атос.

— Сейчас же, — ответил д'Артаньян. — Нельзя терять ни минуты.

— Эй, Гримо, Планше, Мушкетон, Базен! — крикнули все четверо своим лакеям. — Смажьте наши ботфорты и приведите наших коней.

В те годы полагалось, чтобы каждый мушкетер держал в главной квартире, как в казарме, своего коня и коня своего слуги. Планше, Гримо, Мушкетон и Базен бегом бросились исполнять приказания своих господ.

— А теперь, — сказал Портос, — составим план кампании. Куда же мы направляемся прежде всего?

— В Кале, — сказал д'Артаньян. — Это кратчайший путь в Лондон.

— В таком случае вот мое мнение... — начал Портос.

— Говори.

— Четыре человека, едущие куда-то вместе, могут вызвать подозрения. Д'Артаньян каждому из нас даст надлежащие указания. Я выеду вперед на Булонь, чтобы разведать дорогу. Атос выедет двумя часами позже через Амьен. Арамис последует за нами на Нуайон. Что же касается д'Артаньяна, он может выехать по любой дороге, но в одежде Планше, а Планше отправится вслед за нами, изображая д'Артаньяна, и в форме гвардейца.

— Господа, — сказал Атос, — я считаю, что не следует в такое дело посвящать слуг. Тайну может случайно выдать дворянин, но лакей почти всегда продаст ее.

— План Портоса мне представляется неудачным, — сказал д'Артаньян. — Прежде всего я и сам не знаю, какие указания должен дать вам. Я везу письмо. Вот и все. Я не могу снять три копии с этого письма, ибо оно запечатано. Поэтому, как мне кажется, нам следует передвигаться вместе. Письмо лежит вот здесь, в этом кармане. — И он указал, в каком кармане лежит письмо. — Если я буду убит, один из вас возьмет письмо, и вы будете продолжать свой путь. Если его убьют, настанет очередь третьего, и так далее. Лишь бы доехал один. Этого будет достаточно.

— Браво, д'Артаньян! Я такого же мнения, как ты, — сказал Атос. — К тому же надо быть последовательным. Я еду на воды, вы меня сопровождаете. Вместо форжских вод я отправляюсь к морю — ведь я свободен в выборе. Нас намереваются задержать. Я предъявляю письмо господина де Тревиля, а вы — ваши свидетельства. На нас нападают. Мы защищаемся. Нас судят, а мы со всем упорством утверждаем, что намеревались только разок-другой окунуться в море. С четырьмя людьми, путешествующими в одиночку, ничего не стоит справиться, тогда как четверо вместе — уже отряд. Мы вооружим четырех наших слуг пистолетами и мушкетами. Если против нас вышлют армию — мы примем бой, и тот, кто уцелеет, как сказал д'Артаньян, отвезет письмо.

— Прекрасно, — сказал Арамис. — Ты говоришь редко, Атос, но зато когда заговоришь, то не хуже Иоанна Златоуста. Я принимаю план Атоса. А ты, Портос?

— Я также, — сказал Портос, — если д'Артаньян с ним согласен. Д'Артаньян, которому поручено письмо, — естественно, начальник нашей экспедиции. Пусть он решает, а мы выполним его приказания.

— Так вот, — сказал д'Артаньян, — я решил: мы принимаем план Атоса и отбываем через полчаса.

— Принято! — хором проговорили все три мушкетера.

Затем каждый из них, протянув руку к мешку, взял себе семьдесят пять пистолей и принялся за приготовления, чтобы через полчаса быть готовым к отъезду.

XX

ПУТЕШЕСТВИЕ

В два часа ночи наши четыре искателя приключений выехали из Парижа через ворота Сен-Дени. Пока вокруг царил мрак, они ехали молча; темнота против их воли действовала на них — всюду им мерещились засады.

При первых лучах солнца языки у них развязались, а вместе с солнцем вернулась и обычная веселость. Словно накануне сражения, сердца бились сильнее, глаза улыбались. Как-то чувствовалось, что жизнь, с которой, быть может, придется расстаться, в сущности, совсем не плохая штука.

Вид колонны, впрочем, был весьма внушительный: черные кони мушкетеров, их твердая поступь — привычка, приобретенная в эскадроне и заставлявшая этих благородных друзей солдата двигаться ровным шагом, — все это уже само по себе могло бы раскрыть самое строгое инкогнито.

Позади четырех друзей ехали слуги, вооруженные до зубов.

Все шло благополучно до Шантильи, куда друзья прибыли в восемь часов утра. Нужно было позавтракать. Они соскочили с лошадей у трактира, на вывеске которого святой Мартин отдавал нищему половину своего плаща. Слугам приказали не расседлывать лошадей и быть наготове, чтобы немедленно продолжать путь.

Друзья вошли в общую комнату и сели за стол.

Какой-то дворянин, только что прибывший по дороге из Даммартена, завтракал, сидя за тем же столом. Он завел разговор о погоде. Наши путники ответили. Он выпил за их здоровье. Они выпили за него.

Но в ту минуту, когда Мушкетон вошел с докладом, что лошади готовы, и друзья поднялись из-за стола, незнакомец предложил Портосу выпить за здоровье кардинала. Портос ответил, что готов это сделать, если незнакомец, в свою очередь, выпьет за короля. Незнакомец воскликнул, что не знает другого короля, кроме его преосвященства. Портос назвал его пьяницей. Незнакомец выхватил шпагу.

— Вы допустили оплошность, — сказал Атос. — Но ничего не поделаешь: отступать сейчас уже нельзя. Убейте этого человека и как можно скорее нагоните нас.

И трое приятелей вскочили на коней и помчались во весь опор, в то время как Портос клятвенно обещал своему противнику продырявить его всеми способами, известными в фехтовальном искусстве.

— Итак, номер один, — заметил Атос, когда они отъехали шагов на пятьсот.

— Но почему этот человек привязался именно к Портосу, а не к кому-либо другому из нас? — спросил Арамис.

— Потому что Портос разговаривал громче всех и этот человек принял его за начальника, — сказал д'Артаньян.

— Я всегда говорил, что этот молодой гасконец — кладезь премудрости, — пробормотал Атос.

И путники поехали дальше.

В Бове они остановились на два часа, чтобы дать передохнуть лошадям, отчасти же надеясь дождаться Портоса. По истечении двух часов, видя, что Портос не появляется и о нем нет никаких известий, они поехали дальше.

В одной миле за Бове, в таком месте, где дорога была сжата между двумя откосами, им повстречалось восемь или десять человек, которые, пользуясь тем, что дорога здесь не была вымощена, делали вид, что чинят ее. На самом деле они выкапывали ямы и усердно углубляли глинистые колеи.

Арамис, боясь в этом искусственном месиве испачкать ботфорты, резко окликнул их. Атос попытался остановить его, но было уже поздно. Рабочие принялись насмехаться над путниками, и их наглость заставила даже спокойного Атоса потерять голову и двинуть коня прямо на одного из них.

Тогда все эти люди отступили к канаве и вооружились спрятанными там мушкетами. Наши семеро путешественников были вынуждены буквально проехать сквозь строй. Арамис был ранен пулей в плечо, а у Мушкетона пуля засела в мясистой части тела, пониже поясницы. Но один только Мушкетон соскользнул с коня: не имея возможности разглядеть свою рану, он, видимо, счел ее более тяжелой, чем она была на самом деле.

— Это засада, — сказал д'Артаньян. — Отстреливаться не будем! Вперед!

Арамис, хотя и раненный, ухватился за гриву своего коня, который понесся вслед за остальными. Лошадь Мушкетона нагнала их и, без всадника, заняла свое место в ряду.

— У нас будет запасной конь, — сказал Атос.

— Я предпочел бы шляпу, — ответил д'Артаньян. — Мою собственную снесла пуля. Еще счастье, что письмо, которое я везу, не было запрятано в ней!

— Все это так, — заметил Арамис, — но они убьют беднягу Портоса, когда он будет проезжать мимо.

— Если бы Портос был на ногах, он успел бы уже нас нагнать, — сказал Атос. — Я думаю, что, став в позицию, пьяница протрезвился.

Они скакали еще часа два, хотя лошади были так измучены, что приходилось опасаться, как бы они вскоре не вышли из строя.

Путники свернули на проселочную дорогу, надеясь, что здесь они скорее избегнут столкновений. Но в Кревкере Арамис сказал, что не в силах двигаться дальше. И в самом деле, чтобы доехать сюда, потребовалось все мужество, которое он скрывал под внешним изяществом и изысканными манерами. С каждой минутой он все больше бледнел, и его приходилось поддерживать в седле. Его ссадили у входа в какой-то кабачок и оставили при нем Базена, который при вооруженных стычках скорее был помехой, чем подмогой. Затем они снова двинулись дальше, надеясь заночевать в Амьене.

— Дьявол! — проговорил Атос, когда маленький отряд, состоявший уже только из двух господ и двух слуг — Гримо и Планше, снова понесся по дороге. — Больше уж я не попадусь на их удочку! Могу поручиться, что отсюда и до самого Кале они не заставят меня и рта раскрыть. Клянусь...

— Не клянитесь, — прервал его д'Артаньян. — Лучше прибавим ходу, если только выдержат лошади.

И путешественники вонзили шпоры в бока своих лошадей, которым это словно придало новые силы и новую бодрость.

Они добрались до Амьена и в полночь спешились у гостиницы «Золотая лилия».

Трактирщик казался учтивейшим человеком на свете. Он встретил приезжих, держа в одной руке подсвечник, в другой — свой ночной колпак. Он высказал намерение отвести двум своим гостям, каждому в отдельности, по прекрасной комнате. К сожалению, комнаты эти находились в противоположных концах гостиницы. Д'Артаньян и Атос отказались. Хозяин отвечал, что у него нет другого помещения, достойного их милости. Но путники ответили, что проведут ночь в общей комнате, на матрацах, которые можно будет постелить на полу. Хозяин пробовал настаивать — путники не сдавались. Пришлось подчиниться их желанию.

Не успели они расстелить постели и запереть дверь, как раздался со двора стук в ставень. Они спросили, кто это, узнали голоса своих слуг и открыли окно.

Это были действительно Планше и Гримо.

— Для охраны лошадей будет достаточно одного Гримо, — сказал Планше. — Если господа разрешат, я лягу здесь поперек дверей. Таким образом, господа могут быть уверены, что до них не доберутся.

— А на чем же ты ляжешь? — спросил д'Артаньян.

— Вот моя постель, — ответил Планше, указывая на охапку соломы.

— Ты прав. Иди сюда, — сказал д'Артаньян. — Физиономия хозяина и мне не по душе: уж очень она сладкая.

— Мне он тоже не нравится, — добавил Атос.

Планше забрался в окно и улегся поперек дверей, тогда как Гримо отправился спать в конюшню, обещая, что завтра к пяти часам утра все четыре лошади будут готовы.

Ночь прошла довольно спокойно. Около двух часов, правда, кто-то попытался отворить дверь, но Планше, проснувшись, закричал: «Кто идет?» Ему ответили, что ошиблись дверью, и удалились.

В четыре часа утра донесся отчаянный шум из конюшни. Гримо, как оказалось, попытался разбудить конюхов, и конюхи бросились его бить. Распахнув окно, друзья увидели, что несчастный Гримо лежит на дворе без сознания. Голова его была рассечена рукояткой от вил.

Планше спустился во двор, чтобы оседлать лошадей. Но ноги лошадей были разбиты. Одна только лошадь Мушкетона, скакавшая накануне пять или шесть часов без седока, могла бы продолжать путь, но, по непонятному недоразумению, коновал, за которым якобы посылали, чтобы он пустил кровь одной из хозяйских лошадей, по ошибке пустил кровь лошади Мушкетона.

Положение начинало вызывать беспокойство: все эти беды, следующие одна за другой, могли быть делом случая, но с такой же вероятностью могли быть и плодом заговора. Атос и д'Артаньян вышли на улицу, а Планше отправился узнать, нельзя ли где-нибудь в окрестностях купить трех лошадей. У входа в трактир стояли две оседланные и взнузданные лошади, свежие и сильные. Это было как раз то, что требовалось. Планше спросил, где хозяева лошадей. Ему ответили, что хозяева ночевали здесь в гостинице и сейчас расплачиваются с трактирщиком.

Атос спустился, чтобы расплатиться за ночлег, а д'Артаньян и Планше остались стоять у входа.

Трактирщик находился в комнате с низким потолком, расположенной в глубине дома. Атоса попросили пройти туда.

Входя в комнату и ничего не подозревая, Атос вынул два пистоля и подал их хозяину. Трактирщик сидел за конторкой, один из ящиков которой был выдвинут. Он взял монеты и, повертев их в руках, вдруг закричал, что монеты фальшивые и что он немедленно велит арестовать Атоса и его товарищей как фальшивомонетчиков.

— Мерзавец! — воскликнул Атос, наступая на него. — Я тебе уши отрежу!

В ту же минуту четверо вооруженных до зубов мужчин ворвались через боковые двери и бросились на Атоса.

— Я в ловушке! — закричал Атос во всю силу своих легких. — Скачи, д'Артаньян! Пришпоривай! — И он дважды выстрелил из пистолета.

Д'Артаньян и Планше не заставили себя уговаривать. Отвязав коней, ожидавших у входа, они вскочили на них и, дав шпоры, карьером понеслись по дороге.

— Не видел ли ты, что с Атосом? — спросил д'Артаньян у Планше, не замедляя хода.

— Ах, сударь, — произнес Планше, — я видел, как он двумя выстрелами уложил двоих из нападавших, и сквозь стекла дверей мне показалось, будто он рубится с остальными.

— Молодец Атос! — прошептал д'Артаньян. — И подумать только, что пришлось его покинуть! Впрочем, возможно, что и нас ожидает та же участь несколькими шагами дальше. Вперед, Планше, вперед! Ты славный малый!

— Я ведь говорил вам, сударь, — ответил Планше, — пикардийца узнаешь только постепенно. К тому же я здесь в своих родных краях, и это придает мне духу.

И оба, еще сильнее пришпорив коней, не останавливаясь, доскакали до Сент-Омера.

В Сент-Омере они дали передохнуть лошадям, но, опасаясь новых неожиданностей, не выпускали из рук поводьев и, тут же на улице наскоро закусив, помчались дальше.

За сто шагов до ворот Кале конь д'Артаньяна рухнул, и нельзя было заставить его подняться; кровь хлестала у него из ноздрей и глаз. Оставалась лошадь Планше, но она остановилась, и ее не удавалось сдвинуть с места.

К счастью, как мы уже говорили, они находились в каких-нибудь ста шагах от города. Покинув лошадей на проезжей дороге, они бегом бросились к гавани. Планше обратил внимание д'Артаньяна на какого-то дворянина, который, видимо, только что прибыл со своим слугой и шел в ту же сторону, опередив их всего на каких-нибудь пятьдесят шагов.

Они поспешили нагнать этого человека, который, видимо, куда-то торопился. Ботфорты его были покрыты слоем пыли, и он расспрашивал, нельзя ли ему немедленно переправиться в Англию.

— Не было бы ничего проще, — отвечал хозяин одной из шхун, совершенно готовой к отплытию, — но сегодня утром пришел приказ не выпускать никого без особого разрешения кардинала.

— У меня есть такое разрешение, — сказал дворянин, вынимая из кармана бумагу. — Вот оно.

— Пусть его пометит начальник порта, — сказал хозяин. — И не ищите потом другой шхуны, кроме моей.

— Где же мне найти начальника?

— Он в своем загородном доме.

— И где этот дом расположен?..

— В четверти мили от города. Вот он виден отсюда, у подножия того холма.

— Хорошо, — сказал приезжий.

И, сопровождаемый своим лакеем, он направился к дому начальника порта.

Пропустив их на пятьсот шагов вперед, д'Артаньян и Планше последовали за ними.

Выйдя за пределы города, д'Артаньян ускорил шаг и нагнал приезжего дворянина на опушке небольшой рощи.

— Сударь, — начал д'Артаньян, — вы, по-видимому, очень спешите?

— Очень спешу, сударь.

— Мне чрезвычайно жаль, — продолжал д'Артаньян, — но, ввиду того что и я очень спешу, я хотел попросить вас об одной услуге.

— О чем именно?

— Я хотел просить вас пропустить меня вперед.

— Невозможно, сударь, — ответил дворянин. — Я проехал шестьдесят миль за сорок четыре часа, и мне необходимо завтра в полдень быть в Лондоне.

— Я проехал то же расстояние в сорок часов, и мне завтра в десять часов утра нужно быть в Лондоне.

— Весьма сожалею, сударь, но я прибыл первым и не пройду вторым.

— Весьма сожалею, сударь, но я прибыл вторым, а пройду первым.

— По приказу короля! — крикнул дворянин.

— По собственному желанию! — произнес д'Артаньян.

— Да вы, никак, ищете ссоры?

— А чего же другого?

— Что вам угодно?

— Вы хотите знать?

— Разумеется.

— Так вот: мне нужен приказ, который у вас есть и которого у меня нет, хотя он мне крайне необходим.

— Вы шутите, надеюсь?

— Я никогда не шучу.

— Пропустите меня!

— Вы не пройдете!

— Мой храбрый юноша, я разобью вам голову... Любен, пистолеты!

— Планше, — сказал д'Артаньян, — разделайся со слугой, а я справлюсь с господином.

Планше, расхрабрившийся после первых своих подвигов, бросился на Любена и, благодаря своей силе и ловкости опрокинув его на спину, поставил ему колено на грудь.

— Делайте свое дело, сударь, — крикнул Планше, — я свое сделал!

Видя все это, дворянин выхватил шпагу и ринулся на д'Артаньяна. Но он имел дело с сильным противником.

За три секунды д'Артаньян трижды ранил его, при каждом ударе приговаривая:

— Вот это за Атоса! Вот это за Портоса! Вот это за Арамиса!

При третьем ударе приезжий рухнул как сноп.

Предположив, что он мертв или, во всяком случае, без сознания, д'Артаньян приблизился к нему, чтобы забрать у него приказ. Но когда он протянул руку, чтобы обыскать его, раненый, не выпустивший из рук шпаги, ударил его острием в грудь.

— Вот это лично вам! — проговорил он.

— А это за меня! Последний, на закуску! — в бешенстве крикнул д'Артаньян, пригвоздив его к земле четвертым ударом в живот.

На этот раз дворянин закрыл глаза и потерял сознание.

Нащупав карман, в который приезжий спрятал разрешение на выезд, д'Артаньян взял его себе. Разрешение было выписано на имя графа де Варда.

Бросив последний взгляд на красивого молодого человека, которому едва ли было больше двадцати пяти лет и которого он оставлял здесь без сознания, а может быть, и мертвым, д'Артаньян вздохнул при мысли о странностях судьбы, заставляющей людей уничтожать друг друга во имя интересов третьих лиц, им совершенно чужих и нередко даже не имеющих понятия об их существовании.

Но вскоре его от этих размышлений отвлек Любен, вопивший что есть мочи и взывавший о помощи.

Планше схватил его за горло и сжал изо всех сил.

— Сударь, — сказал он, — пока я буду вот этак держать его, он будет молчать. Но стоит мне его отпустить, как он снова заорет. Я узнаю в нем нормандца, а нормандцы — народ упрямый.

И в самом деле, как крепко ни сжимал Планше ему горло, Любен все еще пытался издавать какие-то звуки.

— Погоди, — сказал д'Артаньян.

И, вытащив платок, он заткнул упрямцу рот.

— А теперь, — предложил Планше, — привяжем его к дереву.

Они проделали это весьма тщательно. Затем подтащили графа де Варда поближе к его слуге.

Наступала ночь. Раненый и его слуга, связанный по рукам и ногам, находились в кустах в стороне от дороги, и было очевидно, что они останутся там до утра.

— А теперь, — сказал д'Артаньян, — к начальнику порта!

— Но вы, кажется, ранены, — заметил Планше.

— Пустяки! Займемся самым спешным, а после мы вернемся к моей ране: она, кстати, по-моему, неопасна.

И оба они быстро зашагали к дому почтенного чиновника.

Ему доложили о приходе графа де Варда.

Д'Артаньяна ввели в кабинет.

— У вас есть разрешение, подписанное кардиналом? — спросил начальник.

— Да, сударь, — ответил д'Артаньян. — Вот оно.

— Ну что ж, оно в полном порядке. Есть даже указание содействовать вам.

— Вполне естественно, — сказал д'Артаньян. — Я из числа приближенных его преосвященства.

— Его преосвященство, по-видимому, желает воспрепятствовать кому-то перебраться в Англию.

— Да, некоему д'Артаньяну, беарнскому дворянину, который выехал из Парижа в сопровождении трех своих приятелей, намереваясь пробраться в Лондон.

— Вы его знаете?

— Кого?

— Этого д'Артаньяна.

— Великолепно знаю.

— Тогда укажите мне все его приметы.

— Нет ничего легче.

И д'Артаньян набросал до мельчайшей черточки портрет графа де Варда.

— Кто его сопровождает?

— Лакей, по имени Любен.

— Выследим их, и, если только они попадутся нам в руки, его преосвященство может быть спокоен: мы препроводим их в Париж под должным конвоем.

— И тем самым, — произнес д'Артаньян, — вы заслужите благоволение кардинала.

— Вы увидите его по возвращении, граф?

— Без всякого сомнения.

— Передайте ему, пожалуйста, что я верный его слуга.

— Непременно передам.

Обрадованный этим обещанием, начальник порта сделал пометку и вернул д'Артаньяну разрешение на выезд.

Д'Артаньян не стал тратить даром время на лишние любезности. Поклонившись начальнику порта и поблагодарив его, он удалился.

Выйдя на дорогу, и он и Планше ускорили шаг и, обойдя лес кружным путем, вошли в город через другие ворота.

Шхуна по-прежнему стояла, готовая к отплытию. Хозяин ждал на берегу.

— Как дела? — спросил он, увидев д'Артаньяна.

— Вот мой пропуск, подписанный начальником порта.

— А другой господин?

— Он сегодня не поедет, — заявил д'Артаньян. — Но не беспокойтесь, я оплачу проезд за нас обоих.

— В таком случае — в путь! — сказал хозяин.

— В путь! — повторил д'Артаньян.

Он и Планше вскочили в шлюпку. Через пять минут они были на борту.

Было самое время. Они находились в полумиле от земли, когда д'Артаньян заметил на берегу вспышку, а затем донесся и грохот выстрела.

Это был пушечный выстрел, означавший закрытие порта.

Пора было заняться своей раной. К счастью, как и предполагал д'Артаньян, она была не слишком опасна. Острие шпаги наткнулось на ребро и скользнуло вдоль кости. Сорочка сразу же прилипла к ране, и крови пролилось всего несколько капель.

Д'Артаньян изнемогал от усталости. Ему расстелили на палубе тюфяк, он повалился на него и уснул.

На следующий день, на рассвете, они оказались уже в трех или четырех милях от берегов Англии. Всю ночь дул слабый ветер, и судно двигалось довольно медленно.

В десять часов судно бросило якорь в Дуврском порту.

В половине одиннадцатого д'Артаньян ступил ногой на английскую землю и закричал:

— Наконец у цели!

Но это было еще не все: надо было добраться до Лондона.

В Англии почта работала исправно. Д'Артаньян и Планше взяли каждый по лошади. Почтальон скакал впереди. За четыре часа они достигли ворот столицы.

Д'Артаньян не знал Лондона, не знал ни слова по-английски, но он написал имя герцога Бекингэма на клочке бумаги, и ему сразу же указали герцогский дворец.

Герцог находился в Виндзоре, где охотился вместе с королем.

Д'Артаньян вызвал доверенного камердинера герцога, который сопровождал своего господина во всех путешествиях и отлично говорил по-французски. Молодой гасконец объяснил ему, что только сейчас прибыл из Парижа по делу чрезвычайной важности и ему необходимо видеть герцога.

Уверенность, с которой говорил д'Артаньян, убедила Патрика — так звали слугу министра. Он велел оседлать двух лошадей и взялся сам проводить молодого гвардейца. Что же касается Планше, то бедняга, когда его сняли с коня, уже просто одеревенел и был полумертв от усталости. Д'Артаньян казался существом железным.

По прибытии в Виндзорский замок они справились, где герцог. Король и герцог Бекингэм были заняты соколиной охотой где-то на болотах, в двух-трех милях отсюда.

В двадцать минут д'Артаньян и его спутник доскакали до указанного места. Вскоре Патрик услышал голос герцога, звавшего своего сокола.

— О ком прикажете доложить милорду герцогу? — спросил Патрик.

— Вы скажете: молодой человек, затеявший с ним ссору на Новом мосту, против Самаритянки.

— Странная рекомендация!

— Вы увидите, что она стоит любой другой.

Патрик пустил своего коня галопом. Нагнав герцога, он доложил ему в приведенных нами выражениях о том, что его ожидает гонец.

Герцог сразу понял, что речь идет о д'Артаньяне, и, догадываясь, что во Франции, по-видимому, произошло нечто такое, о чем ему считают необходимым сообщить, он только спросил, где находится человек, привезший эти новости. Издали узнав гвардейскую форму, он пустил своего коня галопом и поскакал к д'Артаньяну.

— Не случилось ли несчастья с королевой? — воскликнул герцог, и в этом возгласе сказалась вся его забота и любовь.

— Не думаю, но все же полагаю, что ей грозит большая опасность, от которой оградить ее может только ваша милость.

— Я? — воскликнул герцог. — Неужели я буду иметь счастье быть ей хоть чем-нибудь полезным? Говорите! Скорее говорите!

— Вот письмо, — сказал д'Артаньян.

— Письмо? От кого?

— От ее величества, полагаю.

— От ее величества? — переспросил герцог, так сильно побледнев, что д'Артаньян подумал, уж не стало ли ему дурно.

Герцог распечатал конверт.

— Что это? — спросил он д'Артаньяна, указывая на одно место в письме, прорванное насквозь.

— Ах, — сказал д'Артаньян, — я и не заметил! Верно, шпага графа де Варда проделала эту дыру, когда вонзилась мне в грудь.

— Вы ранены? — спросил герцог, разворачивая письмо.

— Пустяки, — сказал д'Артаньян, — царапина.

— О небо! Что я узнаю! — воскликнул герцог. — Патрик, оставайся здесь... или нет, лучше догони короля, где бы он ни был, и передай, что я почтительнейше прошу его величество меня извинить, но дело величайшей важности призывает меня в Лондон... Едем, сударь, едем!

И оба во весь опор помчались в сторону столицы.

XXI

ГРАФИНЯ ВИНТЕР

Дорóгой герцог расспросил д'Артаньяна если не обо всем случившемся, то, во всяком случае, о том, что д'Артаньяну было известно. Сопоставляя то, что он слышал из уст молодого человека, со своими собственными воспоминаниями, герцог Бекингэм мог составить себе более или менее ясное понятие о положении, на серьезность которого, впрочем, при всей своей краткости и неясности, указывало и письмо королевы. Но особенно герцог был поражен тем, что кардиналу, которому так важно было, чтобы этот молодой человек не ступил на английский берег, все же не удалось задержать его в пути. В ответ на выраженное герцогом удивление д'Артаньян рассказал о принятых им предосторожностях и о том, как благодаря самоотверженности его трех друзей, которых он, раненных, окровавленных, вынужден был покинуть в пути, ему удалось самому отделаться ударом шпагой, порвавшим письмо королевы, ударом, за который он такой страшной монетой расплатился с графом де Вардом. Слушая д'Артаньяна, рассказавшего все это с величайшей простотой, герцог время от времени поглядывал на молодого человека, словно не веря, что такая предусмотрительность, такое мужество и преданность могут сочетаться с обликом юноши, которому едва ли исполнилось двадцать лет.

Лошади неслись как вихрь, и через несколько минут они достигли ворот Лондона. Д'Артаньян думал, что, въехав в город, герцог убавит ход, но он продолжал нестись тем же бешеным аллюром, мало беспокоясь о том, что сбивал с ног неосторожных пешеходов, попадавшихся ему на пути. При проезде через внутренний город произошло несколько подобных случаев, но Бекингэм даже не повернул головы — посмотреть, что сталось с теми, кого он опрокинул. Д'Артаньян следовал за ним, хотя кругом раздавались крики, весьма похожие на проклятия.

Въехав во двор своего дома, герцог соскочил с лошади и, не заботясь больше о ней, бросив поводья, быстро взбежал на крыльцо. Д'Артаньян последовал за ним, все же несколько тревожась за благородных животных, достоинства которых он успел оценить. К его радости, он успел увидеть, как трое или четверо слуг, выбежав из кухни и конюшни, бросились к лошадям и увели их.

Герцог шел так быстро, что д'Артаньян еле поспевал за ним. Он прошел несколько гостиных, обставленных с такой роскошью, о которой и представления не имели знатнейшие вельможи Франции, и вошел наконец в спальню, являвшую собой чудо вкуса и богатства. В алькове виднелась дверь, полускрытая обивкой стены. Герцог отпер ее золотым ключиком, который он носил на шее на золотой цепочке.

Д'Артаньян из скромности остановился поодаль, но герцог уже на пороге заветной комнаты обернулся к молодому гвардейцу и, заметив его нерешительность, сказал:

— Идемте, и, если вы будете иметь счастье предстать перед ее величеством, вы расскажете ей обо всем, что видели.

Ободренный этим приглашением, д'Артаньян последовал за герцогом, и дверь закрылась за ними.

Они оказались в маленькой часовне, обитой персидским шелком с золотым шитьем, ярко освещенной множеством свечей.

Над неким подобием алтаря, под балдахином из голубого бархата, увенчанным красными и белыми перьями, стоял портрет Анны Австрийской, во весь рост, настолько схожий с оригиналом, что д'Артаньян вскрикнул от неожиданности: казалось, королева готова заговорить.

На алтаре под самым портретом стоял ларец, в котором хранились алмазные подвески.

Герцог приблизился к алтарю и опустился на колени, словно священник перед распятием. Затем он раскрыл ларец.

— Возьмите, — произнес он, вынимая из ларца большой голубой бант, сверкающий алмазами. — Вот они, эти бесценные подвески. Я поклялся, что меня похоронят с ними. Королева дала их мне — королева берет их обратно. Да будет воля ее, как воля господа бога, во всем и всегда!

И он стал целовать один за другим эти подвески, с которыми приходилось расстаться,

Неожиданно страшный крик вырвался из его груди.

— Что случилось? — с беспокойством спросил д'Артаньян. — Что с вами, милорд?

— Все погибло! — воскликнул герцог, побледнев как смерть. — Не хватает двух подвесков. Их осталось всего десять.

— Милорд их потерял или предполагает, что они украдены?

— Их украли у меня, и эта кража — проделка кардинала! Поглядите — ленты, на которых они держались, обрезаны ножницами.

— Если б милорд мог догадаться, кто произвел эту кражу... Быть может, подвески еще находятся в руках этого лица...

— Подождите! Подождите! — воскликнул герцог. — Я надевал их всего один раз, это было неделю тому назад, на королевском балу в Виндзоре. Графиня Винтер, с которой я до этого был в ссоре, на том балу явно искала примирения. Это примирение было лишь местью ревнивой женщины. С этого самого дня она мне больше не попадалась на глаза. Эта женщина — шпион кардинала!

— Неужели эти шпионы разбросаны по всему свету? — спросил д'Артаньян.

— О да, да! — проговорил герцог, стиснув зубы от ярости. — Да, это страшный противник! Но на какой день назначен этот бал?

— На будущий понедельник.

— На будущий понедельник! Еще пять дней, времени более чем достаточно... Патрик! — крикнул герцог, приоткрыв дверь часовни.

Камердинер герцога появился на пороге.

— Моего ювелира и секретаря!

Камердинер удалился молча и с такой быстротой, которая обличала привычку к слепому и беспрекословному повиновению.

Однако хотя первым вызвали ювелира, секретарь успел явиться раньше. Это было вполне естественно, так как он жил в самом доме. Он застал Бекингэма в спальне за столом: герцог собственноручно писал какие-то приказания.

— Господин Джексон, — обратился герцог к вошедшему, — вы сейчас же отправитесь к лорд-канцлеру и скажете ему, что выполнение этих приказов я возлагаю лично на него. Я желаю, чтобы они были опубликованы немедленно.

— Но, ваша светлость, — заметил секретарь, быстро пробежав глазами написанное, — что я отвечу, если лорд-канцлер спросит меня, чем вызваны такие чрезвычайные меры?

— Ответите, что таково было мое желание и что я никому не обязан отчетом в моих действиях.

— Должен ли лорд-канцлер такой ответ передать и его величеству, если бы его величество случайно пожелали узнать, почему ни один корабль не может отныне покинуть портов Великобритании? — с улыбкой спросил секретарь.

— Вы правы, сударь, — ответил Бекингэм. — Пусть лорд-канцлер тогда скажет королю, что я решил объявить войну, и эта мера — мое первое враждебное действие против Франции.

Секретарь поклонился и вышел.

— С этой стороны мы можем быть спокойны, — произнес герцог, поворачиваясь к д'Артаньяну. — Если подвески еще не переправлены во Францию, они попадут туда только после вашего возвращения.

— Как так?

— Я только что наложил запрет на выход в море любого судна, находящегося сейчас в портах его величества, и без особого разрешения ни одно из них не посмеет сняться с якоря.

Д'Артаньян с изумлением поглядел на этого человека, который неограниченную власть, дарованную ему королевским доверием, заставлял служить своей любви. Герцог по выражению лица молодого гасконца понял, что происходит у него в душе, и улыбнулся.

— Да, — сказал он, — правда! Анна Австрийская — моя настоящая королева! Одно ее слово — и я готов изменить моей стране, изменить моему королю, изменить богу! Она попросила меня не оказывать протестантам в Ла-Рошели поддержки, которую я обещал им, — я подчинился. Я не сдержал данного им слова, но не все ли равно — я исполнил ее желание. И вот посудите сами: разве я не был с лихвой вознагражден за мою покорность? Ведь за эту покорность я владею ее портретом!

Д'Артаньян удивился: на каких неуловимых и тончайших нитях висят подчас судьбы народа и жизнь множества людей!

Он весь еще был поглощен своими мыслями, когда появился ювелир. Это был ирландец, искуснейший мастер своего дела, который сам признавался, что зарабатывал по сто тысяч фунтов в год на заказах герцога Бекингэма.

— Господин О'Рейли, — сказал герцог, вводя его в часовню, — взгляните на эти алмазные подвески и скажите мне, сколько стоит каждый из них.

Ювелир одним взглядом оценил изящество оправы, рассчитал стоимость алмазов и, не колеблясь, ответил:

— Полторы тысячи пистолей каждый, милорд.

— Сколько дней понадобится, чтобы изготовить два таких подвеска? Вы видите, что здесь двух не хватает.

— Неделя, милорд.

— Я заплачу по три тысячи за каждый — они нужны мне послезавтра.

— Милорд получит их.

— Вы неоценимый человек, господин О'Рейли! Но это еще не все: эти подвески не могут быть доверены кому бы то ни было — их нужно изготовить здесь, во дворце.

— Невозможно, милорд. Только я один могу выполнить работу так, чтобы разница между новыми и старыми была совершенно незаметна.

— Так вот, господин О'Рейли: вы мой пленник. И если бы вы пожелали сейчас выйти за пределы моего дворца, вам не удалось бы. Следовательно, примиритесь с этим. Назовите тех из подмастерьев, которые могут вам понадобиться, и укажите, какие инструменты они должны принести.

Ювелир хорошо знал герцога и понимал поэтому, что всякие возражения бесполезны. Он сразу покорился неизбежному.

— Будет ли мне разрешено уведомить жену? — спросил он.

— О, вам будет разрешено даже увидеться с ней, мой дорогой господин О'Рейли! Ваше заключение отнюдь не будет суровым, не волнуйтесь. Но всякое беспокойство требует вознаграждения. Вот вам сверх суммы, обусловленной за подвески, еще чек на тысячу пистолей, чтобы заставить вас забыть о причиненных вам неприятностях.

Д'Артаньян не мог прийти в себя от изумления, вызванного этим министром, который так свободно распоряжался людьми и миллионами.

Ювелир тем временем написал жене письмо, приложив к нему чек на тысячу пистолей и прося в обмен прислать ему самого искусного из его подмастерьев, набор алмазов, точный вес и качество которых он тут же указал, а также и необходимые ему инструменты.

Бекингэм провел ювелира в предназначенную ему комнату, которая за какие-нибудь полчаса была превращена в мастерскую. Затем он у каждой двери приказал поставить караул со строжайшим приказанием не пропускать в комнату никого, за исключением герцогского камердинера Патрика. Не к чему и говорить, что ювелиру О'Рейли и его подмастерью было запрещено под каким бы то ни было предлогом выходить за пределы комнаты.

Сделав все распоряжения, герцог вернулся к д'Артаньяну.

— Теперь, юный мой друг, — сказал он, — Англия принадлежит нам обоим. Что вам угодно и какие у вас желания?

— Постель, — ответил д'Артаньян. — Должен признаться, что это мне сейчас нужнее всего.

Герцог приказал отвести д'Артаньяну комнату рядом со своей спальней. Ему хотелось иметь молодого человека постоянно вблизи себя не потому, что он не доверял ему, а ради того, чтобы иметь собеседника, с которым можно было бы беспрестанно говорить о королеве.

Час спустя в Лондоне был обнародован приказ о запрещении выхода в море кораблей с грузом для Франции. Исключения не было сделано даже для почтового пакетбота. По мнению всех, это означало объявление войны между обоими государствами.

На третий день к одиннадцати часам утра подвески были готовы и подделаны так изумительно, так необычайно схоже, что герцог сам не мог отличить старых от новых, и даже люди, самые сведущие в подобных вещах, оказались бы так же бессильны, как и он.

Герцог немедленно позвал д'Артаньяна.

— Вот, — сказал герцог, — алмазные подвески, за которыми вы приехали, и будьте свидетелем, что я сделал все, что было в человеческих силах.

— Будьте спокойны, милорд, я расскажу обо всем, что видел. Но ваша милость отдает мне подвески без ларца.

— Ларец помешает вам в пути. А затем — этот ларец тем дороже мне, что он только один мне и остается. Вы скажете, что я оставил его у себя.

— Я передам ваше поручение слово в слово, милорд.

— А теперь, — произнес герцог, в упор глядя на молодого человека, — как мне хоть когда-нибудь расквитаться с вами?

Д'Артаньян вспыхнул до корней волос. Он понял, что герцог ищет способа заставить его что-нибудь принять от него в подарок, и мысль о том, что за кровь его и его товарищей ему будет заплачено английским золотом, вызвала в нем глубокое отвращение.

— Поговорим начистоту, милорд, — ответил д'Артаньян, — и взвесим все, чтобы не было недоразумений. Я служу королю и королеве Франции и состою в роте гвардейцев господина Дезэссара, который, так же как и его зять, господин де Тревиль, особенно предан их величествам. Более того: возможно, что я не совершил бы всего этого, если бы не одна особа, которая дорога мне, как вам, ваша светлость, дорога королева.

— Да, — сказал герцог улыбаясь, — и я, кажется, знаю эту особу. Это...

— Милорд, я не называл ее имени! — поспешно перебил молодой гвардеец.

— Верно, — сказал герцог. — Следовательно, этой особе я должен быть благодарен за вашу самоотверженность?

— Так оно и есть, ваша светлость. Ибо сейчас, когда готова начаться война, я, должен признаться, вижу в лице вашей светлости только англичанина, а значит, врага, с которым я охотнее встретился бы на поле битвы, чем в Виндзорском парке или в коридорах Лувра. Это, однако ж, ни в коей мере не помешает мне в точности исполнить поручение и, если понадобится, отдать жизнь, лишь бы его выполнить. Но я повторяю: ваша светлость так же мало обязаны мне за то, что я делаю при нашем втором свидании, как и за то, что я сделал для вашей светлости при первой нашей встрече.

— Мы говорим: «Горд, как шотландец», — вполголоса произнес герцог.

— А мы говорим; «Горд, как гасконец», — ответил д'Артаньян. — Гасконцы — это же французские шотландцы.

Д'Артаньян поклонился герцогу и собрался уходить.

— Как? Вы уже собираетесь уходить? Но каким путем предполагаете вы ехать? Как вы выберетесь из Англии?

— Да, правда...

— Будь я проклят! Эти французы ничем не смущаются!

— Я забыл, что Англия — остров и что вы — владыка его.

— Отправляйтесь в порт, спросите бриг «Зунд», передайте капитану это письмо. Он отвезет вас в маленькую французскую гавань, где обыкновенно, кроме рыбачьих судов, никто не пристает.

— Как называется эта гавань?

— Сен-Валери. Но погодите... приехав туда, вы зайдете в жалкий трактирчик без названия, без вывески, настоящий притон для моряков. Ошибиться вы не можете — там всего один такой и есть.

— Затем?..

— Вы спросите хозяина и скажете ему: «Forward».

— Что означает...

— ...«Вперед». Это пароль. И тогда хозяин предоставит в ваше распоряжение оседланную лошадь и укажет дорогу, по которой вы должны ехать. На вашем пути вас будут ожидать четыре сменные лошади. Если вы пожелаете, то можете на каждой станции оставить ваш парижский адрес, и все четыре лошади будут отправлены вам вслед. Две из них вам уже знакомы, и вы, кажется, как знаток могли оценить их — это те самые, на которых мы с вами скакали из Виндзора. Остальные — можете положиться на меня — не хуже. Эти четыре лошади снаряжены, как для похода. При всей вашей гордости вы не откажетесь принять одну из них для себя и попросить ваших друзей также принять по одной из них. Впрочем, ведь они пригодятся вам на войне против нас. Цель оправдывает средства, как принято у вас говорить.

— Хорошо, милорд, я согласен, — сказал д'Артаньян. — И даст бог, мы сумеем воспользоваться вашим подарком!

— А теперь — вашу руку, молодой человек. Быть может, мы вскоре встретимся с вами на поле битвы. Но пока мы, полагаю, расстаемся с вами добрыми друзьями?

— Да, милорд, но с надеждой вскоре сделаться врагами.

— Будьте покойны, обещаю вам это.

— Полагаюсь на ваше слово, милорд.

Д'Артаньян поклонился герцогу и быстрым шагом направился в порт.

Против лондонского Тауэра он отыскал указанное судно, передал письмо капитану, который дал его пометить начальнику порта и сразу же поднял паруса.

Пятьдесят кораблей, готовых к отплытию, стояли в гавани в ожидании.

Бриг «Зунд» проскользнул почти вплотную мимо одного из них, и д'Артаньяну вдруг показалось, что перед ним мелькнула дама из Менга, та самая, которую неизвестный дворянин назвал «миледи» и которая д'Артаньяну показалась такой красивой. Но сила течения и попутный ветер так быстро пронесли бриг мимо, что корабли, стоявшие на якоре, почти сразу исчезли из виду.

На следующее утро, около девяти часов, бросили якорь в Сен-Валери.

Д'Артаньян немедленно отправился в указанный ему трактир, который узнал по крикам, доносившимся оттуда. Говорили о войне между Англией и Францией как о чем-то неизбежном и близком, и матросы шумно пировали. Д'Артаньян пробрался сквозь толпу, подошел к хозяину и произнес слово «Forward». Трактирщик, сделав ему знак следовать за ним, сразу же вышел через дверь, ведущую во двор, провел молодого человека в конюшню, где его ожидала оседланная лошадь, и спросил, не нужно ли ему еще чего-нибудь.

— Мне нужно знать, по какой дороге ехать, — сказал д'Артаньян.

— Поезжайте отсюда до Бланжи, а от Бланжи — до Невшателя. В Невшателе зайдите в трактир «Золотой серп», передайте хозяину пароль, и вы найдете, как и здесь, оседланную лошадь.

— Сколько я вам должен? — спросил д'Артаньян.

— За все заплачено, — сказал хозяин, — и заплачено щедро. Поезжайте, и да хранит вас бог!

— Аминь! — ответил молодой человек, пуская лошадь галопом.

Через четыре часа он был уже в Невшателе.

Он тщательно выполнил полученные указания. В Невшателе, как и в Сен-Валери, его ожидала оседланная лошадь.

Он хотел переложить пистолеты из прежнего седла в новое, но в нем оказались точно такие же пистолеты.

— Ваш адрес в Париже?

— Дом гвардейцев, рота Дезэссара.

— Хорошо, — сказал хозяин.

— По какой дороге мне ехать?

— По дороге на Руан. Но вы объедете город слева. Вы остановитесь у маленькой деревушки Экуи. Там всего один трактир — «Щит Франции». Не судите о нем по внешнему виду. В конюшне окажется конь, который не уступит этому.

— Пароль тот же?

— Тот же самый.

— Прощайте, хозяин!

— Прощайте, господин гвардеец! Не нужно ли вам чего-нибудь?

Д'Артаньян отрицательно покачал головой и пустил лошадь во весь опор.

В Экуи повторилось то же: предупредительный хозяин, свежая, отдохнувшая лошадь. Он оставил, как и на прежних станциях, свой адрес и тем же ходом понесся в Понтуаз. В Понтуазе он в последний раз сменил коня и в девять часов галопом влетел во двор дома г-на де Тревиля.

За двенадцать часов он проскакал более шестидесяти миль.

Господин де Тревиль встретил его так, словно расстался с ним сегодня утром. Только пожав ему руку несколько сильнее обычного, он сообщил молодому гвардейцу, что рота г-на Дезэссара несет караул в Лувре и что он может отправиться на свой пост.

XXII

МЕРЛЕЗОНСКИЙ БАЛЕТ

На следующий день весь Париж только и говорил, что о бале, который городские старшины давали в честь короля и королевы и на котором их величества должны были танцевать знаменитый Мерлезонский балет, любимый балет короля.

И действительно, уже за неделю в ратуше начались всевозможные приготовления к этому торжественному вечеру. Городской плотник соорудил подмостки, на которых должны были разместиться приглашенные дамы; городской бакалейщик украсил зал двумястами свечами белого воска, что являлось неслыханной роскошью по тем временам; наконец, были приглашены двадцать скрипачей, причем им была назначена двойная против обычной плата, ибо, как гласил отчет, они должны были играть всю ночь.

В десять часов утра г-н де Ла Кост, лейтенант королевской гвардии, в сопровождении двух полицейских офицеров и нескольких стрелков явился к городскому секретарю Клеману и потребовал у него ключи от всех ворот, комнат и служебных помещений ратуши. Ключи были вручены ему немедленно: каждый из них был снабжен ярлыком, с помощью которого можно было отличить его от остальных, и с этой минуты на г-на де Ла Коста легла охрана всех ворот и всех аллей, ведущих к ратуше.

В одиннадцать часов явился капитан гвардии Дюалье с пятьюдесятью стрелками, которых сейчас же расставили в ратуше, каждого у назначенной ему двери.

В три часа прибыли две гвардейские роты — одна французская, другая швейцарская. Рота французских гвардейцев состояла наполовину из солдат г-на Дюалье, наполовину из солдат г-на Дезэссара.

В шесть часов вечера начали прибывать приглашенные. По мере того как они входили, их размещали в большом зале, на приготовленных для них подмостках.

В девять часов прибыла супруга коннетабля. Так как после королевы это была на празднике самая высокопоставленная особа, господа городские старшины встретили ее и проводили в ложу напротив той, которая предназначалась для королевы.

В десять часов в маленьком зале со стороны церкви Святого Иоанна, возле буфета со столовым серебром, который охранялся четырьмя стрелками, была приготовлена для короля легкая закуска.

В полночь раздались громкие крики и гул приветствий — это король ехал по улицам, ведущим от Лувра к ратуше, которые были ярко освещены цветными фонарями.

Тогда городские старшины, облаченные в суконные мантии и предшествуемые шестью сержантами с факелами в руках, вышли встретить короля на лестницу, и старшина торгового сословия произнес приветствие; его величество извинился, что прибыл так поздно, и в свое оправдание сослался на господина кардинала, задержавшего его до одиннадцати часов беседой о государственных делах.

Король был в парадном одеянии; его сопровождали его королевское высочество герцог Орлеанский, граф де Суассон, великий приор, герцог де Лонгвиль, герцог д'Эльбеф, граф д'Аркур, граф де Ла Рош-Гюйон, г-н де Лианкур, г-н де Барада, граф де Крамайль и кавалер де Сувре.

Все заметили, что король был грустен и чем-то озабочен.

Одна комната была приготовлена для короля, другая — для его брата, герцога Орлеанского. В каждой из этих комнат лежал маскарадный костюм. То же самое было сделано для королевы и для супруги коннетабля. Кавалеры и дамы из свиты их величества должны были одеваться по двое в приготовленных для этой цели комнатах.

Перед тем как войти в свою комнату, король приказал, чтобы его немедленно уведомили, когда приедет кардинал.

Через полчаса после появления короля раздались новые приветствия, они возвещали прибытие королевы. Старшины поступили так же, как и перед тем: предшествуемые сержантами, они поспешили навстречу своей высокой гостье.

Королева вошла в зал. Все заметили, что у нее, как и у короля, был грустный и, главное, утомленный вид.

В ту минуту, когда она входила, занавес маленькой ложи, до сих пор остававшийся задернутым, приоткрылся, и в образовавшемся отверстии появилось бледное лицо кардинала, одетого испанским грандом. Глаза его впились в королеву, и дьявольская улыбка пробежала по губам: на королеве не было алмазных подвесков.

Несколько времени королева стояла, принимая приветствия городских старшин и отвечая на поклоны дам.

Внезапно у одной из дверей зала появился король вместе с кардиналом. Кардинал тихо говорил ему что-то; король был очень бледен.

Король прошел через толпу, без маски, с небрежно завязанными лентами камзола, и приблизился к королеве.

— Сударыня, — сказал он ей изменившимся от волнения голосом, — почему же, позвольте вас спросить, вы не надели алмазных подвесков? Ведь вы знали, что мне было бы приятно видеть их на вас.

Королева оглянулась и увидела кардинала, который стоял сзади и злобно улыбался.

— Ваше величество, — отвечала королева взволнованно, — я боялась, что в этой толпе с ними может что-нибудь случиться.

— И вы сделали ошибку. Я подарил вам это украшение для того, чтобы вы носили его. Повторяю, сударыня, вы сделали ошибку.

Голос короля дрожал от гнева; все смотрели и прислушивались с удивлением, не понимая, что происходит.

— Государь, — сказала королева, — подвески находятся в Лувре, я могу послать за ними, и желание вашего величества будет исполнено.

— Пошлите, сударыня, пошлите, и как можно скорее: ведь через час начнется балет.

Королева наклонила голову в знак повиновения и последовала за дамами, которые должны были проводить ее в предназначенную ей комнату.

Король также прошел в свою.

На минуту в зале воцарилась тревога и смятение.

Нетрудно было заметить, что между королем и королевой что-то произошло, но оба говорили так тихо, что никто не расслышал ни слова, так как из уважения все отступили на несколько шагов. Скрипачи выбивались из сил, но никто их не слушал.

Король первым вошел в зал; он был в изящнейшем охотничьем костюме. Его высочество герцог Орлеанский и другие знатные особы были одеты так же, как и он. Этот костюм шел королю как нельзя более, и поистине в этом наряде он казался благороднейшим дворянином своего королевства.

Кардинал приблизился к королю и протянул ему какой-то ящичек. Король открыл его и увидел два алмазных подвеска.

— Что это значит? — спросил он у кардинала,

— Ничего особенного, — ответил тот, — но, если королева наденет подвески, в чем я сомневаюсь, сочтите их, государь, и, если их окажется только десять, спросите у ее величества, кто мог у нее похитить вот эти два.

Король вопросительно взглянул на кардинала, но не успел обратиться к нему с вопросом: крик восхищения вырвался из всех уст. Если король казался благороднейшим дворянином своего королевства, то королева, бесспорно, была прекраснейшей женщиной Франции.

В самом деле, охотничий костюм был ей изумительно к лицу: на ней была фетровая шляпа с голубыми перьями, бархатный лиф жемчужно-серого цвета с алмазными застежками и юбка из голубого атласа, вся расшитая серебром. На левом плече сверкали подвески, схваченные бантом того же цвета, что перья и юбка.

Король затрепетал от радости, а кардинал — от гнева; однако они находились слишком далеко от королевы, чтобы сосчитать подвески: королева надела их, но сколько их было — десять или двенадцать?

В этот момент скрипачи возвестили начало балета. Король подошел к супруге коннетабля, с которой он должен был танцевать, а его высочество герцог Орлеанский — к королеве. Все стали на места, и балет начался.

Король танцевал напротив королевы и всякий раз, проходя мимо нее, пожирал взглядом эти подвески, которые никак не мог сосчитать. Лоб кардинала был покрыт холодным потом.

Балет продолжался час; в нем было шестнадцать выходов.

Когда он кончился, каждый кавалер, под рукоплескания всего зала, отвел свою даму на место, но король, воспользовавшись дарованной ему привилегией, оставил свою даму и торопливо направился к королеве.

— Благодарю вас, сударыня, — сказал он ей, — за то, что вы были так внимательны к моим желаниям, но, кажется, у вас недостает двух подвесков, и вот я возвращаю вам их.

— Как, сударь! — вскричала молодая королева, притворяясь удивленной. — Вы дарите мне еще два? Но ведь тогда у меня будет четырнадцать!

Король сосчитал: в самом деле, все двенадцать подвесков оказались на плече ее величества.

Король подозвал кардинала.

— Ну-с, господин кардинал, что это значит? — спросил он суровым тоном.

— Это значит, государь, — ответил кардинал — что я хотел преподнести эти два подвеска ее величеству, но не осмелился предложить их ей сам и прибегнул к этому способу.

— И я тем более признательна вашему высокопреосвященству, — ответила Анна Австрийская с улыбкой, говорившей о том, что находчивая любезность кардинала отнюдь не обманула ее, — что эти два подвеска, наверное, стоят вам столько же, сколько стоили его величеству все двенадцать.

Затем, поклонившись королю и кардиналу, королева направилась в ту комнату, где она надевала свой костюм и где должна была переодеться.

Внимание, которое мы вынуждены были в начале этой главы уделить высоким особам, выведенным в ней нами, на некоторое время увело нас в сторону от д'Артаньяна. Тот, кому Анна Австрийская была обязана неслыханным торжеством своим над кардиналом, теперь в замешательстве, никому не ведомый, затерянный в толпе, стоял у одной из дверей и наблюдал эту сцену, понятную только четверым: королю, королеве, его высокопреосвященству и ему самому.

Королева вошла в свою комнату.

Д'Артаньян уже собирался уходить, как вдруг почувствовал, что кто-то тихонько прикоснулся к его плечу; он обернулся и увидел молодую женщину, которая знаком предложила ему следовать за собой. Лицо молодой женщины было закрыто черной бархатной полумаской, но, несмотря на эту меру предосторожности, принятую, впрочем, скорее ради других, нежели ради него, он сразу узнал своего постоянного проводника — живую и остроумную г-жу Бонасье.

Накануне они лишь мельком виделись у привратника Жермена, куда д'Артаньян вызвал ее. Молодая женщина так спешила передать королеве радостную весть о благополучном возвращении ее гонца, что влюбленные едва успели обменяться несколькими словами. Поэтому д'Артаньян последовал за г-жой Бонасье, движимый двумя чувствами — любовью и любопытством. Дорогой, по мере того как коридоры становились все более безлюдными, д'Артаньян пытался остановить молодую женщину, схватить ее за руку, полюбоваться ею хотя бы одно мгновение, но, проворная, как птичка, она каждый раз ускользала от него, и, когда он собирался заговорить, ее пальчик, который она тогда прикладывала к губам повелительным и полным очарования жестом, напоминал ему, что над ним господствует власть, которой он должен повиноваться слепо и которая запрещает ему малейшую жалобу. Наконец, миновав бесчисленные ходы и переходы, г-жа Бонасье открыла какую-то дверь и ввела молодого человека в совершенно темную комнату. Здесь она снова сделала ему знак, повелевавший молчать, и, отворив другую дверь, скрытую за драпировкой, из-за которой вдруг хлынул сноп яркого света, исчезла.

С минуту д'Артаньян стоял неподвижно, спрашивая себя, где он, но вскоре свет, проникавший из соседней комнаты, веяние теплого и благовонного воздуха, доносившееся оттуда, слова двух или трех женщин, выражавшихся почтительно и в то же время изящно, обращение «ваше величество», повторенное несколько раз, — все это безошибочно указало ему, что он находится в кабинете, смежном с комнатой королевы.

Молодой человек спрятался за дверью и стал ждать.

Королева казалась веселой и счастливой, что, по-видимому, очень удивляло окружавших ее дам, которые привыкли почти всегда видеть ее озабоченной и печальной. Королева объясняла свою радость красотой празднества, удовольствием, которое ей доставил балет, и так как не дозволено противоречить королеве, плачет ли она или смеется, то все превозносили любезность господ старшин города Парижа.

Д'Артаньян не знал королеву, но вскоре он отличил ее голос от других голосов — сначала по легкому иностранному акценту, а затем по тому повелительному тону, который невольно сказывается в каждом слове высочайших особ.

Он слышал, как она то приближалась к этой открытой двери, то удалялась от нее, и два-три раза видел даже какую-то тень, загораживавшую свет.

И вдруг чья-то рука, восхитительной белизны и формы, просунулась сквозь драпировку. Д'Артаньян понял, что то была его награда; он упал на колени, схватил эту руку и почтительно прикоснулся к ней губами. Потом рука исчезла, оставив на его ладони какой-то предмет, в котором он узнал перстень.

Дверь тотчас же закрылась, и д'Артаньян очутился в полнейшем мраке.

Д'Артаньян надел перстень на палец и снова стал ждать: он понимал, что это еще не конец. После награды за преданность должна была прийти награда за любовь.

К тому же, хоть балет и был закончен, вечер едва начался; ужин был назначен на три часа, а часы на башне Святого Иоанна недавно пробили три четверти третьего.

В самом деле, шум голосов в соседней комнате стал постепенно затихать, удаляться, потом дверь кабинета, где находился д'Артаньян, снова открылась, и в нее вбежала г-жа Бонасье.

— Вы! Наконец-то! — вскричал д'Артаньян.

— Молчите! — сказала молодая женщина, зажимая ему рот рукой. — Молчите и уходите той же дорогой, какой пришли.

— Но где и когда я увижу вас? — вскричал д'Артаньян.

— Вы узнаете это из записки, которую найдете у себя дома. Идите же, идите!

С этими словами она открыла дверь в коридор и выпроводила д'Артаньяна из кабинета.

Д'Артаньян повиновался, как ребенок, без сопротивления, без единого слова возражения, и это доказывало, что он действительно был влюблен.

XXIII

СВИДАНИЕ

Д'Артаньян вернулся домой бегом, и, несмотря на то что было больше трех часов утра, — а ему пришлось миновать самые опасные кварталы Парижа, — у него не произошло ни одной неприятной встречи: всем известно, что у пьяных и у влюбленных есть свой ангел-хранитель.

Входная дверь была полуоткрыта; он поднялся по лестнице и тихонько постучался условным стуком, известным только ему и его слуге. Планше, которого он отослал из ратуши два часа назад, приказав дожидаться дома, отворил ему дверь.

— Приносили мне письмо? — с живостью спросил д'Артаньян.

— Нет, сударь, никто не приносил, — отвечал Планше, — но есть письмо, которое пришло само.

— Что это значит, болван?

— Это значит, что, придя домой, я нашел на столе у вас в спальне какое-то письмо, хотя ключ от квартиры был у меня в кармане и я ни на минуту с ним не расставался.

— Где же это письмо?

— Я, сударь, оставил его там, где оно было. Виданное ли это дело, чтобы письма попадали к людям таким способом! Если бы еще окошко было отворено или хотя бы полуоткрыто — ну, тогда я ничего не стал бы говорить, но ведь нет,

229

оно было наглухо закрыто... Берегитесь, сударь, тут наверняка не обошлось дело без нечистой силы!

Не дослушав его, молодой человек устремился в комнату и вскрыл письмо; оно было от г-жи Бонасье и содержало следующие строки:

«Вас хотят горячо поблагодарить от своего имени, а также от имени другого лица. Будьте сегодня в десять часов вечера в Сен-Клу, против павильона, примыкающего к дому г-на д'Эстре.

К. Б.».

Читая это письмо, д'Артаньян чувствовал, как его сердце то расширяется, то сжимается от сладостной дрожи, которая и терзает и нежит сердца влюбленных.

Это была первая записка, которую он получил, это было первое свидание, которое ему назначили. Сердце его, полное радостного опьянения, готово было остановиться на пороге земного рая, называемого любовью.

— Ну что, сударь? — сказал Планше, заметив, что его господин то краснеет, то бледнеет. — Что? Видно, я угадал и это какая-то скверная история?

— Ошибаешься, Планше, — ответил д'Артаньян, — и в доказательство вот тебе экю, чтобы ты мог выпить за мое здоровье.

— Благодарю вас, сударь, за экю я обещаю в точности выполнить ваше поручение, но все-таки верно и то, что письма, которые попадают таким способом в запертые дома...

— Падают с неба, друг мой, падают с неба!

— Так, значит, вы, сударь, довольны? — спросил Планше.

— Дорогой Планше, я счастливейший из смертных!

— И я могу воспользоваться вашим счастьем, чтобы лечь спать?

— Да, да, ложись.

— Да снизойдет на вас, сударь, небесная благодать, но все-таки верно и то, что это письмо...

И Планше вышел, покачивая головой, с видом, говорящим, что щедрости д'Артаньяна не удалось окончательно рассеять его сомнения.

Оставшись один, д'Артаньян снова прочел и перечел записку, потом двадцать раз перецеловал строчки, начертанные рукой его прекрасной возлюбленной. Наконец он лег, заснул и предался золотым грезам.

В семь часов утра он встал и позвал Планше, который на второй оклик открыл дверь, причем лицо его еще хранило следы вчерашних тревог.

— Планше, — сказал ему д'Артаньян, — я ухожу, и, может быть, на весь день. Итак, до семи вечера ты свободен, но в семь часов будь наготове с двумя лошадьми.

— Вот оно что! — сказал Планше. — Видно, мы опять отправляемся продырявливать шкуру.

— Захвати мушкет и пистолеты.

— Ну вот, что я говорил? — вскричал Планше. — Так я и знал — проклятое письмо!

— Да успокойся же, болван, речь идет о простой прогулке.

— Ну да, вроде той увеселительной поездки, когда лил дождь из пуль, а из земли росли капканы.

— Впрочем, господин Планше, — продолжал д'Артаньян, — если вы боитесь, я поеду без вас. Лучше ехать одному, чем со спутником, который трясется от страха.

— Вы обижаете меня, сударь! — возразил Планше. — Кажется, вы видели меня в деле.

— Да, но мне показалось, что ты израсходовал всю свою храбрость за один раз.

— При случае вы убедитесь, сударь, что кое-что у меня еще осталось, но если вы хотите, чтобы храбрости хватило надолго, то, прошу вас, расходуйте ее не так щедро.

— Ну, а как ты полагаешь, у тебя еще хватит ее на нынешний вечер?

— Надеюсь.

— Отлично! Так я рассчитываю на тебя.

— Я буду готов в назначенный час. Однако я думал, сударь, что в гвардейской конюшне у вас имеется только одна лошадь?

— Возможно, что сейчас только одна, но к вечеру будет четыре.

— Так мы, как видно, ездили покупать лошадей?

— Именно так, — ответил д'Артаньян.

И, на прощание погрозив Планше пальцем, он вышел из дома.

На пороге стоял г-н Бонасье. Д'Артаньян намеревался пройти мимо, не заговорив с достойным галантерейщиком, но последний поклонился так ласково и так благодушно, что постояльцу пришлось не только ответить на поклон, но и вступить в беседу.

Да и как не проявить немного снисходительности к мужу, жена которого назначила вам свидание на этот самый вечер в Сен-Клу, против павильона г-на д'Эстре! Д'Артаньян подошел к нему с самым приветливым видом, на какой только был способен.

Естественно, что разговор коснулся пребывания бедняги в тюрьме. Г-н Бонасье, не знавший о том, что д'Артаньян слышал его разговор с незнакомцем из Менга, рассказал своему юному постояльцу о жестокости этого чудовища Лафема, которого он на протяжении всего повествования называл не иначе как палачом кардинала, и пространно описал ему Бастилию, засовы, тюремные форточки, отдушины, решетки и орудия пыток.

Д'Артаньян выслушал его с отменным вниманием.

— Скажите, узнали вы, кто похитил тогда госпожу Бонасье? — спросил он наконец, когда тот кончил. — Я ведь не забыл, что именно этому прискорбному обстоятельству я был обязан счастьем познакомиться с вами.

— Ах, — вздохнул г-н Бонасье, — этого они мне, разумеется, не сказали, и жена моя тоже торжественно поклялась, что не знает... Ну а вы, — продолжал г-н Бонасье самым простодушным тоном, — где это вы пропадали последние несколько дней? Я не видел ни вас, ни ваших друзей, и надо полагать, что вся та пыль, которую Планше счищал вчера с ваших сапог, собрана не на парижской мостовой.

— Вы правы, милейший господин Бонасье: мы с друзьями совершили небольшое путешествие.

— И далеко?

— О нет, за каких-нибудь сорок лье. Мы проводили господина Атоса на воды в Форж, где друзья мои и остались.

— Ну а вы, вы-то, разумеется, вернулись, — продолжал г-н Бонасье, придав своей физиономии самое лукавое выражение. — Таким красавцам, как вы, любовницы не дают длительных отпусков, и вас с нетерпением ждали в Париже, не так ли?

— Право, милейший господин Бонасье, — сказал молодой человек со смехом, — должен признаться вам в этом, тем более что от вас, как видно, ничего не скроешь. Да, меня ждали, и, могу вас уверить, с нетерпением.

Легкая тень омрачила чело Бонасье, настолько легкая, что д'Артаньян ничего не заметил.

— И мы будем вознаграждены за нашу поспешность? — продолжал галантерейщик слегка изменившимся голосом, чего д'Артаньян опять не заметил, как только что не заметил мгновенной тучки, омрачившей лицо достойного человека.

— О, только бы ваше предсказание сбылось! — смеясь, сказал д'Артаньян.

— Я говорю все это, — отвечал галантерейщик, — единственно для того, чтобы узнать, поздно ли вы придете.

— Что означает этот вопрос, милейший хозяин? — спросил д'Артаньян. — Уж не собираетесь ли вы дожидаться меня?

— Нет, но со времени моего ареста и случившейся у меня покражи я пугаюсь всякий раз, как открывается дверь, особенно ночью. Что поделаешь, я ведь не солдат.

— Ну так не пугайтесь, если я вернусь в час, в два или в три часа ночи. Не пугайтесь даже и в том случае, если я не вернусь вовсе.

На этот раз Бонасье побледнел так сильно, что д'Артаньян не мог этого не заметить и спросил, что с ним.

— Ничего, — ответил Бонасье, — ничего. Со времени моих несчастий я подвержен приступам слабости, которые находят на меня как-то внезапно, и вот только что я почувствовал, как по мне пробежал озноб. Не обращайте на меня внимания, у вас ведь есть другое занятие — предаваться своему счастью.

— В таком случае — я очень занят, так как я действительно счастлив.

— Пока еще нет, подождите — вы ведь сказали, что это будет вечером.

— Что ж, благодарение богу, этот вечер придет! И быть может, вы ждете его так же нетерпеливо, как я. Быть может, госпожа Бонасье посетит сегодня вечером супружеский кров.

— Сегодня вечером госпожа Бонасье занята! — с важностью возразил муж. — Ее обязанности задерживают ее в Лувре.

— Тем хуже для вас, любезный хозяин, тем хуже для вас! Когда я счастлив, мне хочется, чтобы были счастливы все кругом, но, по-видимому, это невозможно.

И молодой человек ушел, хохоча во все горло над шуткой, которая, как ему казалось, была понятна ему одному.

— Желаю вам повеселиться! — отвечал Бонасье замогильным голосом.

Но д'Артаньян был уже слишком далеко, чтобы услышать эти слова, да если бы он и услышал, то, верно, не обратил бы на них внимания, находясь в том расположении духа, в каком был.

Он направился к дому г-на де Тревиля; его вчерашний визит был, как мы помним, чрезвычайно коротким, и он ни о чем не успел рассказать толком.

Господина де Тревиля он застал преисполненным радости. Король и королева были с ним на балу необычайно любезны. Зато кардинал был крайне неприветлив.

В час ночи он удалился под предлогом нездоровья. Что же касается их величеств, то они возвратились в Лувр лишь в шесть часов утра.

— А теперь... — сказал г-н де Тревиль, понижая голос и тщательно осматривая все углы комнаты, чтобы убедиться, что они действительно одни, — теперь, мой юный друг, поговорим о вас, ибо совершенно очевидно, что ваше счастливое возвращение имеет какую-то связь с радостью короля, с торжеством королевы и с унижением его высокопреосвященства. Теперь вам надо быть начеку.

— Чего мне опасаться до тех пор, пока я буду иметь счастье пользоваться благосклонностью их величеств? — спросил д'Артаньян.

— Всего, поверьте мне. Кардинал не такой человек, чтобы забыть о злой шутке, не сведя счетов с шутником, а я сильно подозреваю, что шутник этот — некий знакомый мне гасконец.

— Разве вы думаете, что кардинал так же хорошо осведомлен, как вы, и знает, что это именно я ездил в Лондон?

— Черт возьми! Так вы были в Лондоне? Уж не из Лондона ли вы привезли прекрасный алмаз, который сверкает у вас на пальце? Берегитесь, любезный д'Артаньян! Подарок врага — нехорошая вещь. На этот счет есть один латинский стих... Постойте...

— Да-да, конечно, — отвечал д'Артаньян, который никогда не мог вбить себе в голову даже начатков латыни и своим невежеством приводил в отчаяние учителя. — Да, да, конечно, должен быть какой-то стих...

— И разумеется, он существует, — сказал г-н де Тревиль, имевший склонность к литературе. — Недавно господин де Бенserад читал мне его... Постойте... Ага, вспомнил!

Timeo Danaos et dona ferentes*.

Это означает: опасайтесь врага, приносящего вам дары.

— Этот алмаз, сударь, подарен мне не врагом, — отвечал д'Артаньян, — он подарен мне королевой.

---

* Боюсь данайцев, даже приносящих дары (лат.).

234

— Королевой! Ого! — произнес г-н де Тревиль. — Да, это поистине королевский подарок! Этот перстень стоит не менее тысячи пистолей. Через кого же королева передала вам его?

— Она вручила мне его сама.

— Где это?

— В кабинете, смежном с комнатой, где она переодевалась.

— Каким образом?

— Протянув мне руку для поцелуя.

— Вы целовали руку королевы! — вскричал г-н де Тревиль, изумленно глядя на д'Артаньяна.

— Ее величество удостоила меня этой чести.

— И это было в присутствии свидетелей? О неосторожная, трижды неосторожная!

— Нет, сударь, успокойтесь, этого никто не видел, — ответил д'Артаньян.

И он рассказал г-ну де Тревилю, как все произошло.

— О женщины, женщины! — вскричал старый солдат. — Узнаю их по романтическому воображению. Все, что окрашено тайной, чарует их... Итак, вы видели руку, и это все. Вы встретите королеву — и не узнаете ее; она встретит вас — и не будет знать, кто вы.

— Да, но по этому алмазу... — возразил молодой человек.

— Послушайте, — сказал г-н де Тревиль, — дать вам совет, добрый совет, совет друга?

— Вы окажете мне этим честь, сударь, — ответил д'Артаньян.

— Так вот, ступайте к первому попавшемуся золотых дел мастеру и продайте этот алмаз за любую цену, которую он вам предложит. Каким бы скрягой он ни оказался, вы все-таки получите за него не менее восьмисот пистолей. У пистолей, молодой человек, нет имени, а у этого перстня есть имя, страшное имя, которое может погубить того, кто носит его на пальце.

— Продать этот перстень! Перстень, подаренный мне моей государыней! Никогда! — вскричал д'Артаньян.

— Тогда поверните его камнем внутрь, несчастный безумец, потому что все знают, что бедный гасконский дворянин не находит подобных драгоценностей в шкатулке своей матери!

— Так вы думаете, что меня ждет какая-то опасность? — спросил д'Артаньян.

— Говорю вам, молодой человек, что тот, кто засыпает на мине с зажженным фитилем, может считать себя в полной безопасности по сравнению с вами.

— Черт возьми! — произнес д'Артаньян, которого начинал беспокоить уверенный тон де Тревиля. — Черт возьми, что же мне делать?

— Быть настороже везде и всюду. У кардинала отличная память и длинная рука. Поверьте мне, он еще сыграет с вами какую-нибудь шутку.

— Но какую же?

— Ба! Разве я знаю это? Разве не все хитрости дьявола находятся в его арсенале? Самое меньшее, что может с вами случиться, — это что вас арестуют.

— Как! Неужели кто-нибудь осмелится арестовать солдата, находящегося на службе у его величества?

— Черт возьми! А разве они постеснялись арестовать Атоса? Одним словом, мой юный друг, поверьте человеку, который уже тридцать лет находится при дворе: не будьте чересчур спокойны, не то вы погибли. Напротив — и это говорю вам я, — вы должны повсюду видеть врагов. Если кто-нибудь затеет с вами ссору — постарайтесь уклониться от нее, будь зачинщик хоть десятилетним ребенком. Если на вас нападут, днем или ночью, — отступайте и не стыдитесь. Если вы будете переходить через мост — хорошенько ощупайте доски, потому что одна из них может провалиться у вас под ногами. Если вам случится проходить мимо строящегося дома — посмотрите наверх, потому что вам на голову может свалиться камень. Если вам придется поздно возвращаться домой — пусть за вами следует ваш слуга и пусть ваш слуга будет вооружен, конечно, в том случае, если вы вполне уверены в нем. Опасайтесь всех: друга, брата, любовницы... особенно любовницы.

Д'Артаньян покраснел.

— Любовницы?.. — машинально повторил он. — А почему, собственно, я должен опасаться любовницы больше, чем кого-либо другого?

— Потому что любовница — одно из любимейших средств кардинала, наиболее быстро действующее из всех: женщина продаст вас за десять пистолей. Вспомните Далилу... Вы знаете священное писание?

Д'Артаньян вспомнил о свидании, которое ему назначила г-жа Бонасье на этот самый вечер, но к чести нашего героя мы должны сказать, что дурное мнение г-на де Тревиля о женщинах вообще не внушило ему ни малейших подозрений по адресу его хорошенькой хозяйки.

— Кстати, — продолжал г-н де Тревиль, — куда девались ваши три спутника?

— Я как раз собирался спросить, не получали ли вы каких-либо сведений о них.

— Никаких.

— Ну а я оставил их в пути: Портоса — в Шантильи с дуэлью на носу, Арамиса — в Кревкере с пулей в плече и Атоса — в Амьене с нависшим над ним обвинением в сбыте фальшивых денег.

— Вот что! — произнес г-н де Тревиль. — Ну а как же ускользнули вы сами?

— Чудом, сударь! Должен сознаться, что чудом, получив удар шпаги в грудь и пригвоздив графа де Варда к дороге, ведущей в Кале, словно бабочку к обоям.

— Этого еще не хватало! Де Варда, приверженца кардинала, родственника Рошфора!.. Послушайте, милый друг, мне пришла в голову одна мысль.

— Какая, сударь?

— На вашем месте я сделал бы одну вещь.

— А именно?

— Пока его высокопреосвященство стал бы искать меня в Париже, я снова отправился бы в Пикардию, потихоньку, без огласки, и разузнал бы, что сталось с моими тремя спутниками. Право, они заслужили этот небольшой знак внимания с вашей стороны.

— Совет хорош, сударь, и завтра я поеду.

— Завтра! А почему не сегодня же вечером?

— Сегодня меня задерживает в Париже неотложное дело.

— Ах юноша, юноша! Какое-нибудь мимолетное увлечение? Повторяю вам, берегитесь: женщина погубила всех нас в прошлом, погубит и в будущем. Послушайтесь меня, поезжайте сегодня же вечером.

— Сударь, это невозможно.

— Вы, стало быть, дали слово?

— Да, сударь.

— Ну это другое дело. Но обещайте мне, что если сегодня ночью вас не убьют, то завтра вы уедете.

— Обещаю.

— Не нужно ли вам денег?

— У меня еще есть пятьдесят пистолей. Полагаю, что этого мне хватит.

— А у ваших спутников?

— Думаю, что у них должны быть деньги. Когда мы выехали из Парижа, у каждого из нас было в кармане по семидесяти пяти пистолей.

— Увижу ли я вас до вашего отъезда?

— Думаю, что нет, сударь, разве только будет что-нибудь новое.

— В таком случае счастливого пути. ·

— Благодарю вас, сударь.

И д'Артаньян простился с г-ном де Тревилем, более чем когда-либо растроганный его отеческой заботой о мушкетерах.

Он по очереди обошел квартиры Атоса, Портоса и Арамиса. Ни один из них не возвратился. Их слуги также отсутствовали, и ни о тех, ни о других не было никаких известий.

Д'Артаньян осведомился бы о молодых людях у их любовниц, но он не знал ни любовницы Портоса, ни любовницы Арамиса, а что касается Атоса, то у него любовницы не было.

Проходя мимо гвардейских казарм, он заглянул в конюшню: три лошади из четырех были уже доставлены. Повергнутый в изумление, Планше как раз чистил их скребницей, и две из них были уже готовы.

— Ах, сударь, — сказал Планше, увидев д'Артаньяна, — как я рад, что вас вижу!

— А что такое, Планше? — спросил молодой человек.

— Доверяете вы господину Бонасье, нашему хозяину?

— Я? Ничуть не бывало.

— Вот это хорошо, сударь.

— Но почему ты спрашиваешь об этом?

— Потому что, когда вы разговаривали с ним, я наблюдал за вами, хотя и не слышал ваших слов, и знаете что, сударь: он два или три раза менялся в лице.

— Да ну?

— Вы этого не заметили, сударь, потому что были заняты мыслями о полученном письме. Я же, напротив, был встревожен странным способом, каким это письмо попало к нам в дом, и ни на минуту не спускал глаз с его физиономии.

— И какой же она тебе показалась?

— Физиономией предателя.

— Неужели?

— К тому же, как только вы, сударь, простились с ним и скрылись за углом, Бонасье схватил шляпу, запер дверь и помчался по улице в противоположную сторону.

— В самом деле, Планше, ты прав: все это кажется мне весьма подозрительным. Но будь спокоен: мы не заплатим ему за квартиру до тех пор, пока все не объяснится самым решительным образом.

— Вы все шутите, сударь, но погодите — и увидите сами.

— Что делать, Планше, чему быть, того не миновать!

— Так вы не отменяете своей вечерней прогулки, сударь?

— Напротив, Планше, чем больше я буду сердиться на Бонасье, тем охотнее пойду на свидание, назначенное мне в том письме, которое так тебя беспокоит.

— Ну, сударь, если ваше решение...

— ...непоколебимо, друг мой. Итак, в девять часов будь наготове здесь, в казарме. Я зайду за тобой.

Видя, что никакой надежды убедить хозяина отказаться от задуманного предприятия больше нет, Планше глубоко вздохнул и принялся чистить третью лошадь.

Что касается д'Артаньяна — в сущности говоря, весьма осторожного молодого человека, — то он, вместо того чтобы воротиться домой, отправился обедать к тому самому гасконскому священнику, который в трудную для четверых друзей минуту угостил их завтраком с шоколадом.

XXIV

ПАВИЛЬОН

В девять часов д'Артаньян был у гвардейских казарм и нашел Планше в полной готовности. Четвертая лошадь уже прибыла.

Планше был вооружен своим мушкетом и пистолетом.

У д'Артаньяна была шпага и за поясом два пистолета. Они сели на лошадей и бесшумно отъехали. Было совершенно темно, и их отъезд остался незамеченным. Планше ехал сзади, на расстоянии десяти шагов от своего господина.

Д'Артаньян миновал набережные, выехал через ворота Конферанс и направился по дороге, ведущей в Сен-Клу, которая в те времена была гораздо красивее, чем теперь.

Пока они находились в городе, Планше почтительно соблюдал дистанцию, которую он сам для себя установил, но, по мере того как дорога делалась все более безлюдной и более темной, он постепенно приближался к своему господину, так что при въезде в Булонский лес он естественным образом оказался рядом с молодым человеком. Мы не станем скрывать, что покачивание высоких деревьев и отблеск луны в темной чаще вызывали у Планше живейшую тревогу. Д'Артаньян заметил, что с его слугой творится что-то неладное.

— Ну-с, господин Планше, что это с вами? — спросил он.

— Не находите ли вы, сударь, что леса похожи на церкви?

— Чем же это, Планше?

— Да тем, что и тут и там не смеешь говорить громко.

— Почему же ты не смеешь говорить громко, Планше? Потому что боишься?

— Да, сударь, боюсь, что кто-нибудь нас услышит.

— Что кто-нибудь нас услышит! Но ведь в нашем разговоре нет ничего безнравственного, милейший Планше, и никто не нашел бы в нем ничего предосудительного.

— Ах сударь! — продолжал Планше, возвращаясь к главной своей мысли. — Знаете, у этого Бонасье есть в бровях что-то такое хитрое, и он так противно шевелит губами!

— Какого дьявола ты вспомнил сейчас о Бонасье?

— Сударь, человек вспоминает о том, о чем может, а не о том, о чем хочет.

— Это оттого, что ты трус, Планше.

— Не надо смешивать осторожность с трусостью, сударь. Осторожность — это добродетель.

— И ты добродетелен — так ведь, Планше?

— Что это, сударь, блестит там? Похоже на дуло мушкета. Не нагнуть ли нам голову на всякий случай?

— В самом деле... — пробормотал д'Артаньян, которому пришли на память наставления де Тревиля, — в самом деле, в конце концов эта скотина нагонит страху и на меня.

И он пустил лошадь рысью.

Планше повторил движения своего господина с такой точностью, словно был его тенью, и сейчас же оказался с ним рядом.

— Что, сударь, мы проездим всю ночь? — спросил он.

— Нет, Планше, потому что ты уже приехал.

— Как это — я приехал? А вы, сударь?

— А я пройду еще несколько шагов.

— И оставите меня здесь одного?

— Ты трусишь, Планше?

— Нет, сударь, но только я хочу заметить вам, что ночь будет очень прохладная, что холод вызывает ревматизм и что слуга, который болен ревматизмом, плохой помощник, особенно для такого проворного господина, как вы.

— Ну хорошо, Планше, если тебе станет холодно, зайди в один из тех кабачков, что виднеются вон там, и жди меня у дверей завтра, в шесть часов утра.

— Сударь, я почтительнейше проел и пропил экю, который вы мне дали сегодня утром, так что у меня нет в кармане ни гроша на тот случай, если я замерзну.

— Вот тебе полпистоля. До завтра.

Д'Артаньян сошел с лошади, бросил поводья Планше и быстро удалился, закутавшись в плащ.

— Господи, до чего мне холодно! — вскричал Планше, как только его хозяин скрылся из виду.

И, торопясь согреться, он немедленно постучался у дверей одного домика, украшенного всеми внешними признаками пригородного кабачка.

Между тем д'Артаньян, свернувший на узкую проселочную дорогу, продолжал свой путь и пришел в Сен-Клу; здесь, однако, он не пошел по главной улице, а обогнул замок, добрался до маленького уединенного переулка и вскоре оказался перед указанным в письме павильоном. Павильон стоял в очень глухом месте. На одной стороне переулка возвышалась высокая стена, возле которой и находился павильон, а на другой стороне плетень защищал от прохожих маленький садик, в глубине которого виднелась бедная хижина.

Д'Артаньян явился на место свидания и, так как ему не было сказано, чтобы он возвестил о своем присутствии каким-либо знаком, стал ждать.

Царила полная тишина — можно было подумать, что находишься в ста лье от столицы. Осмотревшись по сторонам, д'Артаньян прислонился к плетню. За этим плетнем, садом, за этой хижиной густой туман окутывал своими складками необъятное пространство, где спал Париж, пустой, зияющий

Париж — бездна, в которой блестело несколько светлых точек, угрюмых звезд этого ада.

Но для д'Артаньяна все видимое облекалось в привлекательные формы, все мысли улыбались, всякий мрак был прозрачен: скоро должен был наступить час свидания.

И действительно, через несколько мгновений колокол на башне Сен-Клу уронил из своей широкой ревущей пасти десять медленных ударов.

Что-то зловещее было в этом бронзовом голосе, глухо стенавшем среди ночи.

Но каждый из этих ударов — ведь каждый из них был частицей долгожданного часа — гармонично отзывался в сердце молодого человека. Глаза его были устремлены на маленький павильон у стены, все окна которого были закрыты ставнями, кроме одного, во втором этаже.

Из этого окна лился мягкий свет, серебривший трепещущую листву нескольких лип, разросшихся купою за пределами ограды. Было ясно, что за этим маленьким окошком, освещенным так уютно, его ждала хорошенькая г-жа Бонасье.

Убаюканный этой сладостной мыслью, д'Артаньян ждал с полчаса без малейшего нетерпения, устремив взор на прелестное миниатюрное жилище; часть потолка с золоченым карнизом была видна извне и говорила об изяществе остального убранства павильона.

Колокол на башне Сен-Клу пробил половину одиннадцатого.

На этот раз д'Артаньян почувствовал, что по жилам его пробежала какая-то дрожь, объяснить которую не смог бы он сам. Быть может, впрочем, он начинал зябнуть, и ощущение чисто физическое принял за нравственное.

Потом ему пришла мысль, что он ошибся, читая записку, и что свидание было назначено лишь на одиннадцать часов.

Он приблизился к окну, встал в полосу света, вынул из кармана письмо и перечел его; нет, он не ошибся: свидание действительно было назначено на десять часов.

Он возвратился на прежнее место; тишина и уединение начали внушать ему некоторую тревогу.

Пробило одиннадцать часов.

Д'Артаньян начал опасаться: уж и в самом деле не случилось ли с г-жой Бонасье что-нибудь недоброе?

Он три раза хлопнул в ладоши — обычный сигнал влюбленных; однако никто не ответил ему, даже эхо.

Тогда, не без некоторой досады, он подумал, что, быть может, ожидая его, молодая женщина заснула.

Он подошел к стене и попробовал было влезть на нее, но стена была заново оштукатурена, и д'Артаньян только напрасно обломал ногти.

В эту минуту он обратил внимание на деревья, листва которых была по-прежнему посеребрена светом, и, так как одно из них выступало над дорогой, он решил, что, забравшись на сук, он сможет заглянуть в глубь павильона.

Влезть на дерево было нетрудно. К тому же д'Артаньяну было только двадцать лет, и, следовательно, он не успел еще забыть свои мальчишеские упражнения. В один миг он очутился среди ветвей, и сквозь прозрачные стекла его взгляд проник внутрь комнаты.

Страшное зрелище предстало взору д'Артаньяна, и мороз пробежал у него по коже. Этот мягкий свет, эта уютная лампа озаряла картину ужасающего разгрома: одно из оконных стекол было разбито, дверь в комнату была выломана, и створки ее висели на петлях; стол, на котором, по-видимому, приготовлен был изысканный ужин, лежал, опрокинутый, на полу; осколки бутылок, раздавленные фрукты валялись на паркете; все в этой комнате свидетельствовало о жестокой и отчаянной борьбе; д'Артаньяну показалось даже, что он видит посреди этого необыкновенного беспорядка обрывки одежды и несколько кровавых пятен на скатерти и на занавесках.

С сильно бьющимся сердцем он поспешил спуститься на землю; ему хотелось взглянуть, нет ли на улице еще каких-либо знаков насилия.

Неяркий приятный свет по-прежнему мерцал посреди ночного безмолвия. И тогда д'Артаньян заметил нечто такое, чего он не заметил сразу, либо до сих пор ничто не побуждало его к столь тщательному осмотру: на земле, утоптанной в одном месте, разрытой в другом, имелись следы человеческих ног и лошадиных копыт. Кроме того, колеса экипажа, по-видимому прибывшего из Парижа, проделали в мягкой почве глубокую колею, которая доходила до павильона и снова поворачивала в сторону Парижа.

Наконец д'Артаньян, продолжавший свои исследования, нашел у стены разорванную дамскую перчатку. Эта перчатка в тех местах, где она не коснулась грязной земли, отличалась безукоризненной свежестью. То была одна из тех надушенных перчаток, какие любовники столь охотно срывают с хорошенькой ручки.

По мере того как д'Артаньян продолжал свой осмотр, холодный пот все обильнее выступал у него на лбу, сердце сжималось в ужасной тревоге, дыхание учащалось; однако для собственного успокоения он говорил себе, что, быть может, этот павильон не имеет никакого отношения к г-же Бонасье, что молодая женщина назначила ему свидание возле этого павильона, а не внутри его, что ее могли задержать в Париже ее обязанности, а быть может, и ревность мужа.

Но все эти доводы разбивало, уничтожало, опрокидывало то чувство внутренней боли, которое в иных случаях овладевает всем нашим существом и кричит, громко кричит, что над нами нависло страшное несчастье.

И д'Артаньян словно обезумел; он бросился на большую дорогу, пошел тем же путем, каким пришел сюда, добежал до парома и начал расспрашивать перевозчика.

Около семи часов вечера перевозчик переправил через реку женщину, закутанную в черную накидку и, по-видимому, отнюдь не желавшую быть узнанной; однако именно эти особые предосторожности и заставили перевозчика обратить на нее внимание, и он заметил, что женщина была молода и красива.

Тогда, как и ныне, многие молодые и красивые женщины ездили в Сен-Клу, не желая при этом быть замеченными, но тем не менее д'Артаньян ни на минуту не усомнился в том, что перевозчик видел именно г-жу Бонасье.

При свете лампы, горевшей в хижине перевозчика, молодой человек еще раз перечел записку г-жи Бонасье и убедился в том, что он не ошибся, что свидание было назначено в Сен-Клу, а не в каком-либо другом месте, возле павильона г-на д'Эстре, а не на другой улице.

Все соединялось, чтобы доказать д'Артаньяну, что предчувствия не обманули его и что случилось большое несчастье.

Он побежал обратно; ему казалось, что, быть может, за время его отсутствия в павильоне произошло что-нибудь новое и его ждут там какие-то сведения.

Переулок был по-прежнему безлюден, и тот же спокойный, мягкий свет лился из окна.

И вдруг д'Артаньян вспомнил об этой немой и слепой лачуге, которая, без сомнения, видела что-то, а быть может, могла и говорить.

Калитка была заперта, но он перепрыгнул через плетень и, не обращая внимания на лай цепного пса, подошел к хижине.

Он постучался. Сначала никто не отозвался на стук. В хижине царила такая же мертвая тишина, как и в павильоне; однако эта хижина была его последней надеждой, и он продолжал стучать.

Вскоре ему послышался внутри легкий шум, боязливый шум, который, казалось, и сам страшился, что его услышат. Тогда д'Артаньян перестал стучать и начал просить, причем в его голосе слышалось столько беспокойства и обещания, столько страха и мольбы, что этот голос способен был успокоить самого робкого человека. Наконец ветхий, полусгнивший ставень отворился или, вернее, приоткрылся и сразу же захлопнулся снова, едва лишь бледный свет небольшой лампы, горевшей в углу, озарил перевязь, эфес шпаги и рукояти пистолетов д'Артаньяна. Однако сколь ни мимолетно было все это, д'Артаньян успел разглядеть голову старика.

— Ради бога, выслушайте меня! — сказал он. — Я ждал одного человека, но его нет. Я умираю от беспокойства. Скажите, не случилось ли поблизости какого-нибудь несчастья?

Окошко снова медленно отворилось, и то же лицо появилось в нем снова; только сейчас оно было еще бледнее прежнего.

Д'Артаньян чистосердечно рассказал старику все, не называя лишь имен, он рассказал, что у него было назначено здесь свидание с одной молодой женщиной, что, не дождавшись ее, он влез на липу и при свете лампы увидел разгром, царивший в комнате.

Старик слушал его внимательно, утвердительно кивая; потом, когда д'Артаньян кончил, он покачал головой с видом, не предвещавшим ничего доброго.

— Что вы хотите сказать? — вскричал д'Артаньян. — Ради бога, объясните, что все это значит!

— Ах, сударь, — отвечал старик, — ни о чем меня не спрашивайте, потому что, если я расскажу вам о том, что видел, мне не миновать беды.

— Так, значит, вы видели что-то? — спросил д'Артаньян. — Если так, — продолжал он, бросая ему пистоль, — расскажите... ради бога, расскажите, что вы видели, и даю честное слово дворянина — я сохраню в тайне каждое ваше слово.

Старик прочитал на лице д'Артаньяна столько искренности и столько скорби, что сделал ему знак слушать и тихо начал свой рассказ:

— Часов около девяти я услыхал на улице какой-то шум. Желая узнать, в чем дело, я подошел к двери, как вдруг заметил, что кто-то хочет войти ко мне в сад. Я беден и не боюсь, что меня могут обокрасть, поэтому я отворил дверь и увидал в нескольких шагах трех человек. В темноте стояла запряженная карета и верховые лошади. Лошади, очевидно, принадлежали этим мужчинам, которые были одеты как дворяне.

«Что вам угодно от меня, добрые господа?» — спросил я.

«У тебя должна быть лестница», — сказал тот, который показался мне начальником.

«Да, сударь, та, на которой я собираю фрукты».

«Дай ее нам и ступай домой. Вот тебе экю за беспокойство. Только помни: если ты сболтнешь хоть слово о том, что увидишь и услышишь — ведь я уверен, как тебе ни грози, ты все равно будешь смотреть и слушать, — тебе конец!»

С этими словами он бросил мне экю, который я поднял, и взял лестницу.

Заперев за ним калитку, я сделал вид, будто иду в дом, но в действительности сейчас же вышел через заднюю дверь и, крадучись в темноте, добрался до того вон куста бузины, откуда мог видеть все, оставаясь незамеченным.

Трое мужчин бесшумно подкатили карету ближе и высадили из нее какого-то человека, толстого, низенького, с проседью, одетого в поношенное темное платье. Он с опаской взобрался на лестницу, осторожно заглянул в комнату, тихонько спустился вниз и шепотом проговорил:

«Это она».

Тот, который разговаривал со мной, сейчас же подошел к двери павильона, отпер ее ключом, который вынул из кармана, закрыл за собой дверь и скрылся; тем временем остальные двое влезли на лестницу. Старичок остался у дверцы кареты, кучер придерживал упряжку, а слуга — верховых лошадей.

Вдруг из павильона послышались громкие крики, какая-то женщина подбежала к окну и открыла его, словно собираясь броситься вниз. Однако, заметив двух мужчин, она отскочила назад, а мужчины прыгнули в комнату.

Больше я ничего не видел, но услышал треск мебели, которую ломали. Женщина кричала и звала на помощь, но вскоре крики ее затихли. Трое мужчин подошли к окну. Двое из них спустились по лестнице, неся женщину на руках, и посадили ее в карету; маленький старичок влез в карету вслед за ней. Тот, который остался в павильоне, запер окно и минуту спустя вышел через дверь. Его два спутника уже сидели верхом и ждали его. Удостоверившись в том, что женщина находится в карете, он тоже вскочил в седло, слуга занял место рядом с кучером, коляска быстро отъехала под конвоем трех всадников, и все было кончено. После этого я ничего не видел и не слышал.

Потрясенный этой страшной вестью, д'Артаньян остался недвижим и безмолвен; все демоны ярости и ревности бушевали в его сердце.

— Господин, — сказал старик, на которого это немое отчаяние произвело, по-видимому, большее впечатление, чем могли бы произвести крики и слезы, — право же, не надо так сокрушаться! Ведь они не убили вашу милую, и это главное.

— Знаете ли вы хоть приблизительно, — спросил д'Артаньян, — что за человек руководил этой адской экспедицией?

— Нет, я не знаю его.

— Но раз вы с ним говорили, значит, вы могли и видеть его.

— Ах, вы спрашиваете о его приметах?

— Да.

— Высокий, худой, смуглый, черные усы, черные глаза, по наружности — дворянин.

— Так, — вскричал д'Артаньян, — это он! Это опять он! Должно быть, это мой злой дух! А другой?

— Который?

— Маленький.

— О, тот не знатный человек, ручаюсь за это. При нем не было шпаги, и остальные обращались с ним без всякого уважения.

— Какой-нибудь лакей, — пробормотал д'Артаньян. — Ах бедняжка, бедняжка! Что они с ней сделали?

— Вы обещали не выдавать меня, — сказал старик.

— И повторяю вам свое обещание. Будьте спокойны — я дворянин. У дворянина только одно слово, и я уже дал вам его.

С сокрушенным сердцем д'Артаньян снова направился к парому. Минутами он не верил в то, что женщина, о которой рассказывал старик, была г-жа Бонасье, и надеялся завтра же увидеть ее в Лувре; минутами ему приходило в голову, что, быть может, у нее была интрига с кем-то другим и ревнивый любовник застиг ее и похитил. Он терялся в догадках, терзался, приходил в отчаяние.

— О, если б мои друзья были со мною! — вскричал он. — У меня по крайней мере была бы хоть какая-нибудь надежда найти ее. Но кто знает, что сталось с ними самими!

Было около полуночи; теперь надо было отыскать Планше. Д'Артаньян стучался у всех кабачков, где виднелся хотя бы слабый свет, — Планше не оказалось ни в одном из них.

В шестом по счету кабаке д'Артаньян рассудил, что поиски его почти безнадежны. Он велел своему слуге ждать его лишь в шесть часов утра, и, где бы тот ни находился сейчас, он имел на то полное право.

К тому же молодому человеку пришло в голову, что, оставаясь поблизости от места происшествия, он может скорее раздобыть какие-нибудь сведения об этой таинственной истории. Итак, в шестом кабачке, как мы уже говорили, д'Артаньян задержался, спросил бутылку лучшего вина, устроился в самом темном углу и решил дожидаться здесь утра; однако и на этот раз его надежды были обмануты, и хотя он слушал весьма внимательно, но посреди божбы, шуток и ругательств, которыми обменивались между собой мастеровые, лакеи и возчики, составлявшие почтенное общество, где он находился, он не услышал ничего такого, что могло бы навести его на след бедной похищенной женщины. Итак, он вынужден был, допив, от нечего делать и не желая возбудить подозрения, свою бутылку, поудобнее усесться в своем углу и кое-как заснуть. Д'Артаньяну, как мы помним, было двадцать лет, а в этом возрасте сон имеет неоспоримые права, о которых он властно заявляет даже самым безутешным сердцам.

Около шести часов утра д'Артаньян проснулся с тем неприятным чувством, каким обычно сопровождается начало дня после дурно проведенной ночи. Сборы его были недолги; он ощупал себя, чтобы убедиться, что никто не обокрал его во время сна, и, обнаружив свое кольцо на пальце, кошелек в кармане и пистолеты за поясом, встал, заплатил за вино и вышел, надеясь, что утром поиски слуги окажутся более удачными, чем ночью. Действительно, первое, что он разглядел сквозь сырой сероватый туман, был честный Планше, ожидавший его с двумя лошадьми на поводу у дверей маленького, убогого кабачка, мимо которого д'Артаньян накануне прошел, даже не заподозрив его существования.

XXV

ПОРТОС

Вместо того чтобы проехать прямо к себе, д'Артаньян сошел с лошади у дверей г-на де Тревиля и торопливо взбежал по лестнице. На этот раз он решил рассказать ему обо всем, что произошло. Несомненно, г-н де Тревиль мог подать ему добрый совет по поводу всей этой истории; кроме того, г-н де Тревиль ежедневно виделся с королевой, и, быть может, ему удалось бы получить у ее величества какие-нибудь сведения о бедной женщине, которая, очевидно, расплачивалась теперь за преданность своей госпоже.

Господин де Тревиль выслушал рассказ молодого человека с серьезностью, говорившей о том, что он видит в этом приключении нечто большее, чем любовную интригу.

— Гм... — произнес он, когда д'Артаньян кончил. — Совершенно очевидно, что тут не обошлось без его высокопреосвященства.

— Но что же делать? — спросил д'Артаньян.

— Ничего, покамест решительно ничего, кроме одного: возможно скорее уехать из Парижа, о чем я уже говорил вам. Я увижу королеву, расскажу ей подробности исчезновения бедной женщины — она, конечно, не знает об этом. Эти подробности дадут ей какую-то нить, и, быть может, когда вы вернетесь, я смогу сообщить вам добрые вести. Положитесь на меня.

Д'Артаньян знал, что г-н де Тревиль, хоть он и гасконец, не имел привычки обещать, но, если уж ему случалось пообещать что-либо, он делал больше, чем обещал. Итак, молодой человек поклонился ему, исполненный благодарности за прошлое и за будущее, а почтенный капитан, который, со своей стороны, принимал живое участие в этом храбром и решительном юноше, дружески пожал ему руку и пожелал счастливого пути.

Решив немедленно привести советы г-на де Тревиля в исполнение, д'Артаньян отправился на улицу Могильщиков, чтобы присмотреть за укладкой чемодана. Подойдя к дому, он увидел г-на Бонасье, стоявшего в халате на пороге двери. Все, что осторожный Планше говорил ему накануне о коварных свойствах их хозяина, припомнилось сейчас д'Артаньяну, и он взглянул на него с большим вниманием, чем когда бы то ни было прежде. В самом деле, помимо желтоватой болезненной бледности, говорящей о разлитии желчи и, возможно, имеющей случайную причину, д'Артаньян заметил в расположении складок его лица что-то предательское и хитрое. Мошенник смеется не так, как честный человек; лицемер плачет не теми слезами, какими плачет человек искренний. Всякая фальшь — это маска, и, как бы хорошо ни была сделана эта маска, всегда можно отличить ее от истинного лица, если внимательно присмотреться.

И вот д'Артаньяну показалось, что Бонасье носит маску, и притом препротивную маску.

Поэтому, поддаваясь своему отвращению к этому человеку, он хотел пройти мимо, не заговаривая с ним, но, как и накануне, г-н Бонасье сам окликнул его.

— Так-так, молодой человек, — сказал он. — Кажется, мы недурно проводим ночи? Уже семь часов утра, черт побери! Как видно, вы немного переиначили обычай и возвращаетесь домой тогда, когда другие только выходят из дому.

— Вот вам не сделаешь подобного упрека, мэтр Бонасье, — ответил юноша, — вы просто образец степенности. Правда, когда имеешь молодую и красивую жену, незачем пускаться в погоню за счастьем: счастье само приходит в дом. Не так ли, господин Бонасье?

Бонасье побледнел как полотно и криво улыбнулся.

— Ха, ха, вы большой шутник! — сказал он. — Однако где же это, черт побери, вы шатались сегодня ночью, мой юный друг? Как видно, проселочные дороги не слишком удобны для прогулок.

Д'Артаньян опустил глаза на свои сапоги, доверху покрытые грязью, но при этом его взгляд случайно перенесся на башмаки и чулки галантерейщика; казалось, они побывали в той же самой луже: пятна на тех и других были совершенно одинаковы.

И тут одна мысль внезапно поразила д'Артаньяна. Этот толстый человек, низенький, с проседью, этот одетый в темное платье, похожий на лакея старик, с которым так пренебрежительно обращались вооруженные всадники, сопровождавшие карету, был сам Бонасье. Муж руководил похищением жены.

Д'Артаньяном овладело страшное желание схватить галантерейщика за горло и задушить его, но, как мы уже говорили, это был весьма осторожный юноша, и он сдержал свой порыв. Однако лицо его так заметно изменилось, что

Бонасье испугался и попятился было назад, но он стоял как раз у той створки двери, которая была закрыта, и это препятствие вынудило его остаться на месте.

— Вы изволите шутить, милейший, — сказал д'Артаньян, — но мне кажется, что если мои сапоги нуждаются в чистке, то ваши чулки и башмаки тоже требуют щетки. Неужели и вы, мэтр Бонасье, гуляли где-то в поисках приключений? Ну знаете, это было бы непростительно для человека вашего возраста, у которого вдобавок такая молодая и красивая жена!

— О нет, упаси бог! — отвечал Бонасье. — Я ездил вчера в Сен-Манде, чтобы навести справки об одной служанке — она мне совершенно необходима, — а так как дороги сейчас плохие, я и принес оттуда всю эту грязь, которую еще не успел отчистить.

Место, которое Бонасье указал в качестве цели своего странствия, было лишним доказательством, подтверждавшим подозрения д'Артаньяна. Бонасье назвал Сен-Манде потому, что Сен-Манде и Сен-Клу находятся в совершенно противоположных концах.

Это предположение явилось первым утешением для д'Артаньяна. Если Бонасье знал, где его жена, значит, можно было, употребив кое-какие средства, заставить галантерейщика развязать язык и выболтать свой секрет. Речь шла лишь о том, чтобы превратить это предположение в уверенность.

— Простите меня, милейший господин Бонасье, за некоторую бесцеремонность, — сказал д'Артаньян, — но, знаете, ничто не вызывает такой жажды, как бессонные ночи, и я безумно хочу пить. Позвольте мне выпить у вас стакан воды. Нельзя же отказать соседу в таком пустяке!

Не дожидаясь позволения хозяина, д'Артаньян быстро прошел в дом и бросил беглый взгляд на постель. Постель была не смята. Бонасье не ложился.

Значит, он вернулся домой недавно, час или два назад; значит, он сопровождал свою жену до того места, куда ее отвезли, или по крайней мере до первой почтовой станции.

— Благодарю вас, мэтр Бонасье, — сказал молодой человек, осушая стакан, — это все, что мне было нужно от вас. Теперь я пойду к себе и прикажу Планше почистить сапоги, а когда он кончит, то, если хотите, пришлю его к вам, чтобы он почистил ваши башмаки.

И он оставил галантерейщика, который был совершенно ошеломлен этим странным прощанием и спрашивал себя, уж не запутался ли он сам в собственной лжи.

На верхней площадке лестницы д'Артаньян встретил испуганного Планше.

— Ах сударь! — вскричал тот, едва завидев своего господина. — Опять новость! Я просто жду не дождусь вас!

— А что такое? — спросил д'Артаньян.

— Готов биться об заклад, что вы не угадаете, кто приходил к нам, пока вас не было!

— Когда же это?

— Полчаса назад, когда вы были у господина де Тревиля.

— Да кто же приходил? Говори скорее!

— Господин де Кавуа.

— Господин де Кавуа?

— Собственной персоной.

— Капитан гвардии его высокопреосвященства?

— Он самый.

— Он приходил арестовать меня?

— Мне показалось, что так, несмотря на его сладкий вид.

— Так у него был сладкий вид?

— Ну, знаете, сударь, просто как мед!

— Неужели?

— Он сказал, что его высокопреосвященство желает вам добра и просит вас пожаловать в Пале-Рояль.

— Что же ты ответил ему?

— Что это невозможно, так как вас нет дома, в чем он мог убедиться.

— А что он сказал на это?

— Чтобы вы непременно зашли к нему в течение дня. Затем он добавил шепотом: «Скажи твоему господину, что его высокопреосвященство очень расположен к нему и что, быть может, от этого свидания зависит его судьба».

— Для кардинала эта ловушка довольно неискусна, — с усмешкой сказал молодой человек.

— Поэтому-то я и заметил ее и отвечал, что вы будете очень сожалеть, когда вернетесь. «Куда он уехал?» — спросил господин де Кавуа. «В Труа, в Шампань», — ответил я. «А когда?» — «Вчера вечером...»

— Планше, друг мой, — прервал его д'Артаньян, — право же, ты бесценный человек!

— Понимаете, сударь, я решил, что если вы захотите видеть господина де Кавуа, то всегда успеете опровергнуть меня и сказать, что вы вовсе не уезжали. В этом случае оказалось бы, что солгал я, а я ведь не дворянин, так что мне позволительно лгать.

— Успокойся, Планше, ты не потеряешь репутации правдивого человека: через четверть часа мы едем.

— Я только что собирался, сударь, посоветовать вам это. А куда мы едем, если не секрет?

— Разумеется, в сторону, противоположную той, какую ты указал господину де Кавуа. Впрочем, ты, наверное, так же торопишься узнать что-нибудь о Гримо, Мушкетоне и Базене, как я о том, что сталось с Атосом, Портосом и Арамисом?

— Разумеется, сударь, — сказал Планше, — и я готов ехать хоть сейчас. По-моему, воздух провинции полезнее для нас с вами в настоящую минуту, чем воздух Парижа, а потому...

— ...а потому укладывайся, Планше, и едем. Я пойду вперед пешком, с пустыми руками, во избежание каких-либо подозрений. Мы встретимся с тобой в гвардейских казармах... Кстати, Планше, ты, кажется, прав относительно нашего хозяина — это действительно большая каналья.

— Ага! Уж вы верьте мне, сударь, когда я говорю о ком-нибудь: я узнаю человека по лицу.

Как и было условлено, д'Артаньян спустился вниз первым. Затем, чтобы ему не в чем было себя упрекнуть, он в последний раз зашел на квартиры своих трех приятелей; от них не было никаких вестей, только на имя Арамиса было получено раздушенное письмо, написанное изящным и мелким почерком. Д'Артаньян взялся передать его по назначению. Десять минут спустя Планше явился к нему в конюшню гвардейских казарм. Д'Артаньян, не терявший времени, уже сам оседлал лошадь.

— Хорошо, — сказал он Планше, когда тот привязал чемодан, — теперь оседлай трех остальных — и едем.

— Вы думаете, что, если у каждого из нас будет по две лошади, мы поедем быстрее? — спросил Планше с лукавым видом.

— Нет, господин шутник, — возразил д'Артаньян, — но с четырьмя лошадьми мы сможем привезти назад трех приятелей, если только застанем их в живых.

— Что было бы большой удачей, — отвечал Планше. — Впрочем, никогда не следует отчаиваться в милосердии божьем.

— Аминь! — сказал д'Артаньян, садясь на лошадь.

И, покинув гвардейские казармы, они разъехались в разные стороны: один должен был выехать из Парижа через Лавиллетскую заставу, а другой — через Монмартрскую, с тем чтобы соединиться за Сен-Дени. Этот стратегический маневр был выполнен обоими с одинаковой точностью и увенчался успехом: д'Артаньян и Планше вместе прибыли в Пьерфит.

Надо сказать, что днем Планше был храбрее, чем ночью.

Однако врожденная осторожность не покидала его ни на минуту: он не забыл ни одного из злоключений первой поездки и всех встречных принимал за врагов. Вследствие этого он то и дело снимал шляпу, что навлекало на него строгие выговоры со стороны д'Артаньяна, опасавшегося, как бы из-за этого избытка вежливости Планше не был принят за слугу какого-нибудь незначительного лица.

Однако то ли все прохожие были действительно тронуты учтивостью Планше, то ли на этот раз никто не был подослан, чтобы преградить дорогу д'Артаньяну, но наши два путника без всяких приключений прибыли в Шантильи и подъехали к гостинице «Гран-Сен-Мартен», где они останавливались во время первого путешествия.

Хозяин, видя молодого человека, за которым следовал слуга с двумя запасными лошадьми, почтительно встретил его на пороге. Д'Артаньян, проделавший уже одиннадцать лье, счел своевременным остановиться здесь, независимо от того, находился ли Портос в гостинице или не находился. Кроме того, было, пожалуй, неосторожно сразу же наводить справки о мушкетере. В итоге этих размышлений д'Артаньян, ни о ком не спрашивая, спешился, оставил лошадей на попечение слуги, вошел в маленькую комнатку, предназначенную для посетителей, не желавших сидеть в общей зале, и потребовал у хозяина бутылку лучшего вина и возможно лучший завтрак, что еще более укрепило то уважение, которое трактирщик почувствовал к своему гостю с первого взгляда.

Итак, приказания д'Артаньяна были исполнены со сказочной быстротой.

Гвардейский полк набирался из лучших дворян королевства, и д'Артаньян, путешествовавший в сопровождении слуги и с четверкой великолепных лошадей, неминуемо должен был, несмотря на простоту мундира, произвести здесь сильное впечатление. Хозяин пожелал прислуживать ему сам; видя это, д'Артаньян велел принести два стакана и завязал разговор.

— Ну-с, любезный хозяин, — начал он, наливая оба стакана, — я спросил у вас лучшего вина, и если вы меня обманули, то, честное слово, накажете этим самого себя, так как я терпеть не могу пить один и вы будете пить вместе со мной! Итак, берите стакан, и выпьем. За что же нам выпить, чтобы никто не был обижен? Давайте выпьем за процветание вашего заведения.

— Много чести, ваша милость, — сказал хозяин. — Покорнейше благодарю за доброе пожелание.

— Но только не заблуждайтесь на этот счет, — возразил д'Артаньян, — в моем тосте кроется, пожалуй, больше себялюбия, чем вы думаете. Хорошо принимают лишь в тех гостиницах, которые процветают; а в тех, которые хиреют, царит полный беспорядок и путешественник становится жертвой стесненных обстоятельств своего хозяина. Я же много путешествую, и притом главным образом по этой дороге, а потому хочу, чтобы все трактирщики преуспевали.

— То-то мне кажется, сударь, что я уже не в первый раз имею честь вас видеть, — сказал хозяин.

— Еще бы! Я чуть не десять раз проезжал Шантильи и из этих десяти раз по крайней мере три или четыре раза останавливался у вас. Постойте... да, я был здесь всего дней десять или двенадцать тому назад. Я провожал своих приятелей, мушкетеров, и, если хотите, могу напомнить вам, что один из них повздорил с каким-то незнакомцем, с человеком, который задел его первый.

— Да, да, это правда! — сказал хозяин. — Я отлично помню эту историю. Так ваша милость говорит о господине Портосе, не так ли?

— Да, именно так зовут моего спутника. Господи помилуй! Уж не случилось ли с ним какого-нибудь несчастья, любезный хозяин?

— Но ведь вы, ваша милость, должны были и сами заметить, что он не мог продолжать путь.

— Это правда, он обещал догнать нас, но мы так его и не видали.

— Он оказал нам честь остаться здесь.

— Как! Остаться здесь?

— Да, сударь, в этой гостинице. И по правде сказать, мы очень обеспокоены.

— Чем же?

— Некоторыми его издержками.

— О чем же тут беспокоиться! Он заплатит все, что задолжал.

— О сударь, вы поистине проливаете бальзам на мои раны! Мы оказали ему большой кредит, и еще сегодня утром лекарь объявил нам, что, если господин Портос не заплатит ему, он возьмется за меня, ибо это я посылал за ним.

— Да разве Портос ранен?

— Не могу сказать вам этого, сударь.

— Как это не можете сказать? Вы ведь должны быть лучше осведомлены о нем, чем кто-либо.

— Это верно, сударь, но в нашем положении мы не говорим всего, что знаем, особенно если нас предупредили, что за язык мы можем поплатиться ушами.

— Ну а могу я видеть Портоса?

— Разумеется, сударь. Поднимитесь по лестнице на второй этаж и постучитесь в номер первый. Только предупредите, что это вы.

— Предупредить, что это я?

— Да, да, не то с вами может случиться несчастье.

— Какое же это несчастье может, по-вашему, со мной случиться?

— Господин Портос может принять вас за кого-нибудь из моих домочадцев и в порыве гнева проткнуть вас шпагой или прострелить вам голову.

— Что же это вы ему сделали?

— Мы попросили у него денег.

— Ах черт возьми, теперь понимаю! Это такая просьба, которую Портос встречает очень дурно, когда он не при деньгах, но, насколько мне известно, деньги у него есть.

— Вот и мы так думали, сударь. Так как наше заведение содержится в большом порядке и мы каждую неделю подводим итоги, мы и подали ему счет в конце недели, но, должно быть, попали в неудачную минуту, потому что не успели мы заикнуться о деньгах, как он послал нас ко всем чертям. Правда, накануне он играл...

— Ах он играл! С кем же это?

— О господи, кто его знает! С каким-то проезжим господином, которому он предложил партию в ландскнехт.

— В этом все дело. Бедняга, как видно, все проиграл.

— Вплоть до своей лошади, сударь, потому что, когда незнакомец собрался уезжать, мы заметили, что его слуга седлает лошадь господина Портоса. Мы указали ему на это, но он ответил, что мы суемся не в свое дело и что лошадь принадлежит ему. Мы сейчас же предупредили господина Портоса, но он сказал, что мы низкие люди, если сомневаемся в слове дворянина, и что если тот говорит, что лошадь принадлежит ему, значит, так оно и есть...

— Узнаю Портоса! — пробормотал д'Артаньян.

— Тогда, — продолжал хозяин, — я ответил ему, что так как, по всей видимости, нам не суждено столковаться друг с другом насчет платежа, я надеюсь, что он по крайней мере будет так любезен и перейдет к моему собрату, хозяину «Золотого орла». Однако господин Портос объявил, что моя гостиница лучше и он желает остаться здесь. Этот ответ был слишком лестен, чтобы я мог еще настаивать. Поэтому я ограничился тем, что попросил его освободить занимаемую им комнату, лучшую в гостинице, и удовольствоваться хорошенькой комнаткой на четвертом этаже. Но на это господин Портос ответил, что он с минуты на минуту ждет свою любовницу, одну из самых высокопоставленных придворных дам, и, следовательно, я должен понять, что даже та комната, которую он удостаивает своим присутствием, слишком убога для такой особы. Однако же, вполне признавая справедливость его слов, я все же счел себя вынужденным настаивать на своем. Тут, даже не дав себе труда вступить со мною в спор, он вынул пистолет, положил его на ночной столик и объявил, что при первом же слове, которое будет ему сказано о переезде куда бы то ни было — в другую ли комнату или в другую гостиницу, — он размозжит череп всякому, кто будет иметь неосторожность вмешаться в его дела. Поэтому, сударь, с тех самых пор никто, кроме его слуги, и не входит к нему.

— Так Мушкетон здесь?

— Да, сударь, через пять дней после своего отъезда он вернулся, и тоже очень не в духе. По-видимому, и у него тоже были какие-то неприятности в дороге. К несчастью, он более расторопен, чем его господин, и ради него переворачивает все вверх дном; решив, что ему могут отказать в том, что он попросит, он берет все, что нужно, без спросу.

— Да, — отозвался д'Артаньян, — я всегда замечал в Мушкетоне редкую преданность и редкую понятливость.

— Вполне возможно, сударь, но случись мне хотя бы четыре раза в году столкнуться с подобной преданностью и понятливостью — и я разорен дотла.

— Нет, это не так, потому что Портос вам заплатит.

— Гм... — недоверчиво произнес трактирщик.

— Он пользуется благосклонностью одной очень знатной дамы, и она не оставит его в затруднительном положении из-за такой безделицы, какую он должен вам.

— Если бы я осмелился сказать, что я думаю...

— Что вы думаете?

— Скажу больше — что знаю...

— Что знаете?

— Даже больше — в чем уверен...

— В чем же вы уверены? Расскажите.

— Я сказал бы вам, что знаю, кто эта знатная дама.

— Вы?

— Да, я.

— Каким же образом вы узнали это?

— О сударь, если бы я мог положиться на вашу скромность...

— Говорите. Даю вам честное слово дворянина, что вы не раскаетесь в своем доверии.

— Так вот, сударь, как вы понимаете, беспокойство заставляет делать многое.

— И что же вы сделали?

— О, ничего такого, что превышало бы права кредитора.

— Итак?

— Господин Портос передал нам письмецо для этой герцогини и приказал отправить его по почте. В то время слуга его еще не приезжал. Принимая во внимание, что он не мог выйти из комнаты, ему поневоле пришлось дать это поручение нам...

— Дальше.

— Вместо того чтобы отправить письмо по почте, что никогда не бывает вполне надежно, я воспользовался тем, что один из наших людей должен был ехать в Париж, и приказал ему лично вручить письмо этой герцогине. Ведь это и значило исполнить желание господина Портоса, который так сильно беспокоился об этом письме, не так ли?

— Приблизительно так.

— Так вот, сударь, известно ли вам, кто такая эта знатная дама?

— Нет, я слыхал о ней от Портоса, вот и все.

— Известно ли вам, кто такая эта мнимая герцогиня?

— Повторяю вам, что я не знаю ее.

— Это старая прокурорша из Шатле, сударь, госпожа Кокнар, которой по меньшей мере пятьдесят лет и которая еще корчит из себя ревнивицу. Мне и то показалось странно: знатная особа — и живет на Медвежьей улице!

— Почему вы знаете все это?

— Да потому, что, получив письмо, она очень рассердилась и сказала, что господин Портос — ветреник и что он, наверное, получил удар шпагой из-за какой-нибудь женщины.

— Так он получил удар шпагой?

— О господи, что это я сказал?

— Вы сказали, что Портос получил удар шпагой.

— Так-то так, но ведь он строго-настрого запретил мне рассказывать об этом!

— Почему же?

— Почему! Да потому, сударь, что он хвалился проткнуть насквозь незнакомца, того самого, с которым он ссорился, когда вы уезжали, а вышло наоборот — этот незнакомец уложил его, несмотря на все его бахвальство. И вот господин Портос, человек очень гордый со всеми, кроме этой герцогини, которую он хотел разжалобить рассказом о своем приключении, никому не хочет признаться в том, что получил удар шпагой.

— Так, значит, этот удар шпагой и держит его в постели?

— Да, и славный удар, могу уверить! Должно быть, у вашего приятеля душа гвоздями прибита к телу.

— Так вы были при этом?

— Я из любопытства пошел вслед за ними и видел поединок, но так, что дерущиеся меня не видели.

— И как же было дело?

— О, дело длилось недолго, могу вас уверить! Они стали в позицию. Незнакомец сделал выпад, и так быстро, что, когда Портос собрался парировать, у него в груди уже сидело три дюйма железа. Он упал на спину. Незнакомец сейчас же приставил ему к груди острие шпаги, и господин Портос, видя, что он всецело во власти противника, признал себя побежденным. После чего незнакомец спросил, как его имя, и, узнав, что его зовут Портос, а не д'Артаньян, предложил ему опереться на его руку, довел до гостиницы, вскочил на лошадь и исчез.

— Так, значит, этот незнакомец искал ссоры с д'Артаньяном?

— Кажется, да.

— И вы не знаете, что с ним было дальше?

— Нет. Я никогда не видал его ни до этого, ни потом.

— Отлично. Я узнал все, что мне было нужно. Итак, вы говорите, что комната Портоса находится на втором этаже, номер первый?

— Да, сударь, лучшая комната в гостинице, комната, которую я уже десять раз мог бы сдать.

— Полно, успокойтесь, — сказал со смехом д'Артаньян, — Портос заплатит вам деньгами герцогини Кокнар.

— О сударь, пусть она будет кем угодно — прокуроршей или герцогиней, — лишь бы она развязала свой кошелек! Но нет, она самым решительным образом объявила, что требования господина Портоса и его измены надоели ей и что она не пошлет ему ни единого су.

— И вы передали ее ответ вашему постояльцу?

— Ну нет, мы воздержались от этого: ведь тогда он догадался бы, каким образом мы выполняли его поручение.

— Так, значит, он все еще ждет этих денег?

— Вот в том-то и дело, что ждет! Только вчера он написал ей вторично, но на этот раз письмо отправил по почте его слуга.

— Так вы говорите, что прокурорша стара и некрасива?

— По меньшей мере пятьдесят лет, сударь, и совсем не хороша собой, судя по тому, что сказал Пато.

— В таком случае, будьте покойны, в конце концов она смягчится. К тому же Портос не мог задолжать вам так уж много.

— Как это не мог? Пистолей двадцать, не считая лекаря. Ого! Он ни в чем себе не отказывает — сразу видно, что привык широко жить.

— Ну, если его покинет любовница, у него найдутся друзья, могу в этом поручиться. Так что, любезный хозяин, не тревожьтесь и продолжайте относиться к нему с тем вниманием, какого требует его положение.

— Сударь, вы обещали не упоминать о прокурорше и ни слова не говорить о ране.

— Можете не напоминать мне об этом, я дал вам слово.

— Ведь он убьет меня, если узнает!

— Не бойтесь, он не так страшен на деле, как кажется.

С этими словами д'Артаньян стал подниматься по лестнице, оставив своего хозяина несколько успокоенным относительно двух вещей, которыми он, видимо, очень дорожил: кошелька и жизни.

Наверху, на двери, наиболее заметной во всем коридоре, была выведена черными чернилами гигантская цифра «1»; д'Артаньян постучался и на предложение идти своей дорогой, последовавшее изнутри, вошел в комнату.

Портос лежал в постели и играл в ландскнехт с Мушкетоном, чтобы набить руку, между тем как вертел с нанизанной на него куропаткой кружился над очагом, а в обоих углах большого камина кипели на двух жаровнях две кастрюли, откуда доносился смешанный запах фрикасе из кроликов и рыбы под винным соусом, приятно ласкавший обоняние. Вся конторка и вся мраморная доска комода были заставлены пустыми бутылками.

Увидев друга, Портос вскрикнул от радости, а Мушкетон, почтительно встав, уступил место д'Артаньяну и пошел взглянуть на кастрюли, которые, видимо, находились под его особым наблюдением.

— Ах, черт возьми, это вы! — сказал Портос д'Артаньяну. — Добро пожаловать! Прошу прощения за то, что я не встаю... Кстати, — добавил он, глядя на д'Артаньяна с легким беспокойством, — вам известно, что со мной случилось?

— Нет.

— Хозяин ничего не говорил вам?

— Я спросил у него, где вы, и сейчас же прошел наверх. Портос, видимо, вздохнул свободнее.

— А что же это с вами случилось, любезный Портос? — спросил д'Артаньян.

— Да то, что, нападая на моего противника, которого я уже успел угостить тремя ударами шпагой, и собираясь покончить с ним четвертым, я споткнулся о камень и вывихнул себе колено.

— Да что вы?

— Клянусь честью! И к счастью для этого бездельника, не то я прикончил бы его на месте, ручаюсь за это!

— А куда он девался?

— Не знаю, право. Он получил хорошую порцию и уехал, не прося сдачи... Ну а вы, милый д'Артаньян, что же было с вами?

— Так, значит, этот вывих, — продолжал д'Артаньян, — и удерживает вас в постели, любезный Портос?

— Представьте себе, такая безделица! Впрочем, через несколько дней я буду уже на ногах.

— Но почему же вы не велели перевезти себя в Париж? Ведь вам здесь, должно быть, отчаянно скучно?

— Именно это я и собирался сделать, но я должен кое в чем признаться, любезный друг.

— В чем же?

— А вот в чем. Так как я действительно отчаянно скучал здесь, как вы сказали сами, и так как у меня были в кармане полученные от вас семьдесят пять пистолей, я, чтобы развлечься, попросил подняться ко мне одного дворянина, остановившегося здесь проездом, и предложил ему партию в кости. Он согласился, и вот мои семьдесят пять пистолей перешли из моего кармана в его карман, не говоря о лошади, которую он увел в придачу... Ну а как вы, любезный д'Артаньян?

— Что делать, любезный Портос, нельзя во всем иметь удачу, — сказал д'Артаньян. — Знаете пословицу: «Кому не везет в игре, тому везет в любви». Вам слишком везет в любви, чтобы игра не мстила вам за это. Но что вам до превратностей судьбы! Разве у вас, негодный вы счастливчик, разве у вас нет вашей герцогини, которая, конечно, не замедлит прийти вам на помощь?

— Вот именно потому, что я такой неудачный игрок, — ответил Портос с самым непринужденным видом, — я и написал ей, чтобы она прислала мне луидоров пятьдесят, которые совершенно необходимы в моем теперешнем положении.

— И что же?

— Что же! Должно быть, она находится в одном из своих поместий — я не получил ответа.

— Да что вы?

— Да, ответа нет. И вчера я отправил ей второе послание, еще убедительнее первого... Но ведь здесь вы, милейший друг, поговорим же о вас. Признаюсь, я начал было немного беспокоиться за вашу судьбу.

— Однако, судя по всему, хозяин неплохо обходится с вами, любезный Портос, — сказал д'Артаньян, показывая больному на полные кастрюли и пустые бутылки.

— Что вы! — ответил Портос. — Три или четыре дня назад этот наглец принес мне счет, и я выставил его за дверь вместе со счетом. Так что теперь я сижу здесь как победитель, как своего рода завоеватель, а потому, опасаясь нападения, вооружен до зубов.

— Однако вы, кажется, иногда делаете вылазки, — со смехом возразил д'Артаньян. И он показал пальцем на бутылки и кастрюли.

— К несчастью, не я! — ответил Портос. — Проклятый вывих держит меня в постели. Это Мушкетон осматривает местность и добывает съестные припасы... Мушкетон, друг мой, — продолжал Портос, — как видите, к нам подошло подкрепление, и нам придется пополнить запас продовольствия.

— Мушкетон, — сказал д'Артаньян, — вы должны оказать мне услугу.

— Какую, сударь?

— Научить вашему способу Планше. Может случиться, что я тоже попаду в осадное положение, и мне бы отнюдь не помешало, если бы он смог доставлять мне такие же удобства, какие вы преподносите своему господину.

— О господи, — скромно сказал Мушкетон, — да нет ничего легче, сударь! Нужно быть ловким — вот и все. Я вырос в деревне, и отец мой в часы досуга немножечко занимался браконьерством.

— А что он делал в остальное время?

— Промышлял ремеслом, которое я всегда считал довольно прибыльным.

— Каким же?

— Это было во время войн католиков с гугенотами. Видя, что католики истребляют гугенотов, а гугеноты истребляют католиков, и все это во имя веры, отец мой изобрел для себя веру смешанную, позволявшую ему быть то католиком, то гугенотом. Вот он и прогуливался обычно с пищалью на плече за живыми изгородями, окаймлявшими дороги, и, когда замечал одиноко бредущего католика, протестантская вера сейчас же одерживала верх в его душе. Он наводил на путника пищаль, а потом, когда тот оказывался в десяти шагах, заводил с ним беседу, в итоге которой путник всегда почти отдавал свой кошелек, чтобы спасти жизнь. Само собой разумеется, что, когда отец встречал гугенота, его сейчас же охватывала такая пылкая любовь к католической церкви, что он просто не понимал, как это четверть часа назад у него могли возникнуть сомнения в превосходстве нашей святой религии. Надо вам сказать, что я, сударь, католик, ибо отец, верный своим правилам, моего старшего брата сделал гугенотом.

— А как кончил свою жизнь этот достойный человек? — спросил д'Артаньян.

— О сударь, самым плачевным образом. Однажды он оказался на узенькой тропинке между гугенотом и католиком, с которыми он уже имел дело и которые его узнали. Тут они объединились против него и повесили его на дереве. После этого они пришли хвастать своим славным подвигом в кабачок первой попавшейся деревни, где как раз сидели и пили мы с братом...

— И что же вы сделали? — спросил д'Артаньян.

— Мы выслушали их, — ответил Мушкетон, — а потом, когда, выйдя из кабачка, они разошлись в разные стороны, брат мой засел на дороге у католика, а я на дороге у гугенота. Два часа спустя все было кончено: каждый из нас сделал свое дело, восхищаясь при этом предусмотрительностью нашего бедного отца, который из предосторожности воспитал нас в различной вере.

— Правда, Мушкетон, ваш отец был, как видно, очень смышленый малый. Так вы говорите, что в часы досуга этот честный человек занимался браконьерством?

— Да, сударь, и это именно он научил меня ставить силки и закидывать удочки. Поэтому, когда наш негодный хозяин стал кормить нас обильной, но грубой пищей, которая годится для каких-нибудь мужланов, но не подходит для таких нежных желудков, как наши, я потихоньку возвратился к своему старому ремеслу. Прогуливаясь в лесах принца, я расставлял силки на оленьих тропах, а лежа на берегу прудов его высочества, закидывал удочки, и теперь, благодарение богу, мы, как видите, не терпим недостатка в куропатках и кроликах, карпах и угрях, во всех этих легких и полезных блюдах, пригодных для больных людей.

— Ну а вино? — спросил д'Артаньян. — Кто поставляет вам вино? Хозяин?

— Как вам сказать... И да и нет.

— Как это — «и да и нет»?

— Он, правда, поставляет нам его, но не знает, что имеет эту честь.

— Объяснитесь яснее, Мушкетон, беседа с вами весьма поучительна.

— Извольте, сударь. Случайно во время своих путешествий я встретился с одним испанцем, который повидал много стран и в том числе Новый Свет.

— Какое отношение имеет Новый Свет к бутылкам, которые стоят на этой конторке и на этом комоде?

— Терпение, сударь, — всему свое время.

— Верно, Мушкетон, полагаюсь на вас и слушаю.

— У этого испанца был слуга, который сопровождал его во время путешествия в Мексику. Этот слуга был моим земляком, и мы быстро подружились с ним, тем более что и по характеру мы были очень схожи друг с другом. Оба мы больше всего на свете любили охоту, и он рассказывал мне, как в пампасах туземцы охотятся на тигров и диких быков с помощью обыкновенной затяжной петли, которую они накидывают на шею этим страшным животным. Сначала я не хотел верить, что можно дойти до такой степени ловкости, чтобы бросить веревку за двадцать — тридцать шагов и попасть куда хочешь, но вскоре мне пришлось признать, что это правда. Мой приятель ставил в тридцати шагах бутылку и каждый раз захватывал горлышко затяжной петлей. Я начал усиленно упражняться, и так как природа наделила меня кое-какими способностями, то сейчас я бросаю лассо не хуже любого мексиканца. Ну вот, понимаете? У нашего хозяина богатый винный погреб, но с ключом он никогда не расстается. Однако в подвале есть отдушина. Вот через эту-то отдушину я и бросаю лассо. Теперь я знаю, где есть хорошее местечко, и черпаю из него свои запасы... Вот, сударь, какое отношение Новый Свет имеет к бутылкам, которые стоят на конторке и комоде! А теперь не угодно ли вам попробовать нашего вина и сказать без предубеждения, что вы о нем думаете?

— Благодарю, друг мой, благодарю; к сожалению, я только что позавтракал.

— Что ж, Мушкетон, — сказал Портос, — накрой на стол, и, пока мы с тобой будем завтракать, д'Артаньян расскажет нам, что было с ним за те десять дней, во время которых мы не виделись.

— Охотно, — ответил д'Артаньян.

Пока Портос и Мушкетон завтракали с аппетитом выздоравливающих и с братской сердечностью, сближающей людей в несчастии, д'Артаньян рассказал им, как, будучи ранен, Арамис вынужден был остаться в Кревкере, как Атос остался в Амьене, отбиваясь от людей, обвинивших его в сбыте фальшивых денег, и как он, д'Артаньян, вынужден был, чтобы добраться до Англии, распороть живот графу де Варду.

Однако на этом и оборвалась откровенность д'Артаньяна; он рассказал только, что привез из Великобритании четырех великолепных лошадей — одну для себя, остальных для товарищей, и, наконец, сообщил Портосу, что предназначенная для него лошадь уже стоит в конюшне гостиницы.

В эту минуту вошел Планше и объявил своему господину, что лошади отдохнули и можно будет заночевать в Клермоне.

Так как д'Артаньян был теперь почти спокоен за Портоса и ему не терпелось поскорее узнать, что сталось с двумя остальными товарищами, он пожал больному руку и сказал, что едет продолжать поиски. Впрочем, он собирался вернуться той же дорогой и через недельку думал захватить Портоса с собой, если бы оказалось, что к тому времени мушкетер еще не покинул гостиницу «Гран-Сен-Мартен».

Портос ответил, что, по всей вероятности, вывих не позволит ему уехать раньше. К тому же ему надо было быть в Шантильи, чтобы дождаться здесь ответа от своей герцогини.

Д'Артаньян пожелал ему скорого и благоприятного ответа, а затем, еще раз поручив Мушкетону заботиться о Портосе и расплатившись с хозяином, отправился в путь вместе с Планше, который уже избавился от одной из верховых лошадей.

XXVI

ДИССЕРТАЦИЯ АРАМИСА

Д'Артаньян ничего не сказал Портосу ни по поводу его раны, ни по поводу прокурорши. Несмотря на свою молодость, наш гасконец был весьма осторожный юноша. Он сделал вид, будто поверил всему, что ему рассказал хвастливый мушкетер, так как был убежден, что никакая дружба не выдержит разоблачения тайны, особенно если эта тайна уязвляет самолюбие; к тому же мы всегда имеем известное нравственное превосходство над теми, чья жизнь нам известна. Поэтому д'Артаньян, строя план будущих интриг и решив сделать Атоса, Портоса и Арамиса орудиями собственного успеха, был совсем не прочь заранее собрать невидимые нити, с помощью которых он и рассчитывал управлять своими тремя приятелями.

Однако всю дорогу глубокая грусть теснила его сердце: он думал о молодой и красивой г-же Бонасье, которая собиралась вознаградить его за преданность; впрочем, поспешим оговориться: эта грусть проистекала у молодого человека не столько из сожалений о потерянном счастье, сколько из опасения, что с бедной женщиной случилась какая-нибудь беда. У него не оставалось сомнений в том, что она стала жертвой мщения кардинала, а как известно, мщение его высокопреосвященства бывало ужасно. Каким образом он сам снискал «расположение» министра, этого д'Артаньян не знал, и, по всей вероятности, капитан гвардии де Кавуа открыл бы ему это, если бы застал его дома.

Ничто так не убивает время и не сокращает путь, как упорная, всепоглощающая мысль. Внешнее существование человека похоже тогда на дремоту, а эта мысль является как бы сновидением. Под ее влиянием время теряет счет, а пространство — отдаленность. Вы выезжаете из одного места и приезжаете в другое — вот и все. От проделанного отрезка пути не остается в памяти ничего, кроме неясного тумана, в котором реют тысячи смутных образов — деревья, горы и равнины. Во власти такой вот галлюцинации д'Артаньян проехал, повинуясь в выборе аллюра своей лошади, те шесть или семь лье, которые отделяют Шантильи от Кревкера, и, приехав в эту деревню, сразу же забыл обо всем, что встречал на своем пути.

Только здесь он пришел в себя, тряхнул головой, увидел кабачок, где оставил Арамиса, и, пустив лошадь рысью, остановился у дверей.

На этот раз он был встречен не хозяином, а хозяйкой. Д'Артаньян был физиономист; он окинул взглядом полное, довольное лицо трактирщицы и понял, что с ней ему незачем притворяться; от женщины с такой добродушной внешностью нельзя было ждать ничего дурного.

— Милая хозяюшка, — сказал д'Артаньян, — не сможете ли вы сказать, где теперь находится один из моих приятелей, которого нам пришлось оставить здесь дней десять назад?

— Красивый молодой человек лет двадцати трех — двадцати четырех, тихий, любезный, статный?

— И кроме того, раненный в плечо.

— Да, да.

— Итак?..

— Так он, сударь, все еще здесь!

— Да ну! — вскричал д'Артаньян, сходя с лошади и бросив поводья Планше. — Хозяюшка, вы воскресили меня! Где же он, дорогой мой Арамис? Я хочу обнять его. Признаюсь вам, мне не терпится поскорее его увидеть.

— Прошу прощения, сударь, но я сомневаюсь, чтобы он мог принять вас в настоящую минуту.

— Почему? Разве у него женщина?

— Господи Иисусе, что это вы говорите! Бедный юноша! Нет, сударь, у него не женщина.

— А кто же?

— Священник из Мондидье и настоятель Амьенского монастыря иезуитов.

— Боже праведный! — вскричал д'Артаньян. — Разве бедняге стало хуже?

— Нет, сударь, напротив. Но после болезни его коснулась благодать, и он решил принять духовный сан.

— Ах да, — сказал д'Артаньян, — я и забыл, что он только временно состоит в мушкетерах.

— Так вы, сударь, непременно хотите его увидеть?

— Больше чем когда-либо.

— Тогда поднимитесь по лестнице, во дворе направо, третий этаж, номер пять.

Д'Артаньян бросился в указанном направлении и нашел лестницу — одну из тех наружных лестниц, какие еще встречаются иногда во дворах старых харчевен. Однако войти к будущему аббату оказалось не так-то просто: подступы к комнате Арамиса охранялись не менее строго, чем сады Армиды. Базен стоял на страже в коридоре и загородил ему путь с тем большей неустрашимостью, что после многолетних испытаний бедняга был наконец близок к достижению долгожданной цели.

В самом деле, Базен всегда лелеял мечту быть слугой духовного лица и с нетерпением ждал той минуты, постоянно представлявшейся его воображению, когда Арамис сбросит плащ и наденет сутану. Только ежедневно повторяемое обещание молодого человека, что эта минута близка, и удерживало его на службе у мушкетера, службе, на которой, по словам Базена, ему неминуемо предстояло погубить душу.

Итак, Базен был сейчас наверху блаженства. Судя по всему, на этот раз его господин не должен был отречься от своего слова. Соединение боли физической и нравственной произвело долгожданное действие; Арамис, одновременно страдавший и душой и телом, наконец обратил свои помыслы на религию, сочтя как бы за предостережение свыше случившееся с ним двойное несчастье — внезапное исчезновение возлюбленной и рану в плечо.

Понятно, что при таком расположении духа ничто не могло быть неприятнее для Базена, чем появление д'Артаньяна, который мог снова втянуть его господина в водоворот мирских интересов, привлекавших его так долго. Он решил мужественно защищать двери, а так как трактирщица уже выдала его и он не мог сказать, что Арамиса нет дома, то попытался доказать вновь прибывшему, что было бы верхом неучтивости помешать его господину во время душеспасительной беседы, которая началась еще утром и, по словам Базена, не могла быть закончена ранее вечера.

Однако д'Артаньян не обратил ни малейшего внимания на красноречивую тираду мэтра Базена и, не собираясь вступать в спор со слугой своего друга, попросту отстранил его одной рукой, а другой повернул ручку двери с надписью «№ 5».

Дверь отворилась, и д'Артаньян вошел в комнату.

Арамис в широком черном одеянии, в круглой плоской шапочке, сильно смахивавшей на скуфью, сидел за продолговатым столом, заваленным свитками бумаг и огромными фолиантами; по правую его руку сидел настоятель иезуитского монастыря, а по левую — священник из Мондидье. Занавески были наполовину задернуты и пропускали таинственный свет, способствовавший благочестивым размышлениям. Все мирские предметы, какие могли бы бросаться в глаза в комнате молодого человека, в особенности если этот молодой человек — мушкетер, исчезли словно по волшебству: должно быть, из страха, как бы вид таких предметов не возвратил его господина к мыслям об этом мире, Базен припрятал подальше шпагу, пистолеты, шляпу с плюмажем, шитье и кружева всех сортов и всех видов.

Вместо всего этого на стене в темном углу висел на гвозде какой-то предмет, показавшийся д'Артаньяну чем-то вроде бича для истязания плоти.

На шум открывшейся двери Арамис поднял голову и узнал своего друга, но, к великому удивлению д'Артаньяна, его приход, видимо, не произвел на мушкетера особого впечатления — настолько далеки были помыслы последнего от всего земного.

— Добрый день, любезный д'Артаньян, — сказал Арамис. — Поверьте, я очень рад вас видеть.

— И я также, — произнес д'Артаньян, — хотя я еще не вполне уверен, что передо мной Арамис.

— Он самый, друг мой, он самый! Но что же могло внушить вам такие сомнения?

— Я испугался, что ошибся комнатой, и решил было, что попал в помещение какого-то духовного лица, а потом, увидав вас в обществе этих господ, впал в другое заблуждение: мне показалось, что вы тяжело больны.

Оба черных человека поняли намек д'Артаньяна и угрожающе взглянули на него, но д'Артаньян не смутился.

— Быть может, я мешаю вам, милый Арамис? — продолжал д'Артаньян. — Судя по всему, вы исповедуетесь этим господам.

Арамис слегка покраснел.

— Мешаете мне? О нет, напротив, любезный друг, клянусь вам! И в доказательство моих слов позвольте мне выразить радость по поводу того, что я вижу вас здоровым и невредимым...

«Наконец-то догадался! — подумал д'Артаньян. — Что ж, могло быть и хуже».

— Ибо друг мой недавно избежал великой опасности, — с умилением продолжал Арамис, указывая на д'Артаньяна двум духовным особам.

— Возблагодарите господа, сударь, — ответили последние, дружно кланяясь д'Артаньяну.

— Я не преминул это сделать, преподобные отцы, — ответил молодой человек, возвращая им поклон.

— Вы приехали очень кстати, любезный д'Артаньян, — сказал Арамис, — и, если примете участие в нашем споре, вы нам поможете своими познаниями. Господин настоятель Амьенского монастыря, господин кюре из Мондидье и я — мы разбираем некоторые богословские вопросы, давно уже привлекающие наше внимание, и я был бы счастлив узнать ваше мнение.

— Мнение военного человека не имеет никакого веса, — ответил д'Артаньян, слегка встревоженный оборотом, который принимал разговор, — и, поверьте мне, вы вполне можете положиться на ученость этих господ.

Оба черных человека опять поклонились.

— Напротив, — возразил Арамис, — ваше мнение будет для нас драгоценно. Речь идет вот о чем: господин настоятель полагает, что моя диссертация должна быть по преимуществу догматической и дидактической.

— Ваша диссертация! Так вы пишете диссертацию?

— Разумеется, — ответил иезуит. — Для испытания, предшествующего рукоположению в духовный сан, диссертация обязательна.

— Рукоположению! — закричал д'Артаньян, не поверивший тому, что ему сказала сначала трактирщица, а потом Базен. — Рукоположению!

И, остолбенев от изумления, он обвел взглядом сидевших перед ним людей.

— Итак... — продолжал Арамис, принимая в кресле такую изящную позу, словно он находился на утреннем приеме в спальне знатной дамы, и любуясь своей белой и пухлой, как у женщины, рукой, которую он поднял вверх, чтобы вызвать отлив крови, — итак, как вы уже слышали, д'Артаньян, господин настоятель хотел бы, чтобы моя диссертация была догматической, тогда как я предпочел бы, чтобы она была умозрительной. Вот почему господин настоятель предложил мне тему, которая еще никем не рассматривалась и которая — я вполне признаю это — представляет обширнейшее поле для истолкований: «Utraque manus in benedicendo clericis inferioribus necessaria est».

Д'Артаньян, чья эрудиция нам известна, выслушал эту цитату с таким же безмятежным видом, с каким он выслушал ту, которую ему привел г-н де Тревиль по поводу подарков, думая, что они получены молодым человеком от Бекингэма.

— ...что означает, — продолжал Арамис, желая облегчить ему задачу, — «Священнослужителям низшего сана необходимы для благословения обе руки».

— Превосходная тема! — вскричал иезуит.

— Превосходная и догматическая! — подтвердил священник, который был приблизительно так же силен в латыни, как д'Артаньян, и внимательно следил за иезуитом, чтобы иметь возможность ступать по его следу и как эхо повторять его слова.

Что касается д'Артаньяна, то восторги двух людей в черном оставили его совершенно равнодушным.

— Да, превосходная, prorsus admirabile*, — продолжал Арамис, — но требующая глубокого изучения отцов церкви и священного писания. Между тем — и я смиренно признаюсь в этом перед учеными церковнослужителями — дежурства в

_____

* Просто замечательная (*лат.*).

ночном карауле и королевская служба заставили меня немного запустить занятия. Поэтому-то мне будет легче, facilius natans*, взять тему по моему выбору, которая для этих трудных вопросов богословия явилась бы тем же, чем мораль является для метафизики и философии.

Д'Артаньян страшно скучал, кюре — тоже.

— Подумайте, какое вступление! — вскричал иезуит.

— Вступление, — повторил кюре, чтобы сказать что-нибудь.

— Quemadmodum inter coelorum immensitatem**.

Арамис бросил взгляд в сторону д'Артаньяна и увидел, что его друг зевает с опасностью вывихнуть челюсти.

— Давайте говорить по-французски, отец мой, — сказал он иезуиту, — господин д'Артаньян сумеет тогда лучше оценить нашу беседу.

— Да, — подтвердил д'Артаньян, — я устал с дороги, и вся эта латынь ускользает от моего понимания.

— Хорошо, — сказал иезуит, несколько выбитый из колеи, в то время как кюре, вне себя от радости, бросил на д'Артаньяна благодарный взгляд. — Итак, посмотрим, что можно извлечь из этой глоссы. Моисей, служитель бога... он всего лишь служитель, поймите это... Моисей благословляет обеими руками. Когда евреи поражают своих врагов, он повелевает поддерживать ему обе руки — следовательно, он благословляет обеими руками. К тому же и в евангелии сказано «imponite manus», а не «manum» — «возложите руки», а не «руку».

— Возложите руки, — повторил кюре, делая соответствующий жест.

— А святому Петру, — продолжал иезуит, — наместниками коего являются папы, было сказано напротив: «porrige digitos» — «простри персты». Теперь понимаете?

— Конечно, — ответил Арамис, наслаждаясь беседой, — но это очень тонко.

— Персты! — повторил иезуит. — Святой Петр благословляет перстами. Следовательно, и папа тоже благословляет перстами. Сколькими же перстами он благословляет? Тремя: во имя отца, сына и святого духа.

Все перекрестились; д'Артаньян счел нужным последовать общему примеру.

— Папа — наместник святого Петра и воплощает в себе три божественные способности; остальные, ordines inferiores* духовной иерархии, благословляют именем святых архангелов и ангелов. Самые же низшие церковнослужители, как, например, наши дьяконы и ризничие, благословляют кропилами, изображающими бесконечное число благословляющих перстов. Такова тема в упрощенном виде. Argumentum omni denudatum ornamento**. Я сделал бы из нее два таких тома, как этот, — добавил иезуит.

И в порыве вдохновения он хлопнул ладонью по фолианту святого Иоанна Златоуста, под тяжестью которого прогибался стол.

Д'Артаньян содрогнулся.

— Разумеется, — начал Арамис, — я отдаю должное красотам такой темы, но в то же время сознаюсь, что считаю ее непосильной. Я выбрал другой текст. Скажите, милый д'Артаньян, нравится ли он вам: «Non inutile est desiderium in oblatione», то есть: «Некоторое сожаление приличествует тому, кто приносит жертву господу».

— Остановитесь! — вскричал иезуит. — Остановитесь, этот текст граничит с ересью! Почти такое же положение имеется в «Augustinus», книге ересиарха Янсения, которая рано или поздно будет сожжена рукой палача. Берегитесь, мой юный друг, вы близки к лжеучению! Вы погубите себя, мой юный друг!

— Вы погубите себя, — повторил кюре, скорбно качая головой.

— Вы затронули тот пресловутый вопрос о свободе воли, который является дьявольским соблазном. Вы вплотную подошли к ереси пелагианцев и полупелагианцев.

— Однако, преподобный отец... — начал было Арамис, слегка ошеломленный градом сыпавшихся на него аргументов.

— Как вы докажете, — прервал его иезуит, — что должно сожалеть о мире, когда приносишь себя в жертву господу? Выслушайте такую дилемму: бог есть бог, а мир есть дьявол. Сожалеть о мире — значит, сожалеть о дьяволе, таково мое заключение.

— А также и мое, — сказал кюре.

---

* Низшие чины (*лат.*).
** Доказательство, лишенное всякого украшения (*лат.*).

— Помилосердствуйте! — опять заговорил Арамис.

— Desideras diabolum*, несчастный! — вскричал иезуит.

— Он сожалеет о дьяволе! О, мой юный друг, не сожалейте о дьяволе, умоляю вас об этом! — простонал кюре.

Д'Артаньян чувствовал, что тупеет; ему казалось, что он находится в доме для умалишенных и что сейчас он тоже сойдет с ума, как уже сошли те, которые сидели перед ним. Но он вынужден был молчать, так как совершенно не понимал, о чем идет речь.

— Однако выслушайте же меня, — сказал Арамис вежливо, но уже с легким оттенком раздражения. — Я не говорю, что сожалею. Нет, я никогда не произнесу этих слов, ибо они не соответствуют духу истинной веры...

Иезуит возвел руки к небу, и кюре сделал то же.

— Но согласитесь по крайней мере, что не подобает приносить в жертву господу то, чем вы окончательно пресытились. Скажите, д'Артаньян, разве я не прав?

— Разумеется, правы, черт побери! — вскричал д'Артаньян.

Кюре и иезуит подскочили на стульях.

— Вот моя отправная точка — это силлогизм: мир не лишен прелести; я покидаю мир — следовательно, приношу жертву; в Писании же положительно сказано: «Принесите жертву господу».

— Это верно, — сказали противники.

— И потом... — продолжал Арамис, пощипывая ухо, чтобы оно покраснело, как прежде поднимал руки, чтобы они побелели, — и потом, я написал рондо на эту тему. Я показал его в прошлом году господину Вуатюру, и этот великий человек наговорил мне множество похвал.

— Рондо! — презрительно произнес иезуит.

— Рондо! — машинально повторил кюре.

— Прочитайте, прочитайте нам его! — вскричал д'Артаньян. — Это немного развлечет нас.

— Нет, ведь оно религиозного содержания, — ответил Арамис, — это богословие в стихах.

— Что за дьявольщина! — сказал д'Артаньян.

— Вот оно, — сказал Арамис с видом самым скромным, не лишенным, однако, легкого оттенка лицемерия.

---

* Сожалеешь о дьяволе (лат.).

Ты, что скорбишь, оплакивая грезы,
И что влачишь безрадостный удел,
Твоей тоске положится предел,
Когда творцу свои отдашь ты слезы,
    Ты, что скорбишь*.

Д'Артаньян и кюре были в полном восторге. Иезуит упорствовал в своем мнении:

— Остерегайтесь мирского духа в богословском слоге. Что говорит святой Августин? Severus sit clericorum sermo**.

— Да, чтобы проповедь была понятна! — сказал кюре.

— Итак... — поспешил вмешаться иезуит, видя, что его приспешник заблудился, — итак, ваша диссертация понравится дамам, и это все. Она будет иметь такой же успех, как какая-нибудь защитительная речь господина Патрю.

— Дай-то бог! — с увлечением вскричал Арамис.

— Вот видите! — воскликнул иезуит. — Мир еще громко говорит в вас, говорит altissima voce***. Вы еще мирянин, мой юный друг, и я трепещу: благодать может не оказать своего действия.

— Успокойтесь, преподобный отец, я отвечаю за себя.

— Мирская самонадеянность.

— Я знаю себя, отец мой, мое решение непоколебимо.

— Итак, вы упорно хотите продолжать работу над этой темой?

— Я чувствую себя призванным рассмотреть именно ее и никакую другую. Поэтому я продолжу работу и надеюсь, что завтра вы будете удовлетворены поправками, которые я внесу, согласно вашим указаниям.

— Работайте не спеша, — сказал кюре. — Мы оставляем вас в великолепном состоянии духа.

— Да, — сказал иезуит, — нива засеяна, и нам нечего опасаться, что часть семян упала на камень или рассеялась по дороге и что птицы небесные поклюют остальную часть, aves coeli comederunt illam.

«Поскорей бы чума забрала тебя вместе с твоей латынью!» — подумал д'Артаньян, чувствуя, что совершенно изнемогает.

---

* Здесь и далее стихи переведены М. Л. Лозинским.
** Речь клириков да будет сурова (лат.).
*** Самым громким голосом (лат.).

— Прощайте, сын мой, — сказал кюре, — до завтра.

— До завтра, отважный юноша, — сказал иезуит. — Вы обещаете стать одним из светочей церкви. Да не допустит небо, чтобы этот светоч обратился в пожирающее пламя!

Д'Артаньян, который уже целый час от нетерпения грыз ногти, теперь принялся грызть пальцы.

Оба человека в черных рясах встали, поклонились Арамису и д'Артаньяну и направились к двери. Базен, все время стоявший тут же и с благочестивым ликованием слушавший весь этот ученый спор, устремился к ним навстречу, взял молитвенник священника, требник иезуита и почтительно пошел вперед, пролагая им путь.

Арамис, провожая их, вместе с ними спустился по лестнице, но тотчас поднялся к д'Артаньяну, который все еще был в каком-то полусне.

Оставшись одни, друзья несколько минут хранили неловкое молчание; однако кому-нибудь надо было прервать его, и, так как д'Артаньян, видимо, решил предоставить эту честь Арамису, тот заговорил первым.

— Как видите, — сказал он, — я вернулся к своим заветным мыслям.

— Да, благодать оказала на вас свое действие, как только что сказал этот господин.

— О, намерение удалиться от мира возникло у меня уже давно, и вы не раз слышали о нем от меня, не так ли, друг мой?

— Конечно, но, признаться, я думал, что вы шутите.

— Шутить такими вещами! Что вы, д'Артаньян!

— Черт возьми! Шутим же мы со смертью.

— И напрасно, д'Артаньян, ибо смерть — это врата, ведущие к погибели или к спасению.

— Согласен, но, ради бога, не будем вести богословские споры, Арамис. Я думаю, что полученной вами порции вам вполне хватит на сегодня. Что до меня, то я почти забыл ту малость латыни, которой, впрочем, никогда и не знал, и, кроме того, признаюсь вам, что я ничего не ел с десяти часов утра и дьявольски голоден.

— Сейчас мы будем обедать, любезный друг; только не забудьте, что сегодня пятница, а в такие дни я не только не ем мяса, но не смею даже глядеть на него. Если вы согласны довольствоваться моим обедом, то он будет состоять из вареных тетрагонов и плодов.

— Что вы подразумеваете под тетрагонами? — с беспокойством спросил д'Артаньян.

— Я подразумеваю шпинат, — ответил Арамис. — Но для вас я добавлю к обеду яйца, что составляет существенное нарушение правил, ибо яйца порождают цыпленка и, следовательно, являются мясом.

— Не слишком роскошное пиршество, но ради вашего общества я пойду на это.

— Благодарю вас за жертву, — сказал Арамис, — и если она не принесет пользы вашему телу, то, без сомнения, будет полезна вашей душе.

— Итак, Арамис, вы решительно принимаете духовный сан? Что скажут наши друзья, что скажет господин де Тревиль? Они сочтут вас за дезертира, предупреждаю вас об этом.

— Я не принимаю духовный сан, а возвращаюсь к нему. Если я и дезертир, то как раз по отношению к церкви, брошенной мною ради мира. Вы ведь знаете, что я совершил над собой насилие, когда надел плащ мушкетера.

— Нет, я ничего об этом не знаю.

— Вам неизвестно, каким образом случилось, что я бросил семинарию?

— Совершенно неизвестно.

— Вот моя история. Даже в Писании сказано: «Исповедуйтесь друг другу». Вот я и исповедуюсь вам, д'Артаньян.

— А я заранее отпускаю вам грехи. Видите, какое у меня доброе сердце!

— Не шутите святыми вещами, друг мой.

— Ну-ну, говорите, я слушаю вас.

— Я воспитывался в семинарии с девяти лет. Через три дня мне должно было исполниться двадцать, я стал бы аббатом, и все было бы кончено. И вот однажды вечером, когда я, по своему обыкновению, находился в одном доме, где охотно проводил время — что поделаешь, я был молод, подвержен слабостям! — некий офицер, всегда ревниво наблюдавший, как я читаю жития святых хозяйке дома, вошел в комнату неожиданно без доклада. Как раз в этот вечер я перевел эпизод из истории Юдифи и только что прочитал стихи моей даме, которая не скупилась на похвалы и, склонив голову ко мне на плечо, как раз перечитывала эти стихи вместе со мной. Эта поза, признаюсь, несколько вольная... не понравилась офицеру. Офицер ничего не сказал, но, когда я вышел, он вышел вслед за мной.

«Господин аббат, — сказал он, догнав меня, — нравится ли вам, когда вас бьют палкой?»

«Не могу ответить вам на этот вопрос, сударь, — возразил я, — так как до сих пор никто никогда не смел бить меня».

«Так вот, выслушайте меня, господин аббат: если вы еще раз придете в тот дом, где я встретился с вами сегодня, я посмею сделать это».

Кажется, я испугался. Я сильно побледнел, я почувствовал, что у меня подкашиваются ноги, я искал ответа, но не нашел его и промолчал.

Офицер ждал этого ответа и, видя, что я молчу, расхохотался, повернулся ко мне спиной и вошел обратно в дом. Я вернулся в семинарию.

Я настоящий дворянин, и кровь у меня горячая, как вы могли заметить, милый д'Артаньян; оскорбление было ужасно, и, несмотря на то что о нем никто не знал, я чувствовал, что оно живет в глубине моего сердца и жжет его. Я объявил святым отцам, что чувствую себя недостаточно подготовленным к принятию сана, и по моей просьбе обряд рукоположения был отложен на год.

Я отправился к лучшему учителю фехтования в Париже, условился ежедневно брать у него уроки — и брал их ежедневно в течение года. Затем в годовщину того дня, когда мне было нанесено оскорбление, я повесил на гвоздь свою сутану, оделся, как надлежит дворянину, и отправился на бал, который давала одна знакомая дама и где должен был быть и мой противник. Это было на улице Фран-Буржуа, недалеко от тюрьмы Форс.

Офицер действительно был там. Я подошел к нему в ту минуту, когда он, нежно глядя на одну из женщин, напевал ей любовную песню, и прервал его на середине второго куплета.

«Сударь, — сказал я ему, — скажите, вы все еще будете возражать, если я приду в известный вам дом на улице Пайен? Вы все еще намерены угостить меня ударами палки, если мне вздумается ослушаться вас?»

Офицер посмотрел на меня с удивлением и сказал:

«Что вам нужно от меня, сударь? Я вас не знаю».

«Я тот молоденький аббат, — ответил я, — который читает жития святых и переводит «Юдифь» стихами».

«Ах да! Припоминаю, — сказал офицер, насмешливо улыбаясь. — Что же вам угодно?»

«Мне угодно, чтобы вы удосужились пойти прогуляться со мной».

«Завтра утром, если вы непременно этого хотите, и притом с величайшим удовольствием».

«Нет, не завтра утром, а сейчас же».

«Если вы непременно требуете...»

«Да, требую».

«В таком случае — пойдемте... Сударыни, — обратился он к дамам, — не беспокойтесь: я только убью этого господина, вернусь и спою вам последний куплет».

Мы вышли. Я привел его на улицу Пайен, на то самое место, где ровно год назад, в этот самый час, он сказал мне любезные слова, о которых я говорил вам. Была прекрасная лунная ночь. Мы обнажили шпаги, и при первом же выпаде я убил его на месте...

— Черт возьми! — произнес д'Артаньян.

— Так как дамы не дождались возвращения своего певца, — продолжал Арамис, — и так как он был найден на улице Пайен проткнутый ударом шпаги, все поняли, что это дело моих рук, и происшествие наделало много шуму. Вследствие этого я вынужден был на некоторое время отказаться от сутаны. Атос, с которым я познакомился в ту пору, и Портос, научивший меня, в дополнение к урокам фехтования, кое-каким славным приемам, уговорили меня обратиться с просьбой о мушкетерском плаще. Король очень любил моего отца, убитого при осаде Арраса, и мне был пожалован этот плащ... Вы сами понимаете, что сейчас для меня наступило время вернуться в лоно церкви.

— А почему именно сейчас, а не раньше и не позже? Что произошло с вами и что внушает вам такие недобрые мысли?

— Эта рана, милый д'Артаньян, явилась для меня предостережением свыше.

— Эта рана? Что за вздор! Она почти зажила, и я убежден, что сейчас вы больше страдаете не от этой раны.

— От какой же? — спросил, краснея, Арамис.

— У вас сердечная рана, Арамис, более мучительная, более кровавая рана, которую нанесла женщина.

Взгляд Арамиса невольно заблистал.

— Полноте, — сказал он, скрывая волнение под маской небрежности, — стоит ли говорить об этих вещах! Чтобы я стал страдать от любовных огорчений! Vanitas vanitatum!* Что

---

* Суета сует! (лат.)

же я, по-вашему, сошел с ума? И из-за кого же? Из-за какой-нибудь гризетки или горничной, за которой я волочился, когда был в гарнизоне... Какая гадость!

— Простите, милый Арамис, но мне казалось, что вы метили выше.

— Выше! А кто я такой, чтобы иметь подобное честолюбие? Бедный мушкетер, нищий и незаметный, человек, который ненавидит зависимость и чувствует себя в свете не на своем месте!

— Арамис, Арамис! — вскричал д'Артаньян, недоверчиво глядя на друга.

— Прах есмь и возвращаюсь в прах. Жизнь полна унижений и горестей, — продолжал Арамис, мрачнея. — Все нити, привязывающие ее к счастью, одна за другой рвутся в руке человека, и прежде всего нити золотые. О милый д'Артаньян, — сказал Арамис с легкой горечью в голосе, — послушайте меня: скрывайте свои раны, когда они у вас будут! Молчание — это последняя радость несчастных; не выдавайте никому своей скорби. Любопытные пьют наши слезы, как мухи пьют кровь раненой лани.

— Увы, милый Арамис, — сказал д'Артаньян, в свою очередь испуская глубокий вздох, — ведь вы рассказываете мне мою собственную историю.

— Как!

— Да! У меня только что похитили женщину, которую я любил, которую обожал. Я не знаю, где она, куда ее увезли: быть может — она в тюрьме, быть может — она мертва.

— Но у вас есть хоть то утешение, что она покинула вас против воли, вы знаете, что если от нее нет известий, то это потому, что ей запрещена связь с вами, тогда как...

— Тогда как?..

— Нет, ничего, — сказал Арамис. — Ничего...

— Итак, вы навсегда отказываетесь от мира, это решено окончательно и бесповоротно?

— Навсегда. Сегодня вы еще мой друг, завтра вы будете лишь призраком или совсем перестанете существовать для меня. Мир — это склеп, и ничего больше.

— Черт возьми! Как грустно все, что вы говорите!

— Что делать! Мое призвание влечет меня, оно уносит меня ввысь.

Д'Артаньян улыбнулся и ничего не ответил.

— И тем не менее, — продолжал Арамис, — пока я еще на земле, мне хотелось бы поговорить с вами о вас, о наших друзьях.

— А мне, — ответил д'Артаньян, — хотелось бы поговорить с вами о вас самих, но вы уже так далеки от всего. Любовь вызывает у вас презрение, друзья для вас призраки, мир — склеп...

— Увы! В этом вы убедитесь сами, — сказал со вздохом Арамис.

— Итак, оставим этот разговор и давайте сожжем письмо, которое, по всей вероятности, сообщает вам о новой измене вашей гризетки или горничной.

— Какое письмо? — с живостью спросил Арамис.

— Письмо, которое пришло к вам в ваше отсутствие и которое мне передали для вас.

— От кого же оно?

— Не знаю. От какой-нибудь заплаканной служанки или безутешной гризетки... быть может, от горничной госпожи де Шеврез, которой пришлось вернуться в Тур вместе со своей госпожой и которая для пущей важности взяла надушенную бумагу и запечатала свое письмо печатью с герцогской короной.

— Что такое вы говорите?

— Подумать только! Кажется, я потерял его... — лукаво сказал молодой человек, делая вид, что ищет письмо. — Счастье еще, что мир — это склеп, что люди, а следовательно, и женщины — призраки и что любовь — чувство, о котором вы говорите: «Какая гадость!»

— Ах, д'Артаньян, д'Артаньян, — вскричал Арамис, — ты убиваешь меня!

— Наконец-то, вот оно! — сказал д'Артаньян.

И он вынул из кармана письмо.

Арамис вскочил, схватил письмо, прочитал или, вернее, проглотил его; его лицо сияло.

— По-видимому, у служанки прекрасный слог, — небрежно произнес посланец.

— Благодарю, д'Артаньян! — вскричал Арамис в полном исступлении. — Ей пришлось вернуться в Тур. Она не изменила мне, она по-прежнему меня любит! Иди сюда, друг мой, иди сюда, дай мне обнять тебя, я задыхаюсь от счастья!

И оба друга пустились плясать вокруг почтенного Иоанна Златоуста, храбро топча рассыпавшиеся по полу листы диссертации.

В эту минуту вошел Базен, неся шпинат и яичницу.

— Беги, несчастный! — вскричал Арамис, швыряя ему в лицо свою скуфейку. — Ступай туда, откуда пришел, унеси эти отвратительные овощи и гнусную яичницу! Спроси шпигованного зайца, жирного каплуна, жаркое из баранины с чесноком и четыре бутылки старого бургундского!

Базен, смотревший на своего господина и ничего не понимавший в этой перемене, меланхолически уронил яичницу в шпинат, а шпинат на паркет.

— Вот подходящая минута, чтобы посвятить вашу жизнь царю царей, — сказал д'Артаньян, — если вы желаете сделать ему приятное: «Non inutile desiderium in oblatione».

— Убирайтесь вы к черту с вашей латынью! Давайте пить, милый д'Артаньян, давайте пить, черт подери, давайте пить много, и расскажите мне обо всем, что делается там!

XXVII

ЖЕНА АТОСА

— Теперь остается только узнать, что с Атосом, — сказал д'Артаньян развеселившемуся Арамису после того, как он посвятил его во все новости, случившиеся в столице со дня их отъезда, и когда превосходный обед заставил одного из них забыть свою диссертацию, а другого — усталость.

— Неужели вы думаете, что с ним могло случиться несчастье? — спросил Арамис. — Атос так хладнокровен, так храбро и так искусно владеет шпагой.

— Да, без сомнения, и я больше чем кто-либо воздаю должное храбрости и ловкости Атоса, но, на мой взгляд, лучше скрестить свою шпагу с копьем, нежели с палкой, а я боюсь, что Атоса могла избить челядь: этот народ дерется крепко и не скоро прекращает драку. Вот почему, признаюсь вам, мне хотелось бы отправиться в путь как можно скорее.

— Я попытаюсь поехать с вами, — сказал Арамис, — хотя чувствую, что вряд ли буду в состоянии сесть на лошадь. Вчера я пробовал пустить в ход бич, который вы видите здесь на стене, но боль помешала мне продлить это благочестивое упражнение.

— Это потому, милый друг, что никто еще не пытался лечить огнестрельную рану плеткой, но вы были больны, а болезнь ослабляет умственные способности, и потому я извиняю вас.

— Когда же вы едете?

— Завтра на рассвете. Постарайтесь хорошенько выспаться на ночь, и завтра, если вы сможете, поедем вместе.

— В таком случае — до завтра, — сказал Арамис. — Хоть вы и железный, но ведь должны же и вы ощущать потребность в сне.

Наутро, когда д'Артаньян вошел к Арамису, тот стоял у окна своей комнаты.

— Что вы там рассматриваете? — спросил д'Артаньян.

— Да вот любуюсь этими тремя превосходными скакунами, которых конюхи держат на поводу. Право, удовольствие ездить на таких лошадях доступно только принцам.

— Если так, милый Арамис, то вы получите это удовольствие, ибо одна из этих лошадей ваша.

— Не может быть! Которая же?

— Та, которая вам больше понравится. Я готов взять любую.

— И богатое седло на ней также мое?

— Да.

— Вы смеетесь надо мной, д'Артаньян!

— С тех пор как вы стали говорить по-французски, я больше не смеюсь.

— Эти золоченые кобуры, бархатный чепрак, шитое серебром седло — все это мое?

— Ваше. А вон та лошадь, которая бьет копытом, моя, а та, другая, что гарцует, — Атоса.

— Черт побери, да все три просто великолепны!

— Я польщен тем, что они вам по вкусу.

— Это, должно быть, король сделал вам такой подарок?

— Во всяком случае, не кардинал. Впрочем, не заботьтесь о том, откуда взялись эти лошади, и помните только, что одна из них ваша.

— Я беру ту, которую держит рыжий слуга.

— Отлично!

— Клянусь богом, — вскричал Арамис, — кажется, у меня от этого прошла вся боль! На такого коня я сел бы даже с тридцатью пулями в теле. О, какие чудесные стремена!.. Эй, Базен, подите сюда, да поживее!

Базен появился на пороге, унылый и сонный.

— Отполируйте мою шпагу, — сказал Арамис, — приведите в порядок шляпу, вычистите плащ и зарядите пистолеты...

— Последнее приказание излишне, — прервал его д'Артаньян, — у вас в кобурах имеются заряженные пистолеты.

Базен вздохнул.

— Полноте, мэтр Базен, успокойтесь, — сказал д'Артаньян, — царство небесное можно заслужить во всех званиях.

— Господин мой был уже таким хорошим богословом! — сказал Базен, чуть не плача. — Он мог бы сделаться епископом, а может статься, и кардиналом.

— Послушай, мой милый Базен, поразмысли хорошенько и скажи сам: к чему быть духовным лицом? Ведь это не избавляет от необходимости воевать. Вот увидишь — кардинал примет участие в первом же походе со шлемом на голове и с протазаном в руке. А господин Ногаре де Лавалет? Он также кардинал, а спроси у его лакея, сколько раз он щипал ему корпию.

— Да... — вздохнул Базен. — Я знаю, сударь, что все в мире перевернулось сейчас вверх дном.

Разговаривая, оба молодых человека и бедный лакей спустились вниз.

— Подержи мне стремя, Базен, — сказал Арамис.

И он вскочил в седло с присущим ему изяществом и легкостью. Однако после нескольких вольтов и курбетов благородного животного наездник почувствовал такую невыносимую боль, что побледнел и покачнулся. Д'Артаньян, который, предвидя это, не спускал с него глаз, бросился к нему, подхватил и отвел его в комнату.

— Вот что, любезный Арамис, — сказал он, — полечитесь, я поеду на поиски Атоса один.

— Вы просто вылиты из бронзы! — ответил Арамис.

— Нет, мне везет, вот и все!.. Но скажите, как вы будете жить тут без меня? Никаких рассуждений о перстах и благословениях, а?

Арамис улыбнулся.

— Я буду писать стихи, — сказал он.

— Да, да, стихи, надушенные такими же духами, как записка служанки госпожи де Шеврез. Научите Базена правилам стихосложения, это утешит его. Что касается лошади, то ездите на ней понемногу каждый день — это снова приучит вас к седлу.

— О, на этот счет не беспокойтесь! — сказал Арамис. — К вашему приезду я буду готов сопровождать вас.

Они простились, и десять минут спустя д'Артаньян уже ехал рысью по дороге в Амьен, предварительно поручив Арамиса заботам Базена и хозяйки.

В каком состоянии он найдет Атоса, да и вообще найдет ли он его?

Положение, в котором д'Артаньян его оставил, было критическим; вполне могло случиться, что Атос погиб. Эта мысль опечалила д'Артаньяна; он несколько раз вздохнул и дал себе клятву мстить.

Из всех друзей д'Артаньяна Атос был самым старшим, а потому должен был быть наименее близким ему по своим вкусам и склонностям. И тем не менее д'Артаньян отдавал ему явное предпочтение перед остальными. Благородная, изысканная внешность Атоса, вспышки душевного величия, порой освещавшие тень, в которой он обычно держался, неизменно ровное расположение духа, делавшее его общество приятнейшим в мире, его язвительная веселость, его храбрость, которую можно было бы назвать слепой, если бы она не являлась следствием редчайшего хладнокровия, — все эти качества вызывали у д'Артаньяна больше чем уважение, больше чем дружеское расположение: они вызывали у него восхищение.

В самом деле, даже находясь рядом с г-ном де Тревилем, изящным и благородным придворным, Атос, когда был в ударе, мог с успехом выдержать это сравнение; он был среднего роста, но так строен и так хорошо сложен, что не раз, борясь с Портосом, побеждал этого гиганта, физическая сила которого успела войти в пословицу среди мушкетеров; лицо его, с проницательным взглядом, прямым носом, подбородком, как у Брута, носило неуловимый отпечаток властности и приветливости, а руки, на которые сам он не обращал никакого внимания, приводили в отчаяние Арамиса, постоянно ухаживавшего за своими с помощью большого количества миндального мыла и благовонного масла; звук его голоса был глубокий и в то же время мелодичный. Но что в Атосе, который всегда старался быть незаметным и незначительным, казалось совершенно непостижимым — это его знание света и обычаев самого блестящего общества, те следы хорошего воспитания, которые невольно сквозили в каждом его поступке.

Шла ли речь об обеде, Атос устраивал его лучше любого светского человека, сажая каждого гостя на подобающее ему место в соответствии с положением, созданным ему его предками или им самим. Шла ли речь о геральдике, Атос знал все дворянские фамилии королевства, их генеалогию, их семейные связи, их гербы и происхождение их гербов. В этикете не было такой мелочи, которая была бы ему незнакома; он знал, какими правами пользуются крупные землевладельцы, он был чрезвычайно сведущ в псовой и соколиной охоте и однажды в разговоре об этом великом искусстве удивил самого короля Людовика XIII, который, однако, слыл знатоком его.

Как все знатные вельможи того времени, он превосходно фехтовал и ездил верхом. Мало того, его образование было столь разносторонне, даже и в области схоластических наук, редко изучавшихся дворянами в ту эпоху, что он только улыбался, слыша латинские выражения, которыми щеголял Арамис и которые якобы понимал Портос; два или три раза, когда Арамис допускал какую-нибудь грамматическую ошибку, ему случалось даже, к величайшему удивлению друзей, поставить глагол в нужное время, а существительное в нужный падеж. Наконец, честность его была безукоризненна, и это в тот век, когда военные так легко входили в сделку с верой и совестью, любовники — с суровой щепетильностью, свойственной нашему времени, а бедняки — с седьмой заповедью господней. Словом, Атос был человек весьма необыкновенный.

И между тем можно было заметить, что эта утонченная натура, это прекрасное существо, этот изысканный ум постепенно оказывался во власти обыденности, подобно тому как старики незаметно впадают в физическое и нравственное бессилие. В дурные часы Атоса — а эти часы случались нередко — все светлое, что было в нем, потухало, и его блестящие черты скрывались, словно окутанные глубоким мраком.

Полубог исчезал, едва оставался человек. Опустив голову, с трудом выговаривая отдельные фразы, Атос долгими часами смотрел угасшим взором то на бутылку и стакан, то на Гримо, который привык повиноваться каждому его знаку и, читая в безжизненном взгляде своего господина малейшие его желания, немедленно исполнял их. Если сборище четырех друзей происходило в одну из таких минут, то два-три слова, произнесенные с величайшим усилием, — такова была доля Атоса в общей беседе. Зато он один пил за четверых, и это никак не отражалось на нем — разве только он хмурил брови да становился еще грустнее, чем обычно.

Д'Артаньяну, чей пытливый и проницательный ум был хорошо известен, не удавалось пока, несмотря на все желание, удовлетворить свое любопытство: найти какую-либо причину этой глубокой апатии или подметить сопутствующие ей обстоятельства. Атос никогда не получал писем, Атос никогда не совершал ни одного поступка, который бы не был известен всем его друзьям.

Нельзя было сказать, чтобы эту грусть вызывало в нем вино, ибо, напротив, он и пил лишь для того, чтобы побороть свою грусть, хотя это лекарство делало ее, как мы уже говорили, еще более глубокой. Нельзя было также приписать эти приступы тоски игре, ибо, в отличие от Портоса, который песней или руганью сопровождал любую превратность судьбы, Атос, выигрывая, оставался столь же бесстрастным, как и тогда, когда проигрывал. Однажды, сидя в кругу мушкетеров, он выиграл в один вечер тысячу пистолей, проиграл их вместе с шитой золотом праздничной перевязью, отыграл все это и еще сто луидоров — и его красивые черные брови ни разу не дрогнули, руки не потеряли своего перламутрового оттенка, беседа, бывшая приятной в тот вечер, не перестала быть спокойной и столь же приятной.

Тень на его лице не объяснялась также и влиянием атмосферных осадков, как это бывает у наших соседей-англичан, ибо эта грусть становилась обычно еще сильнее в лучшее время года: июнь и июль были самыми тяжелыми месяцами для Атоса.

В настоящем у него не было горестей, и он пожимал плечами, когда с ним говорили о будущем; следовательно, причина его грусти скрывалась в прошлом, судя по неясным слухам, дошедшим до д'Артаньяна.

Оттенок таинственности, окутывавшей Атоса, делал еще более интересным этого человека, которого даже в минуты полного опьянения ни разу не выдали ни глаза, ни язык, несмотря на всю тонкость задаваемых ему вопросов.

— Увы! — думал вслух д'Артаньян. — Быть может, сейчас бедный Атос мертв, и в этом виноват я. Ведь только ради меня он впутался в эту историю, не зная ни начала ее, ни конца и не надеясь извлечь из нее хотя бы малейшую выгоду.

— Не говоря о том, сударь, — добавил Планше, — что, по всей видимости, мы обязаны ему жизнью. Помните, как он крикнул: «Вперед, д'Артаньян! Я в ловушке!» А потом, разрядив оба пистолета, как страшно звенел он своей шпагой!

Словно двадцать человек, или, лучше сказать, двадцать разъяренных чертей!

Эти слова удвоили пыл д'Артаньяна, и он погнал свою лошадь, которая и без того несла всадника галопом.

Около одиннадцати часов утра путники увидели Амьен, а в половине двенадцатого они были у дверей проклятого трактира.

Д'Артаньян часто придумывал для вероломного хозяина какую-нибудь славную месть, такую месть, одно предвкушение которой уже утешительно. Итак, он вошел в трактир, надвинув шляпу на лоб, положив левую руку на эфес шпаги и помахивая хлыстом, который держал в правой.

— Узнаете вы меня? — спросил он трактирщика, с поклоном шедшего ему навстречу.

— Не имею чести, ваша светлость, — ответил тот, ослепленный блестящим снаряжением д'Артаньяна.

— Ах, вы меня не узнаете!

— Нет, ваша светлость!

— Ну так я напомню вам в двух словах. Что вы сделали с дворянином, которому осмелились около двух недель назад предъявить обвинение в сбыте фальшивых денег?

Трактирщик побледнел, ибо д'Артаньян принял самую угрожающую позу, а Планше скопировал ее с величайшей точностью.

— Ах, ваша светлость, не говорите мне об этом! — вскричал трактирщик самым жалобным голосом. — О господи, как дорого я заплатил за эту ошибку! Ах я, несчастный!

— Я вас спрашиваю: что сталось с этим дворянином?

— Благоволите выслушать меня, ваша светлость, будьте милосердны! И присядьте, сделайте милость.

Безмолвный от гнева и беспокойства, д'Артаньян сел, грозный, как судия. Планше гордо встал за спиной его кресла.

— Вот как было дело, ваша светлость... — продолжал трактирщик, дрожа от страха. — Теперь я узнал вас. Ведь это вы уехали, когда началась злополучная ссора с тем дворянином, о котором вы говорите?

— Да, я. Теперь вы отлично видите, что вам нечего ждать пощады, если вы не скажете всей правды.

— Так вот, благоволите выслушать меня, и я расскажу вам все без утайки.

— Я слушаю.

— Начальство известило меня, что в моем трактире должен остановиться знаменитый фальшивомонетчик с несколь-

288

кими товарищами, причем все они будут переодеты гвардейцами или мушкетерами. Ваши лошади, слуги, наружность ваших светлостей — все было мне точно описано...

— Дальше, дальше! — сказал д'Артаньян, быстро догадавшись, откуда исходили эти точные приметы.

— Поэтому, повинуясь приказу начальства, приславшего мне шесть человек для подкрепления, я принял те меры, какие счел нужными, чтобы задержать мнимых фальшивомонетчиков...

— Опять! — сказал д'Артаньян, которому слово «фальшивомонетчик» нестерпимо резало слух.

— Прошу прощения, ваша светлость, что я говорю такие вещи, но в них-то и кроется мое оправдание. Начальство припугнуло меня, а вы ведь знаете, что трактирщик должен жить в мире со своим начальством.

— Еще раз спрашиваю вас: где этот дворянин? Что с ним? Умер он или жив?

— Терпение, ваша светлость, сейчас мы дойдем и до этого. Итак, произошло то, что вам известно... и что как будто бы оправдывало ваш поспешный отъезд, — добавил хозяин с лукавством, не ускользнувшим от д'Артаньяна. — Этот дворянин, ваш друг, отчаянно защищался. Его слуга, который, по несчастью, неожиданно затеял ссору с присланными солдатами, переодетыми в конюхов...

— Ах ты негодяй! — вскричал д'Артаньян. — Так вы все были заодно, и я сам не знаю, что мешает мне всех вас уничтожить!

— Нет, ваша светлость, к сожалению, мы не все были заодно, и сейчас вы убедитесь в этом. Ваш приятель — извините, что я не называю его тем почтенным именем, которое он, без сомнения, носит, но нам неизвестно это имя, — итак, ваш приятель, уложив двух солдат двумя выстрелами из пистолета, отступил, продолжая защищаться шпагой, которой он изувечил еще одного из моих людей, а меня оглушил, ударив этой шпагой плашмя...

— Да кончишь ли ты, палач! — крикнул д'Артаньян. — Где Атос? Что случилось с Атосом?

— Отступая, как я уже говорил вам, ваша светлость, он оказался у лестницы, ведущей в подвал, и так как дверь была открыта, он вытащил ключ и затворился изнутри. Все были убеждены, что оттуда ему не уйти, а потому никто не препятствовал ему делать это...

— Ну да, — сказал д'Артаньян, — вы не собирались убивать его, вам нужно было только посадить его под замок!

— Посадить под замок, боже праведный! Да клянусь вам, ваша светлость, это он сам посадил себя под замок! Впрочем, перед этим он наделал немало дел: один солдат был убит наповал, а двое тяжело ранены. Убитого и обоих раненых унесли их товарищи, и больше я ничего не знаю ни о тех, ни о других. Что касается меня, то, придя в чувство, я отправился к господину губернатору, рассказал ему обо всем случившемся и спросил, что делать с пленником. Но господин губернатор точно с неба свалился: он сказал, что совершенно не понимает, о чем идет речь, что приказания, которые до меня дошли, исходили не от него и что если я имел несчастье сказать кому-либо, что он, губернатор, имеет какое-то отношение к этому отчаянному предприятию, то велит меня повесить. Как видно, сударь, я ошибся и задержал одно лицо вместо другого, а тот, кого следовало задержать, скрылся.

— Но где же Атос? — вскричал д'Артаньян, возмущение которого еще возросло, когда он узнал, как отнеслись власти к этому делу. — Что сталось с Атосом?

— Мне не терпелось поскорее загладить свою вину перед пленником, — продолжал трактирщик, — и я подошел к погребу, чтобы выпустить его оттуда. Ах, сударь, это был не человек, это был сущий дьявол! В ответ на предложение свободы он объявил, что это западня и что он не выйдет, не предъявив своих условий. Я смиренно ответил ему — я ведь понимал, в какое положение поставил себя, подняв руку на мушкетера его величества, — итак, я ответил ему, что готов принять его условия. «Прежде всего, — сказал он, — я требую, чтобы мне вернули моего слугу в полном вооружении». Это приказание было поспешно исполнено; вы понимаете, сударь, что мы были расположены делать все, чего бы ни пожелал ваш друг. Итак, господин Гримо — он сообщил свое имя, хотя и не очень разговорчив, — господин Гримо, несмотря на его рану, был спущен в погреб. Его господин принял его, загородил дверь, а нам приказал оставаться у себя.

— Но где он наконец?! — вскричал д'Артаньян. — Где Атос?

— В погребе, сударь.

— Как, негодяй, ты все еще держишь его в погребе?

— Боже упаси! Нет, сударь. Стали бы мы держать его в погребе! Если бы вы только знали, что он там делает, в этом погребе! Ах, сударь, если бы вам удалось заставить его выйти оттуда, я был бы вам благодарен до конца жизни, я стал бы молиться на вас, как на своего ангела-хранителя!

— Так он там? Я найду его там?

— Разумеется, сударь. Он заупрямился и не желает выходить. Мы ежедневно просовываем ему через отдушину хлеб на вилах, а когда он требует, то и мясо, но — увы! — не хлеб и не мясо составляют главную его пищу. Однажды я с двумя молодцами сделал попытку спуститься вниз, но он пришел в страшную ярость. Я услышал, как он взводит курки у пистолетов, а его слуга — у мушкета. Когда же мы спросили у них, что они собираются делать, ваш приятель ответил, что у него и у его слуги имеется сорок зарядов и что они разрядят все до последнего, прежде чем позволят хотя бы одному из нас сойти в погреб. Тогда, сударь, я пошел было жаловаться к губернатору, но тот ответил, что я получил по заслугам и что это научит меня, как оскорблять благородных господ, заезжающих в мой трактир.

— Так что с тех самых пор... — начал д'Артаньян, не в силах удержаться от смеха при виде жалобной физиономии трактирщика.

— Так что с тех самых пор, — продолжал последний, — нам, сударь, приходится очень плохо, потому что все наши съестные припасы хранятся в погребе. Вино в бутылках и вино в бочках, пиво, растительное масло и пряности, свиное сало и колбасы — все находится там. Так как спускаться вниз нам запрещено, то приходится отказывать в пище и питье всем путешественникам, которые к нам заезжают, и наш постоялый двор приходит в упадок с каждым днем. Если ваш друг просидит в погребе еще неделю, мы окончательно разоримся.

— И поделом тебе, мошенник! Разве по нашему виду нельзя было сообразить, что мы порядочные люди, а не фальшивомонетчики?

— Да, сударь, да, вы правы... — ответил хозяин. — Но послушайте, вон он опять разбушевался.

— Очевидно, его потревожили! — вскричал д'Артаньян.

— Да как же нам быть? — возразил хозяин. — Ведь к нам приехали два знатных англичанина.

— Так что ж из этого?

— Как — что? Вы сами знаете, сударь, что англичане любят хорошее вино, а эти спросили самого лучшего. Жена моя, должно быть, попросила у господина Атоса позволения войти, чтобы подать этим господам то, что им требовалось, а он, по обыкновению, отказал... Боже милостивый, опять начался этот содом!

В самом деле, со стороны погреба донесся сильный шум. Д'Артаньян встал и, предшествуемый хозяином, в отчаянии ломавшим руки, приблизился к месту действия в сопровождении Планше, державшего наготове свой мушкет.

Англичане были крайне раздражены: они проделали длинный путь и умирали от голода и жажды.

— Да это же насилие! — кричали они на отличном французском языке, но с иностранным акцентом. — Этот сумасшедший не позволяет добрым людям распоряжаться их собственным вином! Мы выломаем дверь, а если он совсем лишился рассудка — что ж, тогда мы убьем его, и все тут!

— Потише, господа! — сказал д'Артаньян, вынимая из-за пояса пистолеты. — Прошу извинить, но вы никого не убьете.

— Ничего, ничего, — раздался за дверями спокойный голос Атоса. — Впустите-ка этих хвастунов, и тогда посмотрим.

Англичане, видимо довольно храбрые люди, все же нерешительно переглянулись. Казалось, что в погребе засел какой-то голодный людоед, какой-то исполинский сказочный герой, и никто не может безнаказанно войти в его пещеру.

На минуту все затихли, но под конец англичанам стало стыдно отступать, и наиболее раздраженный из них, спустившись по лестнице, в которой было пять или шесть ступенек, так сильно ударил в дверь ногой, что, казалось, мог бы пробить и каменную стену.

— Планше, — сказал д'Артаньян, взводя курки у пистолетов, — я беру на себя того, что наверху, а ты займись нижним... Так вы, господа, желаете драться? Отлично, давайте драться!

— Боже праведный! — гулко прозвучал снизу голос Атоса. — Мне кажется, я слышу голос д'Артаньяна...

— Ты не ошибся, — ответил д'Артаньян, тоже стараясь говорить громче, — это я собственной персоной, друг мой!

— Превосходно! — сказал Атос. — В таком случае мы славно отделаем этих храбрецов.

Англичане схватились за шпаги, но они оказались между двух огней. Еще секунду они колебались, однако, как и в первый раз, самолюбие одержало верх, и под вторичным ударом дверь погреба треснула во всю длину.

— Посторонись, д'Артаньян, посторонись! — крикнул Атос. — Сейчас я буду стрелять.

— Господа! — сказал д'Артаньян, никогда не терявший способности рассуждать. — Подумайте о своем положении... Минуту терпения, Атос... Господа, вы ввязываетесь в скверную историю и будете изрешечены пулями. Я и мой слуга угостим вас тремя выстрелами, столько же вы получите из подвала. Кроме того, у нас имеются шпаги, которыми мы — я и мой друг — недурно владеем, могу вас уверить! Не мешайте мне, и я улажу и ваши дела и свои... Сейчас вам дадут пить, даю вам слово!

— Если еще осталось вино, — раздался насмешливый голос Атоса.

Трактирщик почувствовал, что спина его покрылась холодным потом.

— То есть как — если осталось вино? — прошептал он.

— Останется, черт возьми! — сказал д'Артаньян. — Успокойтесь... не могли же они вдвоем выпить весь погреб!.. Господа, вложите шпаги в ножны.

— Хорошо! Но и вы заткните пистолеты за пояс.

— Охотно.

И д'Артаньян подал пример. Затем, обернувшись к Планше, он знаком приказал разрядить мушкет.

Убежденные этим обстоятельством, англичане поворчали, но вложили шпаги в ножны. Д'Артаньян рассказал им историю заключения Атоса, и так как они были настоящие джентльмены, то во всем обвинили трактирщика.

— А теперь, господа, — сказал д'Артаньян, — поднимитесь к себе, и ручаюсь, что через десять минут вам принесут все, что вам будет угодно.

Англичане поклонились и ушли.

— Теперь я один, милый Атос, — сказал д'Артаньян. — Отворите мне дверь, прошу вас!

— Сию минуту, — ответил Атос.

Послышался шум падающих вязанок хвороста и скрип бревен: то были контрэскарпы и бастионы Атоса, уничтожаемые самым осажденным.

Через секунду дверь подалась, и в отверстии показалось бледное лицо Атоса; беглым взглядом он осмотрел местность.

Д'Артаньян бросился к другу и с нежностью обнял его; затем он повел его из этого сурового убежища и тут только заметил, что Атос шатается.

— Вы ранены? — спросил он.

— Я? Ничуть не бывало. Я мертвецки пьян, вот и все. И никогда еще человек не трудился так усердно, чтобы этого достигнуть... Клянусь богом, хозяин, должно быть, на мою долю досталось не меньше чем полтораста бутылок!

— Помилосердствуйте! — вскричал хозяин. — Если слуга выпил хотя бы половину того, что выпил его господин, я разорен.

— Гримо хорошо вымуштрован и не позволил бы себе пить то же вино, что я. Он пил только из бочки. Кстати, он, кажется, забыл вставить пробку. Слышите, что-то течет?

Д'Артаньян разразился хохотом, от которого хозяина из озноба бросило в жар.

В эту минуту за спиной Атоса появился Гримо с мушкетом на плече; голова его тряслась, как у пьяных сатиров Рубенса. Спереди и сзади он был облит какой-то жирной жидкостью, в которой хозяин признал свое лучшее оливковое масло.

Процессия прошла через большой зал и водворилась в лучшей комнате гостиницы, которую д'Артаньян занял самовольно.

Между тем хозяин и его жена ринулись с лампами в погреб, вход в который был так долго им воспрещен; там их ждало страшное зрелище.

За укреплениями, в которых Атос, выходя, пробил брешь и которые состояли из вязанок хвороста, досок и пустых бочонков, сложенных по всем правилам стратегического искусства, там и сям виднелись плавающие в лужах масла и вина кости съеденных окороков, а весь левый угол погреба был завален грудой битых бутылок; бочка, кран которой остался открытым, истекала последними каплями «крови». Выражаясь словами древнего поэта, смерть и запустение царили здесь словно на поле брани.

Из пятидесяти колбас, подвешенных к балкам потолка, оставалось не больше десяти.

Вопли хозяина и хозяйки проникли сквозь своды погреба, и сам д'Артаньян был тронут ими. Атос даже не повернул головы.

Однако вскоре скорбь сменилась яростью. Не помня себя от отчаяния, хозяин вооружился вертелом и ворвался в комнату, куда удалились два друга.

— Вина! — сказал Атос, увидев его.

— Вина! — вскричал пораженный хозяин. — Вина! Да ведь вы выпили больше чем на сто пистолей! Да ведь я разорен, погиб, уничтожен!

— Полно! — сказал Атос. — Мы даже не утолили жажду как следует.

— Если бы еще вы только пили, тогда полбеды, но вы перебили все бутылки!

— Вы толкнули меня на эту груду, и она развалилась. Сами виноваты.

— Все мое масло пропало!

— Масло — отличное лекарство для ран. Надо же было бедняге Гримо залечить раны, которые вы ему нанесли.

— Все мои колбасы обглоданы!

— В этом погребе уйма крыс.

— Вы заплатите мне за все! — вскричал хозяин, выведенный из себя.

— Трижды негодяй! — ответил Атос, приподнимаясь с места, но тут же снова упал на стул: силы его была исчерпаны.

Д'Артаньян пришел к нему на помощь и поднял хлыст.

Хозяин отступил на шаг и залился слезами.

— Это научит вас, — сказал д'Артаньян, — вежливее обращаться с приезжими, которых вам посылает бог.

— Бог! Лучше скажите — дьявол!

— Вот что, любезный, — пригрозил ему д'Артаньян, — если ты не прекратишь терзать наш слух, мы запремся у тебя в погребе вчетвером и посмотрим, действительно ли ущерб так велик, как ты говоришь.

— Согласен, господа, согласен! — испугался хозяин. — Признаюсь, я виноват, но ведь нет такой вины, которую нельзя простить. Вы знатные господа, а я бедный трактирщик, и вы должны меня пожалеть.

— А, вот это другой разговор! — сказал Атос. — Этак ты, пожалуй, размягчишь мое сердце, и из глаз у меня польются слезы, как вино из твоих бочек. Мы не так страшны, как кажется. Подойди поближе, и потолкуем.

Хозяин с опаской подошел ближе.

— Говорю тебе, подойди, не бойся, — продолжал Атос. — В ту минуту, когда я хотел расплатиться с тобой, я положил на стол кошелек.

— Совершенно верно, ваша светлость.

— В этом кошельке было шестьдесят пистолей. Где он?

— Сдан в канцелярию суда, ваша светлость: ведь мне сказали, что это фальшивые деньги.

— Так вот, потребуй кошелек обратно и оставь эти шестьдесят пистолей себе.

— Но ведь вам хорошо известно, ваша светлость, что судейские чиновники не возвращают того, что попало к ним в руки. Будь это фальшивая монета — ну, тогда бы еще можно было надеяться, но, к несчастью, деньги были настоящие.

— Договаривайся с судом как знаешь, приятель, это меня не касается, тем более что у меня не осталось ни единого ливра.

— Вот что, — вмешался д'Артаньян, — где сейчас лошадь Атоса?

— В конюшне.

— Что она стоит?

— Пятьдесят пистолей, не больше.

— Положим, она стоит все восемьдесят. Возьми ее, и кончим дело.

— Как! Ты продаешь мою лошадь? Моего Баязета? — удивился Атос. — А на чем я отправлюсь в поход — на Гримо?

— Я привел тебе другую, — ответил д'Артаньян.

— Другую?

— И великолепную! — вскричал хозяин.

— Ну, если есть другая, лучше и моложе, бери себе старую и принеси вина.

— Какого? — спросил хозяин, совершенно успокоившись.

— Того, которое в глубине погреба, у решетки. Там осталось еще двадцать пять бутылок, остальные разбились при моем падении. Принеси шесть.

— Да это просто бездонная бочка, а не человек! — пробормотал хозяин. — Если он пробудет здесь еще две недели и заплатит за все, что выпьет, я поправлю свои дела.

— И не забудь подать четыре бутылки того же вина господам англичанам, — прибавил д'Артаньян.

— А теперь, — продолжал Атос, — пока мы ждем вина, расскажи-ка мне, д'Артаньян, что сталось с остальными.

Д'Артаньян рассказал ему, как он нашел Портоса в постели с вывихом, Арамиса же — за столом в обществе двух богословов. Когда он заканчивал свой рассказ, вошел хозяин с заказанными бутылками и окороком, который, к счастью, оставался вне погреба.

— Отлично, — сказал Атос, наливая себе и д'Артаньяну, — это о Портосе и Арамисе. Ну а вы, мой друг, как ваши дела и что произошло с вами? По-моему, у вас очень мрачный вид.

— К сожалению, это так, — ответил д'Артаньян, — и причина в том, что я самый несчастный из всех нас.

— Ты несчастен, д'Артаньян! — вскричал Атос. — Что случилось? Расскажи мне.

— После, — ответил д'Артаньян.

— После! А почему не сейчас? Ты думаешь, что я пьян? Запомни хорошенько, друг мой: у меня никогда не бывает такой ясной головы, как за бутылкой вина. Рассказывай же, я весь превратился в слух.

Д'Артаньян рассказал ему случай, происшедший с г-жой Бонасье.

Атос спокойно выслушал его.

— Все это пустяки, — сказал он, когда д'Артаньян кончил, — сущие пустяки.

«Пустяки» — было любимое словечко Атоса.

— Вы все называете пустяками, любезный Атос, — возразил д'Артаньян, — это не убедительно со стороны человека, который никогда не любил.

Угасший взгляд Атоса внезапно загорелся, но то была лишь минутная вспышка, и его глаза снова сделались такими же тусклыми и туманными, как прежде.

— Это правда, — спокойно подтвердил он, — я никогда не любил.

— В таком случае вы сами видите, жестокосердный, что не правы, обвиняя нас, людей с чувствительным сердцем.

— Чувствительное сердце — разбитое сердце, — сказал Атос.

— Что вы хотите этим сказать?

— Я хочу сказать, что любовь — это лотерея, в которой выигравшему достается смерть! Поверьте мне, любезный д'Артаньян, вам очень повезло, что вы проиграли! Проигрывайте всегда — таков мой совет.

— Мне казалось, что она так любит меня!

— Это вам только казалось.

— О нет, она действительно любила меня!

— Дитя! Нет такого мужчины, который не верил бы, подобно вам, что его возлюбленная любит его, и нет такого мужчины, который бы не был обманут своей возлюбленной.

— За исключением вас, Атос: ведь у вас никогда не было возлюбленной.

— Это правда, — сказал Атос после минутной паузы, — у меня никогда не было возлюбленной. Выпьем!

— Но если так, философ, научите меня, поддержите меня — я ищу совета и утешения.

— Утешения? В чем?

— В своем несчастье.

— Ваше несчастье просто смешно, — сказал Атос, пожимая плечами. — Хотел бы я знать, что бы вы сказали, если б я рассказал вам одну любовную историю!

— Случившуюся с вами?

— Или с одним из моих друзей, не все ли равно?

— Расскажите, Атос, расскажите.

— Выпьем, это будет лучше.

— Пейте и рассказывайте.

— Это действительно вполне совместимо, — сказал Атос, выпив свой стакан и снова наполнив его.

— Я слушаю, — сказал д'Артаньян.

Атос задумался, и по мере того как его задумчивость углублялась, он бледнел на глазах у д'Артаньяна. Атос был в той стадии опьянения, когда обыкновенный пьяный человек падает и засыпает. Он же словно грезил наяву. В этом сомнамбулизме опьянения было что-то пугающее.

— Вы непременно этого хотите? — спросил он.

— Я очень прошу вас, — ответил д'Артаньян.

— Хорошо, пусть будет по-вашему... Один из моих друзей... один из моих друзей, а не я, запомните хорошенько, — сказал Атос с мрачной улыбкой, — некий граф, родом из той же провинции, что и я, то есть из Берри, знатный, как Дандоло или Монморанси, влюбился, когда ему было двадцать пять лет, в шестнадцатилетнюю девушку, прелестную, как сама любовь. Сквозь свойственную ее возрасту наивность просвечивал кипучий ум, неженский ум, ум поэта. Она не просто нравилась — она опьяняла. Жила она в маленьком местечке вместе с братом, священником. Оба были пришельцами в этих краях; никто не знал, откуда они явились, но благодаря ее красоте и благочестию ее брата никому и в голову не приходило расспрашивать их об этом. Впрочем, по слухам, они были хорошего происхождения. Мой друг, владетель тех мест, мог бы легко соблазнить ее или взять силой — он был полным хозяином, да и кто стал бы вступаться за чужих, никому не известных людей! К несчастью, он был честный человек и женился на ней. Глупец, болван, осел!

— Но почему же, если он любил ее? — спросил д'Артаньян.

— Подождите, — сказал Атос. — Он увез ее в свой замок и сделал из нее первую даму во всей провинции. И надо отдать ей справедливость — она отлично справлялась со своей ролью...

— И что же? — спросил д'Артаньян.

— Что же! Однажды во время охоты, на которой графиня была вместе с мужем, — продолжал Атос тихим голосом, но очень быстро, — она упала с лошади и лишилась чувств. Граф бросился к ней на помощь, и так как платье стесняло ее, то он разрезал его кинжалом и нечаянно обнажил плечо. Угадайте, д'Артаньян, что было у нее на плече! — сказал Атос, разражаясь громким смехом.

— Откуда же я могу это знать? — возразил д'Артаньян.

— Цветок лилии, — сказал Атос. — Она была заклеймена!

И Атос залпом проглотил стакан вина, который держал в руке.

— Какой ужас! — вскричал д'Артаньян. — Этого не может быть!

— Это правда, дорогой мой. Ангел оказался демоном. Бедная девушка была воровкой.

— Что же сделал граф?

— Граф был полновластным господином на своей земле и имел право казнить и миловать своих подданных. Он совершенно разорвал платье на графине, связал ей руки за спиной и повесил ее на дереве.

— О боже, Атос! Да ведь это убийство! — вскричал д'Артаньян.

— Да, всего лишь убийство... — сказал Атос, бледный как смерть. — Но что это? Кажется, у меня кончилось вино...

И, схватив последнюю бутылку, Атос поднес горлышко к губам и выпил ее залпом, словно это был обыкновенный стакан. Потом он опустил голову на руки. Д'Артаньян в ужасе стоял перед ним.

— Это навсегда отвратило меня от красивых, поэтических и влюбленных женщин, — сказал Атос, выпрямившись и, видимо, не собираясь заканчивать притчу о графе. — Желаю и вам того же. Выпьем!

— Так она умерла? — пробормотал д'Артаньян.

— Еще бы! — сказал Атос. — Давайте же ваш стакан... Ветчины, бездельник! — крикнул он. — Мы не в состоянии больше пить!

— А ее брат? — робко спросил д'Артаньян.

— Брат? — повторил Атос.

— Да, священник.

— Ах священник! Я хотел распорядиться, чтобы и его повесили, но он предупредил меня и успел покинуть свой приход.

— И вы так и не узнали, кто был этот негодяй?

— Очевидно, первый возлюбленный красотки и ее соучастник, достойный человек, который и священником прикинулся, должно быть, только для того, чтобы выдать замуж свою любовницу и обеспечить ее судьбу. Надеюсь, что его четвертовали.

— О боже мой, боже! — произнес д'Артаньян, потрясенный страшным рассказом.

— Что же вы не едите ветчины, д'Артаньян? Она восхитительна, — сказал Атос, отрезая кусок и кладя его на тарелку молодого человека. — Какая жалость, что в погребе не было хотя бы четырех таких окороков! Я бы выпил на пятьдесят бутылок больше.

Д'Артаньян не в силах был продолжать этот разговор: он чувствовал, что сходит с ума. Он уронил голову на руки и притворился, будто спит.

— Разучилась пить молодежь, — сказал Атос, глядя на него с сожалением, — а ведь этот еще из лучших!

XXVIII

ВОЗВРАЩЕНИЕ

Д'Артаньян был потрясен страшным рассказом Атоса, однако много было еще неясно ему в этом полупризнании. Прежде всего оно было сделано человеком совершенно пьяным человеку пьяному наполовину; и тем не менее, несмотря на тот туман, который плавает в голове после двух-трех бутылок бургундского, д'Артаньян, проснувшись на следующее утро, помнил каждое слово вчерашней исповеди так отчетливо, словно эти слова, одно за другим, отпечатались в его мозгу. Неясность вселила в него лишь еще более горячее желание приобрести полную уверенность, и он отправился к своему другу с твердым намерением возобновить вчерашний разговор, но Атос уже совершенно пришел в себя, то есть был самым проницательным и самым непроницаемым в мире человеком. Впрочем, обменявшись с ним рукопожатием, мушкетер сам предупредил его мысль.

— Я был вчера сильно пьян, дорогой друг, — начал он. — Я обнаружил это сегодня утром, почувствовав, что язык еле ворочается у меня во рту и пульс все еще учащен. Готов биться об заклад, что я наговорил вам тысячу невероятных вещей!

Сказав это, он посмотрел на приятеля так пристально, что тот смутился.

— Вовсе нет, — возразил д'Артаньян. — Насколько мне помнится, вы не говорили ничего особенного.

— Вот как? Это странно. А мне казалось, что я рассказал вам одну весьма печальную историю.

И он взглянул на молодого человека так, словно хотел проникнуть в самую глубь его сердца.

— Право, — сказал д'Артаньян, — я, должно быть, был еще более пьян, чем вы: я ничего не помню.

Эти слова, однако ж, ничуть не удовлетворили Атоса, и он продолжал:

— Вы, конечно, заметили, любезный друг, что каждый бывает пьян по-своему: одни грустят, другие веселятся. Я, например, когда выпью, делаюсь печален и люблю рассказывать страшные истории, которые когда-то вбила мне в голову моя глупая кормилица. Это мой недостаток, и, признаюсь, важный недостаток. Но если отбросить его, я умею пить.

Атос говорил это таким естественным тоном, что уверенность д'Артаньяна поколебалась.

— Ах да, и в самом деле! — сказал молодой человек, пытаясь поймать снова ускользавшую от него истину. — То-то мне вспоминается, как сквозь сон, будто мы говорили о повешенных!

— Ага! Вот видите! — сказал Атос, бледнея, но силясь улыбнуться. — Так я и знал: повешенные — это мой постоянный кошмар.

— Да, да, — продолжал д'Артаньян, — теперь я начинаю припоминать... Да, речь шла... погодите минутку... речь шла о женщине.

— Так и есть, — отвечал Атос, становясь уже смертельно бледным. — Это моя излюбленная история о белокурой женщине, и, если я рассказываю ее, значит, я мертвецки пьян.

— Верно, — подтвердил д'Артаньян, — история о белокурой женщине, высокого роста, красивой, с голубыми глазами.

— Да, и притом повешенной...

— ...своим мужем, знатным господином из числа ваших знакомых, — добавил д'Артаньян, пристально глядя на Атоса.

— Ну вот видите, как легко можно набросить тень на человека, когда сам не знаешь, что говоришь! — сказал Атос, пожимая плечами и как бы сожалея о самом себе. — Решено, д'Артаньян: больше я не буду напиваться, это слишком скверная привычка.

Д'Артаньян ничего не ответил.

— Да, кстати, — сказал Атос, внезапно меняя тему разговора, — благодарю вас за лошадь, которую вы привели мне.

— Понравилась она вам? — спросил д'Артаньян.

— Да, но она не очень вынослива.

— Ошибаетесь. Я проделал на ней десять лье меньше чем за полтора часа, и у нее был после этого такой вид, словно она обскакала вокруг площади Сен-Сюльпис.

— Вот как! В таком случае я, кажется, буду раскаиваться.

— Раскаиваться?

— Да. Я сбыл ее с рук.

— Каким образом?

— Дело было так. Я проснулся сегодня в шесть часов утра, вы спали как мертвый, а я не знал, чем заняться: я еще не успел прийти в себя после вчерашней пирушки. Итак, я сошел в зал, где увидел одного из наших англичан, который торговал у барышника лошадь, так как вчера его лошадь пала. Я подошел к нему и услыхал, что он предлагает сто пистолей за темно-рыжего мерина. «Знаете что, сударь, — сказал я ему, — у меня тоже есть лошадь для продажи». — «И прекрасная лошадь, — ответил он, — если это та, которую держал вчера на поводу слуга вашего приятеля». — «Как, по-вашему, стоит она сто пистолей?» — «Стоит. А вы отдадите мне ее за эту цену?» — «Нет, но она будет ставкой в нашей игре». — «В нашей игре?» — «В кости». Сказано — сделано, и я проиграл лошадь. Зато потом я отыграл седло.

Д'Артаньян скорчил недовольную мину.

— Это вас огорчает? — спросил Атос.

— Откровенно говоря, да, — ответил д'Артаньян. — По этим лошадям нас должны были узнать в день сражения. Это был подарок, знак внимания. Вы напрасно сделали это, Атос.

— Полно, любезный друг! Поставьте себя на мое место, — возразил мушкетер, — я смертельно скучал, и потом, сказать правду, я не люблю английских лошадей. Если все дело только в том, что кто-то должен узнать нас, то, право, довольно будет и седла — оно достаточно заметное. Что до лошади, мы найдем, чем оправдать ее исчезновение. Лошади смертны, в конце концов! Допустим, что моя пала от сапа или от коросты. Могло же случиться?..

Д'Артаньян продолжал хмуриться.

— Досадно! — продолжал Атос. — Вы, как видно, очень дорожили этим животным, а ведь я не кончил своего рассказа.

— Что же вы проделали еще?

— Когда я проиграл свою лошадь — девять против десяти, каково? — мне пришло в голову поиграть на вашу.

— Я надеюсь, однако, что вы не осуществили этого намерения?

— Напротив, я привел его в исполнение немедленно.

— И что же? — вскричал обеспокоенный д'Артаньян.

— Я сыграл и проиграл ее.

— Мою лошадь?

— Вашу лошадь. Семь против восьми — из-за одного очка... Знаете пословицу?

— Атос, вы сошли с ума, клянусь вам!

— Милый д'Артаньян, надо было сказать мне это вчера, когда я рассказывал вам свои дурацкие истории, а вовсе не сегодня. Я проиграл ее вместе со всеми принадлежностями упряжи, какие только можно придумать.

— Да ведь это ужасно!

— Погодите, вы еще не все знаете. Я стал бы превосходным игроком, если бы не зарывался, но я зарываюсь так же, как и тогда, когда пью, и вот...

— Но на что же еще вы могли играть? У вас ведь ничего больше не оставалось.

— Неверно, друг мой, неверно: у нас оставался этот алмаз, который сверкает на вашем пальце и который я заметил вчера.

— Этот алмаз! — вскричал д'Артаньян, поспешно ощупывая кольцо.

— И так как у меня были когда-то свои алмазы и я знаю в них толк, то я оценил его в тысячу пистолей.

— Надеюсь, — мрачно сказал д'Артаньян, полумертвый от страха, — что вы ни словом не упомянули о моем алмазе?

— Напротив, любезный друг. Поймите, этот алмаз был теперь нашим единственным источником надежды, я мог отыграть на него нашу упряжь, лошадей и, сверх того, выиграть деньги на дорогу...

— Атос, я трепещу! — вскричал д'Артаньян.

— Итак, я сказал моему партнеру о вашем алмазе. Оказалось, что он тоже обратил на него внимание. В самом деле, мой милый, какого черта! Вы носите на пальце звезду с неба и хотите, чтобы никто ее не заметил! Это невозможно!

— Кончайте, милый друг, кончайте, — сказал д'Артаньян. — Даю слово, ваше хладнокровие убийственно!

— Итак, мы разделили этот алмаз на десять ставок, по сто пистолей каждая.

— Ах вот что! Вам угодно шутить и испытывать меня? — сказал д'Артаньян, которого гнев уже схватил за волосы, как Минерва Ахилла в «Илиаде».

— Нет, я не шучу, черт возьми! Хотел бы я посмотреть, что бы сделали вы на моем месте! Я две недели не видел человеческого лица и совсем одичал, беседуя с бутылками.

— Это еще не причина, чтобы играть на мой алмаз, — возразил д'Артаньян, судорожно сжимая руку.

— Выслушайте же конец. Десять ставок по сто пистолей каждая, за десять ходов, без права на отыгрыш. На тринадцатом ходу я проиграл все. На тринадцатом ударе — число тринадцать всегда было для меня роковым. Как раз тринадцатого июля...

— К черту! — крикнул д'Артаньян, вставая из-за стола. Сегодняшняя история заставила его забыть о вчерашней.

— Терпение, — сказал Атос. — У меня был свой план. Англичанин — чудак. Я видел утром, как он разговаривал с Гримо, и Гримо сообщил мне, что англичанин предложил ему поступить к нему в услужение. И вот я играю с ним на Гримо, на безмолвного Гримо, разделенного на десять ставок.

— Вот это ловко! — сказал д'Артаньян, невольно разражаясь смехом.

— На Гримо, самого Гримо, слышите? И вот благодаря десяти ставкам Гримо, который и весь-то не стоит одного дукатона, я отыграл алмаз. Скажите после этого, что упорство — не добродетель!

— Клянусь честью, это очень забавно! — с облегчением вскричал д'Артаньян, держась за бока от смеха.

— Вы, конечно, понимаете, что, чувствуя себя в ударе, я сейчас же снова начал играть на алмаз.

— Ах, вот что! — сказал д'Артаньян, лицо которого снова омрачилось.

— Я отыграл ваше седло, потом вашу лошадь, потом свое седло, потом свою лошадь, потом опять проиграл. Короче говоря, я снова поймал ваше седло, потом свое. Вот как обстоит дело. Это был великолепный ход, и я остановился на нем.

Д'Артаньян вздохнул так, словно у него свалился с плеч весь трактир.

— Так алмаз остается моим? — робко спросил он.

— В полном вашем распоряжении, любезный друг, и вдобавок седла наших Буцефалов.

— Да на что нам седла без лошадей?

— У меня есть на этот счет одна идея.

— Атос, вы пугаете меня!

— Послушайте, вы, кажется, давно не играли, д'Артаньян?

— И не имею ни малейшей охоты играть.

— Не зарекайтесь. Итак, говорю я, вы давно не играли, и следовательно, вам должно везти.

— Предположим! Что дальше?

— Дальше? Англичанин со своим спутником еще здесь. Я заметил, что он очень сожалеет о седлах. Вы же, по-видимому, очень дорожите своей лошадью. На вашем месте я поставил бы седло против лошади.

— Но он не согласится на одно седло.

— Поставьте оба, черт побери! Я не такой себялюбец, как вы.

— Вы бы пошли на это? — нерешительно сказал д'Артаньян, помимо воли заражаясь его уверенностью.

— Клянусь честью, на один-единственный ход.

— Но видите ли, потеряв лошадей, мне чрезвычайно важно сохранить хотя бы седла.

— В таком случае поставьте свой алмаз.

— О, это другое дело! Никогда в жизни!

— Черт возьми! — сказал Атос. — Я бы предложил вам поставить Планше, но, так как нечто подобное уже имело место, англичанин, пожалуй, не согласится.

— Знаете что, любезный Атос? — сказал д'Артаньян. — Я решительно предпочитаю ничем не рисковать.

— Жаль, — холодно сказал Атос. — Англичанин набит пистолями. О господи, да решитесь же на один ход! Один ход — это минутное дело.

— А если я проиграю?

— Вы выиграете.

— Ну а если проиграю?

— Что ж, отдадите седла.

— Ну, куда ни шло — один ход! — сказал д'Артаньян.

Атос отправился на поиски англичанина и нашел его в конюшне: тот с вожделением разглядывал седла. Случай был удобный. Атос предложил свои условия: два седла против одной лошади или ста пистолей — на выбор. Англичанин быстро подсчитал: два седла стоили вместе триста пистолей. Он охотно согласился.

Д'Артаньян, дрожа, бросил кости — выпало три очка; его бледность испугала Атоса, и он ограничился тем, что сказал:

— Неважный ход, приятель... Вы, сударь, получите лошадей с полной сбруей.

Торжествующий англичанин даже не потрудился смешать кости; его уверенность в победе была так велика, что он бросил их на стол не глядя. Д'Артаньян отвернулся, чтобы скрыть досаду.

— Вот так штука, — как всегда спокойно, проговорил Атос. — Какой необыкновенный ход! Я видел его всего четыре раза за всю мою жизнь: два очка!

Англичанин обернулся и онемел от изумления; д'Артаньян обернулся и онемел от радости.

— Да, — продолжал Атос, — всего четыре раза: один раз у господина де Креки, другой раз у меня, в моем замке в... словом, тогда, когда у меня был замок; третий раз у господина де Тревиля, когда он поразил всех нас; и, наконец, четвертый раз в кабачке, где я метал сам и проиграл тогда сто луидоров и ужин.

— Итак, господин д'Артаньян, вы берете свою лошадь обратно? — спросил англичанин.

— Разумеется, — ответил д'Артаньян.

— Значит, отыграться я не смогу?

— Мы условились не отыгрываться, припомните сами.

— Это правда, лошадь будет передана вашему слуге.

— Одну минутку, — сказал Атос. — С вашего разрешения, сударь, я хочу сказать моему приятелю несколько слов.

— Прошу вас.

Атос отвел д'Артаньяна в сторону.

— Ну, искуситель, — сказал д'Артаньян, — что еще ты хочешь? Чтобы я продолжал играть, не так ли?

— Нет, я хочу, чтобы вы подумали.

— О чем?

— Вы хотите взять обратно лошадь, так ведь?

— Разумеется.

— Вы сделаете ошибку. Я взял бы сто пистолей. Вам ведь известно, что вы ставили седла против лошади или ста пистолей — на выбор?

— Да.

— Я взял бы сто пистолей.

— Ну а я возьму лошадь.

— Повторяю: вы сделаете ошибку. Что станем мы делать с одной лошадью на двоих? Не смогу же я сидеть сзади вас — мы были бы похожи на двух сыновей Эмона, потерявших своих братьев. Вы не захотите также обидеть меня, гарцуя рядом со мной на этом великолепном боевом коне. Я не колеблясь взял бы сто пистолей. Чтобы добраться до Парижа, нам нужны деньги.

— Я дорожу этой лошадью, Атос.

— И напрасно, друг мой: лошадь может споткнуться и вывихнуть себе ногу, она может облысеть на коленях, может поесть из яслей, из которых ела сапная лошадь, и вот она пропала или, вернее, пропали сто пистолей. Хозяин должен кормить свою лошадь, в то время как сто пистолей, напротив, кормят своего хозяина.

— Но на чем мы поедем домой?

— На лошадях наших лакеев, черт побери! По нашему виду всякий и так поймет, что мы не простые люди.

— Хорош у нас будет вид на этих клячах рядом с Арамисом и Портосом, которые будут красоваться на своих скакунах!

— С Арамисом и Портосом! — вскричал Атос и расхохотался.

— В чем дело? — спросил д'Артаньян, не понимавший причины веселости своего друга.

— Нет, ничего, продолжим нашу беседу, — сказал Атос.

— Значит, по-вашему...

— Надо взять сто пистолей, д'Артаньян. На сто пистолей мы будем пировать до конца месяца. Все мы очень устали, и неплохо будет отдохнуть.

— Отдохнуть?.. О нет, Атос, немедленно по возвращении в Париж я начну отыскивать эту несчастную женщину.

— Тем более! Неужели вы думаете, что лошадь будет при этом так же полезна вам, как звонкие золотые монеты? Берите сто пистолей, друг мой, берите сто пистолей!

Д'Артаньяну недоставало лишь одного довода, чтобы сдаться. Последний показался ему очень убедительным. К тому же, продолжая упорствовать, он боялся показаться Атосу эгоистичным. Итак, он уступил и решился взять сто пистолей, которые англичанин тут же и отсчитал ему.

Теперь ничто больше не отвлекало наших друзей от мыслей об отъезде. Мировая с хозяином стоила им, помимо старой лошади Атоса, еще шесть пистолей. Д'Артаньян и Атос сели на лошадей Планше и Гримо, а слуги отправились пешком, неся седла на голове.

Как ни плохи были лошади, все же господа быстро обогнали своих лакеев и первыми прибыли в Кревкер. Еще издали они увидели Арамиса, который грустно сидел у окна и, как «сестрица Анна» в сказке, смотрел на клубы пыли, застилавшей горизонт.

— Эй, Арамис! Какого черта вы тут торчите? — крикнули оба друга.

— Ах это вы, д'Артаньян... это вы, Атос — сказал молодой человек. — Я размышлял о том, как преходящи блага этого мира, и моя английская лошадь, которая только что исчезла в облаке пыли, явилась для меня живым прообразом недолговечности всего земного. Вся наша жизнь может быть выражена тремя словами: erat, est, fuit*.

— Иначе говоря? — спросил д'Артаньян, уже заподозривший истину.

— Иначе говоря, меня одурачили. Шестьдесят луидоров за лошадь, которая, судя по ее ходу, может рысью проделать пять лье в час!

Д'Артаньян и Атос покатились со смеху.

— Прошу вас, не сердитесь на меня, милый д'Артаньян, — сказал Арамис. — Нужда не знает закона. К тому же я сам пострадал больше всех, потому что этот бессовестный барышник украл у меня по меньшей мере пятьдесят луидоров. Вот вы бережливые хозяева! Сами едете на лошадях лакеев, а своих прекрасных скакунов приказали вести на поводу, потихоньку, небольшими переходами.

В эту минуту какой-то фургон, за несколько мгновений до того появившийся на Амьенской дороге, остановился у трактира, и из него вылезли Планше и Гримо, с седлами на голове. Фургон возвращался в Париж порожняком, и лакеи взялись вместо платы за провоз поить возчика всю дорогу.

— Как так? — удивился Арамис, увидев их. — Одни седла?

— Теперь понимаете? — спросил Атос.

---

* Было, есть, будет (*лат.*).

— Друзья мои, вы поступили точно так же, как я. Я тоже сохранил седло, сам не знаю почему... Эй, Базен! Возьмите мое новое седло и положите рядом с седлами этих господ.

— А как вы разделались со своими священниками? — спросил д'Артаньян.

— На следующий день я пригласил их к обеду — здесь, между прочим, есть отличное вино — и так напоил их, что кюре запретил мне расставаться с военным мундиром, а иезуит попросил похлопотать, чтобы его приняли в мушкетеры.

— Но только без диссертации! — вскричал д'Артаньян. — Без диссертации! Я требую отмены диссертации!

— С тех пор, — продолжал Арамис, — моя жизнь протекает очень приятно. Я начал писать поэму односложными стихами. Это довольно трудно, но главное достоинство всякой вещи состоит именно в ее трудности. Содержание любовное. Я прочту вам первую песнь, в ней четыреста стихов, и читается она в одну минуту.

— Знаете что, милый Арамис? — сказал д'Артаньян, ненавидевший стихи почти так же сильно, как латынь. — Добавьте к достоинству трудности достоинство краткости, и вы сможете быть уверены в том, что ваша поэма будет иметь никак не менее двух достоинств.

— Кроме того, — продолжал Арамис, — она дышит благородными страстями, вы сами убедитесь в этом... Итак, друзья мои, мы, стало быть, возвращаемся в Париж? Браво! Я готов! Мы снова увидим нашего славного Портоса. Я рад! Вы не можете себе представить, как мне недоставало этого простодушного великана! Вот этот не продаст своей лошади, хотя бы ему предложили за нее целое царство! Хотел бы я поскорей взглянуть, как он красуется на своем скакуне, да еще в новом седле. Он будет похож на Великого Могола, я уверен...

Друзья сделали часовой привал, чтобы дать передохнуть лошадям. Арамис расплатился с хозяином, посадил Базена в фургон к его товарищам, и все отправились в путь — за Портосом.

Он был уже здоров, не так бледен, как во время первого посещения д'Артаньяна, и сидел за столом, на котором стоял обед на четыре персоны, хотя Портос был один; обед состоял из отлично приготовленных мясных блюд, отборных вин и великолепных фруктов.

— Добро пожаловать, господа! — сказал Портос, поднимаясь с места. — Вы приехали как раз вовремя. Я только что сел за стол, и вы пообедаете со мной.

— Ого! — произнес д'Артаньян. — Кажется, эти бутылки не из тех, что Мушкетон ловил своим лассо. А вот и телятина, вот филе...

— Я подкрепляюсь... — сказал Портос, — я, знаете ли, подкрепляюсь. Ничто так не изнуряет, как эти проклятые вывихи. Вам когда-нибудь случалось вывихнуть ногу, Атос?

— Нет, но помнится, в нашей стычке на улице Феру я был ранен шпагой, и через две — две с половиной недели после этой раны чувствовал себя точно так же, как вы.

— Однако этот обед предназначался, кажется, не только для вас, любезный Портос? — спросил Арамис.

— Нет, — сказал Портос, — я ждал нескольких дворян, живущих по соседству, но они только что прислали сказать, что не будут. Вы замените их, и я ничего не потеряю от этой замены... Эй, Мушкетон! Подай стулья и удвой количество бутылок.

— Знаете ли вы, что мы сейчас едим? — спросил Атос спустя несколько минут.

— Еще бы не знать! — сказал д'Артаньян. — Что до меня, я ем шпигованную телятину с артишоками и мозгами.

— А я — баранье филе, — сказал Портос.

— А я — куриную грудинку, — сказал Арамис.

— Все вы ошибаетесь, господа, — серьезно возразил Атос, — вы едите конину.

— Полноте! — сказал д'Артаньян.

— Конину! — повторил Арамис с гримасой отвращения. Один Портос промолчал.

— Да, конину... Правда, Портос, ведь мы едим конину? Да еще, может быть, вместе с седлом?

— Нет, господа, я сохранил упряжь, — сказал Портос.

— Право, все мы хороши! — сказал Арамис. — Точно сговорились.

— Что делать? — воскликнул Портос. — Эта лошадь вызывала чувство неловкости у моих гостей, и мне не хотелось унижать их.

— К тому же ваша герцогиня все еще на водах, не так ли? — спросил д'Артаньян.

— Все еще, — ответил Портос. — И потом, знаете ли, моя лошадь так понравилась губернатору провинции — это один из тех господ, которых я ждал сегодня к обеду, — что я отдал ее ему.

— Отдал! — вскричал д'Артаньян.

— О господи! Ну да, именно отдал, — сказал Портос, — потому что она, бесспорно, стоила сто пятьдесят луидоров, а этот скряга не согласился заплатить мне за нее больше восьмидесяти.

— Без седла? — спросил Арамис.

— Да, без седла.

— Заметьте, господа, — сказал Атос, — что Портос, как всегда, обделал дело выгоднее всех нас.

Раздались громкие взрывы хохота, совсем смутившие бедного Портоса, но ему объяснили причину этого веселья, и он присоединился к нему, как всегда, шумно.

— Так что все мы при деньгах? — спросил д'Артаньян.

— Только не я, — возразил Атос. — Мне так понравилось испанское вино Арамиса, что я велел погрузить в фургон наших слуг бутылок шестьдесят, и это сильно облегчило мой кошелек.

— А я... — сказал Арамис, — вообразите только, я все до последнего су отдал на церковь Мондидье и на Амьенский монастырь и, помимо уплаты кое-каких неотложных долгов, заказал обедни, которые будут служить по мне и по вас, господа, и которые, я уверен, пойдут всем нам на пользу.

— А мой вывих? — сказал Портос. — Вы думаете, он ничего мне не стоил? Не говоря уже о ране Мушкетона, из-за которой мне пришлось приглашать лекаря по два раза в день, причем он брал у меня двойную плату под тем предлогом, что этого болвана Мушкетона угораздило получить пулю в такое место, какое обычно показывают только аптекарям. Я предупредил его, чтобы впредь он остерегался подобных ран.

— Ну что ж, — сказал Атос, переглянувшись с д'Артаньяном и Арамисом, — я вижу, вы великодушно обошлись с бедным малым; так и подобает доброму господину.

— Короче говоря, — продолжал Портос, — после того как я оплачу все издержки, у меня останется еще около тридцати экю.

— А у меня с десяток пистолей, — сказал Арамис.

— Так, видно, мы крезы по сравнению с вами, — сказал Атос. — Сколько у вас осталось от ваших ста пистолей, д'Артаньян?

— От ста пистолей? Прежде всего пятьдесят из них я отдал вам.

— Разве?

— Черт возьми!

— Ах да, вспомнил! Совершенно верно.

— Шесть я уплатил трактирщику.

— Что за скотина этот трактирщик! Зачем вы дали ему шесть пистолей?

— Да ведь вы сами сказали, чтобы я дал их ему.

— Ваша правда, я слишком добр. Короче говоря — остаток?

— Двадцать пять пистолей, — сказал д'Артаньян.

— А у меня, — сказал Атос, вынимая из кармана какую-то мелочь, — у меня...

— У вас — ничего...

— Действительно, так мало, что не стоит даже присоединять это к общей сумме.

— Теперь давайте сочтем, сколько у нас всего. Портос?

— Тридцать экю.

— Арамис?

— Десять пистолей.

— У вас, д'Артаньян?

— Двадцать пять.

— Сколько это всего? — спросил Атос.

— Четыреста семьдесят пять ливров! — сказал д'Артаньян, считавший, как Архимед.

— По приезде в Париж у нас останется еще добрых четыреста ливров, — сказал Портос, — не считая седел.

— А как же быть с эскадронными лошадьми? — спросил Арамис.

— Что ж! Четыре лошади наших слуг мы превратим в две для хозяев и разыграем их. Четыреста ливров пойдут на пол-лошади для одного из тех, кто останется пешим, затем мы вывернем карманы и все остатки отдадим д'Артаньяну: у него легкая рука, и он пойдет играть на них в первый попавшийся игорный дом. Вот и все.

— Давайте же обедать, — сказал Портос, — все стынет.

И, успокоившись таким образом относительно будущего, четыре друга отдали честь обеду, остатки которого получили гг. Мушкетон, Базен, Планше и Гримо.

В Париже д'Артаньяна ждало письмо от г-на де Тревиля, извещавшее, что его просьба удовлетворена и король милостиво разрешает ему вступить в ряды мушкетеров.

Так как это было все, о чем д'Артаньян мечтал, не говоря, конечно, о желании найти г-жу Бонасье, он в восторге помчался к своим друзьям, которых покинул всего полчаса назад, и застал их весьма печальными и озабоченными. Они собрались на совет у Атоса, что всегда служило признаком известной серьезности положения.

Господин де Тревиль только что известил их, что ввиду твердого намерения его величества начать военные действия первого мая им надлежит немедля приобрести все принадлежности экипировки.

Четыре философа смотрели друг на друга в полной растерянности: г-н де Тревиль не любил шутить, когда речь шла о дисциплине.

— А во сколько вы оцениваете эту экипировку? — спросил д'Артаньян.

— О, дело плохо! — сказал Арамис. — Мы только что сделали подсчет, причем были невзыскательны, как спартанцы, и все же каждому из нас необходимо иметь по меньшей мере полторы тысячи ливров.

— Полторы тысячи, помноженные на четыре, — это шесть тысяч ливров, — сказал Атос.

— Мне кажется, — сказал д'Артаньян, — что если у нас будет тысяча ливров на каждого... правда, я считаю не как спартанец, а как стряпчий...

При слове «стряпчий» Портос заметно оживился.

— Вот что: у меня есть один план! — сказал он.

— Это уже кое-что. Зато у меня нет и тени плана, — холодно ответил Атос. — Что же касается д'Артаньяна, господа, то счастье вступить в наши ряды лишило его рассудка. Тысяча ливров! Заверяю вас, что мне одному необходимо две тысячи.

— Четырежды два — восемь, — отозвался Арамис. — Итак, нам требуется на нашу экипировку восемь тысяч. Правда, у нас уже есть седла...

— И сверх того... — сказал Атос, подождав, пока д'Артаньян, который пошел поблагодарить г-на де Тревиля, закроет за собой дверь, — и сверх того прекрасный алмаз, сверкающий на пальце нашего друга. Что за черт! Д'Артаньян слишком хороший товарищ, чтобы оставить своих собратьев в затруднительном положении, когда он носит на пальце такое сокровище!

XXIX

ПОГОНЯ ЗА СНАРЯЖЕНИЕМ

Само собой разумеется, что из всех четырех друзей д'Артаньян был озабочен больше всех, хотя ему как гвардейцу было гораздо легче экипироваться, чем господам мушкетерам, людям знатного происхождения; однако наш юный гасконец, отличавшийся, как мог заметить читатель, предусмотрительностью и почти скупостью, был в то же время (как объяснить подобное противоречие?) чуть ли не более тщеславен, чем сам Портос. Правда, помимо забот об удовлетворении своего тщеславия, д'Артаньян испытывал в это время и другую тревогу, менее себялюбивого свойства. Несмотря на все справки, которые он наводил о г-же Бонасье, ему ничего не удалось узнать.

Господин де Тревиль рассказал о ней королеве; королева не знала, где находится молодая супруга галантерейщика, и обещала начать поиски, но это обещание было весьма неопределенно и ничуть не успокаивало д'Артаньяна.

Атос не выходил из своей комнаты; он решил, что шагу не сделает для того, чтобы раздобыть снаряжение.

— Нам остается две недели, — говорил он друзьям. — Что ж, если к концу этих двух недель я ничего не найду или, вернее, если ничто не найдет меня, то я, как добрый католик, не желающий пустить себе пулю в лоб, затею ссору с четырьмя гвардейцами его высокопреосвященства или с восемью англичанами и буду драться до тех пор, пока один из них не убьет меня, что, принимая во внимание их численность, совершенно неизбежно. Тогда люди скажут, что я умер за короля, и, следовательно, я исполню свой долг и без надобности в экипировке.

Портос продолжал ходить по комнате, заложив руки за спину, и, покачивая головой, повторял:

— Я осуществлю свой план.

Арамис, мрачный и небрежно завитый, молчал.

Все эти зловещие признаки ясно говорили о том, что в компании друзей царило полное уныние.

Слуги, со своей стороны, подобно боевым коням Ипполита, разделяли печальную участь своих господ. Мушкетон сушил сухари; Базен, всегда отличавшийся склонностью к благочестию, не выходил из церкви; Планше считал мух; а Гримо, которого даже общее уныние не могло заставить нарушить молчание, предписанное ему его господином, вздыхал так, что способен был разжалобить камень.

Трое друзей — ибо, как мы сказали выше, Атос поклялся, что не сделает ни шагу ради экипировки, — итак, трое друзей выходили из дома рано утром и возвращались очень поздно. Они слонялись по улицам, разглядывали каждый булыжник на мостовой, словно искали, не обронил ли кто-нибудь из прохожих свой кошелек. Казалось, они выслеживают кого-то — так внимательно смотрели они на все, что попадалось им на глаза. А встречаясь, они обменивались полными отчаяния взглядами, выражавшими: «Ну? Ты ничего не нашел?»

Однако же Портос, который первый набрел на какой-то план и продолжал настойчиво думать о нем, первый начал приводить его в исполнение. Он был энергичным человеком, наш достойный Портос. Д'Артаньян, заметив однажды, что Портос направляется к церкви Сен-Ле, пошел за ним следом, словно движимый каким-то чутьем. Перед тем как войти в святую обитель, Портос закрутил усы и пригладил эспаньолку, что всегда означало у него самые воинственные намерения. Д'Артаньян, стараясь не попадаться ему на глаза, вошел вслед за ним. Портос прислонился к колонне. Д'Артаньян, все еще не замеченный им, прислонился к той же колонне с другой стороны.

Священник как раз читал проповедь, и в церкви было полно народу. Воспользовавшись этим обстоятельством, Портос стал украдкой разглядывать женщин. Благодаря стараниям Мушкетона внешность мушкетера отнюдь не выдавала уныния, царившего в его душе; правда, шляпа его была немного потерта, перо немного полиняло, шитье немного потускнело, кружева сильно расползлись, но в полумраке все эти мелочи скрадывались, и Портос был все тем же красавцем Портосом.

На скамье, находившейся ближе всех от колонны, к которой прислонились д'Артаньян и Портос, д'Артаньян заметил некую перезрелую красотку в черном головном уборе, чуть желтую, чуть костлявую, но державшуюся прямо и высокомерно. Взор Портоса украдкой останавливался на этой даме, потом убегал дальше, в глубь церкви.

Со своей стороны, и дама, то и дело красневшая, бросала быстрые, как молния, взгляды на ветреного Портоса, глаза которого тут же с усиленным рвением начинали блуждать по церкви. Очевидно было, что этот маневр задевал за живое даму в черном уборе; она до крови кусала губы, почесывала кончик носа и отчаянно вертелась на скамейке.

Заметив это, Портос снова закрутил усы, еще раз погладил эспаньолку и начал подавать знаки красивой даме, сидевшей близ клироса, даме, которая, видимо, была не только красива, но и знатна, ибо позади нее стояли негритенок, принесший ее подушку для коленопреклонений, и служанка, державшая мешочек с вышитым гербом, служивший футляром для молитвенника, по которому дама читала молитвы.

Дама в черном уборе проследила направление взглядов Портоса и увидела, что эти взгляды неизменно останавливаются на даме с бархатной подушкой, негритенком и служанкой.

Между тем Портос вел искусную игру: он подмигивал, прикладывал пальцы к губам, посылал убийственные улыбки, в самом деле убивавшие отвергнутую красотку.

Наконец, ударив себя в грудь, словно произнося «mea culpa»*, она издала такое громкое «гм!», что все, даже и дама с красной подушкой, обернулись в ее сторону. Портос выдержал характер: он все понял, но притворился глухим.

Дама с красной подушкой действительно была очень хороша собой и произвела сильное впечатление на даму в черном уборе, которая увидела в ней поистине опасную соперницу, на Портоса, который нашел, что она гораздо красивее дамы в черном, и на д'Артаньяна. Последний узнал в ней ту самую даму, виденную им в Менге, Кале и Дувре, которую его преследователь, человек со шрамом, называл миледи.

Не теряя из виду даму с красной подушкой, д'Артаньян продолжал следить за маневрами Портоса, очень забавлявшими его; он решил, что дама в черном уборе и есть прокурорша с Медвежьей улицы, тем более что церковь Сен-Ле находилась не особенно далеко оттуда.

Сделав дальнейшие выводы, он угадал, кроме того, что Портос пытается отомстить прокурорше за свое поражение в Шантильи, когда она проявляла такое упорство в отношении своего кошелька.

Однако д'Артаньян заметил также, что никто, решительно никто не отвечал на любезности Портоса. Все это были лишь химеры и иллюзии, но разве для истинной любви, для подлин-

---

* Моя вина (лат.).

ной ревности существует иная действительность, кроме иллюзий и химер!

Проповедь окончилась. Прокурорша направилась к чаше со святой водой; Портос опередил ее и, вместо того чтобы окунуть палец, погрузил в чашу всю руку. Прокурорша улыбнулась, думая, что Портос старается для нее, но ее ждало неожиданное и жестокое разочарование: когда она была от него не более чем в трех шагах, он отвернулся и устремил взгляд на даму с красной подушкой, которая встала с места и теперь приближалась в сопровождении негритенка и горничной.

Когда дама с красной подушкой оказалась рядом с Портосом, он вынул из чаши руку, окропленную святой водой; прекрасная богомолка коснулась своей тонкой ручкой огромной руки Портоса, улыбнулась, перекрестилась и вышла из церкви.

Это было слишком; прокурорша больше не сомневалась, что между этой дамой и Портосом существует любовная связь. Будь она знатной дамой, она лишилась бы чувств, но она была всего только прокуроршей и удовольствовалась тем, что сказала мушкетеру, сдерживая ярость:

— Ах вот как, господин Портос! Значит, мне вы уже не предлагаете святой воды?

При звуке ее голоса Портос вздрогнул, словно человек, пробудившийся от столетнего сна.

— Су... сударыня! — вскричал он. — Вы ли это? Как поживает ваш супруг, милейший господин Кокнар? Что он — все такой же скряга, как прежде? Где это были мои глаза? Как я мог не заметить вас за те два часа, что длилась проповедь?

— Я сидела в двух шагах от вас, сударь, — ответила прокурорша, — но вы не заметили меня, так как не сводили глаз с красивой дамы, которой только что подали святую воду.

Портос притворился смущенным.

— Ах вот что... — сказал он. — Вы видели...

— Надо быть слепой, чтобы не видеть.

— Да, — небрежно сказал Портос, — это одна герцогиня, моя приятельница. Нам очень трудно встречаться из-за ревности ее мужа, и вот она дала мне знать, что придет сегодня в эту жалкую церковь, в эту глушь, затем только, чтобы повидаться со мной.

— Господин Портос, — сказала прокурорша, — не будете ли вы так любезны предложить мне руку на пять минут? Мне хотелось бы поговорить с вами.

— Охотно, сударыня, — ответил Портос, незаметно подмигнув самому себе, точно игрок, который посмеивается, собираясь сделать ловкий ход.

В эту минуту мимо них прошел д'Артаньян, следовавший за миледи: он оглянулся на Портоса и заметил его торжествующий взгляд.

«Эге! — подумал он про себя, делая вывод, находившийся в полном соответствии с легкими нравами этой легкомысленной эпохи. — Уж кто-кто, а Портос непременно будет экипирован к назначенному сроку!»

Повинуясь нажиму руки своей прокурорши, как лодка рулю, Портос дошел до двора монастыря Сен-Маглуар, уединенного места, загороженного турникетами с обеих сторон. Днем там можно было видеть лишь нищих, которые что-то жевали, да играющих детей.

— Ах господин Портос! — вскричала прокурорша, убедившись, что никто, кроме постоянных посетителей этого уголка, не может видеть и слышать их. — Ах, господин Портос, вы, должно быть, ужасный сердцеед!

— Я, сударыня? — спросил Портос, выпячивая грудь. — Почему вы так думаете?

— А знаки, которые вы делали только что, а святая вода? Кто же такая эта дама с негритенком и горничной? По меньшей мере принцесса!

— Ошибаетесь, — ответил Портос. — Это всего лишь герцогиня.

— А скороход, ожидавший ее у выхода, а карета с кучером в парадной ливрее, поджидавшим ее на козлах?

Портос не заметил ни лакея, ни кареты, но г-жа Кокнар ревнивым женским взглядом разглядела все.

Портос пожалел, что сразу не произвел даму с красной подушкой в принцессы.

— Ах, господин Портос, — со вздохом продолжала прокурорша, — вы баловень красивых женщин!

— Вы сами понимаете, — ответил Портос, — что при такой наружности, какой меня одарила природа, у меня нет недостатка в любовных приключениях.

— О боже! Как забывчивы мужчины! — вскричала прокурорша, поднимая глаза к небу.

— И все же не так забывчивы, как женщины, — отвечал Портос. — Вот я... я смело могу сказать, что был вашей жертвой, сударыня, когда, раненный, умирающий, был покинут лекарями, когда я, отпрыск знатного рода, поверивший в вашу дружбу, едва не умер — сначала от ран, а потом от голода в убогой гостинице в Шантильи, между тем как вы не удостоили меня ответом ни на одно из пламенных писем, которые я писал вам...

— Послушайте, господин Портос... — пробормотала прокурорша, чувствуя, что по сравнению с тем, как вели себя в то время самые знатные дамы, она действительно была виновата.

— Я, пожертвовавший ради вас баронессой де...

— Я знаю это.

— ...графиней де...

— О господин Портос, пощадите меня!

— ...герцогиней де...

— Господин Портос, будьте великодушны!

— Хорошо, сударыня, я умолкаю.

— Но ведь мой муж не хочет и слышать о ссуде.

— Госпожа Кокнар, — сказал Портос, — припомните первое письмо, которое вы мне написали и которое навсегда запечатлелось в моей памяти.

Прокурорша испустила глубокий вздох:

— Дело в том, что сумма, которую вы просили ссудить вам, право же, была слишком велика.

— Госпожа Кокнар, я отдал предпочтение вам. Стоило мне написать герцогине де... Я не назову ее имени, потому что всегда забочусь о репутации женщины. Словом, стоило мне написать ей, и она тотчас прислала бы мне полторы тысячи.

Прокурорша пролила слезу.

— Господин Портос, — сказала она, — клянусь вам, что я жестоко наказана и что, если в будущем вы окажетесь в таком положении, вам стоит только обратиться ко мне!

— Как вам не стыдно, сударыня! — сказал Портос с притворным негодованием. — Прошу вас, не будем говорить о деньгах, это унизительно.

— Итак, вы больше не любите меня... — медленно и печально произнесла прокурорша.

Портос хранил величественное молчание.

— Увы, это ваш ответ, я понимаю его.

— Вспомните об оскорблении, которое вы нанесли мне, сударыня. Оно похоронено здесь, — сказал Портос, с силой прижимая руку к сердцу.

— Поверьте, я заглажу его, милый Портос!

— И о чем же я просил вас? — продолжал Портос, пожимая плечами с самым простодушным видом. — О займе, всего лишь о займе. В конце концов, я ведь не безрассуден, я знаю, что вы небогаты и что ваш муж выжимает из своих бедных истцов их последние жалкие экю. Другое дело, если бы вы были графиней, маркизой или герцогиней — о, тогда ваш поступок был бы совершенно непростителен!

Прокурорша обиделась.

— Знайте, господин Портос, — возразила она, — что мой денежный сундук, хоть это всего лишь сундук прокурорши, быть может, набит гораздо туже, чем сундуки всех ваших разорившихся жеманниц!

— В таком случае, госпожа Кокнар, вы вдвойне оскорбили меня, — сказал Портос, высвободив свою руку из руки прокурорши, — ибо если вы богаты, то ваш отказ не имеет никакого оправдания.

— Когда я говорю «богата», не следует понимать мои слова буквально, — спохватилась прокурорша, видя, что слишком далеко зашла в пылу увлечения. — Я не то чтобы богата, но у меня есть средства.

— Вот что, сударыня, — сказал Портос, — прекратим этот разговор, прошу вас. Вы отреклись от меня! Всякая дружба между нами кончена!

— Неблагодарный!

— Ах, вы же еще и недовольны! — сказал Портос.

— Идите к вашей прекрасной герцогине! Я больше не держу вас.

— Что ж, она, по-моему, очень недурна!

— Послушайте, господин Портос, в последний раз: вы еще любите меня?

— Увы, сударыня, — сказал Портос самым печальным тоном, на какой он был способен, — когда мы выступим в поход, в котором, если верить моим предчувствиям, я буду убит...

— О, не говорите таких вещей! — вскричала прокурорша, разражаясь рыданиями.

— Что-то предсказывает мне это, — продолжал Портос, становясь все печальнее и печальнее.

— Скажите лучше, что у вас новое любовное приключение.

— Нет, нет, я говорю искренне! Никакой новый предмет не интересует меня, и больше того — я чувствую, что здесь, в глубине моего сердца, меня все еще влечет к вам. Но как вам известно — а может быть, и неизвестно, — через две недели мы выступаем в этот роковой поход, и я буду страшно занят своей экипировкой. Придется мне съездить к моим родным, в глубь Бретани, чтобы достать необходимую сумму... — Портос наблюдал последний поединок между любовью и скупостью. — И так как поместья герцогини, которую вы только что видели в церкви, — продолжал он, — расположены рядом с моими, то мы поедем вместе. Вы сами знаете, что путь всегда кажется гораздо короче, когда путешествуешь вдвоем.

— У вас, значит, нет друзей в Париже, господин Портос? — спросила прокурорша.

— Я думал, что есть, — ответил Портос, опять принимая грустный вид, — но теперь понял, что ошибался.

— У вас есть, есть друзья, господин Портос! — вскричала прокурорша, сама удивляясь своему порыву. — Приходите завтра к нам в дом. Вы — сын моей тетки и, следовательно, мой кузен. Вы приехали из Нуайона, из Пикардии. У вас в Париже несколько тяжб и нет стряпчего. Вы запомните все это?

— Отлично, запомню, сударыня.

— Приходите к обеду.

— Прекрасно!

— И смотрите не проболтайтесь, потому что мой муж очень проницателен, несмотря на свои семьдесят шесть лет.

— Семьдесят шесть лет! Черт возьми, отличный возраст! — сказал Портос.

— Вы хотите сказать: «преклонный возраст». Да, господин Портос, мой бедный муж может с минуты на минуту оставить меня вдовой, — продолжала прокурорша, бросая на Портоса многозначительный взгляд. — К счастью, согласно нашему брачному договору, все имущество переходит к пережившему супругу.

— Полностью? — спросил Портос.

— Полностью.

— Вы, я вижу, предусмотрительная женщина, милая госпожа Кокнар! — сказал Портос, нежно пожимая руку прокурорши.

— Так мы помирились, милый господин Портос? — спросила она, жеманясь.

— На всю жизнь! — ответил Портос в том же тоне.

— Итак, до свидания, мой изменник!

— До свидания, моя ветреница!

— До завтра, мой ангел!

— До завтра, свет моей жизни!

XXX

МИЛЕДИ

Д'Артаньян незаметно последовал за миледи; он видел, как она села в карету, и слышал, как она приказала кучеру ехать в Сен-Жермен.

Бесполезно было бы пытаться пешком преследовать карету, уносимую парой сильных лошадей. Поэтому д'Артаньян отправился на улицу Феру.

На улице Сены он встретил Планше; тот стоял перед витриной кондитерской, с восторгом разглядывая сдобную булку самого аппетитного вида.

Д'Артаньян приказал ему оседлать двух лошадей из конюшни г-на де Тревиля — одну для него, д'Артаньяна, другую для самого Планше — и заехать за ним к Атосу. Г-н де Тревиль раз навсегда предоставил свои конюшни к услугам д'Артаньяна.

Планше направился на улицу Старой Голубятни, а д'Артаньян — на улицу Феру. Атос сидел дома и печально допивал одну из бутылок того отличного испанского вина, которое он привез с собой из Пикардии. Он знаком приказал Гримо принести стакан для д'Артаньяна, и Гримо повиновался молча, как обычно.

Д'Артаньян рассказал Атосу все, что произошло в церкви между Портосом и прокуроршей, и высказал предположение, что их товарищ находится на пути к приобретению экипировки.

— Что до меня, — сказал на это Атос, — то я совершенно спокоен: уж конечно, не женщины возьмут на себя расходы по моему снаряжению.

— А между тем, любезный Атос, ваша красота, благовоспитанность, знатное происхождение могли бы ранить стрелой амура любую принцессу или королеву.

— Как еще молод этот д'Артаньян! — сказал Атос, пожимая плечами.

И он знаком приказал Гримо принести другую бутылку.

В эту минуту Планше скромно просунул голову в полуоткрытую дверь и сообщил своему господину, что лошади готовы.

— Какие лошади? — спросил Атос.

— Две лошади, которые господин де Тревиль одолжил мне для прогулки и на которых я собираюсь съездить в Сен-Жермен.

— А что вы будете делать в Сен-Жермене? — снова спросил Атос.

Тут д'Артаньян рассказал ему о встрече в церкви и о том, как он снова нашел ту женщину, которая, подобно человеку в черном плаще и со шрамом у виска, постоянно занимала его мысли.

— Другими словами, вы влюблены в эту женщину, как прежде были влюблены в госпожу Бонасье, — сказал Атос и презрительно пожал плечами, как бы сожалея о человеческой слабости.

— Я? Ничуть не бывало! — вскричал д'Артаньян. — Просто мне любопытно раскрыть тайну, которая с ней связана. Не знаю почему, но мне кажется, что эта женщина, которая совершенно мне неизвестна, точно так же как я неизвестен ей, имеет какое-то влияние на мою жизнь.

— В сущности говоря, вы правы, — сказал Атос. — Я не знаю женщины, которая стоила бы того, чтобы ее разыскивать, если она исчезла. Госпожа Бонасье исчезла — тем хуже для нее, пусть она найдется.

— Нет, Атос, вы ошибаетесь, — возразил д'Артаньян. — Я люблю мою бедную Констанцию больше чем когда-либо, и если бы я знал, где она, будь это хоть на краю света, я пошел бы и освободил ее из рук врагов! Но я не знаю этого — ведь все мои поиски оказались напрасными. Что поделаешь, приходится развлекаться!

— Ну-ну, развлекайтесь с миледи, милый д'Артаньян! Желаю вам этого от всего сердца, если это может вас позабавить.

— Послушайте, Атос, — предложил д'Артаньян, — вместо того чтобы торчать тут, точно под арестом, садитесь-ка на лошадь, и давайте прокатимся со мной в Сен-Жермен.

— Дорогой мой, — возразил Атос, — я езжу верхом, когда у меня есть лошади, а когда у меня их нет, хожу пешком.

— Ну а я, — ответил д'Артаньян, улыбаясь нетерпимости Атоса, которая у всякого другого, бесспорно, обидела бы его, — я не так горд, как вы, и езжу на чем придется. До свидания, любезный Атос!

— До свидания, — сказал мушкетер, делая Гримо знак откупорить принесенную бутылку.

Д'Артаньян и Планше сели на лошадей и отправились в Сен-Жермен.

Всю дорогу слова Атоса о г-же Бонасье не выходили у д'Артаньяна из головы. Молодой человек не отличался особой чувствительностью, но хорошенькая супруга галантерейщика оставила глубокий след в его сердце: чтобы отыскать ее, он действительно готов был отправиться на край света, но земля — шар, у нее много краев, и он не знал, в какую сторону ему ехать.

А пока что он хотел попытаться узнать, кто была эта миледи. Миледи разговаривала с человеком в черном плаще — следовательно, она его знала. Между тем у д'Артаньяна сложилось убеждение, что именно человек в черном плаще похитил г-жу Бонасье и во второй раз, так же как он похитил ее в первый. Итак, говоря себе, что поиски миледи — это в то же время и поиски Констанции, д'Артаньян лгал лишь наполовину, а это уже почти совсем не ложь.

Думая обо всем этом и время от времени пришпоривая лошадь, д'Артаньян незаметно проделал нужное расстояние и приехал в Сен-Жермен. Миновав павильон, в котором десятью годами позже суждено было увидеть свет Людовику XIV, он ехал по пустынной улице, поглядывая вправо и влево и надеясь найти какие-нибудь следы прекрасной англичанки, как вдруг на украшенной цветами терраске, примыкавшей к нижнему этажу приветливого домика, в котором, по обычаю того времени, не было ни одного окна на улицу, он увидел какого-то человека, прогуливающегося взад и вперед. Планше узнал его первый.

— Сударь, — сказал он, — знаете ли вы этого малого? Вот этого, что глазеет на нас, разиня рот?

— Нет, — сказал д'Артаньян, — но я уверен, что вижу эту физиономию не в первый раз.

— Еще бы! — сказал Планше. — Да ведь это бедняга Любен, лакей графа де Варда, того самого, которого вы так славно отделали месяц назад в Кале, по дороге к начальнику порта.

— Ах да, — сказал д'Артаньян, — теперь и я узнал его. А как ты думаешь, он тебя узнает?

— Право, сударь, он был так напуган, что вряд ли мог отчетливо меня запомнить.

— Если так, подойди и побеседуй с ним, — сказал д'Артаньян, — и в разговоре выведай у него, умер ли его господин.

Планше спрыгнул с лошади, подошел прямо к Любену, который действительно не узнал его, и оба лакея разговорились, очень быстро найдя точки соприкосновения. Д'Артаньян между тем повернул лошадей в переулок, объехал вокруг дома и спрятался за кустами орешника, желая присутствовать при беседе.

Понаблюдав с минуту из-за изгороди, он услышал шум колес, и напротив него остановилась карета, принадлежавшая миледи. Сомнения не было: в карете сидела сама миледи.

Д'Артаньян пригнулся к шее лошади, чтобы видеть все, не будучи увиденным.

Прелестная белокурая головка миледи выглянула из окна кареты, и молодая женщина отдала какое-то приказание горничной.

Горничная, хорошенькая девушка лет двадцати — двадцати двух, живая и проворная, настоящая субретка знатной дамы, соскочила с подножки, где она сидела, по обычаю того времени, и направилась к террасе, на которой д'Артаньян заметил Любена.

Д'Артаньян проследил взглядом за субреткой и увидел, что она идет к террасе. Но случилось так, что за минуту до этого кто-то изнутри окликнул Любена, и на террасе остался один Планше, который осматривался по сторонам, пытаясь угадать, куда исчез его хозяин.

Горничная подошла к Планше и, приняв его за Любена, протянула ему записку.

— Вашему господину, — сказала она.

— Моему господину? — с удивлением повторил Планше.

— Да, и по очень спешному делу. Берите же скорее.

С этими словами она подбежала к карете, успевшей повернуть обратно, вскочила на подножку, и карета укатила.

Планше повертел записку в руках, потом, верный привычке повиноваться без рассуждений, соскочил с террасы, завернул в переулок и, пройдя шагов двадцать, столкнулся с д'Артаньяном, который все видел и ехал теперь ему навстречу.

— Вам, сударь, — сказал Планше, подавая записку молодому человеку.

— Мне? — спросил д'Артаньян. — Ты уверен?

— Черт возьми, уверен ли я! Служанка сказала: «Твоему господину». У меня нет господина, кроме вас, значит... Ну и хорошенькая же девчонка эта служанка!

Д'Артаньян распечатал письмо и прочел следующие слова:

«Особа, интересующаяся вами более, чем может это высказать, хотела бы знать, когда вы будете в состоянии совершить прогулку в лес. Завтра в гостинице «Золотое поле» лакей в черно-красной ливрее будет ждать вашего ответа».

«Ого! — подумал про себя д'Артаньян. — Какое совпадение! Кажется, что и я и миледи интересуемся здоровьем одного и того же лица».

— Эй, Планше, как поживает господин де Вард? Судя по всему, он еще не умер?

— Нет, сударь, он чувствует себя хорошо, насколько это возможно при четырех ранах. Ведь вы, не в упрек вам будь сказано, угостили этого голубчика четырьмя ударами шпаги, и он еще очень слаб, так как потерял почти всю свою кровь. Как я и думал, сударь, Любен меня не узнал и рассказал мне наше приключение от начала до конца.

— Отлично, Планше, ты король лакеев! А теперь садись на лошадь, и давай догонять карету.

Это заняло немного времени. Через пять минут они увидели карету, остановившуюся на краю дороги; богато одетый всадник гарцевал на лошади у дверцы.

Миледи и всадник были так увлечены разговором, что, когда д'Артаньян остановился по другую сторону кареты, никто, кроме хорошенькой субретки, не заметил его присутствия.

Разговор происходил на английском языке, которого д'Артаньян не знал, но по тону молодой человек понял, что прекрасная англичанка сильно разгневана; ее заключительный жест не оставлял никаких сомнений насчет характера разговора: она так судорожно сжала свой веер, что маленькая дамская безделушка разлетелась на тысячу кусков.

Всадник разразился смехом, что, по-видимому, еще сильнее рассердило миледи.

Д'Артаньян решил, что настала пора вмешаться; он подъехал к другой дверце и почтительно снял шляпу.

— Сударыня, — сказал он, — позвольте мне предложить вам свои услуги. Мне кажется, что этот всадник вызвал ваш гнев. Скажите одно слово, и я берусь наказать его за недостаток учтивости!

При первых словах д'Артаньяна миледи с удивлением обернулась в его сторону.

— Сударь, — ответила она на отличном французском языке, когда молодой человек кончил, — я бы охотно отдала себя под ваше покровительство, если бы человек, который спорит со мной, не был моим братом.

— О, в таком случае простите меня! — сказал д'Артаньян. — Вы понимаете, сударыня, что я этого не знал.

— С какой стати этот ветрогон вмешивается не в свое дело? — вскричал, нагибаясь к дверце, всадник, которого миледи назвала своим родственником. — Почему он не едет своей дорогой?

— Сами вы ветрогон! — отвечал д'Артаньян, в свою очередь пригибаясь к шее лошади и отвечая со стороны той дверцы, возле которой он стоял. — Я не еду своей дорогой потому, что мне угодно было остановиться здесь.

Всадник сказал своей сестре несколько слов по-английски.

— Я говорю с вами по-французски, — сказал д'Артаньян, — будьте любезны отвечать мне на том же языке. Вы брат этой дамы — отлично, пусть так, но мне вы, к счастью, не брат.

Можно было ожидать, что миледи, со свойственной ее полу боязливостью, вмешается, чтобы предотвратить начинающуюся ссору и не дать ей зайти слишком далеко, но она, напротив, откинулась в глубь кареты и спокойно приказала кучеру:

— Домой.

Хорошенькая субретка метнула тревожный взгляд на д'Артаньяна, красивая внешность которого, видимо, произвела на нее впечатление.

Карета укатила и оставила мужчин друг против друга: никакое вещественное препятствие больше не разделяло их.

Всадник сделал было движение, чтобы последовать за каретой, но д'Артаньян, чей гнев вспыхнул с новой силой, ибо он узнал в незнакомце того самого англичанина, который выиграл у него в Амьене лошадь и едва не выиграл у Атоса алмаз, рванул за повод и остановил его.

— Эй, сударь, — сказал он, — вы, кажется, еще больший ветрогон, чем я: уж не забыли ли вы, что между нами завязалась небольшая ссора?

— Ах, это вы, сударь? — сказал англичанин. — Вы, как видно, постоянно играете — не в одну игру, так в другую?

— Да. И вы напомнили мне, что я еще должен отыграться. Посмотрим, милейший, так ли вы искусно владеете рапирой, как стаканчиком с костями!

— Вы прекрасно видите, что при мне нет шпаги, — сказал англичанин. — Или вам угодно щегольнуть своей храбростью перед безоружным человеком?

— Надеюсь, дома у вас есть шпага, — возразил д'Артаньян. — Так или иначе, у меня есть две, и, если хотите, я проиграю вам одну из них.

— Это лишнее, — сказал англичанин, — у меня имеется достаточное количество такого рода вещичек.

— Прекрасно, достопочтенный кавалер! — ответил д'Артаньян. — Выберите же самую длинную и покажите мне ее сегодня вечером.

— Где вам будет угодно взглянуть на нее?

— За Люксембургским дворцом. Это прекрасное место для такого рода прогулок.

— Хорошо, я там буду.

— Когда?

— В шесть часов.

— Кстати, у вас, вероятно, найдутся один или два друга?

— У меня их трое, и все они сочтут за честь составить мне партию.

— Трое? Чудесно! Какое совпадение! — сказал д'Артаньян. — Ровно столько же и у меня.

— Теперь скажите мне, кто вы? — спросил англичанин.

— Я д'Артаньян, гасконский дворянин, гвардеец роты господина Дезэссара. А вы?

— Я лорд Винтер, барон Шеффилд.

— Отлично! Я ваш покорный слуга, господин барон, — сказал д'Артаньян, — хотя у вас очень трудное имя.

Затем, пришпорив лошадь, он пустил ее галопом и поскакал обратно в Париж.

Как всегда в таких случаях, д'Артаньян заехал прямо к Атосу.

Атос лежал на длинной кушетке и — если воспользоваться его собственным выражением — ожидал, чтобы к нему пришла его экипировка.

Д'Артаньян рассказал ему обо всем случившемся, умолчав лишь о письме к де Варду.

Атос пришел в восторг, особенно когда узнал, что драться ему предстоит с англичанином. Мы уже упоминали, что он постоянно мечтал об этом.

Друзья сейчас же послали слуг за Портосом и Арамисом и посвятили их в то, что случилось.

Портос вынул шпагу из ножен и начал наносить удары стене, время от времени отскакивая и делая плие, как танцор. Арамис, все еще трудившийся над своей поэмой, заперся в кабинете Атоса и попросил не беспокоить его до часа дуэли.

Атос знаком потребовал у Гримо бутылку.

Что же касается д'Артаньяна, то он обдумывал про себя один небольшой план, осуществление которого мы увидим в дальнейшем и который, видимо, обещал ему какое-то приятное приключение, если судить по улыбке, мелькавшей на его губах и освещавшей его задумчивое лицо.

ЧАСТЬ ВТОРАЯ

I

АНГЛИЧАНЕ И ФРАНЦУЗЫ

В назначенное время друзья вместе с четырьмя слугами явились на огороженный пустырь за Люксембургским дворцом, где паслись козы. Атос дал пастуху какую-то мелочь, и тот ушел. Слугам было поручено стать на страже.

Вскоре к тому же пустырю приблизилась молчаливая группа людей, вошла внутрь и присоединилась к мушкетерам; затем, по английскому обычаю, состоялись взаимные представления.

Англичане, люди самого высокого происхождения, не только удивились, но и встревожились, услышав странные имена своих противников.

— Это ничего не говорит нам, — сказал лорд Винтер, когда трое друзей назвали себя. — Мы все-таки не знаем, кто вы, и не станем драться с людьми, носящими подобные имена. Это имена каких-то пастухов.

— Как вы, наверное, и сами догадываетесь, милорд, это вымышленные имена, — сказал Атос.

— А это внушает нам еще большее желание узнать настоящие, — ответил англичанин.

— Однако вы играли с нами, не зная наших имен, — заметил Атос, — и даже выиграли у нас двух лошадей.

— Вы правы, но тогда мы рисковали только деньгами, на этот раз мы рискуем жизнью: играть можно со всяким, драться — только с равным.

— Это справедливо, — сказал Атос, и, отозвав в сторону того из четырех англичан, с которым ему предстояло драться, он шепотом назвал ему свое имя.

Портос и Арамис сделали то же.

— Удовлетворены ли вы, — спросил Атос своего противника, — и считаете ли вы меня достаточно знатным, чтобы оказать мне честь скрестить со мной шпагу?

— Да, сударь, — с поклоном ответил англичанин.

— Хорошо! А теперь я скажу вам одну вещь, — холодно продолжал Атос.

— Какую? — удивился англичанин.

— Лучше было вам не требовать у меня, чтобы я открыл свое имя.

— Почему же?

— Потому что меня считают умершим, потому что у меня есть причина желать, чтобы никто не знал о том, что я жив, и потому что теперь я вынужден буду убить вас, чтобы моя тайна не разнеслась по свету.

Англичанин взглянул на Атоса, думая, что тот шутит, но Атос и не думал шутить.

— Вы готовы, господа? — спросил Атос, обращаясь одновременно и к товарищам и к противникам.

— Да, — разом ответили англичане и французы.

— В таком случае — начнем!

И в тот же миг восемь шпаг блеснули в лучах заходящего солнца: поединок начался с ожесточением, вполне естественным для людей, являвшихся вдвойне врагами.

Атос дрался с таким спокойствием и с такой методичностью, словно он был в фехтовальном зале.

Портос, которого приключение и Шантильи, видимо, излечило от излишней самоуверенности, разыгрывал свою партию весьма хитро и осторожно.

Арамис, которому надо было закончить третью песнь своей поэмы, торопился, как человек, у которого очень мало времени.

Атос первый убил своего противника; он нанес ему лишь один удар, но, как он и предупреждал, этот удар оказался смертельным: шпага пронзила сердце.

После него Портос уложил на траву своего врага: он проколол ему бедро. Не пытаясь сопротивляться больше, англичанин отдал ему шпагу, и Портос на руках отнес его в карету.

Арамис так сильно теснил своего противника, что в конце концов, отступив шагов на пятьдесят, тот побежал со всех ног и скрылся под улюлюканье лакеев.

Что касается д'Артаньяна, то он искусно и просто вел оборонительную игру; затем, утомив противника, он мощным ударом выбил у него из рук шпагу. Видя себя обезоруженным, барон отступил на несколько шагов, но поскользнулся и упал навзничь.

Д'Артаньян одним прыжком очутился возле него и приставил шпагу к его горлу.

— Я мог бы убить вас, сударь, — сказал он англичанину, — вы у меня в руках, но я дарю вам жизнь ради вашей сестры.

Д'Артаньян был в полном восторге: он осуществил задуманный заранее план, мысль о котором несколько часов назад вызывала на его лице столь радостные улыбки.

Восхищенный тем, что имеет дело с таким покладистым человеком, англичанин сжал д'Артаньяна в объятиях, наговорил тысячу любезностей трем мушкетерам, и, так как противник Портоса был уже перенесен в экипаж, а противник Арамиса обратился в бегство, все занялись убитым.

Надеясь, что рана может оказаться не смертельной, Портос и Арамис начали его раздевать; в это время у него выпал из-за пояса туго набитый кошелек. Д'Артаньян поднял его и протянул лорду Винтеру.

— А что я стану с ним делать, черт возьми? — спросил англичанин.

— Вернете семейству убитого, — ответил д'Артаньян.

— Очень нужна такая безделица его семейству! Оно получит по наследству пятнадцать тысяч луидоров ренты. Оставьте этот кошелек для ваших слуг.

Д'Артаньян положил кошелек в карман.

— А теперь, мой юный друг — ибо я надеюсь, что вы позволите мне называть вас другом, — сказал лорд Винтер, — если вам угодно, я сегодня же вечером представлю вас моей сестре, леди Кларик. Я хочу, чтобы она тоже подарила вам свое расположение, и так как она неплохо принята при дворе, то, может быть, в будущем слово, замолвленное ею, послужит вам на пользу.

Д'Артаньян покраснел от удовольствия и поклонился в знак согласия.

В это время к д'Артаньяну подошел Атос.

— Что вы собираетесь делать с этим кошельком? — шепотом спросил он у молодого человека.

— Я собирался отдать его вам, любезный Атос.

— Мне? Почему бы это?

— Да потому, что вы убили его хозяина. Это добыча победителя.

— Чтоб я стал наследником врага! Да за кого же вы меня принимаете?

— Таков военный обычай, — сказал д'Артаньян. — Почему бы не быть такому же обычаю и в дуэли?

— Я никогда не поступал так даже на поле битвы, — возразил Атос.

Портос пожал плечами. Арамис одобрительно улыбнулся.

— Если так, — сказал д'Артаньян, — отдадим эти деньги лакеям, как предложил лорд Винтер.

— Хорошо, — согласился Атос, — отдадим их лакеям, но только не нашим. Отдадим их лакеям англичан.

Атос взял кошелек и бросил его кучеру:

— Вам и вашим товарищам!

Этот благородный жест со стороны человека, не имеющего никаких средств, восхитил даже Портоса, и французская щедрость, о которой повсюду рассказывали потом лорд Винтер и его друг, вызвала восторг решительно у всех, если не считать гг. Гримо, Мушкетона, Планше и Базена.

Прощаясь с д'Артаньяном, лорд Винтер сообщил ему адрес своей сестры; она жила на Королевской площади, в модном для того времени квартале, в доме № 6. Впрочем, он вызвался зайти за ним, чтобы самому представить молодого человека. Д'Артаньян назначил ему свидание в восемь часов у Атоса.

Предстоящий визит к миледи сильно волновал ум нашего гасконца. Он вспомнил, какую странную роль играла эта женщина в его судьбе до сих пор. Он был убежден, что она являлась одним из агентов кардинала, и все-таки ощущал к ней какое-то непреодолимое влечение, одно из тех чувств, в которых не отдаешь себе отчета. Он опасался одного — как бы миледи не узнала в нем человека из Менга и Дувра. Тогда она поняла бы, что он друг г-на де Тревиля, что, следовательно, он душой и телом предан королю, и это лишило бы его некоторых преимуществ в ее глазах, между тем как сейчас, когда миледи знала его не более, чем он знал ее, их шансы в игре были равны. Что касается любовной интриги, которая начиналась у миледи с графом де Вардом, то она не очень заботила самонадеянного юношу, хотя граф был молод, красив, богат и пользовался большим расположением кардинала. Двадцатилетний возраст что-нибудь да значит, особенно если вы родились в Тарбе.

Прежде всего д'Артаньян отправился домой и самым тщательным образом занялся своим туалетом; затем он снова пошел к Атосу и, по обыкновению, рассказал ему все. Атос выслушал его планы, покачал головой и не без горечи посоветовал ему быть осторожным.

— Как! — сказал он. — Вы только что лишились женщины, которая, по вашим словам, была добра, прелестна, была совершенством, и вот вы уже в погоне за другой!

Д'Артаньян почувствовал справедливость этого упрека.

— Госпожу Бонасье я любил сердцем, — возразил он, — а миледи я люблю рассудком. И я стремлюсь попасть к ней в дом главным образом для того, чтобы выяснить, какую роль она играет при дворе.

— Какую роль! Да судя по тому, что вы мне рассказали, об этом нетрудно догадаться. Она — тайный агент кардинала, женщина, которая завлечет вас в ловушку, где вы сложите голову, и все тут.

— Гм... Право, милый Атос, вы видите вещи в чересчур мрачном свете.

— Что делать, дорогой мой, я не доверяю женщинам, у меня есть на это свои причины, и в особенности не доверяю блондинкам. Кажется, вы говорили мне, что миледи — блондинка?

— У нее прекраснейшие белокурые волосы, какие я когда-либо видел.

— Бедный д'Артаньян! — со вздохом сказал Атос.

— Послушайте, я хочу выяснить, в чем дело. Потом, когда я узнаю то, что мне надо, я уйду.

— Выясняйте, — безучастно сказал Атос.

Лорд Винтер явился в назначенный час, но Атос, предупрежденный заранее, перешел в другую комнату. Итак, англичанин застал д'Артаньяна одного и тотчас же увел его, так как было уже около восьми часов.

Внизу ожидала щегольская карета, запряженная парой превосходных лошадей, которые в один миг домчали молодых людей до Королевской площади.

Леди Кларик сдержанно приняла д'Артаньяна. Ее особняк отличался пышностью; несмотря на то что большинство англичан, гонимых войной, уехали из Франции или были накануне отъезда, миледи только что затратила большие суммы на отделку дома, и это доказывало, что общее распоряжение о высылке англичан ее не коснулось.

— Перед вами, — сказал лорд Винтер, представляя сестре д'Артаньяна, — молодой дворянин, который держал мою жизнь в своих руках, но не пожелал воспользоваться этим преимуществом, хотя мы были вдвойне врагами, поскольку я оскорбил его первый и поскольку я англичанин. Поблагодарите же его, сударыня, если вы хоть сколько-нибудь привязаны ко мне!

Миледи слегка нахмурилась, едва уловимое облачко пробежало по ее лбу, а на губах появилась такая странная улыбка, что д'Артаньян, заметивший эту сложную игру ее лица, невольно вздрогнул.

Брат ничего не заметил: он как раз отвернулся, чтобы приласкать любимую обезьянку миледи, схватившую его за камзол.

— Добро пожаловать, сударь! — сказала миледи необычайно мягким голосом, звук которого странно противоречил признакам дурного расположения духа, только что подмеченным д'Артаньяном. — Вы приобрели сегодня вечные права на мою признательность.

Тут англичанин снова повернулся к ним и начал рассказывать о поединке, не упуская ни малейшей подробности. Миледи слушала его с величайшим вниманием, и, несмотря на все усилия скрыть свои ощущения, легко было заметить, что этот рассказ ей неприятен. Она то краснела, то бледнела и нетерпеливо постукивала по полу своей маленькой ножкой.

Лорд Винтер ничего не замечал. Кончив рассказывать, он подошел к столу, где стояли на подносе бутылка испанского вина и стаканы. Он налил два стакана и знаком предложил д'Артаньяну выпить.

Д'Артаньян знал, что отказаться выпить за здоровье англичанина — значит кровно обидеть его. Поэтому он подошел к столу и взял второй стакан. Однако он продолжал следить взглядом за миледи и увидел в зеркале, как изменилось ее лицо. Теперь, когда она думала, что никто больше на нее не смотрит, какое-то хищное выражение исказило ее черты. Она с яростью кусала платок. В эту минуту хорошенькая субретка, которую д'Артаньян уже видел прежде, вошла в комнату; она что-то сказала по-английски лорду Винтеру, и тот попросил у д'Артаньяна позволения оставить его, ссылаясь на призывавшее его неотложное дело и поручая сестре еще раз извиниться за него.

Д'Артаньян обменялся с ним рукопожатием и снова подошел к миледи. Ее лицо с поразительной быстротой приняло прежнее приветливое выражение, но несколько красных пятнышек, оставшихся на платке, свидетельствовали о том, что она искусала себе губы до крови.

Губы у нее были прелестны — красные, как коралл.

Разговор оживился. Миледи, по-видимому, совершенно пришла в себя. Она рассказала д'Артаньяну, что лорд Винтер не брат ее, а всего лишь брат ее мужа; она была замужем за его младшим братом, который умер, оставив ее вдовой с ребенком, и этот ребенок является единственным наследником лорда Винтера, если только лорд Винтер не женится. Все это говорило д'Артаньяну, что существует завеса, за которой скрывается некая тайна, но приоткрыть эту завесу он еще не мог.

После получасового разговора д'Артаньян убедился, что миледи — его соотечественница: она говорила по-французски так правильно и с таким изяществом, что на этот счет не оставалось никаких сомнений.

Д'Артаньян наговорил кучу любезностей, уверяя собеседницу в своей преданности. Слушая весь этот вздор, который нес наш гасконец, миледи благосклонно улыбалась. Наконец настало время удалиться. Д'Артаньян простился и вышел из гостиной счастливейшим из смертных.

На лестнице ему попалась навстречу хорошенькая субретка. Она чуть задела его, проходя мимо, и, покраснев до ушей, попросила у него прощения таким нежным голоском, что прощение было ей тотчас даровано.

На следующий день д'Артаньян явился снова, и его приняли еще лучше, чем накануне. Лорда Винтера на этот раз не было, и весь вечер гостя занимала одна миледи. По-видимому, она очень интересовалась молодым человеком — спросила, откуда он родом, кто его друзья и не было ли у него намерения поступить на службу к кардиналу.

Тут д'Артаньян, который, как известно, был в свои двадцать лет весьма осторожным юношей, вспомнил о своих подозрениях относительно миледи; он с большой похвалой отозвался перед ней о его высокопреосвященстве и сказал, что не преминул бы поступить в гвардию кардинала, а не в гвардию короля, если бы так же хорошо знал г-на де Кавуа, как он знал г-на де Тревиля.

Миледи очень естественно переменила разговор и самым равнодушным тоном спросила у д'Артаньяна, бывал ли он когда-нибудь в Англии.

Д'Артаньян ответил, что ездил туда по поручению г-на де Тревиля для переговоров в покупке лошадей и даже привез оттуда четырех на образец.

В продолжение разговора миледи два или три раза кусала губы: этот гасконец вел хитрую игру.

В тот же час, что накануне, д'Артаньян удалился. В коридоре ему снова повстречалась хорошенькая Кэтти — так звали субретку. Она посмотрела на него с таким выражением, не понять которое было невозможно, но д'Артаньян был слишком поглощен ее госпожой и замечал только то, что исходило от нее.

Д'Артаньян приходил к миледи и на другой день и на третий, и каждый вечер миледи принимала его все более приветливо.

Каждый вечер — то в передней, то в коридоре, то на лестнице — ему попадалась навстречу хорошенькая субретка.

Но как мы уже сказали, д'Артаньян не обращал никакого внимания на эту настойчивость бедняжки Кэтти.

II

ОБЕД У ПРОКУРОРА

Между тем дуэль, в которой Портос сыграл столь блестящую роль, отнюдь не заставила его забыть об обеде у прокурорши. На следующий день, после двенадцати часов, Мушкетон в последний раз коснулся щеткой его платья, и Портос отправился на Медвежью улицу с видом человека, которому везет во всех отношениях.

Сердце его билось, но не так, как билось сердце у д'Артаньяна, волнуемого молодой и нетерпеливой любовью. Нет, его кровь горячила иная, более корыстная забота: сейчас ему предстояло наконец переступить этот таинственный порог, подняться по той незнакомой лестнице, по которой одно за другим поднимались старые экю мэтра Кокнара.

Ему предстояло увидеть наяву тот заветный сундук, который он двадцать раз представлял себе в своих грезах, длинный и глубокий сундук, запертый висячим замком, заржавленный, приросший к полу, сундук, о котором он столько слышал и который ручки прокурорши, правда немного высохшие, но еще не лишенные известного изящества, должны были открыть его восхищенному взору.

И кроме того, ему, бесприютному скитальцу, человеку без семьи и без состояния, солдату, привыкшему к постоялым дворам и трактирам, к тавернам и кабачкам, ему, любителю хорошо покушать, вынужденному по большей части довольствоваться случайным куском, — ему предстояло наконец узнать вкус обедов в домашней обстановке, насладиться семейным уютом и предоставить себя тем мелким заботам хозяйки, которые тем приятнее, чем туже приходится, как говорят старые рубаки.

Являться в качестве кузена и садиться каждый день за обильный стол, разглаживать морщины на желтом лбу старого прокурора, немного пощипать перышки у молодых писцов, обучая их тончайшим приемам бассета, тальбика и ландскнехта и выигрывая у них вместо гонорара за часовой урок то, что они сберегли за целый месяц, — все это очень улыбалось Портосу.

Мушкетер припоминал, правда, дурные слухи, которые уже в те времена ходили о прокурорах и которые пережили их, — слухи об их мелочности, жадности, скаредности. Но если исключить некоторые приступы бережливости, которые Портос всегда считал весьма неуместными в своей прокурорше, она бывала обычно довольно щедра — разумеется, для прокурорши, — и он надеялся, что ее дом поставлен на широкую ногу.

Однако у дверей мушкетера охватили некоторые сомнения. Вход в дом был не слишком привлекателен: вонючий, грязный коридор, полутемная лестница с решетчатым окном, сквозь которое скудно падал свет из соседнего двора; на втором этаже маленькая дверь, унизанная огромными железными гвоздями, словно главный вход в тюрьму Гран-Шатле.

Портос постучался. Высокий бледный писец с целой копной растрепанных волос, свисавших ему на лицо, отворил дверь и поклонился с таким видом, который ясно говорил, что человек этот привык уважать высокий рост, изобличающий силу, военный мундир, указывающий на определенное положение в обществе, и цветущую физиономию, говорящую о привычке к достатку.

Второй писец, пониже ростом, показался вслед за первым; третий, несколько повыше, — вслед за вторым; подросток лет двенадцати — вслед за третьим.

Три с половиной писца — это по тем временам означало наличие в конторе весьма многочисленной клиентуры.

Хотя мушкетер должен был прийти только в час дня, прокурорша поджидала его с самого полудня, рассчитывая, что сердце, а может быть, и желудок ее возлюбленного приведут его раньше назначенного срока.

Итак, г-жа Кокнар вышла из квартиры на площадку лестницы почти в ту самую минуту, как ее гость оказался перед дверью, и появление достойной хозяйки вывело его из весьма затруднительного положения. Писцы смотрели на него с любопытством, и, не зная хорошенько, что сказать этой восходящей и нисходящей гамме, он стоял проглотив язык.

— Это мой кузен! — вскричала прокурорша. — Входите, входите же, господин Портос!

Имя Портоса произвело на писцов свое обычное действие, и они засмеялись, но Портос обернулся, и все лица вновь приняли серьезное выражение.

Чтобы попасть в кабинет прокурора, надо было из прихожей, где пребывали сейчас писцы, пройти через контору, где им надлежало пребывать, — мрачную комнату, заваленную бумагами. Выйдя из конторы и оставив кухню справа, гость и хозяйка попали в приемную.

Все эти комнаты, сообщавшиеся одна с другой, отнюдь не внушали Портосу приятных мыслей. Через открытые двери можно было слышать каждое произнесенное слово; кроме того, бросив мимоходом быстрый и испытующий взгляд в кухню, мушкетер убедился — к стыду прокурорши и к своему великому сожалению, — что там не было того яркого пламени, того оживления, той суеты, которые должны царить перед хорошим обедом в этом храме чревоугодия.

Прокурор, видимо, был предупрежден о визите, ибо он не выказал никакого удивления при появлении Портоса, который подошел к нему с довольно развязным видом и вежливо поклонился.

— Мы, кажется, родственники, господин Портос? — спросил прокурор и чуть приподнялся, опираясь на ручки своего тростникового кресла.

Это был высохший, дряхлый старик, облаченный в широкий черный камзол, который совершенно скрывал его хилое тело; его маленькие серые глазки блестели, как два карбункула, и, казалось, эти глаза да гримасничающий рот оставались единственной частью его лица, где еще теплилась жизнь. К несчастью, ноги уже начинали отказываться служить этому мешку костей, и, с тех пор как пять или шесть месяцев назад наступило ухудшение, достойный прокурор стал, в сущности говоря, рабом своей жены.

Кузен был принят безропотно, и только. Крепко стоя на ногах, мэтр Кокнар отклонил бы всякие претензии г-на Портоса на родство с ним.

— Да, сударь, мы родственники, — не смущаясь, ответил Портос, никогда, впрочем, и не рассчитывавший на восторженный прием со стороны мужа г-жи Кокнар.

— И кажется, по женской линии? — насмешливо спросил прокурор.

Портос не понял насмешки и, приняв ее за простодушие, усмехнулся в густые усы. Г-жа Кокнар, знавшая, что простодушный прокурор — явление довольно редкое, слегка улыбнулась и густо покраснела.

С самого прихода Портоса мэтр Кокнар начал бросать беспокойные взгляды на большой шкаф, стоявший напротив его дубовой конторки. Портос догадался, что этот шкаф и есть вожделенный сундук его грез, хотя он и отличался от него по форме, и мысленно поздравил себя с тем, что действительность оказалась на шесть футов выше мечты.

Мэтр Кокнар не стал углублять свои генеалогические исследования и, переведя беспокойный взгляд со шкафа на Портоса, сказал только:

— Надеюсь, что, перед тем как отправиться в поход, наш кузен окажет нам честь отобедать с нами хоть один раз. Не так ли, госпожа Кокнар?

На этот раз удар попал прямо в желудок, и Портос болезненно ощутил его; по-видимому, его почувствовала и г-жа Кокнар, ибо она сказала:

— Мой кузен больше не придет к нам, если ему не понравится наш прием, но, если этого не случится, мы будем просить его посвятить нам все свободные минуты, какими он будет располагать до отъезда: ведь он пробудет в Париже такое короткое время и сможет бывать у нас так мало!

— О мои ноги, бедные мои ноги, где вы? — пробормотал Кокнар и сделал попытку улыбнуться.

Эта помощь, подоспевшая к Портосу в тот миг, когда его гастрономическим чаяниям угрожала серьезная опасность, преисполнила мушкетера чувством величайшей признательности по отношению к прокурорше.

Вскоре настало время обеда. Все перешли в столовую — большую комнату, расположенную напротив кухни.

Писцы, видимо почуявшие в доме необычные запахи, явились с военной точностью и, держа в руках табуреты, стояли наготове. Их челюсти шевелились заранее и таили угрозу.

«Ну и ну! — подумал Портос, бросив взгляд на три голодные физиономии, ибо мальчуган не был, разумеется, допущен к общему столу. — Ну и ну! На месте моего «кузена» я не стал бы держать таких обжор. Их можно принять за людей, потерпевших кораблекрушение и не видавших пищи целых шесть недель».

Появился мэтр Кокнар; его везла в кресле на колесах г-жа Кокнар, и Портос поспешил помочь ей подкатить мужа к столу.

Как только прокурор оказался в столовой, его челюсти и ноздри зашевелились точно так же, как у писцов.

— Ого! — произнес он. — Как аппетитно пахнет суп!

«Что необыкновенного, черт возьми, находят они все в этом супе?» — подумал Портос при виде бледного бульона, которого, правда, было много, но в котором не было ни капли жиру, а плавало лишь несколько гренок, редких, как острова архипелага.

Госпожа Кокнар улыбнулась, и по ее знаку все поспешно расселись по местам.

Первому подали мэтру Кокнару, потом Портосу; затем г-жа Кокнар налила свою тарелку и разделила гренки без бульона между нетерпеливо ожидавшими писцами.

В эту минуту дверь в столовую со скрипом отворилась, и сквозь полуоткрытые створки Портос увидел маленького писца; не имея возможности принять участие в пиршестве, он ел свой хлеб, одновременно наслаждаясь запахом кухни и запахом столовой.

После супа служанка подала вареную курицу — роскошь, при виде которой глаза у всех присутствующих чуть не вылезли на лоб.

— Сразу видно, что вы любите ваших родственников, госпожа Кокнар, — сказал прокурор с трагической улыбкой. — Нет сомнения, что всем этим мы обязаны только вашему кузену.

Бедная курица была худа и покрыта той толстой и щетинистой кожей, которую, несмотря на все усилия, не могут пробить никакие кости; должно быть, ее долго искали, пока наконец не нашли на насесте, где она спряталась, чтобы спокойно умереть от старости.

«Черт возьми! — подумал Портос. — Как это грустно! Я уважаю старость, но не в вареном и не в жареном виде».

И он осмотрелся по сторонам, желая убедиться, все ли разделяют его мнение. Совсем напротив — он увидел горящие глаза, заранее пожирающие эту великолепную курицу, ту самую курицу, к которой он отнесся с таким презрением.

Госпожа Кокнар придвинула к себе блюдо, искусно отделила две большие черные ножки, которые положила на тарелку своего мужа, отрезала шейку, отложив ее вместе с головой в сторону, для себя, положила крылышко Портосу и отдала служанке курицу почти нетронутой, так что блюдо исчезло, прежде чем мушкетер успел уловить разнообразные изменения, которые разочарование производит на лицах в зависимости от характера и темперамента тех, кто его испытывает.

Вместо курицы на столе появилось блюдо бобов, огромное блюдо, на котором виднелось несколько бараньих костей, на первый взгляд казавшихся покрытыми мясом.

Однако писцы не поддались на этот обман, и мрачное выражение сменилось на их лицах выражением покорности судьбе.

Госпожа Кокнар разделила это кушанье между молодыми людьми с умеренностью хорошей хозяйки.

Дошла очередь и до вина. Мэтр Кокнар налил из очень маленькой фаянсовой бутылки по трети стакана каждому из молодых людей, почти такое же количество налил себе, и бутылка тотчас же перешла на сторону Портоса и г-жи Кокнар.

Молодые люди долили стаканы водой, потом, выпив по полстакана, снова долили их, и так до конца обеда, когда цвет напитка, который они глотали, вместо рубина стал напоминать дымчатый топаз.

Портос робко съел свое куриное крылышко и содрогнулся, почувствовав, что колено прокурорши коснулось под столом его колена. Он тоже выпил полстакана этого вина, которое здесь так берегли, и узнал в нем отвратительный монрейльский напиток, вызывающий ужас у людей с тонким вкусом.

Мэтр Кокнар посмотрел, как он поглощает это неразбавленное вино, и вздохнул.

— Покушайте этих бобов, кузен Портос, — сказала г-жа Кокнар таким тоном, который ясно говорил: «Поверьте мне, не ешьте их!»

— Как бы не так, я даже не притронусь к этим бобам! — тихо проворчал Портос. И громко добавил: — Благодарю вас, кузина, я уже сыт.

Наступило молчание. Портос не знал, что ему делать дальше. Прокурор повторил несколько раз:

— Ах, госпожа Кокнар, благодарю вас, вы задали нам настоящий пир! Господи, как я наелся!

За все время обеда мэтр Кокнар съел тарелку супа, две черные куриные ножки и обглодал единственную баранью кость, на которой было немного мяса.

Портос решил, что это насмешка, и начал было крутить усы и хмурить брови, но колено г-жи Кокнар тихонько посоветовало ему вооружиться терпением.

Это молчание и перерыв в еде, совершенно непонятные для Портоса, были, напротив, исполнены грозного смысла для писцов: повинуясь взгляду прокурора, сопровождаемому улыбкой г-жи Кокнар, они медленно встали из-за стола, еще медленнее сложили свои салфетки, поклонились и направились к выходу.

— Идите, молодые люди, идите работать; работа полезна для пищеварения, — с важностью сказал им прокурор.

Как только писцы ушли, г-жа Кокнар встала и вынула из буфета кусок сыра, варенье из айвы и миндальный пирог с медом, приготовленный ею собственноручно.

Увидев столько яств, мэтр Кокнар нахмурился; увидев эти яства, Портос закусил губу, поняв, что остался без обеда.

Он посмотрел, стоит ли еще на столе блюдо с бобами, но блюдо с бобами исчезло.

— Да это и в самом деле пир! — вскричал мэтр Кокнар, ерзая на своем кресле. — Настоящий пир, epuloe epularum. Лукулл обедает у Лукулла.

Портос взглянул на стоявшую возле него бутылку, надеясь, что как-нибудь пообедает вином, хлебом и сыром, но вина не оказалось — бутылка была пуста. Г-н и г-жа Кокнар сделали вид, что не замечают этого.

«Отлично, — подумал про себя Портос. — Я по крайней мере предупрежден».

Он съел ложечку варенья и завяз зубами в клейком тесте г-жи Кокнар.

«Жертва принесена, — сказал он себе. — О, если бы я не питал надежды заглянуть вместе с госпожой Кокнар в шкаф ее мужа!»

Господин Кокнар, насладившись роскошной трапезой, которую он назвал кутежом, почувствовал потребность в отдыхе. Портос надеялся, что этот отдых состоится немедленно и тут же на месте, но проклятый прокурор и слышать не хотел об этом; пришлось отвезти его в кабинет, и он кричал до тех пор, пока не оказался возле своего шкафа, на край которого он, для пущей верности, поставил ноги.

Прокурорша увела Портоса в соседнюю комнату, и здесь начались попытки создать почву для примирения.

— Вы сможете приходить обедать три раза в неделю, — сказала г-жа Кокнар.

— Благодарю, — ответил Портос, — но я не люблю чем-либо злоупотреблять. К тому же я должен подумать об экипировке.

— Ах да, — простонала прокурорша, — об этой несчастной экипировке!

— К сожалению, это так, — подтвердил Портос, — об экипировке!

— Из чего же состоит экипировка в вашем полку, господин Портос?

— О, из многих вещей! — сказал Портос. — Как вам известно, мушкетеры — это отборное войско, и им требуется много таких предметов, которые не нужны ни гвардейцам, ни швейцарцам.

— Но каких же именно? Перечислите их мне.

— Ну, это может выразиться в сумме... — начал Портос, предпочитавший спорить о целом, а не о составных частях.

Прокурорша с трепетом ждала продолжения.

— В какой сумме? — спросила она. — Надеюсь, что не больше, чем...

Она остановилась, у нее перехватило дыхание.

— О нет, — сказал Портос, — понадобится не больше двух с половиной тысяч ливров. Думаю даже, что при известной экономии я уложусь в две тысячи ливров.

— Боже праведный, две тысячи ливров! — вскричала она. — Да это целое состояние!

Портос сделал весьма многозначительную гримасу, и г-жа Кокнар поняла ее.

— Я потому спрашиваю, из чего состоит ваша экипировка, — пояснила она, — что у меня много родственников и клиентов в торговом мире, и я почти уверена, что могла бы приобрести нужные вам вещи вдвое дешевле, чем вы сами.

— Ах вот как! — сказал Портос. — Это другое дело.

— Ну конечно, милый господин Портос! Итак, в первую очередь вам требуется лошадь, не так ли?

— Да, лошадь.

— Прекрасно! У меня есть именно то, что вам нужно.

— Вот как! — сияя, сказал Портос. — Значит, с лошадью дело улажено. Затем мне нужна еще полная упряжь, но она состоит из таких вещей, которые может купить только сам мушкетер. Впрочем, она обойдется не дороже трехсот ливров.

— Трехсот ливров!.. Ну что же делать, пусть будет триста ливров, — сказала прокурорша со вздохом.

Портос улыбнулся. Читатель помнит, что у него уже имелось седло, подаренное герцогом Бекингэмом, так что эти триста ливров он втайне рассчитывал попросту положить себе в карман.

— Далее, — продолжал он, — идет лошадь для моего слуги, а для меня — чемодан. Что касается оружия, то вы можете о нем не беспокоиться — оно у меня есть.

— Лошадь для слуги? — нерешительно повторила прокурорша. — Знаете, мой друг, это уж слишком роскошно!

— Вот как, сударыня! — гордо сказал Портос. — Уж не принимаете ли вы меня за какого-нибудь нищего?

— Что вы! Я только хотела сказать, что красивый мул выглядит иной раз не хуже лошади, и мне кажется, что если раздобыть для Мушкетона красивого мула...

— Идет, пусть будет красивый мул, — сказал Портос. — Вы правы, я сам видел очень знатных испанских вельмож, у которых вся свита ездила на мулах. Но уж тогда, как вы и сами понимаете, госпожа Кокнар, этот мул непременно должен быть украшен султаном и погремушками.

— Будьте спокойны, — сказала прокурорша.

— Теперь дело за чемоданом, — продолжал Портос.

— О, это тоже не должно вас беспокоить! — вскричала г-жа Кокнар. — У мужа есть пять или шесть чемоданов, выбирайте себе лучший. Один из них он особенно любил брать с собой, когда путешествовал; он такой большой, что в нем может уместиться все на свете.

— Так, значит, этот чемодан пустой? — простодушно спросил Портос.

— Ну конечно, пустой, — так же простодушно ответила прокурорша.

— Дорогая моя, да ведь мне-то нужен чемодан со всем содержимым! — вскричал Портос.

Госпожа Кокнар снова принялась вздыхать. Мольер еще не написал тогда своего «Скупого». Г-жа Кокнар оказалась, таким образом, предшественницей Гарпагона.

Короче говоря, остальная часть экипировки была подвергнута такому же обсуждению, и в результате совещания прокурорша взяла на себя обязательство выдать восемьсот ливров деньгами и доставить лошадь и мула, которым предстояла честь нести на себе Портоса и Мушкетона по пути к славе.

Выработав эти условия, Портос простился с г-жой Кокнар. Последняя, правда, пыталась задержать его, делая ему глазки, но Портос сослался на служебные дела, и прокурорше пришлось уступить его королю.

Мушкетер пришел домой голодный и в прескверном расположении духа.

III

СУБРЕТКА И ГОСПОЖА

Между тем, как мы уже говорили выше, д'Артаньян, невзирая на угрызения совести и на мудрые советы Атоса, с каждым часом все больше и больше влюблялся в миледи. Поэтому, ежедневно бывая у нее, отважный гасконец продолжал свои ухаживания, уверенный в том, что рано или поздно она не преминет ответить на них.

Однажды вечером, явившись в отличнейшем расположении духа, с видом человека, для которого нет ничего недостижимого, он встретился в воротах с субреткой; однако на этот раз хорошенькая Кэтти не ограничилась тем, что мимоходом задела его, — она нежно взяла его за руку.

«Отлично! — подумал д'Артаньян. — Должно быть, она хочет передать мне какое-нибудь поручение от своей госпожи. Сейчас она пригласит меня на свидание, о котором миледи не решилась сказать сама».

И он посмотрел на красивую девушку с самым победоносным видом.

— Сударь, мне хотелось бы сказать вам кое-что... — пролепетала субретка.

— Говори, дитя мое, говори, — сказал д'Артаньян. — Я слушаю.

— Нет, только не здесь: то, что мне надо вам сообщить, чересчур длинно, а главное — чересчур секретно.

— Так что же нам делать?

— Если бы господин кавалер согласился пойти со мной... — робко сказала Кэтти.

— Куда угодно, красотка.

— В таком случае идемте.

Не выпуская руки д'Артаньяна, Кэтти повела его по темной винтовой лесенке; затем, поднявшись ступенек на пятнадцать, отворила какую-то дверь.

— Войдите, сударь, — сказала она. — Здесь мы будем одни и сможем поговорить.

— А чья же это комната, красотка? — спросил д'Артаньян.

— Моя, сударь. Через эту вот дверь она сообщается со спальней моей госпожи. Но будьте спокойны: миледи не сможет нас услышать — она никогда не ложится спать раньше полуночи.

Д'Артаньян осмотрелся. Маленькая уютная комнатка была убрана со вкусом и блестела чистотой, но, помимо воли, он не мог оторвать глаз от той двери, которая, по словам Кэтти, вела в спальню миледи. Кэтти догадалась о том, что происходило в душе молодого человека.

— Так вы очень любите мою госпожу, сударь? — спросила она.

— О да, Кэтти, больше, чем это можно высказать словами! Безумно!

Кэтти снова вздохнула.

— Это очень печально, сударь! — сказала она.

— Почему же, черт возьми, это так уж плохо? — спросил он.

— Потому, сударь, — ответила Кэтти, — что моя госпожа нисколько вас не любит.

— Гм... — произнес д'Артаньян. — Ты говоришь это по ее поручению?

— О нет, сударь, нет! Я сама, из сочувствия к вам, решилась сказать это.

— Благодарю тебя, милая Кэтти, но только за доброе намерение, так как ты, наверное, прекрасно понимаешь, что твое сообщение не слишком приятно.

— Другими словами, вы не верите тому, что я сказала, не так ли?

— Всегда бывает трудно верить таким вещам, хотя бы из самолюбия, моя красотка.

— Итак, вы не верите мне?

— Признаюсь, что пока ты не соблаговолишь представить мне какое-нибудь доказательство своих слов...

— А что вы скажете на это?

И Кэтти вынула из-за корсажа маленькую записочку.

— Это мне? — спросил д'Артаньян, хватая письмо.

— Нет, другому.

— Другому?

— Да.

— Его имя, имя! — вскричал д'Артаньян.

— Взгляните на адрес.

— Графу де Варду!

Воспоминание о происшествии в Сен-Жермене тотчас же пронеслось в уме самонадеянного гасконца. Быстрым, как молния, движением он распечатал письмо, не обращая внимания на крик Кэтти, увидевшей, что он собирается сделать или, вернее, что он уже сделал.

— О боже, что вы делаете, сударь! — воскликнула она.

— Ничего особенного! — ответил д'Артаньян и прочитал: «Вы не ответили на мою первую записку. Что с вами — больны вы или уже забыли о том, какими глазами смотрели на меня на балу у г-жи де Гиз? Вот вам удобный случай, граф! Не упустите его».

Д'Артаньян побледнел. Самолюбие его было оскорблено; он решил, что оскорблена любовь.

— Бедный, милый господин д'Артаньян! — произнесла Кэтти полным сострадания голосом, снова пожимая руку молодого человека.

— Тебе жаль меня, добрая малютка? — спросил д'Артаньян.

— О да, от всего сердца! Ведь я-то знаю, что такое любовь!

— Ты знаешь, что такое любовь? — спросил д'Артаньян, впервые взглянув на нее с некоторым вниманием.

— К несчастью, да!

— В таком случае, вместо того чтобы жалеть меня, ты бы лучше помогла мне отомстить госпоже.

— А каким образом вы хотели бы отомстить ей?

— Я хотел бы доказать ей, что я сильнее ее, и занять место моего соперника.

— Нет, сударь, я никогда не стану помогать вам в этом! — с живостью возразила Кэтти.

— Почему же? — спросил д'Артаньян.

— По двум причинам.

— А именно?

— Во-первых, потому, что моя госпожа никогда не полюбит вас...

— Как ты можешь знать это?

— Вы смертельно обидели ее.

— Я? Чем мог я обидеть ее, когда с той минуты, как мы познакомились, я живу у ее ног, как покорный раб? Скажи же мне, прошу тебя!

— Я открою это лишь человеку... человеку, который заглянет в мою душу.

Д'Артаньян еще раз взглянул на Кэтти. Девушка была так свежа и так хороша собой, что многие герцогини отдали бы за эту красоту и свежесть свою корону.

— Кэтти, — сказал он, — я загляну в твою душу, когда тебе будет угодно, за этим дело не станет, моя дорогая малютка.

И он поцеловал ее, отчего бедняжка покраснела, как вишня.

— Нет! — вскричала Кэтти. — Вы не любите меня! Вы любите мою госпожу, вы только что сами сказали мне об этом.

— И это мешает тебе открыть вторую причину?

— Вторая причина, сударь... — сказала Кэтти, расхрабрившись после поцелуя, а также ободренная выражением глаз молодого человека, — вторая причина та, что в любви каждый старается для себя.

Тут только д'Артаньян припомнил томные взгляды Кэтти, встречи в прихожей, на лестнице, в коридоре, прикосновение ее руки всякий раз, когда он встречался с ней, и ее затаенные вздохи. Поглощенный желанием нравиться знатной даме, он пренебрегал субреткой: тот, кто охотится за орлом, не обращает внимания на воробья.

Однако на этот раз наш гасконец быстро сообразил, какую выгоду он мог извлечь из любви Кэтти, высказанной ею так наивно или же так бесстыдно: перехватывание писем, адресованных графу де Варду, наблюдение за миледи, возможность в любое время входить в комнату Кэтти, сообщающуюся со спальней ее госпожи. Как мы видим, вероломный юноша уже мысленно жертвовал бедной девушкой, чтобы добиться обладания миледи, будь то добровольно или насильно.

— Так значит, милая Кэтти, — сказал он девушке, — ты сомневаешься в моей любви и хочешь, чтобы я доказал ее?

— О какой любви вы говорите? — спросила Кэтти.

— О той любви, которую я готов почувствовать к тебе.

— Как же вы докажете ее?

— Хочешь, я проведу сегодня с тобой те часы, которые обычно провожу с твоей госпожой?

— О да, очень хочу! — сказала Кэтти, хлопая в ладоши.

— Если так, иди сюда, милая крошка, — сказал д'Артаньян, усаживаясь в кресло, — и я скажу тебе, что ты самая хорошенькая служанка, какую мне когда-либо приходилось видеть.

И он сказал ей об этом так красноречиво, что бедная девочка, которой очень хотелось поверить ему, поверила. Впрочем, к большому удивлению д'Артаньяна, хорошенькая Кэтти проявила некоторую твердость и никак не хотела сдаться.

В нападениях и защите время проходит незаметно.

Пробило полночь, и почти одновременно зазвонил колокольчик в комнате миледи.

— Боже милосердный! — вскричала Кэтти. — Меня зовет госпожа. Уходи! Уходи скорее!

Д'Артаньян встал, взял шляпу, как бы намереваясь повиноваться, но, вместо того чтобы отворить дверь на лестницу, быстро отворил дверцу большого шкафа и спрятался между платьями и пеньюарами миледи.

— Что вы делаете? — вскричала Кэтти.

Д'Артаньян, успевший взять ключ, заперся изнутри и ничего не ответил.

— Ну! — резким голосом крикнула миледи. — Что вы там, заснули? Почему вы не идете, когда я звоню?

Д'Артаньян услышал, как дверь из комнаты миледи распахнулась.

— Иду, миледи, иду! — вскричала Кэтти, бросаясь навстречу госпоже.

Они вместе вошли в спальню, и, так как дверь осталась открытой, д'Артаньян мог слышать, как миледи продолжала бранить свою горничную; наконец она успокоилась, и, пока Кэтти прислуживала ей, разговор зашел о нем, д'Артаньяне.

— Сегодня вечером я что-то не видела нашего гасконца, — сказала миледи.

— Как, сударыня, — удивилась Кэтти, — неужели он не приходил? Может ли быть, чтобы он оказался ветреным, еще не добившись успеха?

— О нет! Очевидно, его задержал господин де Тревиль или господин Дезэссар. Я знаю свои силы, Кэтти: этот не уйдет от меня!

— И что же вы с ним сделаете, сударыня?

— Что я с ним сделаю?.. Будь спокойна, Кэтти, между этим человеком и мной есть нечто такое, чего он не знает и сам. Я чуть было не потеряла из-за него доверие его высокопреосвященства. О, я отомщу ему!

— А я думала, сударыня, что вы его любите.

— Люблю?.. Да я его ненавижу! Болван, который держал жизнь лорда Винтера в своих руках и не убил его, человек, из-за которого я потеряла триста тысяч ливров ренты!

— И правда, — сказала Кэтти, — ведь ваш сын — единственный наследник своего дяди, и до его совершеннолетия вы могли бы располагать его состоянием.

Услышав, как это пленительное создание ставит ему в вину то, что он не убил человека, которого она на его глазах осыпала знаками дружеского расположения, услышав этот резкий голос, обычно с таким искусством смягчаемый в светском разговоре, д'Артаньян весь затрепетал.

— Я давно отомстила бы ему, — продолжала миледи, — если б кардинал не приказал мне щадить его, не знаю сама почему.

— Да! Зато, сударыня, вы не пощадили молоденькую жену галантерейщика, которую он любил.

— А, лавочницу с улицы Могильщиков! Да ведь он давно забыл о ее существовании! Право же, это славная месть!

Лоб д'Артаньяна был покрыт холодным потом: поистине, эта женщина была чудовищем.

Он продолжал прислушиваться, но, к несчастью, туалет был закончен.

— Теперь, — сказала миледи, — ступайте к себе и постарайтесь завтра получить наконец ответ на письмо, которое я вам дала.

— К господину де Варду? — спросила Кэтти.

— Ну разумеется, к господину де Варду.

— Вот, по-моему, человек, который совсем не похож на бедного господина д'Артаньяна, — сказала Кэтти.

— Ступайте, моя милая, — ответила миледи, — я не люблю лишних рассуждений.

Д'Артаньян услышал, как захлопнулась дверь, как щелкнули две задвижки — это заперлась изнутри миледи; Кэтти тоже заперла дверь на ключ, стараясь произвести при этом как можно меньше шума; тогда д'Артаньян открыл дверцу шкафа.

— Боже! — прошептала Кэтти. — Что с вами? Вы так бледны!

— Гнусная тварь! — пробормотал д'Артаньян.

— Тише, тише! Уходите! — сказала Кэтти. — Моя комната отделена от спальни миледи только тонкой перегородкой, и там слышно каждое слово!

— Поэтому-то я и не уйду, — сказал, д'Артаньян.

— То есть как это? — спросила Кэтти, краснея.

— Или уйду, но... попозже.

И он привлек Кэтти к себе. Сопротивляться было невозможно — от сопротивления всегда столько шума, — и Кэтти уступила.

То был порыв мести, направленный против миледи. Говорят, что месть сладостна, и д'Артаньян убедился в том, что это правда. Поэтому, будь у него хоть немного истинного чувства, он удовлетворился бы этой новой победой, но им руководили только гордость и честолюбие.

Однако — и это следует сказать к чести д'Артаньяна — свое влияние на Кэтти он прежде всего употребил на то, чтобы выпытать у нее, что сталось с г-жой Бонасье. Бедная девушка поклялась на распятии, что ничего об этом не знает, так как ее госпожа всегда только наполовину посвящала ее в свои тайны; но она высказала твердую уверенность в том, что г-жа Бонасье жива.

Кэтти не знала также, по какой причине миледи чуть было не лишилась доверия кардинала, но на этот счет д'Артаньян был осведомлен лучше, чем она: он заметил миледи на одном из задержанных судов в ту минуту, когда сам он покидал Англию, и не сомневался, что речь шла об алмазных подвесках.

Но яснее всего было то, что истинная, глубокая, закоренелая ненависть миледи к нему, д'Артаньяну, была вызвана тем, что он не убил лорда Винтера.

На следующий день д'Артаньян снова явился к миледи. Миледи была в весьма дурном расположении духа, и д'Артаньян решил, что причиной этому служит отсутствие ответа от г-на де Варда. Вошла Кэтти, но миледи обошлась с ней очень сурово. Взгляд, брошенный Кэтти на д'Артаньяна, говорил: «Вот видите, что я переношу ради вас!»

Однако к концу вечера прекрасная львица смягчилась: она с улыбкой слушала нежные признания д'Артаньяна и даже позволила ему поцеловать руку.

Д'Артаньян вышел от нее, не зная, что думать, но этот юноша был не из тех, которые легко теряют голову, и, продолжая ухаживать за миледи, он создал в уме небольшой план.

У дверей он встретил Кэтти и, как и накануне, поднялся в ее комнату. Он узнал, что миледи сильно бранила Кэтти и упрекала ее за неисполнительность. Миледи не могла понять молчания графа де Варда и приказала девушке зайти к ней в девять часов утра за третьим письмом.

Д'Артаньян взял с Кэтти слово, что на следующее утро она принесет это письмо к нему; бедняжка обещала все, чего потребовал от нее возлюбленный: она совершенно потеряла голову.

Все произошло так же, как накануне: д'Артаньян спрятался в шкафу, миледи позвала Кэтти, совершила свой туалет, отослала Кэтти и заперла дверь. Как и накануне, д'Артаньян вернулся домой только в пять часов утра.

В одиннадцать часов к нему пришла Кэтти; в руках у нее была новая записка миледи. На этот раз бедняжка беспрекословно отдала ее д'Артаньяну; она предоставила ему делать все, что он хочет: теперь она душой и телом принадлежала своему красавцу солдату.

Д'Артаньян распечатал письмо и прочитал следующие строки:

«Вот уже третий раз, как я пишу вам о том, что люблю вас. Берегитесь, как бы в четвертый раз я не написала, что я вас ненавижу.

Если вы раскаиваетесь в своем поведении, девушка, которая передаст вам эту записку, скажет вам, каким образом воспитанный человек может заслужить мое прощение».

Д'Артаньян краснел, бледнел, читая эту записку.

— О, вы все еще любите ее! — вскричала Кэтти, ни на секунду не спускавшая глаз с лица молодого человека.

— Нет, Кэтти, ты ошибаешься, я ее больше не люблю, но я хочу отомстить ей за ее пренебрежение.

— Да, я знаю, каково будет ваше мщение, вы уже говорили мне о нем.

— Не все ли тебе равно, Кэтти! Ты же знаешь, что я люблю только тебя.

— Разве можно знать это?

— Узнаешь, когда увидишь, как я обойдусь с ней.

Кэтти вздохнула.

Д'Артаньян взял перо и написал:

«Сударыня, до сих пор я сомневался в том, что две первые ваши записки действительно предназначались мне, так как считал себя совершенно недостойным подобной чести; к тому же я был так болен, что все равно не решился бы вам ответить.

Однако сегодня я принужден поверить в вашу благосклонность, так как не только ваше письмо, но и наша служанка подтверждают, что я имею счастье быть любимым вами.

Ей незачем учить меня, каким образом воспитанный человек может заслужить ваше прощение. Итак, сегодня в одиннадцать часов я сам приду умолять вас об этом прощении. Отложить посещение хотя бы на один день значило бы теперь, на мой взгляд, нанести вам новое оскорбление.

Тот, кого вы сделали счастливейшим из смертных,

граф де Вард».

Это письмо было прежде всего подложным, затем оно было грубым, а с точки зрения наших современных нравов, оно было просто оскорбительным, но в ту эпоху люди церемонились значительно меньше, чем теперь. К тому же д'Артаньян из собственных признаний миледи знал, что она способна на предательство в делах более серьезных, и его уважение к ней было весьма поверхностным. И все же, несмотря на это, какая-то безрассудная страсть влекла его к этой женщине — пьянящая страсть, смешанная с презрением, но все-таки страсть или, если хотите, жажда обладания.

Замысел д'Артаньяна был очень прост: из комнаты Кэтти войти в комнату ее госпожи и воспользоваться первой минутой удивления, стыда, ужаса, чтобы восторжествовать над ней. Быть может, его ждала и неудача, но... без риска ничего не достигнешь. Через неделю должна была начаться кампания, надо было уезжать, — словом, д'Артаньяну некогда было разыгрывать любовную идиллию.

— Возьми, — сказал молодой человек, передавая Кэтти запечатанную записку, — отдай ее миледи: это ответ господина де Варда.

Бедная Кэтти смертельно побледнела: она догадывалась о содержании записки.

— Послушай, милочка, — сказал ей д'Артаньян, — ты сама понимаешь, что все это должно кончиться — так или иначе. Миледи может узнать, что ты передала первую записку не слуге графа, а моему слуге, что это я распечатал другие записки, которые должен был распечатать господин де Вард. Тогда миледи прогонит тебя, а ведь ты ее знаешь — она не такая женщина, чтобы этим ограничить свою месть.

— Увы! — ответила Кэтти. — А для кого я пошла на все это?

— Для меня, я прекрасно знаю это, моя красотка, — ответил молодой человек, — и, даю слово, я тебе очень благодарен.

— Но что же написано в вашей записке?

— Миледи скажет тебе об этом.

— О, вы не любите меня! — вскричала Кэтти. — Как я несчастна!

На этот упрек есть один ответ, который всегда вводит женщин в заблуждение. Д'Артаньян ответил так, что Кэтти оказалась очень далека от истины.

Правда, она долго плакала, прежде чем пришла к решению отдать письмо миледи, но в конце концов она пришла к этому решению, а это было все, что требовалось д'Артаньяну.

К тому же он обещал девушке, что вечером рано уйдет от госпожи и, уходя от госпожи, придет к ней.

И это обещание окончательно утешило бедняжку Кэтти.

IV

ГДЕ ГОВОРИТСЯ ОБ ЭКИПИРОВКЕ АРАМИСА И ПОРТОСА

С тех пор как четыре друга были заняты поисками экипировки, они перестали регулярно собираться вместе. Все они обедали врозь, где придется или, вернее, где удастся. Служба тоже отнимала часть драгоценного времени, проходившего так быстро. Однако раз в неделю, около часу дня, было условлено встречаться в квартире Атоса, поскольку последний оставался верен своей клятве и не выходил из дома.

Тот день, когда Кэтти приходила к д'Артаньяну, как раз был днем сбора друзей.

Как только Кэтти ушла, д'Артаньян отправился на улицу Феру.

Он застал Атоса и Арамиса за философской беседой. Арамис подумывал о том, чтобы снова надеть рясу. Атос, по обыкновению, не разубеждал, но и не поощрял его. Он держался того мнения, что каждый волен в своих действиях. Советы он давал лишь тогда, когда его просили об этом, и притом очень просили.

«Обычно люди обращаются за советом, — говорил Атос, — только для того, чтобы не следовать ему, а если кто-нибудь и следует совету, то только для того, чтобы было кого упрекнуть впоследствии».

Вслед за д'Артаньяном пришел и Портос. Итак, все четыре друга были в сборе.

Четыре лица выражали четыре различных чувства: лицо Портоса — спокойствие, лицо д'Артаньяна — надежду, лицо Арамиса — тревогу, лицо Атоса — беспечность.

После минутной беседы, в которой Портос успел намекнуть на то, что некая высокопоставленная особа пожелала вывести его из затруднительного положения, явился Мушкетон.

Он пришел звать Портоса домой, где, как сообщал он с весьма жалобным видом, присутствие его господина было срочно необходимо.

— Это по поводу моего снаряжения? — спросил Портос.

— И да и нет, — ответил Мушкетон.

— Но разве ты не можешь сказать мне?

— Идемте, сударь, идемте.

Портос встал, попрощался с друзьями и последовал за Мушкетоном. Через минуту на пороге появился Базен.

— Что нам нужно, друг мой? — спросил Арамис тем мягким тоном, который появлялся у него всякий раз, как его мысли вновь обращались к церкви.

— Сударь, вас ожидает дома один человек, — ответил Базен.

— Человек?.. Какой человек?..

— Какой-то нищий.

— Подайте ему милостыню, Базен, и скажите, чтобы он помолился за бедного грешника.

— Этот нищий хочет во что бы то ни стало говорить с вами и уверяет, что вы будете рады его видеть.

— Не просил ли он что-либо передать мне?

— Да. «Если господин Арамис не пожелает прийти повидаться со мной, — сказал он, — сообщите ему, что я прибыл из Тура».

— Из Тура? — вскричал Арамис. — Тысяча извинений, господа, но, по-видимому, этот человек привез мне известия, которых я ждал.

И, вскочив со стула, он торопливо вышел из комнаты.

Атос и д'Артаньян остались вдвоем.

— Кажется, эти молодцы устроили свои дела. Как по-вашему, д'Артаньян? — спросил Атос.

— Мне известно, что у Портоса все идет прекрасно, — сказал д'Артаньян, — что же касается Арамиса, то, по правде сказать, я никогда и не беспокоился о нем по-настоящему. А вот вы, мой милый Атос... вы щедро раздали пистоли англичанина, принадлежавшие вам по праву, но что же вы будете теперь делать?

— Друг мой, я очень доволен, что убил этого шалопая, потому что убить англичанина — святое дело, но я никогда не простил бы себе, если бы положил в карман его пистоли.

— Полноте, любезный Атос! Право, у вас какие-то непостижимые понятия.

— Ну хватит об этом!.. Господин де Тревиль, оказавший мне вчера честь своим посещением, сказал, что вы часто бываете у каких-то подозрительных англичан, которым покровительствует кардинал. Это правда?

— Правда состоит в том, что я бываю у одной англичанки — я уже говорил вам о ней.

— Ах да, у белокурой женщины, по поводу которой я дал вам ряд советов, и, конечно, напрасно, так как вы и не подумали им последовать.

— Я привел вам свои доводы.

— Да-да. Кажется, вы сказали, что это поможет вам приобрести экипировку.

— Ничуть не бывало! Я удостоверился в том, что эта женщина принимала участие в похищении госпожи Бонасье.

— Понимаю. Чтобы разыскать одну женщину, вы ухаживаете за другой: это самый длинный путь, но зато и самый приятный.

Д'Артаньян чуть было не рассказал Атосу обо всем, но одно обстоятельство остановило его: Атос был крайне щепетилен в вопросах чести, а в небольшом плане, задуманном нашим влюбленным и направленном против миледи, имелись такие детали, которые были бы отвергнуты этим пуританином — д'Артаньян был заранее в этом уверен; вот почему он предпочел промолчать, а так как Атос был самым нелюбопытным в мире человеком, то откровенность д'Артаньяна и не пошла дальше.

Итак, мы оставим наших двух друзей, которые не собирались рассказать друг другу ничего особенно важного, и последуем за Арамисом.

Мы видели, с какой быстротой молодой человек бросился за Базеном или, вернее, опередил его, услышав, что человек, желавший с ним говорить, прибыл из Тура; одним прыжком он перенесся с улицы Феру на улицу Вожирар.

Войдя в дом, он действительно застал у себя какого-то человека маленького роста, с умными глазами, одетого в лохмотья.

— Это вы спрашивали меня? — сказал мушкетер.

— Я спрашивал господина Арамиса. Это вы?

— Я самый. Вы должны что-то передать мне?

— Да, если вы покажете некий вышитый платок.

— Вот он, — сказал Арамис, доставая из внутреннего кармана ключик и отпирая маленькую шкатулку черного дерева с перламутровой инкрустацией. — Вот он, смотрите.

— Хорошо, — сказал нищий. — Отошлите вашего слугу.

В самом деле, Базен, которому не терпелось узнать, что надо было этому нищему от его хозяина, поспешил следом за Арамисом и пришел домой почти одновременно с ним, но эта быстрота принесла ему мало пользы: в ответ на предложение нищего его господин жестом приказал ему выйти, и Базен вынужден был повиноваться.

Как только он вышел, нищий бросил беглый взгляд по сторонам, желая убедиться, что никто не видит и не слышит его, распахнул лохмотья, небрежно затянутые кожаным кушаком, и, подпоров верхнюю часть камзола, вынул письмо.

Увидев печать, Арамис радостно вскрикнул, поцеловал надпись и с благоговейным трепетом распечатал письмо, заключавшее в себе следующие строки:

«Друг, судьбе угодно, чтобы мы были разлучены еще некоторое время, но прекрасные дни молодости не потеряны безвозвратно. Исполняйте свой долг в лагере, я исполню его в другом месте. Примите то, что вам передаст податель сего письма, воюйте так, как подобает благородному и храброму дворянину, и думайте обо мне. Нежно целую ваши черные глаза.

Прощайте или, вернее, до свидания!»

Между тем нищий продолжал подпарывать свой камзол; он медленно вынул из своих грязных лохмотьев сто пятьдесят двойных испанских пистолей, выложил их на стол, открыл дверь, поклонился и исчез, прежде чем пораженный Арамис успел обратиться к нему хоть с одним словом.

Тогда молодой человек перечел письмо и заметил, что в нем была приписка:

«P. S. Окажите достойный прием подателю письма — это граф и испанский гранд».

— О золотые мечты! — вскричал Арамис. — Да, жизнь прекрасна! Да, мы молоды! Да, для нас еще настанут счастливые дни! Тебе, тебе одной — моя любовь, моя кровь, моя жизнь, все, все тебе, моя прекрасная возлюбленная!

И он страстно целовал письмо, даже не глядя на золото, блестевшее на столе.

Базен робко постучал в дверь; у Арамиса больше не было причин держать его вне комнаты, и он позволил ему войти.

При виде золота Базен остолбенел от изумления и совсем забыл, что пришел доложить о приходе д'Артаньяна, который по дороге от Атоса зашел к Арамису, любопытствуя узнать, что представлял собой этот нищий.

Однако, видя, что Базен забыл доложить о нем, и не слишком церемонясь с Арамисом, он доложил о себе сам.

— Ого! Черт возьми! — сказал д'Артаньян. — Если эти сливы присланы вам из Тура, милый Арамис, то, прошу вас, передайте мое восхищение садовнику, который вырастил их.

— Вы ошибаетесь, друг мой, — возразил Арамис, как всегда скрытный, — это мой издатель прислал мне гонорар за ту поэму, написанную односложными стихами, которую я начал еще во время нашего путешествия.

— Ах вот что! — сказал д'Артаньян. — Что ж, ваш издатель очень щедр, милый Арамис. Это все, что я могу вам сказать.

— Как, сударь, — вскричал Базен, — неужели за поэмы платят столько денег? Быть этого не может! О сударь, значит, вы можете сделать все, что захотите! Бы можете стать таким же знаменитым, как господин де Вуатюр или господин де Бенсерад. Это тоже мне по душе. Поэт — это лишь немногим хуже аббата. Ах, господин Арамис, очень прошу вас, сделайтесь поэтом!

— Базен, — сказал Арамис, — мне кажется, что вы вмешиваетесь в разговор, друг мой.

Базен понял свою вину; он опустил голову и вышел из комнаты.

— Так, так, — с улыбкой сказал д'Артаньян. — Вы продаете свои творения на вес золота — вам очень везет, мой друг. Только будьте осторожнее и не потеряйте письмо, которое выглядывает у вас из кармана. Оно, должно быть, тоже от вашего издателя.

Арамис покраснел до корней волос, глубже засунул письмо и застегнул камзол.

— Милый д'Артаньян, — сказал он, — давайте пойдем к нашим друзьям. Теперь я богат, и мы возобновим наши совместные обеды до тех пор, пока не придет ваша очередь разбогатеть.

— С большим удовольствием! — ответил д'Артаньян. — Мы давно уже не видели приличного обеда. К тому же мне предстоит сегодня вечером довольно рискованное предприятие, и, признаться, я не прочь слегка подогреть себя несколькими бутылками старого бургундского.

— Согласен и на старое бургундское. Я тоже ничего не имею против него, — сказал Арамис, у которого при виде золота как рукой сняло все мысли об уходе от мира.

И, положив в карман три или четыре двойных пистоля на насущные нужды, он запер остальные в черную шкатулку с перламутровой инкрустацией, где уже лежал знаменитый носовой платок, служивший ему талисманом.

Для начала друзья отправились к Атосу. Верный данной им клятве никуда не выходить, Атос взялся заказать обед, с тем чтобы он был доставлен ему домой; зная его как великого знатока всех гастрономических тонкостей, д'Артаньян и Арамис охотно уступили ему заботу об этом важном деле.

Они направились к Портосу, как вдруг на углу улицы Дюбак встретили Мушкетона, который с унылым видом гнал перед собой мула и лошадь.

— Да ведь это мой буланый жеребец! — вскричал д'Артаньян с удивлением, к которому примешивалась некоторая радость. — Арамис, взгляните-ка на эту лошадь!

— О, какая ужасная кляча! — сказал Арамис.

— Так вот, дорогой мой, — продолжал д'Артаньян, — могу вам сообщить, что это та самая лошадь, на которой я приехал в Париж.

— Как, сударь, вы знаете эту лошадь? — удивился Мушкетон.

— У нее очень своеобразная масть, — заметил Арамис. — Я вижу такую впервые в жизни.

— Еще бы! — обрадовался д'Артаньян. — Если я продал ее за три экю, то именно за масть, потому что за остальное мне, конечно, не дали бы и восемнадцати ливров... Однако, Мушкетон, каким образом эта лошадь попала тебе в руки?

— Ах, лучше не спрашивайте, сударь! Эту ужасную шутку сыграл с нами муж нашей герцогини!

— Каким же образом, Мушкетон?

— Видите ли, к нам очень благоволит одна знатная дама, герцогиня де... Впрочем, прошу прощения, мой господин запретил мне называть ее имя. Она заставила нас принять от нее небольшой подарочек — чудесную испанскую кобылу и андалузского мула, от которых просто глаз нельзя было отвести. Муж узнал об этом, перехватил по дороге обоих чудесных животных, когда их вели к нам, и заменил этими гнусными тварями.

— Которых ты и ведешь обратно? — спросил д'Артаньян.

— Именно так, — ответил Мушкетон. — Подумайте сами: не можем же мы принять этих лошадей вместо тех, которые были нам обещаны!

— Конечно нет, черт возьми, хотя мне бы очень хотелось увидеть Портоса верхом на моем буланом жеребце: это дало бы мне представление о том, на кого был похож я сам, когда приехал в Париж. Но мы не будем задерживать тебя, Мушкетон. Иди выполняй поручение твоего господина. Он дома?

— Дома, сударь, — ответил Мушкетон, — но очень сердит, сами понимаете!

И он пошел дальше, в сторону набережной Великих Августинцев, а друзья позвонили у дверей незадачливого Портоса. Но последний видел, как они проходили через двор, и не пожелал открыть им. Их попытка оказалась безуспешной.

Между тем Мушкетон, гоня перед собой двух кляч, продолжал свой путь и, миновав Новый мост, добрался до Медвежьей улицы. Здесь, следуя приказаниям своего господина, он привязал лошадь и мула к дверному молотку прокурорского дома и, не заботясь об их дальнейшей участи, вернулся к Портосу, которому сообщил, что поручение выполнено.

По прошествии некоторого времени несчастные животные, ничего не евшие с самого утра, начали так шуметь, дергая дверной молоток, что прокурор приказал младшему писцу выйти на улицу и справиться по соседству, кому принадлежит эта лошадь и этот мул.

Госпожа Кокнар узнала свой подарок и сначала не поняла, что значит этот возврат, но вскоре визит Портоса объяснил ей все. Гнев, которым пылали глаза мушкетера, несмотря на все желание молодого человека сдержать себя, ужаснул его чувствительную подругу.

Дело в том, что Мушкетон не скрыл от своего господина встречи с д'Артаньяном и Арамисом и рассказал ему, как д'Артаньян узнал в желтой лошади беарнского жеребца, на котором он приехал в Париж и которого продал за три экю.

Назначив прокурорше свидание у монастыря Сен-Маглуар, Портос попрощался. Видя, что он уходит, прокурор пригласил его к обеду, но мушкетер с самым величественным видом отклонил это приглашение.

Госпожа Кокнар с трепетом явилась к монастырю Сен-Маглуар. Она предвидела укоры, которые ее там ждали, но великосветские манеры Портоса действовали на нее с неотразимой силой.

Все проклятия и упреки, какие только мужчина, оскорбленный в своем самолюбии, может обрушить на голову женщины, Портос обрушил на низко склоненную голову своей прокурорши.

— О боже! — сказала она. — Я сделала все, что могла. Один из наших клиентов торгует лошадьми. Он должен был конторе деньги и не хотел платить. Я взяла этого мула и лошадь в счет долга. Он обещал мне лошадей, достойных самого короля.

— Так знайте, сударыня, — сказал Портос, — что если этот барышник был должен вам больше пяти экю, то он просто вор.

— Но ведь никому не запрещено искать что подешевле, господин Портос, — возразила прокурорша, пытаясь оправдаться.

— Это правда, сударыня, но тот, кто ищет дешевизны, должен позволить другим искать более щедрых друзей.

И Портос повернулся, собираясь уходить.

— Господин Портос! Господин Портос! — вскричала прокурорша. — Я виновата, я признаюсь в этом. Мне не следовало торговаться, раз речь шла об экипировке для такого красавца, как вы!

Не отвечая ни слова, Портос удалился еще на один шаг.

Прокурорше вдруг показалось, что он окружен каким-то сверкающим облаком и целая толпа герцогинь и маркиз бросает мешки с золотом к его ногам.

— Остановитесь, господин Портос! — вскричала она. — Бога ради, остановитесь, нам надо поговорить!

— Разговор с вами приносит мне несчастье, — сказал Портос.

— Но скажите же мне, чего вы требуете?

— Ничего, потому что требовать от вас чего-либо или не требовать — это одно и то же.

Прокурорша повисла на руке Портоса и воскликнула в порыве скорби:

— О господин Портос, я ничего в этом не понимаю! Разве я знаю, что такое лошадь? Разве я знаю, что такое сбруя?

— Надо было предоставить это мне, сударыня, человеку, который знает в этом толк. Но вы хотели сэкономить, выгадать какие-то гроши...

— Это была моя ошибка, господин Портос, но я исправлю ее... честное слово, исправлю!

— Каким же образом? — спросил мушкетер.

— Послушайте. Сегодня вечером господин Кокнар едет к герцогу де Шону, который позвал его к себе, чтобы посоветоваться с ним о чем-то. Он пробудет там не меньше двух часов. Приходите, мы будем одни и подсчитаем все, что нам нужно.

— В добрый час, моя дорогая! Вот это другое дело!

— Так вы прощаете меня?

— Увидим, — величественно сказал Портос.

И, повторяя друг другу «до вечера», они расстались.

«Черт возьми! — подумал Портос, уходя. — Кажется, на этот раз я доберусь наконец до сундука мэтра Кокнара!»

V

НОЧЬЮ ВСЕ КОШКИ СЕРЫ

Вечер, столь нетерпеливо ожидаемый Портосом и д'Артаньяном, наконец наступил.

Д'Артаньян, как всегда, явился к миледи около девяти часов. Он застал ее в прекрасном расположении духа; никогда еще она не принимала его так приветливо. Наш гасконец сразу понял, что его записка передана и оказала свое действие.

Вошла Кэтти и подала шербет. Ее госпожа ласково взглянула на нее и улыбнулась ей самой очаровательной своей улыбкой, но бедная девушка была так печальна, что даже не заметила благоволения миледи.

Д'Артаньян смотрел поочередно на этих двух женщин и вынужден был признать в душе, что, создавая их, природа совершила ошибку: знатной даме она дала продажную и низкую душу, а субретке — сердце герцогини.

В десять часов миледи начала проявлять признаки беспокойства, и д'Артаньян понял, что это значит. Она смотрела на часы, вставала, снова садилась и улыбалась д'Артаньяну с таким видом, который говорил: «Вы, конечно, очень милы, но будете просто очаровательны, если уйдете!»

Д'Артаньян встал и взялся за шляпу. Миледи протянула ему руку для поцелуя; молодой человек почувствовал, как она сжала его руку, и понял, что это было сделано не из кокетства, а из чувства благодарности за то, что он уходит.

— Она безумно его любит, — прошептал он и вышел.

На этот раз Кэтти не встретила его — ее не было ни в прихожей, ни в коридоре, ни у ворот. Д'Артаньяну пришлось самому разыскать лестницу и маленькую комнатку.

Кэтти сидела, закрыв лицо руками, и плакала.

Она услышала, как вошел д'Артаньян, но не подняла головы. Молодой человек подошел к ней и взял ее руки в свои; тогда она разрыдалась.

Как и предполагал д'Артаньян, миледи, получив письмо, в порыве радости обо всем рассказала служанке; потом, в благодарность за то, что на этот раз Кэтти выполнила ее поручение так удачно, она подарила ей кошелек.

Войдя в свою комнату, Кэтти бросила кошелек в угол, где он и лежал открытый; три или четыре золотые монеты валялись на ковре подле него.

В ответ на ласковое прикосновение молодого человека бедная девушка подняла голову. Выражение ее лица испугало даже д'Артаньяна; она с умоляющим видом протянула к нему руки, но не осмелилась произнести ни одного слова.

Как ни мало чувствительно было сердце д'Артаньяна, он был растроган этой немой скорбью; однако он слишком твердо держался своих планов, и в особенности последнего плана, чтобы хоть в чем-нибудь изменить намеченный заранее порядок действий. Поэтому он не подал Кэтти никакой надежды на то, что ей удастся поколебать его, а только изобразил ей свой поступок как простой акт мести.

Кстати, эта месть намного облегчалась для него тем обстоятельством, что миледи, желая, как видно, скрыть от своего любовника краску в лице, приказала Кэтти погасить все лампы в доме и даже в своей спальне. Г-н де Вард должен был уйти до наступления утра, все в том же полном мраке.

Через минуту они услышали, что миледи вошла в спальню. Д'Артаньян немедленно бросился в шкаф. Едва успел он укрыться там, как раздался колокольчик.

Кэтти вошла к своей госпоже и закрыла за собой дверь, но перегородка была так тонка, что слышно было почти все, о чем говорили между собой обе женщины.

Миледи, казалось, была вне себя от радости; она без конца заставляла Кэтти повторять мельчайшие подробности мнимого свидания субретки с де Вардом, расспрашивала, как он взял письмо, как писал ответ, каково было выражение его лица, казался ли он по-настоящему влюбленным, и на все эти вопросы бедная Кэтти, вынужденная казаться спокойной, отвечала прерывающимся голосом, грустный оттенок которого остался совершенно не замеченным ее госпожой — счастье эгоистично.

Однако час визита графа приближался, и миледи в самом деле заставила Кэтти погасить свет в спальне, приказав ввести к ней де Варда, как только он придет.

Кэтти не пришлось долго ждать. Едва д'Артаньян увидел через замочную скважину шкафа, что весь дом погрузился во мрак, он выбежал из своего убежища; это произошло в ту самую минуту, когда Кэтти закрывала дверь из своей комнаты в спальню миледи.

— Что там за шум? — спросила миледи.

— Это я, — отвечал д'Артаньян вполголоса. — Я, граф де Вард.

— О, господи, — пролепетала Кэтти, — он даже не мог дождаться того часа, который сам назначил!

— Что же? — спросила миледи дрожащим голосом. — Почему он не входит? Граф, граф, — добавила она, — вы ведь знаете, что я жду вас!

Услышав этот призыв, д'Артаньян мягко отстранил Кэтти и бросился в спальню.

Нет более мучительной ярости и боли, чем ярость и боль, терзающие душу любовника, который, выдав себя за другого, принимает уверения в любви, обращенные к его счастливому сопернику.

Д'Артаньян оказался в этом мучительном положении, которого он не предвидел: ревность терзала его сердце, и он страдал почти так же сильно, как бедная Кэтти, плакавшая в эту минуту в соседней комнате.

— Да, граф, — нежно говорила миледи, сжимая в своих руках его руку, — да, я счастлива любовью, которую ваши взгляды и слова выдавали мне всякий раз, как мы встречались с вами. Я тоже люблю вас. О, завтра, завтра я хочу получить от вас какое-нибудь доказательство того, что вы думаете обо мне! И чтобы вы не забыли меня, вот, возьмите это.

И, сняв с пальца кольцо, она протянула его д'Артаньяну.

Д'Артаньян вспомнил, что уже видел это кольцо на руке миледи: это был великолепный сапфир в оправе из алмазов.

Первым побуждением д'Артаньяна было вернуть ей кольцо, но миледи не взяла его.

— Нет, нет, — сказала она, — оставьте его у себя в знак любви ко мне... К тому же, принимая его, — с волнением в голосе добавила она, — вы, сами того не зная, оказываете мне огромную услугу.

«Эта женщина полна таинственности», — подумал д'Артаньян.

В эту минуту он почувствовал, что готов сказать миледи всю правду. Он уже открыл рот, чтобы признаться в том, кто он и с какими мстительными намерениями явился сюда, но в эту минуту миледи прибавила:

— Бедный мой друг, это чудовище, этот гасконец, чуть было не убил вас!

Чудовищем был он, д'Артаньян.

— Ваши раны все еще причиняют вам боль? — спросила миледи.

— Да, сильную боль, — ответил д'Артаньян, не зная хорошенько, что отвечать.

— Будьте спокойны, — прошептала миледи, — я отомщу за вас, и моя месть будет жестокой!

«Нет! — подумал д'Артаньян. — Минута откровенности между нами еще не наступила».

Д'Артаньян не сразу пришел в себя после этого короткого диалога, но все помышления о мести, принесенные им сюда, бесследно исчезли. Эта женщина имела над ним поразительную власть, он ненавидел и в то же время боготворил ее; он никогда не думал прежде, что два столь противоречивых чувства могут ужиться в одном сердце и, соединясь вместе, превратиться в какую-то странную, какую-то сатанинскую любовь.

Между тем раздался бой часов, пора было расставаться. Уходя от миледи, д'Артаньян не испытывал ничего, кроме жгучего сожаления о том, что надо ее покинуть, и между страстными поцелуями, которыми они обменялись, было назначено новое свидание — на следующей неделе. Бедная Кэтти надеялась, что ей удастся сказать д'Артаньяну хоть несколько слов, когда он будет проходить через ее комнату, но миледи сама проводила его в темноте и простилась с ним только на лестнице.

Наутро д'Артаньян помчался к Атосу. Он попал в такую странную историю, что нуждался в его совете. Он рассказал ему обо всем; в продолжение рассказа Атос несколько раз хмурил брови.

— Ваша миледи, — сказал он, — представляется мне презренным созданием, но все же, обманув ее, вы сделали ошибку: так или иначе, вы нажили страшного врага.

Говоря это, Атос внимательно смотрел на сапфир в оправе из алмазов, заменивший на пальце д'Артаньяна перстень королевы, который теперь бережно хранился в шкатулке.

— Вы смотрите на это кольцо? — спросил гасконец, гордясь возможностью похвастать перед друзьями таким богатым подарком.

— Да, — сказал Атос, — оно напоминает мне одну фамильную драгоценность.

— Прекрасное кольцо, не правда ли? — спросил д'Артаньян.

— Великолепное! — отвечал Атос. — Я не думал, что на свете существуют два сапфира такой чистой воды. Должно быть, вы его выменяли на свой алмаз?

— Нет, — сказал д'Артаньян, — это подарок моей прекрасной англичанки или, вернее, моей прекрасной француженки, ибо я убежден, что она родилась во Франции, хоть и не спрашивал ее об этом.

— Вы получили это кольцо от миледи? — вскричал Атос, и в голосе его почувствовалось сильное волнение.

— Вы угадали. Она подарила мне его сегодня ночью.

— Покажите-ка мне это кольцо, — сказал Атос.

— Вот оно, — ответил д'Артаньян, снимая его с пальца.

Атос внимательно рассмотрел кольцо и сильно побледнел; затем он примерил его на безымянный палец левой руки; оно пришлось как раз впору, словно было заказано на этот палец. Гневное и мстительное выражение омрачило лицо Атоса, обычно столь спокойное.

— Не может быть, чтобы это было то самое кольцо, — сказал он. — Каким образом могло оно попасть в руки леди Кларик? И в то же время трудно представить себе, чтобы между двумя кольцами могло быть такое сходство.

— Вам знакомо это кольцо? — спросил д'Артаньян.

— Мне показалось, что я узнал его, — ответил Атос, — но, должно быть, я ошибся.

И он вернул кольцо д'Артаньяну, не отрывая от него взгляда.

— Вот что, д'Артаньян, — сказал он через минуту, — снимите с пальца это кольцо или поверните его камнем внутрь: оно вызывает во мне такие мучительные воспоминания, что иначе я не смогу спокойно разговаривать с вами... Кажется, вы хотели посоветоваться со мной о чем-то, говорили, что не знаете, как поступить... Погодите... покажите-ка мне еще раз этот сапфир. На том, о котором я говорил, должна быть царапина на одной из граней: причиной был один случай.

Д'Артаньян снова снял с пальца кольцо и передал его Атосу.

Атос вздрогнул.

— Посмотрите, — сказал он, — ну не странно ли это?

И он показал д'Артаньяну царапину, о существовании которой только что вспомнил.

— Но от кого же вам достался этот сапфир, Атос?

— От моей матери, которая, в свою очередь, получила его от мужа. Как я уже сказал вам, это была старинная фамильная драгоценность... и она никогда не должна была уходить из нашей семьи.

— И вы... вы продали ее? — нерешительно спросил д'Артаньян.

— Нет, — ответил Атос со странной усмешкой. — Я подарил ее в ночь любви, так же как сегодня ее подарили вам.

Д'Артаньян задумался; душа миледи представилась ему какой-то мрачной бездной.

Он не надел кольцо, а положил его в карман.

— Послушайте, — сказал Атос, взяв его за руку, — вы знаете, д'Артаньян, что я люблю вас. Будь у меня сын, я не мог бы любить его больше, чем вас. Поверьте мне: откажитесь от этой женщины! Я не знаю ее, но какой-то внутренний голос говорит мне, что это погибшее создание и что в ней есть нечто роковое.

— Вы правы, — ответил д'Артаньян. — Да, я расстанусь с ней. Признаюсь вам, что эта женщина пугает и меня самого.

— Хватит ли у вас решимости? — спросил Атос.

— Хватит, — ответил д'Артаньян. — И я сделаю это не откладывая.

— Хорошо, мой мальчик. Вы поступите правильно, — сказал Атос, пожимая руку гасконцу с почти отеческой нежностью. — Дай бог, чтобы эта женщина, едва успевшая войти в вашу жизнь, не оставила в ней страшного следа.

И Атос кивнул д'Артаньяну, давая ему понять, что он хотел бы остаться наедине со своими мыслями.

Дома д'Артаньян застал ожидавшую его Кэтти. После целого месяца горячки бедняжка изменилась бы не так сильно, как после этой бессонной и мучительной ночи.

Госпожа послала ее к мнимому де Варду. Миледи обезумела от любви, опьянела от счастья; ей хотелось знать, когда любовник подарит ей вторую ночь.

И несчастная Кэтти, вся бледная, дрожа, ждала ответа д'Артаньяна.

Атос имел на молодого человека сильное влияние, и теперь, когда его самолюбие и жажда мести были удовлетворены, советы друга, присоединившись к голосу собственного сердца, дали д'Артаньяну силу решиться на разрыв с миледи. Он взял перо и написал следующее:

«Не рассчитывайте, сударыня, на свидание со мной в ближайшие несколько дней; со времени моего выздоровления у меня столько дел подобного рода, что мне пришлось навести в них некоторый порядок. Когда придет ваша очередь, я буду иметь честь сообщить вам об этом.

Целую ваши ручки.
Граф де Вард».

О сапфире не было сказано ни слова. Хотел ли гасконец сохранить у себя оружие против миледи или же — будем откровенны — оставил у себя этот сапфир как последнее средство для приобретения экипировки?

Впрочем, неправильно было бы судить о поступках одной эпохи с точки зрения другой. То, что каждый порядочный человек счел бы для себя позорным в наши дни, казалось тогда простым и вполне естественным, и юноши из лучших семей бывали обычно на содержании у своих любовниц.

Д'Артаньян отдал Кэтти письмо незапечатанным; прочитав его, она сначала ничего не поняла, но потом, прочитав вторично, чуть не обезумела от радости.

Она не могла поверить такому счастью; д'Артаньян вынужден был устно уверить ее в том, о чем говорилось в письме, и, несмотря на опасность, которою угрожал бедной девочке вспыльчивый характер миледи в минуту вручения этого письма, Кэтти побежала на Королевскую площадь со всех ног. Сердце лучшей из женщин безжалостно к страданиям соперницы.

Миледи распечатала письмо с такой же поспешностью, с какой Кэтти принесла его. Однако после первых прочитанных ею слов она смертельно побледнела, потом скомкала бумагу, обернулась к Кэтти, и глаза ее засверкали.

— Что это за письмо? — спросила она.

— Это ответ, сударыня, — дрожа, ответила Кэтти.

— Не может быть! — вскричала миледи. — Не может быть! Дворянин не мог написать женщине такого письма... — И вдруг она вздрогнула. — Боже мой, — прошептала миледи, — неужели он узнал? — И она замолчала.

Она заскрежетала зубами, лицо ее стало пепельно-серым. Она хотела подойти к окну, чтобы вдохнуть свежий воздух, но могла лишь протянуть руку; ноги у нее подкосились, и она упала в кресло.

Кэтти решила, что миледи лишилась чувств, и подбежала, чтобы расстегнуть ей корсаж, но миледи быстро встала.

— Что вам нужно? — спросила она. — Как вы смеете прикасаться ко мне!

— Я думала, сударыня, что вы лишились чувств, и хотела помочь вам, — ответила служанка, смертельно напуганная страшным выражением, появившимся на лице миледи.

— Лишилась чувств! Я! Я! Уж не принимаете ли вы меня за какую-нибудь слабонервную дурочку? Когда меня оскорбляют, я не лишаюсь чувств — я мщу за себя, слышите?

И она знаком приказала Кэтти выйти.

VI

МЕЧТА О МЩЕНИИ

Вечером миледи приказала ввести к ней д'Артаньяна, как только он придет. Но он не пришел.

Наутро Кэтти снова пришла к молодому человеку и рассказала все, что случилось накануне. Д'Артаньян улыбнулся: ревнивый гнев миледи — этого-то он и добивался своим мщением.

Вечером миледи была еще более раздражена, чем накануне, и снова повторила приказание относительно гасконца, но, как и накануне, она прождала его напрасно.

На следующий день Кэтти явилась к д'Артаньяну, но уже не радостная и оживленная, как в предыдущие два дня, а, напротив, очень грустная. Д'Артаньян спросил бедную девушку, что с ней. Вместо ответа она вынула из кармана письмо и протянула ему.

Это письмо было написано рукой миледи, но на этот раз оно было адресовано не графу де Варду, а самому д'Артаньяну.

Он распечатал его и прочитал:

«Любезный господин д'Артаньян, нехорошо забывать своих друзей, особенно когда впереди долгая разлука. Лорд Винтер и я напрасно прождали вас вчера и третьего дня. Неужели это повторится и сегодня?

Признательная вам
леди Кларик».

— Все вполне понятно, — сказал д'Артаньян, — и я ожидал этого письма. Мои шансы повышаются по мере того, как падают шансы графа де Варда.

— Так вы пойдете? — спросила Кэтти.

— Послушай, моя дорогая, — сказал гасконец, стараясь оправдать в собственных глазах намерение нарушить слово, данное им Атосу, — пойми, что было бы неблагоразумно не явиться на столь определенное приглашение. Если я не приду, миледи не поймет, почему я прекратил свои посещения, и, пожалуй, догадается о чем-либо... А кто знает, до чего может дойти мщение женщины такого склада...

— О боже мой! — вздохнула Кэтти. — Вы умеете представить все в таком свете, что всегда оказываетесь правы, но вы, наверное, опять начнете ухаживать за ней, и если на этот раз вы понравитесь ей под вашим настоящим именем, если ей понравится ваше настоящее лицо, то это будет гораздо хуже, чем в первый раз!

Чутье помогло бедной девушке частично угадать то, что должно было произойти дальше.

Д'Артаньян успокоил ее, насколько мог, и обещал, что не поддастся чарам миледи.

Он поручил Кэтти передать леди Кларик, что как нельзя более благодарен за ее благосклонность и предоставляет себя в ее распоряжение. Однако он не решился написать ей, боясь, что не сумеет так изменить свой почерк, чтобы проницательный взгляд миледи не узнал его.

Ровно в девять часов д'Артаньян был на Королевской площади. Должно быть, слуги, ожидавшие в передней, были предупреждены, ибо, как только д'Артаньян вошел в дом, один из них немедленно побежал доложить о нем миледи, хотя мушкетер даже не успел спросить, принимает ли она.

— Просите, — сказала миледи коротко, но таким пронзительным голосом, что д'Артаньян услышал его еще в передней.

Лакей проводил его в гостиную.

— Меня ни для кого нет дома, — сказала миледи. — Слышите, ни для кого!

Лакей вышел.

Д'Артаньян с любопытством взглянул на миледи; она была бледна, и глаза ее казались утомленными — то ли от слез, то ли от бессонных ночей. В комнате было не так светло, как обычно, но, несмотря на этот преднамеренный полумрак, молодой женщине не удалось скрыть следы лихорадочного возбуждения, снедавшего ее в последние два дня.

Д'Артаньян приблизился к ней с таким же любезным видом, как обычно. Сделав над собой невероятное усилие, она приветливо улыбнулась ему, но эта улыбка плохо вязалась с ее искаженным от волнения лицом.

Д'Артаньян осведомился у миледи, как она себя чувствует.

— Плохо, — ответила она, — очень плохо.

— В таком случае, — сказал д'Артаньян, — я помешал. Вам, конечно, нужен отдых, и я сейчас же уйду.

— О нет! — сказала миледи. — Напротив, останьтесь, господин д'Артаньян, ваше милое общество развлечет меня.

«Ого! — подумал д'Артаньян. — Она никогда не была так любезна, надо быть начеку».

Миледи приняла самый дружеский тон, на какой была способна, и постаралась придать необычайное оживление разговору. Возбуждение, покинувшее ее на короткий миг, вновь вернулось к ней, и глаза ее снова заблестели, щеки покрылись краской, губы порозовели. Перед д'Артаньяном снова была Цирцея, давно уже покорившая его своими чарами. Любовь, которую он считал угасшей, только уснула и теперь вновь пробудилась в его сердце. Миледи улыбалась, и д'Артаньян чувствовал, что он готов погубить свою душу ради этой улыбки.

На миг он почувствовал даже нечто вроде угрызений совести.

Миледи между тем сделалась разговорчивее. Она спросила у д'Артаньяна, есть ли у него любовница.

— Ах! — сказал д'Артаньян самым нежным тоном, на какой только был способен. — Можете ли вы быть настолько жестоки, чтобы предлагать мне подобные вопросы? Ведь с тех пор, как я увидел вас, я дышу только вами и вздыхаю о вас одной!

Миледи улыбнулась странной улыбкой.

— Так вы меня любите? — спросила она.

— Неужели мне надо говорить об этом, неужели вы не заметили этого сами?

— Положим, да, но ведь вы знаете, что чем больше в сердце гордости, тем труднее бывает покорить его.

— О, трудности не пугают меня! — сказал д'Артаньян. — Меня ужасает лишь то, что невозможно.

— Для настоящей любви нет ничего невозможного, — возразила миледи.

— Ничего, сударыня?

— Ничего, — повторила миледи.

«Черт возьми! — подумал д'Артаньян про себя. — Тон совершенно переменился. Уж не влюбилась ли, чего доброго, в меня эта взбалмошная женщина и не собирается ли она подарить мне — мне самому — другой сапфир, вроде того, какой она подарила мнимому де Варду?»

Д'Артаньян поспешно пододвинул свой стул к креслу миледи.

— Послушайте, — сказала она, — что бы вы сделали, чтобы доказать мне любовь, о которой вы говорите?

— Все, чего бы вы от меня ни потребовали. Приказывайте — я готов!

— На все?

— На все! — вскричал д'Артаньян, знавший наперед, что, давая подобное обязательство, он рискует немногим.

— Хорошо! В таком случае — поговорим, — сказала миледи, в свою очередь придвигая свое кресло к стулу д'Артаньяна.

— Я вас слушаю, сударыня, — ответил он.

С минуту миледи молчала, задумавшись и как бы колеблясь, затем, видимо, решилась.

— У меня есть враг, — сказала она.

— У вас, сударыня? — вскричал д'Артаньян, притворяясь удивленным. — Боже мой, возможно ли это? Вы так прекрасны и так добры!

— Смертельный враг.

— В самом деле?

— Враг, который оскорбил меня так жестоко, что теперь между ним и мной война насмерть. Могу я рассчитывать на вас как на помощника?

Д'Артаньян сразу понял, чего хочет от него это мстительное создание.

— Можете, сударыня! — произнес он напыщенно. — Моя шпага и жизнь принадлежат вам вместе с моей любовью!

— В таком случае, — сказала миледи, — если вы так же отважны, как влюблены...

Она замолчала.

— Что же тогда? — спросил д'Артаньян.

— Тогда... — продолжала миледи после минутной паузы, — тогда вы можете с нынешнего же дня перестать бояться невозможного.

— Нет, я не вынесу такого счастья! — вскричал д'Артаньян, бросаясь на колени перед миледи и осыпая поцелуями ее руки, которых она не отнимала.

«Отомсти за меня этому презренному де Варду, — стиснув зубы, думала миледи, — а потом я сумею избавиться от тебя, самонадеянный глупец, слепое орудие моей мести!»

«Приди добровольно в мои объятия, лицемерная и опасная женщина! — думал д'Артаньян. — Приди ко мне! И тогда я посмеюсь над тобой за твое прежнее издевательство вместе с тем человеком, которого ты хочешь убить моей рукой».

Д'Артаньян поднял голову.

— Я готов, — сказал он.

— Так, значит, вы поняли меня, милый д'Артаньян? — спросила миледи.

— Я угадал бы ваше желание по одному вашему взгляду.

— Итак, вы согласны обнажить для меня вашу шпагу — шпагу, которая уже приобрела такую известность?

— В любую минуту.

— Но как же я отплачу вам за такую услугу? — сказала миледи. — Я знаю влюбленных: это люди, которые ничего не делают даром.

— Вы знаете, о какой награде я мечтаю, — ответил д'Артаньян, — единственной награде, достойной вас и меня!

И он нежно привлек ее к себе.

Она почти не сопротивлялась.

— Корыстолюбец! — сказала она с улыбкой.

— Ах! — вскричал д'Артаньян, и в самом деле охваченный страстью, которую эта женщина имела дар зажигать в его сердце. — Мое счастье мне кажется невероятным, я все время боюсь, что оно может улететь от меня, как сон, вот почему я спешу превратить его в действительность!

— Так заслужите же это невероятное счастье.

— Я в вашем распоряжении, — сказал д'Артаньян.

— Это правда? — произнесла миледи, отгоняя последнюю тень сомнения.

— Назовите мне того негодяя, который осмелился вызвать слезы на этих прекрасных глазах.

— Кто вам сказал, что я плакала?

— Мне показалось...

— Такие женщины, как я, не плачут, — сказала миледи.

— Тем лучше! Итак, скажите же мне, как его имя.

— Но подумайте, ведь в его имени заключается вся моя тайна.

— Однако должен же я знать это имя.

— Да, должны. Вот видите, как я вам доверяю!

— Я счастлив. Его имя?

— Вы знаете этого человека.

— Знаю?

— Да.

— Надеюсь, это не кто-либо из моих друзей? — спросил д'Артаньян, разыгрывая нерешительность, чтобы заставить миледи поверить в то, что он ничего не знает.

— Так, значит, будь это кто-либо из ваших друзей, вы бы поколебались? — вскричала миледи, и угрожающий огонек блеснул в ее глазах.

— Нет, хотя бы это был мой родной брат! — ответил д'Артаньян как бы в порыве восторга.

Наш гасконец ничем не рисковал, он действовал наверняка.

— Мне нравится ваша преданность, — сказала миледи.

— Увы! Неужели это все, что вам нравится во мне? — спросил д'Артаньян.

— Нет, я люблю и вас, вас! — сказала она, взяв его руку.

И д'Артаньян ощутил жгучее пожатие, от которого он весь затрепетал, словно и ему передалось волнение миледи.

— Вы любите меня! — вскричал он. — О, мне кажется, я схожу с ума!

И он заключил ее в объятия. Она не сделала попытки уклониться от его поцелуя, но и не ответила на него.

Губы ее были холодны: д'Артаньяну показалось, что он поцеловал статую.

И все же он был упоен радостью, воспламенен любовью; он почти поверил в нежные чувства миледи, он почти поверил в преступление де Варда. Если бы де Вард оказался сейчас здесь, возле него, он мог бы его убить.

Миледи воспользовалась этой минутой.

— Его имя... — начала она.

— Де Вард, я знаю! — вскричал д'Артаньян.

— Как вы узнали об этом? — спросила миледи, схватив его за руки и пытаясь проникнуть взглядом в самую глубь его души.

Д'Артаньян понял, что увлекся и совершил ошибку.

— Говорите, говорите! Да говорите же! — повторяла миледи. — Как вы узнали об этом?

— Как я узнал? — переспросил д'Артаньян.

— Да, как?

— Вчера я встретился в одном доме с де Вардом, и он показал мне кольцо, которое, по его словам, было подарено ему вами.

— Подлец! — вскричала миледи.

Это слово, по вполне понятным причинам, отдалось в самом сердце д'Артаньяна.

— Итак? — вопросительно произнесла миледи.

— Итак, я отомщу за вас этому подлецу! — ответил д'Артаньян с самым воинственным видом.

— Благодарю, мой храбрый друг! — сказала миледи. — Когда же я буду отомщена?

— Завтра, сию минуту, когда хотите!

Миледи чуть было не крикнула: «Сию минуту!» — но решила, что проявить подобную поспешность было бы не особенно любезно по отношению к д'Артаньяну.

К тому же ей надо было еще принять тысячу предосторожностей и дать своему защитнику тысячу наставлений относительно того, каким образом избежать объяснений с графом в присутствии секундантов. Д'Артаньян рассеял ее сомнения одной фразой.

— Завтра вы будете отомщены, — сказал он, — или я умру!

— Нет! — ответила она. — Вы отомстите за меня, но не умрете. Это трус.

— С женщинами — возможно, но не с мужчинами. Кто-кто, а я кое-что знаю о нем.

— Однако если не ошибаюсь, в вашей стычке с ним вам не пришлось жаловаться на судьбу.

— Судьба — куртизанка: сегодня она благосклонна, а завтра может повернуться ко мне спиной.

— Другими словами, вы уже колеблетесь.

— Нет, боже сохрани, я не колеблюсь, но справедливо ли будет послать меня на возможную смерть, подарив мне только надежду и ничего больше?

Миледи ответила взглядом, говорившим: «Ах, дело только в этом! Будьте же смелее!»

И она пояснила свой взгляд, с нежностью проговорив:

— Вы правы.

— О, вы ангел! — вскричал д'Артаньян.

— Итак, мы обо всем договорились? — спросила она.

— Кроме того, о чем я прошу вас, моя дорогая.

— Но если я говорю, что вы можете быть уверены в моей любви?

— У меня нет завтрашнего дня, и я не могу ждать.

— Тише! Я слышу шаги брата. Он не должен застать вас здесь.

Она позвонила. Появилась Кэтти.

— Выйдите через эту дверь, — сказала миледи, отворив маленькую потайную дверь, — и возвращайтесь в одиннадцать часов. Мы закончим этот разговор. Кэтти проведет вас ко мне.

При этих словах бедная девушка едва не лишилась чувств.

— Ну, сударыня! Что же вы застыли на месте, словно статуя? Вы слышали? Сегодня в одиннадцать часов вы проведете ко мне господина д'Артаньяна.

«Очевидно, все ее свидания назначаются на одиннадцать часов, — подумал д'Артаньян. — Это вошло у нее в привычку».

Миледи протянула ему руку, которую он нежно поцеловал.

«Однако... — думал он, уходя и едва отвечая на упреки Кэтти, — однако как бы мне не остаться в дураках! Нет сомнения, что эта женщина способна на любое преступление. Будем же осторожны».

VII

ТАЙНА МИЛЕДИ

Д'Артаньян вышел из особняка и не поднялся к Кэтти, несмотря на настойчивые мольбы девушки; он сделал это по двум причинам: чтобы избежать упреков, обвинений, просьб, а также чтобы немного сосредоточиться и разобраться в своих мыслях, а по возможности и в мыслях этой женщины.

Единственное, что было ясно во всей этой истории, — это что д'Артаньян безумно любил миледи и что она совсем его не любила. На секунду д'Артаньян понял, что лучшим выходом для него было бы вернуться домой, написать миледи длинное письмо и признаться, что он и де Вард были до сих пор одним и тем же лицом и что, следовательно, убийство де Варда было бы для него равносильно самоубийству. Но и его тоже подстегивала свирепая жажда мести; ему хотелось еще раз обладать этой женщиной, уже под своим собственным именем, и, так как эта месть имела в его глазах известную сладость, он был не в силах от нее отказаться.

Пять или шесть раз обошел он Королевскую площадь, оборачиваясь через каждые десять шагов, чтобы посмотреть на свет в комнатах миледи, проникавший сквозь жалюзи; сегодня миледи не так торопилась уйти в спальню, как в первый раз, это было очевидно.

Наконец свет погас.

Вместе с этим огоньком исчезли последние следы нерешительности в душе д'Артаньяна; ему припомнились подробности первой ночи, и с замирающим сердцем, с пылающим лицом он вошел в особняк и бросился в комнату Кэтти.

Бледная как смерть, дрожа всем телом, Кэтти попыталась было удержать своего возлюбленного, но миледи, которая все время прислушивалась, услышала, как вошел д'Артаньян, и отворила дверь.

— Войдите, — сказала она.

Все это было исполнено такого невероятного бесстыдства, такой чудовищной наглости, что д'Артаньян не мог поверить тому, что видел и слышал. Ему казалось, что он стал действующим лицом одного из тех фантастических приключений, какие бывают только во сне.

Тем не менее он порывисто бросился навстречу миледи, уступая той притягательной силе, которая действовала на него, как магнит действует на железо.

Дверь за ними закрылась.

Кэтти бросилась к этой двери.

Ревность, ярость, оскорбленная гордость, все страсти, бушующие в сердце влюбленной женщины, толкали ее на разоблачение, но она погибла бы, если бы призналась, что принимала участие в подобной интриге, и, сверх того, д'Артаньян был бы потерян для нее навсегда. Это последнее соображение, продиктованное любовью, склонило ее принести еще и эту последнюю жертву.

Что касается д'Артаньяна, то он достиг предела своих желаний: сейчас миледи любила в нем не его соперника, она любила или делала вид, что любит его самого. Правда, тайный внутренний голос говорил молодому человеку, что он был лишь орудием мести, что его ласкали лишь для того, чтобы он совершил убийство, но гордость, самолюбие, безумное увлечение заставляли умолкнуть этот голос, заглушали этот ропот. К тому же наш гасконец, как известно не страдавший отсутствием самоуверенности, мысленно сравнивал себя с де Вардом и спрашивал себя, почему, собственно, нельзя было полюбить его, д'Артаньяна, ради него самого.

Итак, он всецело отдался ощущениям настоящей минуты. Миледи уже не казалась ему той женщиной с черными замыслами, которая на миг ужаснула его; это была пылкая любовница, всецело отдававшаяся любви, которую, казалось, испытывала и она сама.

Так прошло около двух часов. Восторги влюбленной пары постепенно утихли. Миледи, у которой не было тех причин для забвения, какие были у д'Артаньяна, первая вернулась к действительности и спросила у молодого человека, придумал ли он какой-нибудь предлог, чтобы на следующий день вызвать на дуэль графа де Варда.

Однако мысли д'Артаньяна приняли теперь совершенно иное течение, он забылся, как глупец, и шутливо возразил, что сейчас слишком позднее время, чтобы думать о дуэлях на шпагах.

Это безразличие к единственному предмету, ее занимавшему, испугало миледи, и ее вопросы сделались более настойчивыми.

Тогда д'Артаньян, никогда не думавший всерьез об этой немыслимой дуэли, попытался перевести разговор на другую тему, но это было уже не в его силах.

Твердый ум и железная воля миледи не позволили ему выйти из границ, намеченных ею заранее.

Д'Артаньян не нашел ничего более остроумного, как посоветовать миледи простить де Варда и отказаться от ее жестоких замыслов.

Однако при первых же его словах молодая женщина вздрогнула и отстранилась от него.

— Уж не боитесь ли вы, любезный д'Артаньян? — насмешливо произнесла она пронзительным голосом, странно прозвучавшим в темноте.

— Как вы можете это думать, моя дорогая! — ответил д'Артаньян. — Но что, если этот бедный граф де Вард менее виновен, чем вы думаете?

— Так или иначе, — сурово проговорила миледи, — он обманул меня, а раз это так — он заслужил смерть.

— Пусть же он умрет, если вы осудили его! — проговорил д'Артаньян твердым тоном, показавшимся миледи исполненным безграничной преданности.

И она снова придвинулась к нему.

Мы не можем сказать, долго ли тянулась ночь для миледи, но д'Артаньяну казалось, что он еще не провел с ней и двух часов, когда сквозь щели жалюзи забрезжил день, вскоре заливший всю спальню своим белесоватым светом.

Тогда, видя, что д'Артаньян собирается ее покинуть, миледи напомнила ему о его обещании отомстить за нее де Варду.

— Я готов, — сказал д'Артаньян, — но прежде я хотел бы убедиться в одной вещи.

— В какой же? — спросила миледи.

— В том, что вы меня любите.

— Мне кажется, я уже доказала вам это.

— Да, и я ваш телом и душой.

— Благодарю вас, мой храбрый возлюбленный! Но ведь и вы тоже докажете мне вашу любовь, как я доказала вам свою, не так ли?

— Конечно, — подтвердил д'Артаньян. — Но если вы любите меня, как говорите, то неужели вы не боитесь за меня хоть немного?

— Чего я могу бояться?

— Как — чего? Я могу быть опасно ранен, даже убит...

— Этого не может быть, — сказала миледи, — вы так мужественны и так искусно владеете шпагой.

— Скажите, разве вы не предпочли бы какое-нибудь другое средство, которое точно так же отомстило бы за вас и сделало поединок ненужным?

Миледи молча взглянула на своего любовника: белесоватый свет утренней зари придавал ее светлым глазам странное, зловещее выражение.

— Право, — сказала она, — мне кажется, что вы колеблетесь.

— Нет, я не колеблюсь, но с тех пор как вы разлюбили этого бедного графа, мне, право, жаль его, и, по-моему, мужчина должен быть так жестоко наказан потерей вашей любви, что уже нет надобности наказывать его как-либо иначе.

— Кто вам сказал, что я любила его? — спросила миледи.

— Во всяком случае, я смею думать без чрезмерной самонадеянности, что сейчас вы любите другого, — сказал молодой человек нежным тоном, — и, повторяю вам, я сочувствую графу.

— Вы?

— Да, я.

— Но почему же именно вы?

— Потому что один я знаю...

— Что?

— ...что он далеко не так виновен или, вернее не был так виновен перед вами, как кажется.

— Объяснитесь... — сказала миледи с тревогой в голосе, — объяснитесь, потому что я, право, не понимаю, что вы хотите этим сказать.

Она взглянула на д'Артаньяна, державшего ее в объятиях, и в ее глазах появился огонек.

— Я порядочный человек, — сказал д'Артаньян, решивший покончить с этим, — и с тех пор, как ваша любовь принадлежит мне, с тех пор, как я уверен в ней... а ведь я могу быть уверен в нашей любви, не так ли?

— Да, да, конечно... Дальше!

— Так вот, я вне себя от радости, и меня тяготит одно признание.

— Признание?

— Если б я сомневался в вашей любви, я бы не сделал его, но ведь вы любите меня, моя прекрасная возлюбленная? Не правда ли, вы... вы меня любите?

— Разумеется, люблю.

— В таком случае — скажите: простили бы вы мне, если бы чрезмерная любовь заставила меня оказаться в чем-либо виноватым перед вами?

— Возможно.

Д'Артаньян хотел было приблизить свои губы к губам миледи, но она оттолкнула его.

— Признание... — сказала она, бледнея. — Что это за признание?

— У вас было в этот четверг свидание с де Вардом здесь, в этой самой комнате, не так ли?

— У меня? Нет, ничего подобного не было, — сказала миледи таким твердым тоном и с таким бесстрастным выражением лица, что, не будь у д'Артаньяна полной уверенности, он мог бы усомниться.

— Не лгите, мой прелестный ангел, — с улыбкой возразил он, — это бесполезно.

— Что все это значит? Говорите же! Вы меня убиваете!

— О, успокойтесь, по отношению ко мне вы ни в чем не виноваты, и я уже простил вас.

— Но что же дальше, дальше?

— Де Вард не может ничем похвастать.

— Почему? Ведь вы же сами сказали мне, что это кольцо...

— Любовь моя, это кольцо у меня. Граф де Вард, бывший у вас в четверг, и сегодняшний д'Артаньян — это одно и то же лицо.

Неосторожный юноша ожидал встретить стыдливое удивление, легкую бурю, которая разрешится слезами, но он жестоко ошибся, и его заблуждение длилось недолго.

Бледная и страшная, миледи приподнялась и, оттолкнув д'Артаньяна сильным ударом в грудь, соскочила с постели.

Было уже совсем светло.

Желая вымолить прощение, д'Артаньян удержал ее за пеньюар из тонкого батиста, но она сделала попытку вырваться из его рук. При этом сильном и резком движении батист разорвался, обнажив ее плечи, и на одном прекрасном, белоснежном, круглом плече д'Артаньян с невыразимым ужасом увидел цветок лилии — неизгладимое клеймо, налагаемое позорящей рукой палача.

— Боже милосердный! — вскричал он, выпуская пеньюар.

И он застыл на постели, безмолвный, неподвижный, похолодевший.

Однако самый ужас д'Артаньяна сказал миледи, что она изобличена; несомненно, он видел все. Теперь молодой человек знал ее тайну, страшную тайну, которая никому не была известна.

Она повернулась к нему уже не как разъяренная женщина, а как раненая пантера.

— Негодяй! — сказала она. — Мало того, что ты подло предал меня, ты еще узнал мою тайну! Ты умрешь!

Она подбежала к небольшой шкатулке с инкрустациями, стоявшей на ее туалете, открыла ее лихорадочно дрожавшей рукой, вынула маленький кинжал с золотой рукояткой, с острым и тонким лезвием и бросилась назад к полураздетому д'Артаньяну.

Как известно, молодой человек был храбр, но и его устрашили это искаженное лицо, эти жутко расширенные зрачки, бледные щеки и кроваво-красные губы; он отодвинулся к стене, словно видя подползавшую к нему змею; его влажная от пота рука случайно нащупала шпагу, и он выхватил ее из ножен.

Однако, не обращая внимания на шпагу, миледи попыталась взобраться на кровать, чтобы ударить его кинжалом, и остановилась лишь тогда, когда почувствовала острие у своей груди.

Тогда она стала пытаться схватить эту шпагу руками, но д'Артаньян, мешая ей сделать это и все время приставляя шпагу то к ее глазам, то к груди, соскользнул на пол, ища возможности отступить назад, к двери, ведущей в комнату Кэтти.

Миледи между тем продолжала яростно кидаться на него, издавая при этом какое-то звериное рычание.

Это начинало походить на настоящую дуэль, и понемногу д'Артаньян пришел в себя.

— Отлично, моя красавица! Отлично! — повторял он. — Но только, ради бога, успокойтесь, не то я нарисую вторую лилию на ваших прелестных щечках.

— Подлец! Подлец! — рычала миледи.

Продолжая пятиться к двери, д'Артаньян занимал оборонительное положение.

На шум, который они производили: она — опрокидывая стулья, чтобы настигнуть его, он — прячась за них, чтобы защититься, — Кэтти открыла дверь. Д'Артаньян, все время маневрировавший таким образом, чтобы приблизиться к двери, в эту минуту был от нее не более как в трех шагах. Одним прыжком он ринулся из комнаты миледи в комнату служанки, быстрый как молния, захлопнул дверь, налегая на нее всей тяжестью, пока Кэтти запирала ее на задвижку.

Тогда миледи сделала попытку проломить перегородку, отделявшую ее спальню от комнаты служанки, выказав при этом необычайную для женщины силу; затем, убедившись, что это невозможно, начала колоть дверь кинжалом, причем некоторые из ее ударов пробили дерево насквозь.

Каждый удар сопровождался ужасными проклятиями.

— Живо, живо, Кэтти! — вполголоса сказал д'Артаньян, когда дверь была заперта на задвижку. — Помоги мне выйти из дома. Если мы дадим ей время опомниться, она велит своим слугам убить меня.

— Но не можете же вы идти в таком виде? — сказала Кэтти. — Вы почти раздеты.

— Да, да, это правда, — сказал д'Артаньян, только теперь заметивший свой костюм. — Одень меня во что можешь, только поскорее! Пойми, это вопрос жизни и смерти...

Кэтти понимала это как нельзя лучше; она мгновенно напялила на него какое-то женское платье в цветочках, широкий капор и накидку, затем, дав ему надеть туфли на босу ногу, увлекла его вниз по лестнице. Это было как раз вовремя — миледи уже позвонила и разбудила весь дом. Привратник отворил дверь в ту самую минуту, когда миледи, тоже полунагая, крикнула, высунувшись из окна:

— Не выпускайте!

VIII

КАКИМ ОБРАЗОМ АТОС БЕЗ ВСЯКИХ ХЛОПОТ НАШЕЛ СВОЕ СНАРЯЖЕНИЕ

Молодой человек убежал, а она все еще грозила ему бессильным жестом. В ту минуту, когда он скрылся из виду, миледи упала без чувств.

Д'Артаньян был так потрясен, что, не задумываясь о дальнейшей участи Кэтти, пробежал пол-Парижа и остановился лишь у дверей Атоса. Душевное расстройство, подгонявший его ужас, крики патрульных, кое-где пустившихся за ним вдогонку, гиканье редких прохожих, которые, несмотря на ранний час, уже шли по своим делам, — все это только ускоряло его бег.

Он миновал двор, поднялся на третий этаж и неистово заколотил в дверь Атоса.

Ему открыл Гримо с опухшими от сна глазами. Д'Артаньян ворвался в комнату с такой стремительностью, что чуть было не сшиб его с ног.

Вопреки своей обычной немоте, на этот раз бедный малый заговорил.

— Эй, ты! — крикнул он. — Что тебе надо, бесстыдница? Куда лезешь, потаскуха?

Д'Артаньян сдвинул набок свой капор и высвободил руки из-под накидки. Увидев усы и обнаженную шпагу, бедняга Гримо понял, что перед ним мужчина. Тогда он решил, что это убийца.

— На помощь! Спасите! На помощь! — крикнул он.

— Замолчи, дурак! — сказал молодой человек. — Я д'Артаньян. Неужели ты меня не узнал? Где твой господин?

— Вы господин д'Артаньян? Не может быть! — вскричал Гримо.

— Гримо, — сказал Атос, выходя в халате из своей спальни, — вы, кажется, позволили себе заговорить...

— Но, сударь, дело в том, что...

— Замолчите!

Гримо умолк и только показал своему господину на д'Артаньяна.

Атос узнал товарища и, несмотря на всю свою флегматичность, разразился хохотом, который вполне оправдывался причудливым маскарадным костюмом, представившимся его взору: капор набекрень, съехавшая до полу юбка, засученные рукава и торчащие усы на взволнованном лице. .

— Не смейтесь, друг мой, — вскричал д'Артаньян, — во имя самого бога, не смейтесь, потому что, даю вам честное слово, тут не до смеха!

Он произнес эти слова таким серьезным тоном и с таким неподдельным ужасом, что смех Атоса оборвался.

— Вы так бледны, друг мой... — сказал он, схватив его за руки. — Уж не ранены ли вы?

— Нет, но со мной только что случилось ужасное происшествие. Вы один, Атос?

— Черт возьми, да кому же у меня быть в эту пору!

— Это хорошо.

И д'Артаньян поспешно прошел в спальню Атоса.

— Ну, рассказывайте! — сказал последний, затворяя за собой дверь и запирая ее на задвижку, чтобы никто не мог помешать им. — Уж не умер ли король? Не убили ли вы кардинала? На вас лица нет! Рассказывайте же скорее, я положительно умираю от беспокойства.

— Атос, — сказал д'Артаньян, сбросив с себя женское платье и оказавшись в одной рубашке, — приготовьтесь выслушать невероятную, неслыханную историю.

— Сначала наденьте этот халат, — предложил мушкетер.

Д'Артаньян надел халат, причем не сразу попал в рукава — до такой степени он был еще взволнован.

— Итак? — спросил Атос.

— Итак... — ответил д'Артаньян, нагибаясь к уху Атоса и понижая голос, — итак, миледи заклеймена на плече цветком лилии.

— Ах! — вскричал мушкетер, словно в сердце ему попала пуля.

— Послушайте, — сказал д'Артаньян, — вы уверены, что та женщина действительно умерла?

— Та женщина? — переспросил Атос таким глухим голосом, что д'Артаньян едва расслышал его.

— Да, та, о которой вы мне однажды рассказали в Амьене.

Атос со стоном опустил голову на руки.

— Этой лет двадцать шесть — двадцать семь, — продолжал д'Артаньян.

— У нее белокурые волосы? — спросил Атос.

— Да.

— Светлые, до странности светлые голубые глаза с черными бровями и черными ресницами?

— Да.

— Высокого роста, хорошо сложена? С левой стороны у нее недостает одного зуба рядом с глазным?

— Да.

— Цветок лилии небольшой, рыжеватого оттенка и как бы полустертый с помощью разных притираний?

— Да.

— Но ведь вы говорили, что она англичанка?

— Все называют ее миледи, но очень возможно, что она француженка. Ведь лорд Винтер — это всего лишь брат ее мужа.

— Д'Артаньян, я хочу ее видеть!

— Берегитесь, Атос, берегитесь: вы пытались убить ее! Это такая женщина, которая способна отплатить вам тем же и не промахнуться.

— Она не посмеет что-либо рассказать — это выдало бы ее.

— Она способна на все! Приходилось вам когда-нибудь видеть ее разъяренной?

— Нет.

— Это тигрица, пантера! Ах, милый Атос, я очень боюсь, что навлек опасность ужасной мести на нас обоих...

И д'Артаньян рассказал обо всем: и о безумном гневе миледи и о ее угрозах убить его.

— Вы правы, и, клянусь душой, я не дал бы сейчас за свою жизнь и гроша, — сказал Атос. — К счастью, послезавтра мы покидаем Париж; по всей вероятности, нас пошлют к Ла-Рошели, а когда мы уедем...

— Она последует за вами на край света, Атос, если только узнает вас. Пусть уж ее гнев падет на меня одного.

— Ах, друг мой, а что за важность, если она и убьет меня! — сказал Атос. — Уж не думаете ли вы, что я дорожу жизнью?

— Во всем этом скрывается какая-то ужасная тайна... Знаете, Атос, эта женщина — шпион кардинала, я убежден в этом.

— В таком случае — берегитесь. Если кардинал не проникся к вам восхищением за лондонскую историю, то он возненавидел вас за нее. Однако ему не в чем обвинить вас открыто, а так как ненависть непременно должна найти исход, особенно если это ненависть кардинала, то берегитесь! Когда вы выходите из

13-2

дому, не выходите один; когда вы едите, будьте осторожны — словом, не доверяйте никому, даже собственной тени.

— К счастью, — сказал д'Артаньян, — нам надо только дотянуть до послезавтрашнего вечера, так как в армии, надеюсь, нам не придется опасаться никого, кроме вражеских солдат.

— А пока что, — заявил Атос, — я отказываюсь от своих затворнических намерений и буду повсюду сопровождать вас. Вам надо вернуться на улицу Могильщиков, я иду с вами.

— Но как это ни близко отсюда, — возразил д'Артаньян, — я не могу идти туда в таком виде.

— Это правда, — согласился Атос и позвонил в колокольчик.

Вошел Гримо.

Атос знаком приказал ему пойти к д'Артаньяну и принести оттуда платье. Гримо также знаком ответил, что превосходно все понял, и ушел.

— Так-то, милый друг! — сказал Атос. — Однако же вся эта история отнюдь не помогает нам в деле экипировки, ибо, если не ошибаюсь, все ваши пожитки остались у миледи, которая вряд ли позаботится о том, чтобы вернуть их. К счастью, у вас есть сапфир.

— Сапфир принадлежит вам, милый Атос! Ведь вы сами сказали, что это фамильное кольцо.

— Да, мой отец купил его за две тысячи экю — так он говорил мне когда-то. Оно составляло часть свадебных подарков, которые он сделал моей матери, и оно просто великолепно! Мать подарила его мне, а я, безумец, вместо того чтобы хранить это кольцо как святыню, в свою очередь, подарил его этой презренной женщине...

— В таком случае, дорогой мой, возьмите себе это кольцо: я понимаю, как вы должны дорожить им.

— Чтобы я взял это кольцо после того, как оно побывало в преступных руках! Никогда! Это кольцо осквернено, д'Артаньян.

— Если так, продайте его.

— Продать сапфир, полученный мною от матери! Признаюсь, я счел бы это святотатством.

— Тогда заложите его, и вы, бесспорно, получите около тысячи экю. Этой суммы с избытком хватит на ваши надобности, а потом из первых же полученных денег вы выкупите его, и оно вернется к вам очищенным от прежних пятен, потому что пройдет через руки ростовщиков.

Атос улыбнулся.

— Вы чудесный товарищ, милый д'Артаньян, — сказал он. — Своей неизменной веселостью вы поднимаете дух у тех несчастных, которые впали в уныние. Идет! Давайте заложим это кольцо, но с одним условием.

— С каким?

— Пятьсот экю берете вы, пятьсот — я.

— Что вы, Атос! Мне не нужно и четверти этой суммы — я ведь в гвардии. Продав седло, я выручу как раз столько, сколько требуется. Что мне надо? Лошадь для Планше, вот и все. Вы забываете к тому же, что и у меня есть кольцо.

— Которым вы, видимо, дорожите еще больше, чем я своим; по крайней мере так мне показалось.

— Да, потому что в случае крайней необходимости оно может не только вывести нас из затруднительного положения, но и спасти от серьезной опасности. Это не только драгоценный алмаз — это волшебный талисман.

— Я не понимаю, о чем вы говорите, но верю вам. Итак, вернемся к моему кольцу или, вернее, к вашему. Вы возьмете половину той суммы, которую нам за него дадут, или я брошу его в Сену. А у меня нет уверенности в том, что какая-нибудь рыба будет настолько любезна, что принесет его нам, как принесла Поликрату.

— Ну хорошо, согласен! — сказал д'Артаньян.

В эту минуту вернулся Гримо и с ним Планше; беспокоясь за своего господина и любопытствуя узнать, что с ним произошло, последний воспользовался случаем и принес одежду сам.

Д'Артаньян оделся. Атос сделал то же. Затем, когда оба друга были готовы, Атос знаком показал Гримо, что прицеливается. Гримо тотчас же снял со стены мушкет и приготовился сопровождать своего господина.

Они благополучно добрались до улицы Могильщиков. В дверях стоял Бонасье. Он насмешливо взглянул на д'Артаньяна.

— Поторапливайтесь, любезный жилец, — сказал он, — вас ждет красивая девушка, а женщины, как вам известно, не любят, чтобы их заставляли ждать.

— Это Кэтти! — вскричал д'Артаньян и бросился наверх.

И действительно, на площадке перед своей комнатой он увидел Кэтти: бедная девушка стояла, прислонясь к двери, и вся дрожала.

— Вы обещали защитить меня, — сказала она, — вы обещали спасти меня от ее гнева. Вспомните, ведь это вы погубили меня!

— Конечно, конечно! — сказал д'Артаньян. — Не беспокойся, Кэтти. Однако что же произошло после моего ухода?

— Я и сама не знаю, — ответила Кэтти. — На ее крики сбежались лакеи, она была вне себя от ярости. Нет таких проклятий, каких бы она не посылала по вашему адресу. Тогда я испугалась, как бы она не вспомнила, что вы попали в ее комнату через мою, и не заподозрила, что я ваша сообщница. Я взяла все свои деньги, самые ценные из своих вещей и убежала.

— Бедная девочка! Но что же мне с тобой делать? Послезавтра я уезжаю.

— Все, что хотите, господин д'Артаньян! Помогите мне уехать из Парижа, помогите мне уехать из Франции...

— Но не могу же я взять тебя с собой на осаду Ла-Рошели! — возразил д'Артаньян.

— Конечно, нет, но вы можете устроить меня где-нибудь в провинции, у какой-нибудь знакомой дамы на вашей родине, к примеру...

— Милая Кэтти, у меня на родине дамы не держат горничных... Впрочем, погоди, я знаю, что мы сделаем... Планше, сходи за Арамисом. Пусть сейчас же идет сюда. Нам надо поговорить с ним.

— Понимаю, — сказал Атос. — Но почему же не с Портосом? Мне кажется, что его маркиза...

— Маркиза Портоса одевается с помощью писцов своего мужа, — со смехом сказал д'Артаньян. — К тому же Кэтти не захочет жить на Медвежьей улице... Правда, Кэтти?

— Я буду жить где угодно, — ответила Кэтти, — лишь бы меня хорошенько спрятали и никто не знал, где я.

— Теперь, Кэтти, когда мы расстаемся с тобой и, значит, ты больше не ревнуешь меня...

— Господин д'Артаньян, — сказала Кэтти, — где бы я ни была, я всегда буду любить вас!

— Вот где, черт возьми, нашло приют постоянство! — пробормотал Атос.

— И я тоже... — сказал д'Артаньян, — я тоже всегда буду любить тебя, будь спокойна. Но вот что — ответь мне на один вопрос, это для меня очень важно: ты никогда ничего не слышала о молодой женщине, которая была похищена как-то ночью?

— Подождите... О, боже, неужели вы любите еще и эту женщину?

— Нет, ее любит один из моих друзей. Да вот он, этот самый Атос.

— Я?! — вскричал Атос с таким ужасом, словно он чуть не наступил на змею.

— Ну конечно же, ты! — сказал д'Артаньян, сжимая руку Атоса. — Ты отлично знаешь, какое участие принимаем мы все в этой бедняжке, госпоже Бонасье. Впрочем, Кэтти никому не расскажет об этом... Не так ли, Кэтти? Знаешь, милочка, — продолжал д'Артаньян, — это жена того урода, которого ты, наверное, заметила у дверей, когда входила ко мне.

— О боже! — вскричала Кэтти. — Вы напомнили мне о нем. Я так боюсь! Только бы он не узнал меня!

— То есть как — узнал? Значит, ты уже видела прежде этого человека?

— Он два раза приходил к миледи.

— Так и есть! Когда это было?

— Недели две — две с половиной назад.

— Да, да, именно так.

— И вчера вечером он приходил опять.

— Вчера вечером?

— Да, за минуту до вас.

— Милый Атос, мы окружены сетью шпионов!.. И ты думаешь, Кэтти, что он узнал тебя?

— Заметив его, я низко надвинула на лицо капор, но, пожалуй, было уже поздно.

— Спуститесь вниз, Атос, — к вам он относится менее недоверчиво, чем ко мне, — и посмотрите, все ли еще он стоит у дверей.

Атос сошел вниз и вскоре вернулся.

— Его нет, — сказал он, — и дом на замке.

— Он отправился донести о том, что все голуби в голубятне.

— В таком случае — давайте улетим, — сказал Атос, — и оставим здесь одного Планше, который сообщит нам о дальнейшем.

— Одну минутку! А как же быть с Арамисом? Ведь мы послали за ним.

— Это правда, подождем Арамиса.

В эту самую минуту вошел Арамис.

Ему рассказали всю историю и объяснили, насколько необходимо найти у кого-нибудь из его высокопоставленных знакомых место для Кэтти.

Арамис на минуту задумался, потом спросил, краснея:

— Я действительно окажу вам этим услугу, д'Артаньян?

— Я буду признателен вам всю жизнь.

— Так вот, госпожа де Буа-Траси просила меня найти для одной из ее приятельниц, которая, кажется, живет где-то в провинции, надежную горничную, и если вы, д'Артаньян, можете поручиться за...

— О сударь! — вскричала Кэтти. — Уверяю вас, я буду бесконечно предана той особе, которая даст мне возможность уехать из Парижа.

— В таком случае, — сказал Арамис, — все уладится.

Он сел к столу, написал записку, запечатал ее своим перстнем и отдал Кэтти.

— А теперь, милочка, — сказал д'Артаньян, — ты сама знаешь, что оставаться здесь небезопасно ни для нас, ни для тебя, и поэтому нам надо расстаться. Мы встретимся с тобой в лучшие времена.

— Знайте, что когда бы и где бы мы ни встретились, — сказала Кэтти, — я буду любить вас так же, как люблю сейчас!

— Клятва игрока, — промолвил Атос, между тем как д'Артаньян вышел на лестницу проводить Кэтти.

Минуту спустя трое молодых людей расстались, сговорившись встретиться в четыре часа у Атоса и поручив Планше стеречь дом.

Арамис пошел домой, а Атос и д'Артаньян отправились закладывать сапфир.

Как и предвидел наш гасконец, они без всяких затруднений получили триста пистолей под залог кольца. Более того, ростовщик объявил, что, если они пожелают продать ему кольцо в собственность, он готов дать за него до пятисот пистолей, так как оно изумительно подходит к имеющимся у него серьгам.

Атос и д'Артаньян, расторопные солдаты и знатоки своего дела, потратили не более трех часов на приобретение всей экипировки, нужной мушкетеру. К тому же Атос был человек покладистый и натура необычайно широкая. Если вещь ему подходила, он всякий раз платил требуемую сумму, даже не пытаясь сбавить ее. Д'Артаньян попробовал было сделать ему замечание на этот счет, но Атос с улыбкой положил ему руку на плечо, и д'Артаньян понял, что если ему, бедному гасконскому дворянину, пристало торговаться, то это никак не шло человеку, который держал себя как принц крови.

Мушкетер отыскал превосходную андалузскую лошадь, шестилетку, черную как смоль, с пышущими огнем ноздрями, с тонкими, изящными ногами. Он осмотрел ее и не нашел ни одного изъяна. За нее запросили тысячу ливров.

Возможно, что ему удалось бы купить ее дешевле, но, пока д'Артаньян спорил с барышником о цене, Атос уже отсчитывал на столе сто пистолей.

Для Гримо была куплена пикардийская лошадь, коренастая и крепкая, за триста ливров.

Однако когда Атос купил седло к этой лошади и оружие для Гримо, от его ста пятидесяти пистолей не осталось ни гроша. Д'Артаньян предложил приятелю взять часть денег из его доли, с тем чтобы он отдал этот долг когда-нибудь впоследствии, но Атос только пожал плечами.

— Сколько предлагал ростовщик, чтобы приобрести сапфир в собственность? — спросил он.

— Пятьсот пистолей.

— То есть на двести пистолей больше. Сто пистолей вам, сто пистолей мне. Друг мой, да ведь это целое состояние! Идите к ростовщику..

— Как! Вы хотите...

— Право, д'Артаньян, это кольцо напоминало бы мне о слишком грустных вещах. К тому же у нас никогда не будет трехсот пистолей, чтобы выкупить его, и мы напрасно потеряем на этом деле две тысячи ливров. Скажите же ему, что кольцо — его, и возвращайтесь с двумя сотнями пистолей.

— Подумайте хорошенько, Атос!

— Наличные деньги дороги в наше время, и надо уметь приносить жертвы. Идите, д'Артаньян, идите! Гримо проводит вас со своим мушкетом.

Полчаса спустя д'Артаньян вернулся с двумя тысячами ливров, не встретив на пути никаких приключений.

Вот каким образом Атос нашел в своем хозяйстве денежные средства, на которые он совершенно не рассчитывал.

IX

ВИДЕНИЕ

Итак, в четыре часа четверо друзей собрались у Атоса. С заботами об экипировке было покончено, и теперь на лице каждого из них отражались только собственные сокровенные заботы, ибо всякая минута счастья таит в себе будущую тревогу.

Внезапно вошел Планше с двумя письмами, адресованными д'Артаньяну.

Одно было маленькое, продолговатое, изящное, запечатанное красивой печатью зеленого воска, на которой был вытиснен голубь, несущий в клюве зеленую ветвь.

Второе было большое, квадратное, и на нем красовался грозный герб его высокопреосвященства герцога-кардинала.

При виде маленького письмеца сердце д'Артаньяна радостно забилось: ему показалось, что он узнал почерк. Правда, он видел этот почерк лишь однажды, но память о нем глубоко запечатлелась в его сердце.

Итак, он взял маленькое письмо и поспешно его распечатал.

«В ближайшую среду, — говорилось в письме, — между шестью и семью часами вечера прогуливайтесь по дороге в Шайо и внимательно вглядывайтесь в проезжающие кареты, но, если вы дорожите вашей жизнью и жизнью людей, которые вас любят, не говорите ни одного слова, не делайте ни одного движения, которое могло бы показать, что вы узнали особу, подвергающую себя величайшей опасности ради того, чтобы увидеть вас хотя бы на мгновение».

Подписи не было.

— Это западня, д'Артаньян, — сказал Атос. — Не ходите туда.

— Но мне кажется, что я узнаю почерк, — возразил д'Артаньян.

— Почерк может быть подделан, — продолжал Атос. — В такое время года дорога в Шайо в шесть-семь часов вечера совершенно безлюдна. Это все равно что пойти на прогулку в лес Бонди.

— А что, если мы отправимся туда вместе? — предложил д'Артаньян. — Что за черт! Не проглотят же нас всех четырех сразу, да еще с четырьмя слугами, лошадьми и оружием!

— К тому же это будет удобный случай показать наше снаряжение, — добавил Портос.

— Но если это пишет женщина, — возразил Арамис, — и если эта женщина не хочет, чтобы ее видели, то вы скомпрометируете ее, д'Артаньян. Подумайте об этом! То будет поступок, недостойный дворянина.

— Мы останемся позади, — предложил Портос, — и д'Артаньян подъедет к карете один.

— Так-то так, но ведь из кареты, которая мчится на полном ходу, очень легко выстрелить из пистолета.

— Ба! — сказал д'Артаньян. — Пуля пролетит мимо. А мы нагоним карету и перебьем всех, кто в ней окажется. Все-таки у нас будет несколькими врагами меньше.

— Он прав, — согласился Портос. — Я за драку. Надо же испытать наше оружие, в конце концов!

— Что ж, доставим себе это удовольствие, — произнес Арамис своим обычным беспечным тоном.

— Как вам будет угодно, — сказал Атос.

— Господа, — сказал д'Артаньян, — уже половина пятого, и мы едва успеем к шести часам на дорогу в Шайо.

— К тому же, если мы выедем слишком поздно, — добавил Портос, — то нас никто не увидит, а это было бы очень досадно. Итак, идемте готовиться в путь, господа!

— Но вы забыли о втором письме, — сказал Атос. — Между тем, судя по печати, оно, мне кажется, заслуживает того, чтобы его вскрыли. Признаюсь вам, любезный д'Артаньян, что меня оно беспокоит гораздо больше, чем та писулька, которую вы с такой нежностью спрятали у себя на груди.

Д'Артаньян покраснел.

— Хорошо, — сказал молодой человек, — давайте посмотрим, господа, чего хочет от меня его высокопреосвященство.

Д'Артаньян распечатал письмо и прочитал:

«Г-н д'Артаньян, королевской гвардии, роты Дезэссара, приглашается сегодня, к восьми часам вечера, во дворец кардинала.

Ла Удиньер, капитан гвардии».

— Черт возьми! — проговорил Атос. — Вот это свидание будет поопаснее того, другого.

— Я пойду на второе, побывав на первом, — сказал д'Артаньян. — Одно назначено на семь часов, другое на восемь. Времени хватит на оба.

— Гм... Я бы не пошел, — заметил Арамис. — Учтивый кавалер не может не пойти на свидание, назначенное ему дамой, но благоразумный дворянин может найти себе оправдание, не явившись к его высокопреосвященству, особенно если у него есть причины полагать, что его приглашают вовсе не из любезности.

— Я согласен с Арамисом, — сказал Портос.

— Господа, — ответил д'Артаньян, — я уже раз получил через господина де Кавуа подобное приглашение от его высокопреосвященства. Я пренебрег им, и на следующий день произошло большое несчастье: исчезла Констанция. Будь что будет, но я пойду.

— Если ваше решение твердо — идите, — сказал Атос.

— А Бастилия? — спросил Арамис.

— Подумаешь! Вы вытащите меня оттуда, — сказал д'Артаньян.

— Разумеется! — ответили в один голос Арамис и Портос с присущей им великолепной уверенностью и таким тоном, словно это было самое простое дело. — Разумеется, мы вытащим вас оттуда, но так как послезавтра нам надо ехать, то покамест вам было бы лучше не лезть в эту Бастилию.

— Давайте сделаем так, — сказал Атос. — Не будем оставлять его сегодня одного весь вечер, а когда он пойдет во дворец кардинала, каждый из нас, с тремя мушкетерами позади, займет пост у одного из выходов. Если мы увидим, что оттуда выезжает какая-нибудь закрытая карета хоть сколько-нибудь подозрительного вида, мы нападем на нее. Давно уж мы не сталкивались с гвардейцами кардинала, и, должно быть, господин де Тревиль считает нас покойниками!

— Право, Атос, вы созданы быть полководцем, — сказал Арамис. — Что вы скажете, господа, об этом плане?

— Превосходный план! — хором вскричали молодые люди.

— Итак, — сказал Портос, — я бегу в казармы и предупреждаю товарищей, чтобы они были готовы к восьми часам. Место встречи назначаем на площади перед дворцом кардинала. А вы пока что велите слугам седлать лошадей.

— Но у меня нет лошади, — возразил д'Артаньян. — Правда, я могу послать за лошадью к господину де Тревилю.

— Незачем, — сказал Арамис, — возьмите одну из моих.

— Сколько же их у вас? — спросил д'Артаньян.

— Три, — улыбаясь, ответил Арамис.

— Дорогой мой, — сказал Атос, — я убежден, что лошадьми вы обеспечены лучше, чем все поэты Франции и Наварры.

— Послушайте, милый Арамис, вы, должно быть, и сами не будете знать, что делать с тремя лошадьми. Я просто не могу понять, зачем вы купили сразу три.

— Дело в том, что третью лошадь мне привел как раз сегодня утром какой-то лакей без ливреи, который не пожелал сказать, у кого он служит, и сообщил, что получил приказание от своего господина...

— ...или от своей госпожи, — прервал его д'Артаньян.

— Это не важно, — сказал Арамис, краснея. — И сообщил, что он получил приказание от своей госпожи доставить лошадь в мою конюшню, но не говорить мне, кем она прислана.

— Нет, только с поэтами случаются подобные вещи! — заметил серьезным тоном Атос.

— В таком случае — сделаем по-другому, — сказал д'Артаньян. — На какой лошади поедете вы сами? На той, что купили, или на той, что вам подарили?

— Разумеется, на той, которую мне подарили. Вы же понимаете, д'Артаньян, что я не могу нанести такое оскорбление...

— ...неизвестному дарителю, — продолжал д'Артаньян.

— Или таинственной дарительнице, — поправил его Атос.

— Выходит, что та лошадь, которую вы купили, теперь уже не нужна вам?

— Почти.

— А вы сами выбирали ее?

— И притом очень тщательно. Как вам известно, безопасность всадника почти всегда зависит от его лошади.

— Так уступите ее мне за ту цену, какую вы за нее заплатили.

— Я и сам собирался предложить вам ее, любезный д'Артаньян, с тем чтобы вы вернули мне эту безделицу, когда вам вздумается.

— А во что она обошлась вам?

— В восемьсот ливров.

— Вот сорок двойных пистолей, милый друг, — сказал д'Артаньян, вынимая из кармана деньги. — Я знаю, что именно такой монетой вам платят за ваши поэмы.

— Так вы богаты? — удивился Арамис.

— Богат, богат, как Крез, дорогой мой!

И д'Артаньян забренчал в кармане остатками своих пистолей.

— Пошлите ваше седло в мушкетерские казармы, и вам приведут вашу лошадь вместе с остальными.

— Отлично. Однако скоро пять часов, нам надо поторопиться.

Через четверть часа в конце улицы Феру появился Портос на прекрасном испанском жеребце. За ним ехал Мушкетон на овернской лошадке, маленькой, но тоже очень красивой. Портос был олицетворением радости и гордости.

Одновременно с ним в другом конце улицы показался Арамис на великолепном английском скакуне. За ним на руанской лошади ехал Базен, ведя в поводу могучего мекленбургского коня: то была лошадь д'Артаньяна.

Оба мушкетера съехались у дверей; Атос и д'Артаньян смотрели на них из окна.

— Черт возьми! — сказал Арамис. — У вас чудесная лошадь, любезный Портос.

— Да, — ответил Портос, — это та, которую мне должны были прислать с самого начала. Из-за глупой шутки мужа ее заменили другой, но впоследствии муж был наказан, и все кончилось к полному моему удовлетворению.

Вскоре появился Планше, а с ним Гримо, ведя лошадь своего хозяина. Д'Артаньян и Атос вышли из дома, сели на коней, и четыре товарища пустились в путь: Атос на лошади, которой он был обязан своей жене, Арамис — любовнице, Портос — прокурорше, а д'Артаньян — своей удаче, лучшей из всех любовниц.

Слуги ехали вслед за ними.

Как и предвидел Портос, кавалькада производила сильное впечатление, и, если бы г-жа Кокнар могла видеть, как величественно выглядит на красивом испанском жеребце ее любовник, она не пожалела бы о кровопускании, которое произвела денежному сундуку своего мужа.

Близ Лувра четверо друзей встретили г-на де Тревиля, возвращавшегося из Сен-Жермена; он остановил их, чтобы полюбоваться их блестящей экипировкой, и в мгновение ока целая толпа зевак собралась вокруг них.

Д'Артаньян воспользовался этим и рассказал г-ну де Тревилю о письме с большой красной печатью и с герцогским гербом; само собой разумеется, что о втором письме он не сказал ни слова.

Господин де Тревиль одобрил принятое друзьями решение и заверил их, что в случае, если д'Артаньян не явится к нему на следующий день, он сам найдет средства разыскать молодого человека, где бы он ни был.

В эту минуту часы на Самаритянке пробили шесть. Друзья извинились, сославшись на срочное свидание, и простились с г-ном де Тревилем.

Пустив лошадей галопом, они выехали на дорогу в Шайо. Начинало темнеть, экипажи проезжали туда и обратно. Д'Артаньян под охраной друзей, стоявших в нескольких шагах, заглядывал в глубь карет, но не видел ни одного знакомого лица.

Наконец, после пятнадцатиминутного ожидания, когда сумерки уже почти совсем сгустились, появилась карета, быстро приближавшаяся со стороны Севра. Предчувствие заранее подсказало д'Артаньяну, что именно в этой карете находится особа, назначившая ему свидание, и молодой человек сам удивился, почувствовав, как сильно забилось его сердце. Почти в ту же минуту из окна кареты высунулась женская головка: два пальца, прижатые к губам, как бы требовали молчания или посылали поцелуй. Д'Артаньян издал тихий радостный возглас: эта женщина — или, вернее, это видение, ибо карета промчалась с быстротой молнии, — была г-жа Бонасье.

Вопреки полученному предупреждению, д'Артаньян невольным движением пустил лошадь в галоп и в несколько секунд догнал карету, но окно было уже плотно завешено. Видение исчезло.

Тут только д'Артаньян вспомнил предостережение: «...если вы дорожите вашей жизнью и жизнью людей, которые вас любят... не делайте ни одного движения и притворитесь, что ничего не видели».

Он остановился, трепеща не за себя, а за бедную женщину: очевидно, назначая ему это свидание, она подвергала себя большой опасности.

Карета продолжала все с той же быстротой нестись вперед; потом она влетела в Париж и скрылась.

Д'Артаньян застыл на месте, ошеломленный, не зная что думать. Если это была г-жа Бонасье и если она возвращалась в Париж, то к чему это мимолетное свидание, этот беглый обмен взглядами, этот незаметный поцелуй? Если же это была не она — что тоже было вполне вероятно, ибо в полумраке легко ошибиться, — если это была не она, то не являлось ли все это началом подстроенной против него интриги и не воспользовались ли его враги в качестве приманки женщиной, любви к которой он ни от кого не скрывал?

К д'Артаньяну подъехали его спутники. Все трое отлично видели, как из окна кареты выглянула женская головка, но, за исключением Атоса, никто из них не знал в лицо г-жу Бонасье. По мнению Атоса, это была именно она, но он не так внимательно, как д'Артаньян, вглядывался в это хорошенькое личико, а потому заметил в глубине кареты и вторую голову — голову мужчины.

— Если это так, — сказал д'Артаньян, — то, по-видимому, они перевозят ее из одной тюрьмы в другую. Но что же они собираются сделать с этой бедняжкой? И встречусь ли я с нею когда-нибудь?

— Друг, — серьезно проговорил Атос, — помните, что только с мертвыми нельзя встретиться здесь, на земле. Мы с вами кое-что знаем об этом, не так ли? Так вот, если ваша возлюбленная не умерла, если это именно ее мы видели сейчас в карете, то вы разыщете ее — рано или поздно. И быть может... — добавил он свойственным ему мрачным тоном, — быть может, это будет даже раньше, чем вы сами захотите.

Часы пробили половину восьмого, карета проехала на двадцать минут позднее, чем было назначено в записке. Друзья напомнили д'Артаньяну, что ему предстоит сделать один визит, и не преминули заметить, что еще не поздно от него отказаться.

Но д'Артаньян был вместе и упрям и любопытен. Он вбил себе в голову, что пойдет во дворец кардинала и узнает, что хочет ему сказать его высокопреосвященство. Ничто не могло заставить его изменить решение.

Они приехали на улицу Сент-Оноре и на площади кардинальского дворца застали двенадцать вызванных ими мушкетеров, которые прогуливались, поджидая товарищей. Только теперь им объяснили, в чем дело.

Д'Артаньян пользовался широкой известностью в славном полку королевских мушкетеров; все знали, что со временем ему предстояло занять там свое место, и на него заранее смотрели как на товарища. Поэтому каждый с готовностью согласился принять участие в деле, для которого был приглашен; к тому же речь шла о возможности досадить кардиналу и его людям, а эти достойные дворяне были всегда готовы на такого рода предприятие.

Атос разбил их на три отряда, взял на себя командование одним из них, отдал второй в распоряжение Арамиса, третий — Портоса, затем каждый отряд засел поблизости от дворца, напротив одного из выходов. Что касается д'Артаньяна, то он храбро вошел в главную дверь.

Несмотря на то что молодой человек чувствовал за собой сильную поддержку, он был не вполне спокоен, поднимаясь по ступенькам широкой лестницы. Его поступок с миледи очень походил на предательство, а он сильно подозревал о существовании каких-то отношений политического свойства, связывавших эту женщину с кардиналом; кроме того, де Вард, которого он отделал так жестоко, был одним из приверженцев его высокопреосвященства, а д'Артаньян знал, что если его высокопреосвященство был страшен для врагов, то он был горячо привязан к своим друзьям.

«Если де Вард рассказал кардиналу о нашей стычке, что не подлежит сомнению, и если он узнал, кто я, что вполне возможно, то я должен считать себя почти что приговоренным, — думал д'Артаньян, качая головой. — Но почему же тогда кардинал ждал до нынешнего дня? Да очень просто — миледи пожаловалась ему на меня с тем лицемерно-грустным видом, который ей так идет, и это последнее преступление переполнило чашу. К счастью, — мысленно добавил д'Артаньян, — мои добрые друзья стоят внизу и не дадут увезти меня, не попытавшись отбить. Однако рота мушкетеров господина де Тревиля не может одна воевать с кардиналом, который располагает войсками всей Франции и перед которым королева бессильна, а король безволен. Д'Артаньян, друг мой, ты храбр, у тебя есть превосходные качества, но женщины погубят тебя!»

Таков был печальный вывод, сделанный им, когда он вошел в переднюю и передал письмо служителю. Тот проводил его в приемный зал и исчез в глубине дворца.

В приемном зале находилось пять или шесть гвардейцев кардинала; увидев д'Артаньяна, который, как им было известно, ранил Жюссака, они взглянули на него с какой-то странной улыбкой.

Эта улыбка показалась д'Артаньяну дурным предзнаменованием; однако запугать нашего гасконца было не так-то легко или, вернее, благодаря огромному самолюбию, свойственному жителям его провинции, он не любил показывать людям то, что происходило в его душе, если то, что в ней происходило, напоминало страх; он с гордым видом прошел мимо господ гвардейцев и, подбоченясь, остановился в выжидательной позе, не лишенной величия.

Служитель вернулся и знаком предложил д'Артаньяну следовать за ним. Молодому человеку показалось, что гвардейцы начали перешептываться за его спиной.

Он миновал коридор, прошел через большой зал, вошел в библиотеку и очутился перед каким-то человеком, который сидел у письменного стола и писал.

Служитель ввел его и удалился без единого слова. Д'Артаньян стоял и разглядывал этого человека.

Сначала ему показалось, что перед ним судья, изучающий некое дело, но вскоре он заметил, что человек, сидевший за столом, писал или, вернее, исправлял строчки неравной длины, отсчитывая слоги по пальцам. Он понял, что перед ним поэт. Минуту спустя поэт закрыл свою рукопись, на обложке которой было написано «Мирам, трагедия в пяти актах», и поднял голову.

Д'Артаньян узнал кардинала.

X

ГРОЗНЫЙ ПРИЗРАК

Кардинал оперся локтем на рукопись, а щекой на руку и с минуту смотрел на молодого человека. Ни у кого не было такого проницательного, такого испытующего взгляда, как у кардинала Ришелье, и д'Артаньян почувствовал, как лихорадочный озноб пробежал по его телу. Однако он не показал виду и, держа шляпу в руке, ожидал без излишней гордости, но и без излишнего смирения, пока его высокопреосвященству угодно будет заговорить с ним.

— Сударь, — сказал ему кардинал, — это вы д'Артаньян из Беарна?

— Да, ваша светлость, — отвечал молодой человек.

— В Тарбе и его окрестностях существует несколько ветвей рода д'Артаньянов, — сказал кардинал. — К которой из них принадлежите вы?

— Я сын того д'Артаньяна, который участвовал в войнах за веру вместе с великим королем Генрихом, отцом его величества короля.

— Вот-вот! Значит, это вы семь или восемь месяцев назад покинули родину и уехали искать счастья в столицу?

— Да, ваша светлость.

— Вы проехали через Менг, где с вами произошла какая-то история... не помню, что именно... словом, какая-то история.

— Ваша светлость, — сказал д'Артаньян, — со мной произошло...

— Не нужно, не нужно, — прервал его кардинал с улыбкой, говорившей, что он знает эту историю не хуже того, кто собирался ее рассказывать. — У вас было рекомендательное письмо к господину де Тревилю, не так ли?

— Да, ваша светлость, но как раз во время этого несчастного приключения в Менге...

— ...письмо пропало, — продолжал кардинал. — Да, я знаю это. Однако господин де Тревиль — искусный физиономист, распознающий людей с первого взгляда, и он устроил вас в роту своего тестя Дезэссара, подав вам надежду, что со временем вы вступите в ряды мушкетеров.

— Вы прекрасно осведомлены, ваша светлость, — сказал д'Артаньян.

— С тех пор у вас было много всяких приключений. Вы прогуливались за картезианским монастырем в такой день, когда вам бы следовало находиться в другом месте. Затем вы предприняли с друзьями путешествие на воды в Форж. Они задержались в пути; что же касается вас, то вы поехали дальше. Это вполне понятно — у вас были дела в Англии.

— Ваша светлость, — начал было ошеломленный д'Артаньян, — я ехал...

— На охоту в Виндзор или куда-то в другое место — никому нет до этого дела. Если я знаю об этом, то лишь потому, что мое положение обязывает меня знать все. По возвращении оттуда вы были приняты одной августейшей особой, и мне приятно видеть, что вы сохранили ее подарок...

Д'Артаньян схватился за перстень, подаренный ему королевой, и поспешно повернул его камнем внутрь, но было уже поздно.

— На следующий день после этого события вас посетил Кавуа, — продолжал кардинал, — и просил явиться во дворец. Вы не отдали ему этого визита и сделали ошибку.

— Ваша светлость, я боялся, что навлек на себя немилость вашего высокопреосвященства.

— За что же, сударь? За то, что вы выполнили приказание своего начальства с большим искусством и большей храбростью, чем это сделал бы другой на вашем месте? Вы боялись немилости, в то время как заслужили только похвалу! Я наказываю тех, которые не повинуются, а вовсе не тех, которые, подобно вам, повинуются... слишком усердно... В доказательство припомните тот день, когда я послал за вами, и восстановите в памяти событие, которое произошло в тот самый вечер...

Именно в этот вечер произошло похищение г-жи Бонасье.

Д'Артаньян вздрогнул: он вспомнил, что полчаса назад бедная женщина проехала мимо него, увлекаемая, без сомнения, той же силой, которая заставила ее исчезнуть.

— И вот, — продолжал кардинал, — так как в течение некоторого времени я ничего о вас не слышу, мне захотелось узнать, что вы поделываете. Между прочим, вы обязаны мне некоторой признательностью: должно быть, вы и сами заметили, как вас щадили при всех обстоятельствах.

Д'Артаньян почтительно поклонился.

— Причиной было не только вполне естественное чувство справедливости, — продолжал кардинал, — но также то, что я составил себе в отношении вас некоторый план...

Удивление д'Артаньяна все возрастало.

— Я хотел изложить вам этот план в тот день, когда вы получили мое первое приглашение, но вы не явились. К счастью, это опоздание ничему не помешало, и вы услышите его сегодня. Садитесь здесь, напротив меня, господин д'Артаньян! Вы дворянин слишком благородный, чтобы слушать меня стоя.

И кардинал указал молодому человеку на стул. Однако д'Артаньян был так поражен всем происходившим, что его собеседнику пришлось повторить свое приглашение.

— Вы храбры, господин д'Артаньян, — продолжал кардинал, — вы благоразумны, что еще важнее. Я люблю людей с умом и с сердцем. Не пугайтесь, — добавил он с улыбкой, — под людьми с сердцем я подразумеваю мужественных людей. Однако несмотря на вашу молодость, несмотря на то что вы только начали жить, у вас есть могущественные враги, и, если вы не будете осторожны, они погубят вас!

— Да, ваша светлость, — ответил молодой человек, — и, к сожалению, им будет очень легко это сделать, потому что они сильны и имеют надежную поддержку, в то время как я совершенно одинок.

— Это правда, но, как вы ни одиноки, вы уже успели многое сделать и сделаете еще больше, я в этом не сомневаюсь. Однако на мой взгляд, вы нуждаетесь в том, чтобы кто-то руководил вами на том полном случайностей пути, который вы избрали себе, ибо, если я не ошибаюсь, вы приехали в Париж с честолюбивым намерением сделать карьеру.

— Мой возраст, ваша светлость, — это возраст безумных надежд, — сказал д'Артаньян.

— Безумные надежды существуют для глупцов, сударь, а вы умный человек. Послушайте, что бы вы сказали о чине лейтенанта в моей гвардии и о командовании ротой после кампании?

— О ваша светлость!

— Вы принимаете, не так ли?

— Ваша светлость... — смущенно начал д'Артаньян.

— Как, вы отказываетесь? — с удивлением воскликнул кардинал.

— Я состою в гвардии его величества, ваша светлость, и у меня нет никаких причин быть недовольным.

— Но мне кажется, — возразил кардинал, — что мои гвардейцы — это в то же время и гвардейцы его величества и что в каких бы частях французской армии вы ни служили, вы одинаково служите королю.

— Вы неверно поняли мои слова, ваша светлость.

— Вам нужен предлог, не так ли? Понимаю. Что ж, у вас есть этот предлог. Повышение, открывающаяся кампания, удобный случай, который я вам предлагаю, — это для всех остальных, для вас же — необходимость иметь надежную защиту, ибо вам небесполезно будет узнать, господин д'Артаньян, что мне поданы на вас серьезные жалобы: не все свои дни и ночи вы посвящаете королевской службе.

Д'Артаньян покраснел.

— Вот здесь, — продолжал кардинал, положив руку на кипу бумаг, — у меня лежит объемистое дело, касающееся вас, но, прежде чем прочитать его, я хотел побеседовать с вами. Я знаю, вы решительный человек, и служба, если ее должным образом направить, могла бы вместо вреда принести вам большую пользу. Итак, подумайте и решайтесь.

— Доброта ваша смущает меня, ваша светлость, — ответил д'Артаньян, — и перед душевным величием вашего высокопреосвященства я чувствую себя жалким червем, но если вы, ваша светлость, позволите мне говорить с вами откровенно... — Д'Артаньян остановился.

— Говорите.

— Хорошо! В таком случае я скажу вашему высокопреосвященству, что все мои друзья находятся среди мушкетеров и гвардейцев короля, а враги, по какой-то непонятной роковой случайности, служат вашему высокопреосвященству, так что меня дурно приняли бы здесь и на меня дурно посмотрели бы там, если бы я принял ваше предложение, ваша светлость.

— Уж не зашло ли ваше самомнение так далеко, что вы вообразили, будто я предлагаю вам меньше того, что вы стоите? — спросил кардинал с презрительной усмешкой.

— Ваша светлость, вы во сто крат добрее ко мне, чем я заслуживаю, и я считаю, напротив, что еще недостаточно сделал для того, чтобы быть достойным ваших милостей... Скоро начнется осада Ла-Рошели, ваша светлость. Я буду служить на глазах у вашего высокопреосвященства, и, если я буду иметь счастье вести себя при этой осаде так, что заслужу ваше внимание, тогда... тогда по крайней мере за мной будет какой-нибудь подвиг, который сможет оправдать ваше покровительство, если вам угодно будет оказать мне его. Всему свое время, ваша светлость. Быть может, в будущем я приобрету право бескорыстно отдать вам себя, тогда как сейчас это будет иметь такой вид, будто я продался вам.

— Другими словами, вы отказываетесь служить мне, сударь, — сказал кардинал с досадой, сквозь которую, однако, просвечивало нечто вроде уважения. — Хорошо, оставайтесь свободным и храните при себе вашу приязнь и вашу неприязнь.

— Ваша светлость...

— Хватит, хватит! — сказал кардинал. — Я не сержусь на вас, но вы сами понимаете, что если мы защищаем и вознаграждаем наших друзей, то ничем не обязаны врагам. И все же я дам вам один совет: берегитесь, господин д'Артаньян, ибо с той минуты, как вы лишитесь моего покровительства, никто не даст за вашу жизнь и гроша!

— Я постараюсь, ваша светлость, — ответил д'Артаньян с благородной уверенностью.

— Когда-нибудь впоследствии, если с вами случится несчастье, — многозначительно сказал Ришелье, — вспомните, что я сам посылал за вами и сделал все, что мог, чтобы предотвратить это несчастье.

— Что бы ни случилось впредь, ваше высокопреосвященство, — ответил д'Артаньян, прижимая руку к сердцу и кланяясь, — я сохраню вечную признательность к вам за то, что вы делаете для меня в эту минуту.

— Итак, господин д'Артаньян, как вы и сами сказали, мы увидимся после кампании. Я буду следить за вами... Потому что я тоже буду там, — добавил кардинал, указывая д'Артаньяну на великолепные доспехи, которые ему предстояло надеть, — и, когда мы вернемся, тогда... ну, тогда мы сведем с вами счеты!

— О, ваша светлость, — вскричал д'Артаньян, — снимите с меня гнет вашей немилости! Будьте беспристрастны, ваша светлость, если вы убедитесь, что я веду себя, как подобает порядочному человеку.

— Молодой человек, — произнес Ришелье, — если мне представится возможность сказать вам еще раз то, что я сказал сегодня, обещаю вам это сказать.

Последние слова Ришелье выражали страшное сомнение; они ужаснули д'Артаньяна больше, чем его ужаснула бы прямая угроза, ибо это было предостережение. Итак, кардинал хотел уберечь его от какого-то нависшего над ним несчастья. Молодой человек открыл было рот для ответа, но надменный жест кардинала дал ему понять, что аудиенция окончена.

Д'Артаньян вышел, но, когда он переступил порог, мужество едва не покинуло его; еще немного — и он вернулся бы обратно. Однако серьезное и суровое лицо Атоса внезапно предстало перед его мысленным взором: если бы он согласился на союз с кардиналом, Атос не подал бы ему руки, Атос отрекся бы от него.

Только этот страх и удержал молодого человека — настолько велико влияние поистине благородного характера на все, что его окружает.

Д'Артаньян спустился по той же лестнице, по которой пришел; у выхода он увидел Атоса и четырех мушкетеров, ожидавших его возвращения и уже начинавших тревожиться.

Д'Артаньян поспешил успокоить их, и Планше побежал предупредить остальные посты, что сторожить более незачем, ибо его господин вышел из дворца кардинала целым и невредимым.

Когда друзья вернулись в квартиру Атоса, Арамис и Портос спросили о причинах этого странного свидания, но д'Артаньян сказал им только, что Ришелье предложил ему вступить в его гвардию в чине лейтенанта и что он отказался.

— И правильно сделали! — в один голос вскричали Портос и Арамис.

Атос глубоко задумался и ничего не ответил. Однако когда они остались вдвоем, он сказал другу:

— Вы сделали то, что должны были сделать, д'Артаньян, но быть может, вы совершили ошибку.

Д'Артаньян вздохнул, ибо этот голос отвечал тайному голосу его сердца, говорившему, что его ждут большие несчастья.

Следующий день прошел в приготовлениях к отъезду; д'Артаньян пошел проститься с г-ном де Тревилем. Тогда все думали еще, что разлука гвардейцев с мушкетерами будет очень недолгой, так как в этот день король заседал в парламенте и предполагал выехать на следующее утро. Поэтому г-н де Тревиль ограничился тем, что спросил у д'Артаньяна, не нуждается ли он в его помощи, но д'Артаньян гордо ответил, что у него есть все необходимое.

Ночью солдаты гвардейской роты Дезэссара сошлись с солдатами из роты мушкетеров г-на де Тревиля, с которыми они успели подружиться. Они расставались в надежде свидеться вновь тогда, когда это будет угодно богу, и в том случае, если это будет ему угодно. Понятно поэтому, что ночь прошла как нельзя более бурно, ибо в подобных случаях крайнюю озабоченность можно побороть лишь крайней беспечностью.

Наутро, при первом звуке труб, друзья расстались. Мушкетеры побежали к казармам г-на де Тревиля, гвардейцы — к казармам г-на Дезэссара, и оба капитана немедленно повели свои роты в Лувр, где король производил смотр войскам.

Король был печален и казался больным, что несколько смягчало высокомерное выражение его лица. В самом деле, накануне, во время заседания парламента, у него сделался приступ лихорадки. Тем не менее он не изменил решения выехать в тот же вечер и, как его ни отговаривали, пожелал произвести смотр своим войскам, надеясь усилием воли побороть завладевавшую им болезнь.

После смотра гвардейцы выступили в поход одни, так как мушкетеры должны были отправиться в путь лишь вместе с королем, и это дало Портосу возможность показаться в своих роскошных доспехах на Медвежьей улице.

Прокурорша увидела его в новом мундире и на прекрасной лошади, когда он проезжал мимо ее окон. Она любила Портоса слишком сильно, чтобы отпустить его без прощания; знаком она попросила его спешиться и зайти к ней. Портос был великолепен: его шпоры бряцали, кираса блестела, шпага нещадно била его по ногам. На этот раз у него был такой грозный вид, что писцы и не подумали смеяться.

Мушкетера ввели в кабинет мэтра Кокнара, и маленькие серые глазки прокурора гневно блеснули при виде кузена, сиявшего во всем новом. Впрочем, одно соображение немного утешило мэтра Кокнара: все говорило, что поход будет опасный, и он лелеял надежду, что Портоса убьют.

Портос сказал мэтру Кокнару несколько любезных слов и простился с ним; мэтр Кокнар пожелал ему всяческих успехов. Что касается г-жи Кокнар, то она не смогла удержаться от слез, но ее скорбь не была истолкована дурно, ибо все знали, как горячо она была привязана к родственникам, из-за которых у нее постоянно происходили жестокие ссоры с мужем.

Однако подлинное прощание состоялось в спальне у г-жи Кокнар и было поистине душераздирающим.

До тех пор пока прокурорша могла следить взглядом за своим возлюбленным, она махала платком, высунувшись из окна так далеко, словно собиралась выпрыгнуть из него. Портос принимал все эти изъявления любви с видом человека, привыкшего к подобным сценам, и, только поворачивая за угол, приподнял один раз шляпу и помахал ею в знак прощания.

Что касается Арамиса, то он писал длинное письмо. Кому? Этого никто не знал. Кэтти, которая должна была в этот же вечер выехать в Тур, ждала в соседней комнате.

Атос маленькими глотками допивал последнюю бутылку испанского вина.

Между тем д'Артаньян уже выступил в поход со своей ротой.

Дойдя до предместья Сент-Антуан, он обернулся и весело взглянул на Бастилию, но так как он смотрел только на Бастилию, то не заметил миледи, которая, сидя верхом на буланой лошади, пальцем указывала на него каким-то двум мужчинам подозрительной наружности; последние тут же подошли к рядам, чтобы лучше его рассмотреть, и вопросительно взглянули на миледи; та знаком ответила, что это был именно он, и, убедившись, что теперь не могло быть никакой ошибки при выполнении ее приказаний, она пришпорила лошадь и исчезла.

Два незнакомца пошли вслед за ротой и у заставы Сент-Антуан сели на оседланных лошадей, которых держал под уздцы ожидавший их здесь слуга без ливреи.

XI

ОСАДА ЛА-РОШЕЛИ

Осада Ла-Рошели явилась крупным политическим событием царствования Людовика XIII и крупным военным предприятием кардинала. Поэтому интересно и даже необходимо сказать о ней несколько слов; к тому же некоторые обстоятельства этой осады так тесно переплелись с рассказываемой нами историей, что мы не можем обойти их молчанием.

Политические цели, которые преследовал кардинал, предпринимая эту осаду, были значительны. Прежде всего мы обрисуем их, а затем перейдем к частным целям, которые, пожалуй, оказали на его высокопреосвященство не менее сильное влияние, чем цели политические.

Из всех больших городов, отданных Генрихом IV гугенотам в качестве укрепленных пунктов, теперь у них оставалась только Ла-Рошель. Следовательно, необходимо было уничтожить этот последний оплот кальвинизма, опасную почву, взращивавшую семена народного возмущения и внешних войн.

Недовольные испанцы, англичане, итальянцы, авантюристы всех национальностей, выслужившиеся военные, принадлежавшие к разным сектам, по первому же призыву сбегались под знамена протестантов, образуя одно обширное объединение, ветви которого легко разрастались, охватывая всю Европу.

Итак, Ла-Рошель, которая приобрела особое значение после того, как пали остальные города, принадлежавшие кальвинистам, была очагом раздоров и честолюбивых помыслов. Более того, порт Ла-Рошель был последним портом, открывавшим англичанам вход во французское королевство, и, закрывая его для Англии — исконного врага Франции, — кардинал завершал дело Жанны д'Арк и герцога де Гиза.

Поэтому Бассомпьер, бывший одновременно и католиком и протестантом: протестантом по убеждению и католиком в качестве командора ордена Святого Духа, — Бассомпьер, немец по крови и француз в душе — словом, тот самый Бассомпьер, который при осаде Ла-Рошели командовал отдельным отрядом, говорил, стреляя в головы таких же протестантских дворян, каким был он сам:

«Вот увидите, господа, мы будем настолько глупы, что возьмем Ла-Рошель».

И Бассомпьер оказался прав: обстрел острова Рэ предсказал ему Севенские драгонады, а взятие Ла-Рошели явилось прелюдией к отмене Нантского эдикта.

Но как мы уже сказали, наряду с этими планами министра, стремившегося все уравнять и все упростить, с планами, принадлежащими истории, летописец вынужден также признать существование мелочных устремлений возлюбленного мужчины и ревнивого соперника.

Ришелье, как всем известно, был влюблен в королеву; была ли для него эта любовь простым политическим расчетом, или же она действительно была той глубокой страстью, какую Анна Австрийская внушала всем окружавшим ее людям, этого мы не знаем, но, так или иначе, мы видели из предыдущих перипетий этого повествования, что Бекингэм одержал верх над кардиналом и в двух или трех случаях, а в особенности в случае с подвесками, сумел благодаря преданности трех мушкетеров и храбрости д'Артаньяна жестоко насмеяться над ним.

Таким образом, для Ришелье дело было не только в том, чтобы избавить Францию от врага, но также и в том, чтобы отомстить сопернику; к тому же это мщение обещало быть значительным и блестящим, вполне достойным человека, который располагал в этом поединке военными силами целого королевства.

Ришелье знал, что, победив Англию, он этим самым победит Бекингэма, что, восторжествовав над Англией, он восторжествует над Бекингэмом и, наконец, что, унизив Англию в глазах Европы, он унизит Бекингэма в глазах королевы.

Со своей стороны, и Бекингэм, хоть он и ставил превыше всего честь Англии, действовал под влиянием точно таких же побуждений, какие руководили кардиналом: Бекингэм тоже стремился к удовлетворению личной мести. Он ни за что в мире не согласился бы вернуться во Францию в качестве посланника — он хотел войти туда как завоеватель.

Отсюда явствует, что истинной ставкой в этой партии, которую два могущественнейших королевства разыгрывали по прихоти двух влюбленных, служил один благосклонный взгляд Анны Австрийской.

Первая победа была одержана герцогом Бекингэмом: внезапно подойдя к острову Рэ с девяноста кораблями и приблизительно с двадцатью тысячами солдат, он напал врасплох на графа де Туарака, командовавшего на острове именем короля, и после кровопролитного сражения высадился на острове.

Скажем в скобках, что в этом сражении погиб барон де Шанталь; барон оставил после себя маленькую сиротку-девочку, которой тогда было полтора года. Эта девочка стала впоследствии г-жой де Севинье.

Граф де Туарак отступил с гарнизоном в крепость Сен-Мартен, а сотню человек оставил в маленьком форте, именовавшемся фортом Ла-Пре.

Это событие заставило кардинала поторопиться, и, еще до того как король и он сам смогли выехать, чтобы возглавить осаду Ла-Рошели, которая была уже решена, он послал вперед герцога Орлеанского для руководства первоначальными операциями и приказал стянуть к театру военных действий все войска, бывшие в его распоряжении.

К этому-то передовому отряду и принадлежал наш друг д'Артаньян.

Король, как мы уже сказали, предполагал отправиться туда немедленно после заседания парламента, но после этого заседания, 23 июня, он почувствовал приступ лихорадки; все же он решился выехать, но в дороге состояние его здоровья ухудшилось, и он вынужден был остановиться в Виллеруа.

Однако где останавливался король, там останавливались и мушкетеры, вследствие чего д'Артаньян, служивший всего лишь в гвардии, оказался разлучен, по крайней мере временно, со своими добрыми друзьями — Атосом, Портосом и Арамисом. Нет сомнения, что эта разлука, казавшаяся ему только неприятной, превратилась бы для него в предмет существенного беспокойства, если б он мог предугадать неведомые опасности, которые его окружали.

Тем не менее 10 сентября 1627 года он благополучно прибыл в лагерь, расположенный под Ла-Рошелью.

Положение не изменилось: герцог Бекингэм и его англичане, хозяева острова Рэ, продолжали осаждать, хотя и безуспешно крепость Сен-Мартен и форт Ла-Пре; военные действие против Ла-Рошели открылись два-три дня назад, поводом к чему послужил новый форт, только что возведенный герцогом Ангулемским близ самого города.

Гвардейцы во главе с Дезэссаром расположились во францисканском монастыре.

Однако как мы знаем, д'Артаньян, поглощенный честолюбивой мечтой сделаться мушкетером, мало дружил со своими товарищами; поэтому он оказался одиноким и был предоставлен собственным размышлениям.

Размышления эти были не из веселых. За те два года, которые прошли со времени его приезда в Париж, он неоднократно оказывался втянутым в политические интриги; личные же его дела, как на поприще любви, так и карьеры, мало подвинулись вперед.

Если говорить о любви, то единственная женщина, которую он любил, была г-жа Бонасье, но г-жа Бонасье исчезла, и он все еще не мог узнать, что с ней сталось.

Если же говорить о карьере, он, несмотря на свое ничтожное положение, сумел нажить врага в лице кардинала, то есть человека, перед которым трепетали самые высокие особы королевства, начиная с короля.

Этот человек мог раздавить его, но почему-то не сделал этого. Для проницательного ума д'Артаньяна подобная снисходительность была просветом, сквозь который он прозревал лучшее будущее.

Кроме того, он нажил еще одного врага, менее опасного — так по крайней мере он думал, — но пренебрегать которым все же не следовало — говорило ему его чутье. Этим врагом была миледи.

Взамен всего этого он приобрел покровительство и благосклонность королевы, но благосклонность королевы являлась по тем временам только лишним поводом для преследований, а покровительство ее, как известно, было очень плохой защитой: доказательством служили Шале и г-жа Бонасье.

Итак, единственным подлинным приобретением за все это время был алмаз стоимостью в пять или шесть тысяч ливров, который д'Артаньян носил на пальце. Но опять-таки этот алмаз, который д'Артаньян, повинуясь своим честолюбивым замыслам, хотел сохранить, чтобы когда-нибудь в случае надобности он послужил ему отличительным признаком в глазах королевы, — этот драгоценный камень, поскольку он не мог расстаться с ним, имел пока что не бо́льшую ценность, чем те камешки, которые он топтал ногами.

Мы упомянули о камешках, которые он топтал ногами, по той причине, что, размышляя обо всем этом, д'Артаньян одиноко брел по живописной тропинке, которая вела из лагеря в деревню

Ангутен. Занятый своими размышлениями, он очутился дальше, чем предполагал, и день уже начинал склоняться к вечеру, когда вдруг, при последних лучах заходящего солнца, ему показалось, что за изгородью блеснуло дуло мушкета.

У д'Артаньяна был зоркий глаз и сообразительный ум; он понял, что мушкет не пришел сюда сам по себе и что тот, кто держит его в руке, прячется за изгородью отнюдь не с дружескими намерениями. Итак, он решил дать тягу, как вдруг на противоположной стороне дороги, за большим камнем, он заметил дуло второго мушкета.

Очевидно, это была засада.

Молодой человек взглянул на первый мушкет и не без тревоги заметил, что он опускается в его направлении. Как только дуло мушкета остановилось, он бросился ничком на землю. В эту самую минуту раздался выстрел, и он услышал свист пули, пролетевшей над его головой.

Надо было торопиться. Д'Артаньян быстро вскочил на ноги, и в ту же секунду пуля из другого мушкета разметала камешки в том самом месте дороги, где он только что лежал.

Д'Артаньян был не из тех безрассудно храбрых людей, которые ищут нелепой смерти, только бы о них могли сказать, что они не отступили; к тому же здесь и неуместно было говорить о храбрости: д'Артаньян попросту попался в ловушку.

«Если будет третий выстрел, — подумал он, — я погиб!»

И он помчался в сторону лагеря с быстротой, которая отличала жителей его страны, славившихся своим проворством. Однако несмотря на всю стремительность его бега, первый из стрелявших успел снова зарядить ружье и выстрелил во второй раз, причем так метко, что пуля пробила фетровую шляпу д'Артаньяна, которая отлетела шагов на десять.

У д'Артаньяна не было другой шляпы; поэтому он на бегу поднял свою, запыхавшийся и очень бледный прибежал к себе, сел и, никому ничего не сказав, предался размышлениям.

Это происшествие могло иметь три объяснения.

Первое — и самое естественное — это могла быть засада ларошельцев, которые были бы весьма не прочь убить одного из гвардейцев его величества: во-первых, для того, чтобы иметь одним врагом меньше, а во-вторых, у этого врага мог найтись в кармане туго набитый кошелек.

Д'Артаньян взял свою шляпу, осмотрел отверстие, пробитое пулей, и покачал головой. Пуля была пущена не из мушкета — она была пущена из пищали. Меткость выстрела с самого начала навела его на мысль, что он был сделан не из обычного оружия; пуля оказалась не калиберной, и, следовательно, это была не военная засада.

Это могло быть любезным напоминанием г-на кардинала. Читатель помнит, что в ту самую минуту, когда, по милости благословенного луча солнца, д'Артаньян заметил ружейное дуло, он как раз удивлялся долготерпению его высокопреосвященства.

Но тут д'Артаньян снова покачал головой. Имея дело с людьми, которых он мог уничтожить одним пальцем, его высокопреосвященство редко прибегал к подобным средствам.

Это могло быть мщением миледи.

Вот это казалось наиболее вероятным.

Д'Артаньян тщетно силился припомнить лица или одежду убийц; он убежал от них так быстро, что не успел рассмотреть что-либо.

— Где вы, мои дорогие друзья? — прошептал д'Артаньян. — Как мне вас недостает!

Ночь д'Артаньян провел очень дурно. Три или четыре раза он внезапно просыпался; ему чудилось, что какой-то человек подходит к его постели и хочет заколоть его кинжалом. Однако темнота не принесла с собой никаких приключений, и наступило утро.

Тем не менее то, что не состоялось сегодня, могло осуществиться завтра, и д'Артаньян отлично знал это.

Весь день он просидел дома под предлогом плохой погоды: этот предлог был нужен ему, чтобы оправдаться перед самим собой.

На третий день после происшествия, в девять часов утра, заиграли сбор. Герцог Орлеанский объезжал посты. Гвардейцы бросились к ружьям и выстроились; д'Артаньян занял свое место среди товарищей.

Его высочество проехал перед фронтом войск, затем все старшие офицеры подошли к нему, чтобы приветствовать его, и среди них — капитан гвардии Дезэссар.

Минуту спустя д'Артаньяну показалось, что г-н Дезэссар знаком подзывает его к себе. Боясь ошибиться, он подождал вторичного знака своего начальника; когда тот повторил свой жест, он вышел из рядов и подошел за приказаниями.

— Сейчас его высочество будет искать добровольцев для опасного поручения, которое принесет почет тому, кто его выполнит, и я подозвал вас, чтобы вы были наготове.

— Благодарю вас, господин капитан! — ответил гасконец, обрадовавшись случаю отличиться перед герцогом.

Оказалось, что ночью осажденные сделали вылазку и отбили бастион, взятый королевской армией два дня назад; предполагалось послать туда людей в очень опасную рекогносцировку, чтобы узнать, как охранялся этот бастион.

Действительно, через несколько минут герцог Орлеанский громко проговорил:

— Мне нужны три или четыре охотника под предводительством надежного человека.

— Что до надежного человека, ваше высочество, то такой у меня есть, — сказал Дезэссар, указывая на д'Артаньяна. — Что же касается охотников, то стоит вам сказать слово, и за людьми дело не станет.

— Найдутся ли здесь четыре человека, желающие пойти со мной на смерть? — крикнул д'Артаньян, поднимая шпагу.

Двое из его товарищей — гвардейцев тотчас же выступили вперед, к ним присоединились еще два солдата, и нужное количество было набрано; всем остальным д'Артаньян отказал, не желая обижать тех, которые вызвались первыми.

Было неизвестно, очистили ларошельцы бастион после того, как захватили его, или же оставили там гарнизон; чтобы узнать это, требовалось осмотреть указанное место с достаточно близкого расстояния.

Д'Артаньян со своими четырьмя помощниками отправился в путь и пошел вдоль траншеи; оба гвардейца шагали рядом с ним, а солдаты шли сзади.

Прикрываясь каменной облицовкой траншеи, они быстро продвигались вперед и остановились лишь шагов за сто от бастиона. Здесь д'Артаньян обернулся и увидел, что оба солдата исчезли.

Он решил, что они струсили и остались сзади; сам же он продолжал двигаться вперед.

При повороте траншеи д'Артаньян и два гвардейца оказались шагах в шестидесяти от бастиона. На бастионе не было видно ни одного человека, он оказался покинутым.

Трое смельчаков совещались между собой, стоит ли идти дальше, как вдруг кольцо дыма опоясало эту каменную глыбу, и десяток пуль просвистели вокруг д'Артаньяна и его спутников.

Они узнали то, что хотели узнать: бастион охранялся. Дальнейшее пребывание в этом опасном месте было, следовательно, бесполезной неосторожностью. Д'Артаньян и оба гвардейца повернули назад и начали отступление, похожее на бегство.

Когда они были уже близко от угла траншеи, который мог защитить их от ларошельцев, один из гвардейцев упал — пуля пробила ему грудь. Другой, оставшийся целым и невредимым, продолжал бежать к лагерю.

Д'Артаньян не захотел покинуть своего товарища; он нагнулся, чтобы поднять его и помочь добраться до своих, но в эту минуту раздались два выстрела: одна пуля разбила голову уже раненного гвардейца, а другая расплющилась о скалу, пролетев в двух дюймах от д'Артаньяна.

Молодой человек быстро обернулся, так как эти выстрелы не могли исходить из бастиона, загороженного углом траншеи. Мысль о двух исчезнувших солдатах пришла ему на ум и напомнила о людях, покушавшихся убить его третьего дня. Он решил, что на этот раз выяснит, в чем дело, и упал на труп своего товарища, притворившись мертвым.

Из-за заброшенного земляного вала, находившегося шагах в тридцати от этого места, сейчас же высунулись две головы: то были головы двух отставших солдат. Д'Артаньян не ошибся: эти двое последовали за ним только для того, чтобы его убить, надеясь, что смерть молодого человека будет отнесена за счет неприятеля.

Но так как он мог оказаться лишь раненным и впоследствии заявить об их преступлении, они подошли ближе, чтобы его прикончить; к счастью, обманутые хитростью д'Артаньяна, они не позаботились о том, чтобы перезарядить ружья.

Когда они были шагах в десяти, д'Артаньян, который, падая, постарался не выпустить из рук шпаги, внезапно вскочил на ноги и одним прыжком оказался около них.

Убийцы поняли, что если они побегут в сторону лагеря, не убив д'Артаньяна, то он донесет на них; поэтому первой их мыслью было перебежать к неприятелю. Один из них схватил ружье за ствол и, орудуя им, как палицей, нанес бы д'Артаньяну страшный удар, если бы молодой человек не отскочил в сторону; однако этим движением он освободил бандиту проход, и тот бросился бежать к бастиону. Не зная, с каким намерением этот человек направляется к ним, ларошельцы, охранявшие бастион, открыли огонь, и предатель упал, пораженный пулей, раздробившей ему плечо.

Тем временем д'Артаньян бросился на второго солдата, действуя шпагой. Борьба была недолгой: у негодяя было для защиты только разряженное ружье, — шпага гвардейца скользнула по стволу ружья, уже не грозившего ему никакой опасностью, и пронзила убийце бедро; тот упал. Д'Артаньян тотчас же приставил острие шпаги к его горлу.

— О, не убивайте меня! — вскричал бандит. — Пощадите, пощадите меня, господин офицер, и я расскажу вам все!

— Да стоит ли твой секрет того, чтобы я помиловал тебя? — спросил молодой человек, придержав руку.

— Стоит, если только вам дорога жизнь! Ведь вам двадцать два года, вы красивы, вы храбры и сможете еще добиться всего, чего захотите.

— Говори же поскорей, негодяй: кто поручил тебе убить меня? — сказал д'Артаньян.

— Женщина, которой я не знаю, но которую называют миледи.

— Но если ты не знаешь этой женщины, откуда тебе известно ее имя?

— Так называл ее мой товарищ, который был с ней знаком. Она сговаривалась не со мной, а с ним. У него в кармане есть даже письмо этой особы, и, судя по тому, что я слышал, это письмо имеет для вас большое значение.

— Но каким же образом ты оказался участником этого злодеяния?

— Товарищ предложил мне помочь ему убить вас, и я согласился.

— Сколько же она заплатила вам за это «благородное» дело?

— Сто луи.

— Ого! — со смехом сказал молодой человек. — Очевидно, она дорого ценит мою жизнь. Сто луи! Да это целое состояние для таких двух негодяев, как вы! Теперь я понимаю, почему ты согласился, и я готов пощадить тебя, но с одним условием.

— С каким? — тревожно спросил солдат, видя, что еще не все кончено.

— Ты должен достать мне письмо, которое находится в кармане у твоего приятеля.

— Но ведь это только другой способ убить меня! — вскричал бандит. — Как могу я достать это письмо под огнем бастиона?

— И все же тебе придется решиться на это, или, клянусь тебе, ты умрешь от моей руки!

— Пощадите! Сжальтесь надо мной, сударь! Ради той молодой дамы, которую вы любите! Вы думаете, что она умерла, но она жива! — вскричал бандит, опускаясь на колени и опираясь на руку, так как вместе с кровью он терял также и силы.

— А откуда тебе известно, что есть молодая женщина, которую я люблю и которую считаю умершей? — спросил д'Артаньян.

— Из того письма, которое находится в кармане у моего товарища.

— Теперь ты сам видишь, что я должен получить это письмо, — сказал д'Артаньян. — Итак, живо, довольно колебаться, или, как мне ни противно еще раз пачкать свою шпагу кровью такого негодяя, как ты, клянусь словом честного человека, что...

Эти слова сопровождались таким угрожающим жестом, что раненый поднялся.

— Подождите! Подождите! — крикнул он, от испуга сделавшись храбрее. — Я пойду... пойду!

Д'Артаньян отобрал у солдата ружье, пропустил его вперед и острием шпаги подтолкнул по направлению к его сообщнику.

Тяжело было смотреть, как этот несчастный, оставляя за собой на дороге длинный кровавый след, бледный от страха близкой смерти, пытался доползти, не будучи замеченным, до тела своего сообщника, распростертого в двадцати шагах от него.

Ужас был столь явно написан на его покрытом холодным потом лице, что д'Артаньян сжалился над ним.

— Хорошо, — сказал он, презрительно глядя на солдата, — я покажу тебе разницу между храбрым человеком и таким трусом, как ты. Оставайся. Я дойду сам.

Быстрым шагом, зорко глядя по сторонам, следя за каждым движением противника, применяясь ко всем неровностям почвы, д'Артаньян добрался до второго солдата.

Было два способа достигнуть цели: обыскать раненого тут же на месте или унести его с собой, пользуясь его телом как прикрытием, и обыскать в траншее.

Д'Артаньян избрал второй способ и взвалил убийцу на плечи в ту самую минуту, когда неприятель открыл огонь.

Легкий толчок, глухой звук трех пуль, пробивших тело, последний крик, предсмертная судорога — все это сказало д'Артаньяну, что тот, кто хотел убить его, только что спас ему жизнь.

Д'Артаньян вернулся в траншею и бросил труп рядом с раненым, который был бледен как мертвец.

Он немедленно начал осмотр: кожаный бумажник, кошелек, в котором, очевидно, лежала часть полученной бандитом суммы, стаканчик для игральных костей и самые кости — таково было наследство, оставшееся после убитого.

Д'Артаньян оставил стаканчик и игральные кости на том месте, куда они упали, бросил кошелек раненому и жадно раскрыл бумажник.

Между несколькими ненужными бумагами он нашел следующее письмо, то самое, ради которого он рисковал жизнью:

«Вы потеряли след этой женщины, и теперь она находится в полной безопасности в монастыре, куда вы никоим образом не должны были ее допускать. Постарайтесь по крайней мере не упустить мужчину. Вам известно, что у меня длинная рука, и в противном случае вы дорого заплатите за те сто луи, которые от меня получили».

Подписи не было, но письмо было написано миледи — д'Артаньян не сомневался в этом. Поэтому он спрятал его как улику и, защищенный выступом траншеи, начал допрос раненого. Последний сознался, что вместе с товарищем, тем самым, который только что был убит, он взялся похитить одну молодую женщину, которая должна была выехать из Парижа через заставу Виллет, но что, засидевшись в кабачке, они опоздали на десять минут и прозевали карету.

— И что же вы должны были сделать с этой женщиной? — с тревогой спросил д'Артаньян.

— Мы должны были доставить ее в особняк на Королевской площади, — сказал раненый.

— Да-да! — прошептал д'Артаньян. — Это именно так, к самой миледи.

И молодой человек задрожал, поняв, какая страшная жажда мести толкала эту женщину в ее стремлении погубить его и всех, кто его любил, поняв, как велика была ее осведомленность в придворных делах, если она сумела все обнаружить. Очевидно, свои сведения она черпала у кардинала.

Однако среди всех этих печальных размышлений одна мысль внезапно поразила его и исполнила величайшей радости: он понял, что королева разыскала наконец тюрьму, где бедная г-жа Бонасье искупала свою преданность, и что она освободила ее из этой тюрьмы. Теперь письмо, полученное им от г-жи Бонасье, и встреча с ней на дороге в Шайо, встреча, когда она промелькнула, как видение, — все стало ему понятно.

Итак, отныне, как и предсказывал ему Атос, появилась возможность разыскать молодую женщину, ибо не существовало такого монастыря, в который нельзя было бы найти доступ.

Эта мысль окончательно умиротворила д'Артаньяна. Он повернулся к раненому, с тревогой следившему за каждым изменением его лица, и протянул ему руку.

— Пойдем, — сказал он, — я не хочу бросать тебя здесь. Обопрись на меня, и вернемся в лагерь.

— Пойдемте, — ответил раненый, не в силах поверить такому великодушию. — Но не для того ли вы берете меня с собой, чтобы отправить на виселицу?

— Я уже дал тебе слово, — сказал д'Артаньян, — и теперь вторично дарю тебе жизнь.

Раненый опустился на колени и стал целовать ноги своего спасителя, но д'Артаньян, которому совершенно незачем было оставаться дольше так близко от неприятеля, прекратил эти изъявления благодарности.

Гвардеец, вернувшийся в лагерь после первых выстрелов с бастиона, объявил о смерти своих четырех спутников. Поэтому все в полку были очень удивлены и очень обрадованы, увидев д'Артаньяна целым и невредимым.

Молодой человек объяснил колотую рану своего спутника вылазкой врага, которую тут же придумал. Он рассказал о смерти второго солдата и об опасностях, которым они подвергались.

Этот рассказ доставил ему подлинный триумф. Все войско целый день говорило об этой экспедиции, и сам герцог Орлеанский поручил передать д'Артаньяну благодарность.

Всякое доброе дело несет награду в себе самом, и доброе дело д'Артаньяна вернуло ему утраченное спокойствие. В самом деле, д'Артаньян считал, что может быть совершенно спокоен, раз один из двух врагов убит, а другой безраздельно предан ему.

Это спокойствие доказывало лишь одно — что д'Артаньян еще не знал миледи.

XII

АНЖУЙСКОЕ ВИНО

После вестей о почти безнадежной болезни короля вскоре в лагере начали распространяться слухи о его выздоровлении, и, так как король очень спешил лично принять участие в осаде, все говорили, что он двинется в путь, едва лишь будет в состоянии сесть на лошадь.

Между тем герцог Орлеанский, знавший, что не сегодня-завтра его сместят с поста командующего армией и заменят либо герцогом Ангулемским, либо Бассомпьером, либо Шомбергом, оспаривавшими друг у друга этот пост, был бездеятелен, терял время, лишь нащупывая силы противника, и не решался ни на какую крупную операцию, которая могла бы прогнать англичан с острова Рэ, где они все еще осаждали крепость Сен-Мартен и форт Ла-Пре, тогда как французы, со своей стороны, осаждали Ла-Рошель.

Что касается д'Артаньяна, то, как мы уже сказали, он стал спокойнее, что всегда бывает после того, как опасность минует и мы начнем считать ее несуществующей; у него оставалась лишь одна забота — он не получал никаких известий от своих друзей.

Однако как-то утром, в начале ноября, все сделалось ему ясно благодаря следующему письму, полученному из Виллеруа:

«Господин д'Артаньян!
Господа Атос, Портос и Арамис устроили у меня пирушку и славно повеселились, но при этом так нашумели, что комендант, человек очень строгий, заключил их под стражу на несколько дней. Тем не менее я выполняю данное ими приказание и посылаю вам дюжину бутылок моего анжуйского вина, которое пришлось им весьма по вкусу. Они просят вас выпить это вино за их здоровье.

Остаюсь, сударь, покорным и почтительным слугой,
Годо, трактирщик гг. мушкетеров».

— Наконец-то! — воскликнул д'Артаньян. — Значит, они помнят обо мне в часы развлечения, как я помню о них в часы уныния! Ну конечно, я выпью за их здоровье, и очень охотно, но только не один.

И д'Артаньян побежал к двум гвардейцам, с которыми он сдружился больше, чем с остальными, чтобы пригласить их распить с ним чудесное анжуйское вино, присланное из Виллеруа. Оказалось, однако, что один из гвардейцев был кем-то приглашен на этот вечер, а другой на следующий, поэтому пирушку назначили на послезавтра.

Придя домой, д'Артаньян отправил все двенадцать бутылок вина в походный гвардейский буфет, приказав тщательно сохранить их, а в день торжества он с девяти утра услал туда Планше, с тем чтобы приготовить все к двенадцати часам, когда был назначен обед.

Гордясь своим новым почетным званием метрдотеля, Планше решил не ударить лицом в грязь, а потому взял себе в помощь слугу одного из приглашенных, по имени Фурро, и того самого лжесолдата, который хотел убить д'Артаньяна и который, не принадлежа ни к одной части, поступил после того, как молодой человек спас ему жизнь, в услужение к д'Артаньяну или, вернее сказать, к Планше.

Когда час пиршества наступил, оба гостя явились, заняли свои места, и длинный ряд блюд выстроился на столе.

Планше прислуживал с салфеткой, перекинутой через руку, Фурро откупоривал бутылки, а Бризмон — так звали выздоравливающего — переливал вино в стеклянные графины, так как в нем был какой-то осадок — должно быть, от тряской дороги. Первая бутылка этого вина оказалась на дне несколько мутной. Бризмон вылил подонки в стакан, и д'Артаньян разрешил ему выпить их, так как бедняга был еще очень слаб.

Гости съели суп и уже поднесли к губам первый стакан, как вдруг с форта Людовика и с форта Нового прогремели пушечные выстрелы. Думая, что произошло какое-то неожиданное нападение либо со стороны осажденных, либо со стороны англичан, гвардейцы немедленно схватились за шпаги: д'Артаньян, не менее быстрый, чем они, сделал то же, и все трое побежали к своим постам.

Однако, едва успев выскочить из буфета, они сразу поняли причину этого шума. «Да здравствует король! Да здравствует кардинал!» — кричали со всех сторон, и повсюду били в барабаны.

В самом деле, король, который, как мы уже сказали, был полон нетерпения, проехал без отдыха два перегона и только что прибыл со всей своей свитой и с подкреплением в десять тысяч солдат, впереди и позади него шли мушкетеры.

Д'Артаньян, находившийся в своей роте, которая выстроилась шпалерами, выразительным жестом приветствовал своих друзей, не спускавших с него глаз, и г-на де Тревиля, сейчас же заметившего его.

Как только церемония въезда кончилась, друзья горячо обнялись.

— Черт возьми, — вскричал д'Артаньян, — вы приехали удивительно кстати! Думаю, что ни одно блюдо не успело еще остыть!.. Не правда ли, господа? — добавил молодой человек, обращаясь к двум гвардейцам и представляя их своим друзьям.

— Ого! Кажется, мы пируем! — обрадовался Портос.

— Надеюсь, что на вашем обеде не будет дам! — сказал Арамис.

— А есть ли приличное вино в вашей дыре? — спросил Атос.

— То есть как это, черт возьми! Ведь у меня есть ваше вино, любезный друг, — ответил д'Артаньян.

— Наше вино? — с удивлением переспросил Атос.

— Ну да, то самое, которое вы прислали мне.

— Мы прислали вам вино?

— Да разве вы забыли? Знаете, слабенькое вино с анжуйских виноградников!

— Да, я понимаю, какое вино вы имеете в виду.

— Вино, которое вы предпочитаете всем остальным.

— Разумеется, когда у меня нет ни шампанского, ни шамбертена.

— Ничего не поделаешь! За неимением шампанского и шамбертена придется вам удовольствоваться анжуйским.

— Так вы, значит, выписали анжуйское вино? Ну и лакомка же вы, д'Артаньян! — сказал Портос.

— Да нет же! Это то вино, которое прислано мне от вашего имени.

— От нашего имени?! — хором воскликнули три мушкетера.

— Скажите, Арамис, это вы посылали вино? — спросил Атос.

— Нет. А вы, Портос?

— Нет.

— Если это не вы, — сказал д'Артаньян, — то ваш трактирщик.

— Наш трактирщик?

— Ну да! Ваш трактирщик Годо, трактирщик мушкетеров.

— В конце концов, какое нам дело до того, откуда взялось это вино! — сказал Портос. — Попробуем и, если оно хорошее — выпьем.

— Напротив, — возразил Атос, — не будем пить вино, которое пришло неизвестно откуда.

— Вы правы, Атос, — согласился д'Артаньян. — Так, значит, никто из вас не поручал трактирщику Годо прислать мне вина?

— Нет! И все же он прислал вам его от нашего имени?

— Вот письмо! — сказал д'Артаньян.

И он протянул товарищам записку.

— Это не его почерк, — заметил Атос. — Я знаю его руку, перед отъездом я как раз рассчитывался с ним за всю компанию.

— Письмо подложное, — утверждал Портос, — никто не арестовывал нас.

— Д'Артаньян, — с упреком сказал Арамис, — как могли вы поверить, что мы нашумели?

Д'Артаньян побледнел, и дрожь пробежала по его телу.

— Ты пугаешь меня, — сказал Атос, говоривший ему «ты» лишь в случаях чрезвычайных. — Что случилось?

— Бежим, бежим, друзья мои! — вскричал д'Артаньян. — У меня возникло страшное подозрение... Неужели это опять месть той женщины?

Теперь побледнел и Атос.

Д'Артаньян бросился бежать к буфету, три мушкетера и оба гвардейца последовали за ним.

Первое, что увидел д'Артаньян, войдя в столовую, был Бризмон, корчившийся на полу в жестоких судорогах.

Планше и Фурро, смертельно бледные, пытались облегчить его страдания, но было ясно, что помощь бесполезна: лицо умирающего было искажено предсмертной агонией.

— А, это вы! — вскричал Бризмон, увидев д'Артаньяна. — Вы сделали вид, что даруете мне жизнь, а сами отравили меня! О, это ужасно!

— Я? — вскричал д'Артаньян. — Несчастный, что ты говоришь!

— Да-да, вы дали мне это вино! Вы велели мне выпить его — вы решили отомстить мне, и это ужасно!

— Вы ошибаетесь, Бризмон, — сказал д'Артаньян, — вы ошибаетесь. Уверяю вас... клянусь вам...

— Но есть бог, он покарает вас!.. О господи, пошли ему такие же мучения, какие я чувствую сейчас!

— Клянусь Евангелием, — вскричал д'Артаньян, бросаясь к умирающему, — я не знал, что это вино отравлено, и сам собирался пить его!

— Я не верю вам, — сказал солдат.

И в страшных мучениях он испустил последний вздох.

— Ужасно, ужасно! — шептал Атос, между тем как Портос бил бутылки, а Арамис отдавал приказание — правда, несколько запоздавшее — привести духовника.

— О друзья мои, — сказал д'Артаньян, — вы еще раз спасли мне жизнь, и не только мне, но также и этим господам!.. Господа, — продолжал он, обращаясь к гвардейцам, — я попрошу вас хранить молчание о том, что вы видели. Весьма важные особы могут оказаться замешанными в эту историю, и все последствия падут тогда на нашу голову.

— Ах, сударь... — пробормотал Планше, еле живой от страха, — ах, сударь, выходит, что я счастливо отделался!

— Как, бездельник, ты, значит, собирался пить мое вино? — вскричал д'Артаньян.

— За здоровье короля, сударь. Я собрался было выпить самую малость за здоровье короля, но Фурро сказал, что меня зовут.

— Это правда, — покаялся Фурро, щелкая зубами от страха, — я хотел отослать его, чтобы выпить без помехи.

— Господа, — сказал д'Артаньян, обращаясь к гвардейцам, — вы сами понимаете, что после всего случившегося наша пирушка была бы очень печальной. Поэтому примите мои извинения, и давайте отложим ее до другого раза.

Оба гвардейца учтиво приняли извинения д'Артаньяна и, понимая, что четыре друга хотят остаться одни, удалились.

Оставшись без свидетелей, молодой гвардеец и три мушкетера переглянулись с таким видом, который ясно говорил, что каждый из них понимает всю серьезность положения.

— Прежде всего, — предложил Атос, — давайте уйдем из этой комнаты. Труп человека, погибшего насильственной смертью, — это плохое соседство.

— Планше, — сказал д'Артаньян, — поручаю тебе тело этого бедняги. Пусть его похоронят на освященной земле. Правда, он совершил преступление, но он раскаялся в нем.

И четверо друзей вышли из комнаты, предоставив Планше и Фурро заботу о погребении Бризмона.

Хозяин отвел им другую комнату и подал яйца всмятку и воду, которую Атос сам набрал в колодце. Портосу и Арамису в нескольких словах рассказали суть дела.

— Как видите, милый друг, — сказал д'Артаньян Атосу, — это война не на жизнь, а на смерть.

Атос покачал головой.

— Да-да, — ответил он, — я вижу. Но вы, значит, думаете, что это она?

— Я в этом уверен.

— А я должен сознаться, что все еще сомневаюсь.

— Однако же — лилия на плече?

— Это англичанка, совершившая во Франции какое-то преступление, за которое ее заклеймили.

— Атос, Атос, уверяю вас, это ваша жена! — повторял д'Артаньян. — Неужели вы забыли, как сходятся все приметы?

— И все-таки я думаю, что та, другая, умерла. Я так хорошо повесил ее...

На этот раз покачать головой пришлось уже д'Артаньяну.

— Но что же делать? — спросил он.

— Нельзя вечно жить под дамокловым мечом, — сказал Атос, — необходимо найти выход из положения.

— Но какой же?

— Постарайтесь увидеться с ней и объясниться. Скажите ей: «Мир или война! Даю честное слово дворянина, что никогда не скажу о вас ни слова, что никогда ничего не предприму против вас. Со своей стороны, вы должны торжественно поклясться, что не будете вредить мне. В противном случае я дойду до канцлера, дойду до короля, я найду палача, я восстановлю против вас двор, я заявлю о том, что вы заклеймены, я предам вас суду, и, если вас оправдают, тогда... ну тогда, клянусь честью, я убью вас где-нибудь под забором, как бешеную собаку!»

— Я не возражаю против этого способа, — сказал д'Артаньян, — но как же увидеться с ней?

— Время, милый друг, время доставит удобный случай, а случай дает человеку двойные шансы на выигрыш: чем больше вы поставили, тем больше выиграете, если только умеете ждать.

— Так-то так, но ждать, когда ты окружен убийцами и отравителями...

— Ничего! — сказал Атос. — Бог хранил нас до сих пор, он же сохранит нас и впредь.

— Да, нас! Конечно, мы мужчины, и, собственно говоря, для нас вполне естественно рисковать жизнью, но она!.. — добавил он, понижая голос.

— Кто это она? — спросил Атос.

— Констанция.

— Госпожа Бонасье! Ах да, ведь и правда... я совсем забыл, что вы влюблены, мой бедный друг!

— Но ведь из письма, найденного вами у этого убитого негодяя, вы узнали, что она находится в монастыре, — сказал Арамис. — В монастырях совсем не так уж плохо, и обещаю вам, что, как только кончится осада Ла-Рошели, я лично...

— Да-да, любезный Арамис, — перебил его Атос, — мы знаем, что ваши помыслы устремлены к религии.

— Я только временно состою в мушкетерах, — со смирением сказал Арамис.

— По-видимому, он давно не получал известий от своей любовницы, — прошептал Атос. — Не обращайте внимания, это нам уже знакомо.

— Вот что! — сказал Портос. — По-моему, тут есть одно простое средство.

— Какое же? — спросил д'Артаньян.

— Вы говорите, она в монастыре?

— Да.

— Так в чем же дело? Как только кончится осада, мы похитим ее из этого монастыря, и все тут.

— Но ведь прежде надо узнать, в каком монастыре она находится.

— Это правда, — согласился Портос.

— Однако не говорили ли вы, что королева сама выбрала для нее монастырь, милый д'Артаньян? — спросил Атос.

— Да. По крайней мере я думаю, что это так.

— Прекрасно! Тогда Портос поможет нам в этом деле.

— Каким же образом, позвольте вас спросить?

— Да через вашу маркизу, герцогиню, принцессу. Она, должно быть, имеет огромные связи.

— Тсс! — прошептал Портос, прижимая палец к губам. — Я думаю, что она кардиналистка, и она ничего не должна знать.

— Если так, то я берусь получить сведения о госпоже Бонасье, — сказал Арамис.

— Вы, Арамис? — вскричали хором все три друга. — Каким же образом?

— Через духовника королевы, с которым я очень дружен, — краснея, ответил Арамис.

На этом обещании четыре друга, закончившие свой скромный обед, расстались, условившись встретиться снова в тот же вечер. Д'Артаньян вернулся во францисканский монастырь, а три мушкетера отправились в ставку короля, где им предстояло еще позаботиться о своем помещении.

XIII

ХАРЧЕВНЯ «КРАСНАЯ ГОЛУБЯТНЯ»

Между тем король, который так стремился поскорее оказаться лицом к лицу с неприятелем и разделял ненависть к Бекингэму с кардиналом, имея на то больше оснований, чем последний, хотел немедленно сделать все распоряжения, чтобы прежде всего прогнать англичан с острова Рэ, а затем ускорить осаду Ла-Рошели. Однако его задержали раздоры, возникшие между де Бассомпьером и Шомбергом, с одной стороны, и герцогом Ангулемским — с другой.

Господа Бассомпьер и Шомберг были маршалами Франции и заявляли свои права на командование армией под непосредственным начальством короля; кардинал же, опасавшийся, что Бассомпьер, гугенот в душе, будет весьма слабо действовать против англичан и ларошельцев, своих братьев по вере, предлагал на этот пост герцога Ангулемского, которого король, по его настоянию, назначил заместителем главнокомандующего. В результате, чтобы предотвратить уход Бассомпьера и Шомберга из армии, пришлось поручить каждому из них командование самостоятельным отрядом: Бассомпьер взял себе северный участок — от Лале до Домпьера, герцог Ангулемский — западный, от Домпьера до Периньи, а Шомберг — южный, от Периньи до Ангутена.

Ставка герцога Орлеанского была в Домпьере.

Ставка короля была то в Этре, то в Лажарри.

И наконец, ставка кардинала была в дюнах, у Каменного моста, в обыкновенном домике, не защищенном никакими укреплениями.

Таким образом, герцог Орлеанский наблюдал за Бассомпьером, король — за герцогом Ангулемским, а кардинал — за Шомбергом.

Затем, когда расстановка сил была закончена, командование начало принимать меры к изгнанию англичан с острова.

Обстоятельства благоприятствовали этому: англичане — хорошие солдаты, когда у них есть хорошая пища; между тем они питались теперь только солониной и скверными сухарями, отчего в лагере появилось много больных. К тому же море, очень бурное в это время года на всем побережье, ежедневно разбивало какое-нибудь маленькое судно, и берег, начиная от Эгильонского мыса до самой траншеи, после каждого прибоя бывал буквально усеян обломками шлюпок, фелюг и других судов. Все это ясно говорило о том, что даже в случае, если бы солдаты короля оставались в своем лагере, Бекингэму, сидевшему на острове только из упрямства, все равно пришлось бы не сегодня-завтра снять осаду.

Однако когда г-н де Туарак сообщил, что во вражеском лагере идут приготовления к новому приступу, король решил, что пора покончить с этим, и отдал приказ о решительном сражении.

Не имея намерения подробно описывать осаду и приводя лишь те события, которые имеют непосредственную связь с рассказываемой нами историей, скажем вкратце, что это предприятие удалось, вызвав большое удивление короля и доставив громкую славу кардиналу. Англичане, теснимые шаг за шагом, терпящие поражение при каждой стычке и окончательно разбитые при переходе с острова Луа, вынуждены были снова сесть на свои суда, оставив на поле боя две тысячи человек, и среди них пятерых полковников, трех подполковников, двести пятьдесят капитанов и двадцать знатных дворян, а кроме того, четыре пушки и шестьдесят знамен, доставленных Клодом де Сен-Симоном в Париж и с торжеством подвешенных к сводам собора Парижской богоматери.

Благодарственные молебны служили сначала в лагере, а потом уже и по всей Франции.

Итак, кардинал имел теперь возможность продолжать осаду, ничего не опасаясь, по крайней мере временно, со стороны англичан.

Но как мы только что сказали, это спокойствие оказалось лишь временным.

Один из курьеров герцога Бекингэмского, по имени Монтегю, был взят в плен, и через него стало известно о существовании союза между Австрией, Испанией, Англией и Лотарингией.

Этот союз был направлен против Франции.

Больше того, в ставке Бекингэма, которому пришлось покинуть ее более поспешно, чем он предполагал, были найдены документы, еще раз подтверждавшие существование такого союза, и эти бумаги, как уверяет кардинал в своих мемуарах, бросали тень на г-жу де Шеврез и, следовательно, на королеву.

Вся ответственность падала на кардинала, ибо нельзя быть полновластным министром, не неся при этом ответственности. Поэтому, напрягая все силы своего разностороннего ума, он днем и ночью следил за малейшими изменениями, происходившими в каком-либо из великих государств Европы.

Кардиналу была известна энергия, а главное — сила ненависти Бекингэма. Если бы угрожавший Франции союз одержал победу, все влияние его, кардинала, было бы утрачено: испанская и австрийская политика получила бы тогда своих постоянных представителей в луврском кабинете, где пока что она имела лишь отдельных сторонников, и он, Ришелье, французский министр, министр национальный по преимуществу, был бы уничтожен. Король, который повиновался ему, как ребенок, и ненавидел его, как ребенок ненавидит строгого учителя, отдал бы его в руки своего брата и королевы, ищущих личного мщения; словом, он погиб бы, и, быть может, Франция погибла бы вместе с ним... Надо было предотвратить все это.

Поэтому в маленьком домике у Каменного моста, который кардинал избрал своей резиденцией, днем и ночью сменялись курьеры, причем число их возрастало с каждой минутой.

Это были монахи, так неумело носившие свои рясы, что сразу можно было догадаться об их принадлежности к церкви, но к церкви воинствующей; женщины, которых несколько стесняла одежда пажей и чьи округлые формы заметны были даже под широкими шароварами; и, наконец, крестьяне с грязными руками, но со стройной фигурой, крестьяне, в которых за целую милю можно было узнать людей знатного происхождения.

Бывали и другие, видимо, менее приятные визиты, ибо два или три раза разносился слух, что на жизнь кардинала было совершено покушение.

Правда, враги его высокопреосвященства поговаривали, будто он сам нанимал этих неловких убийц, чтобы иметь возможность, в свою очередь, применить насильственные меры в случае надобности, но не следует верить ни тому, что говорят министры, ни тому, что говорят их враги.

Однако все это не мешало кардиналу, которому даже и самые ожесточенные его хулители никогда не отказывали в личной храбрости, совершать ночные прогулки, чтобы передать какие-нибудь важные приказания герцогу Ангулемскому, посоветоваться о чем-либо с королем или встретиться для переговоров с тем из посланцев, приход которого к нему в дом почему-либо был нежелателен.

Что касается мушкетеров, то они, будучи не особенно заняты во время осады, содержались не слишком строго и вели веселую жизнь. Это давалось им, а в особенности нашим трем приятелям, тем легче, что, находясь в дружеских отношениях с г-ном де Тревилем, они часто получали от него особое разрешение опоздать в лагерь и явиться туда после тушения огней.

И вот однажды вечером, когда д'Артаньян не мог их сопровождать, так как нес караул в траншее, Атос, Портос и Арамис, верхом на своих боевых конях, закутанные в походные плащи и держа пистолеты наготове, возвращались втроем из кабачка под названием «Красная голубятня», обнаруженного Атосом два дня назад на дороге из Ла-Жарри. Итак, они ехали, готовые каждую минуту встретить какую-нибудь засаду, как вдруг, приблизительно за четверть лье от деревни Буанар, им послышался конский топот. Все трое сейчас же остановились, образовав тесно сомкнутую группу на середине дороги. Через минуту, при свете вышедшей из-за облака луны, они увидели на повороте двух всадников, которые ехали к ним навстречу и, заметив их, тоже остановились, видимо, совещаясь между собой, продолжать ли путь или повернуть обратно. Это колебание показалось трем приятелям несколько подозрительным, и Атос, выехав на несколько шагов вперед, крикнул своим властным голосом:

— Кто идет?

— А вы кто такие? — в свою очередь, спросил один из всадников.

— Это не ответ! — возразил Атос. — Кто идет? Отвечайте, или мы будем стрелять!

— Не советую, господа! — произнес тогда звучный голос, по-видимому, привыкший повелевать.

— Это какой-нибудь старший офицер, который совершает ночной объезд, — тихо сказал Атос. — Что нам делать, господа?

— Кто вы такие? — спросил тот же повелительный голос. — Отвечайте, или вы пожалеете о своем неповиновении.

— Королевские мушкетеры, — сказал Атос, все более и более убеждаясь, что человек, задающий эти вопросы, имеет право их задавать.

— Какой роты?

— Роты де Тревиля.

— Приблизьтесь на установленное расстояние и доложите мне, что вы делаете здесь в столь поздний час.

Три товарища подъехали ближе, немного посбавив спеси, ибо все трое были теперь убеждены, что имеют дело с человеком, который сильнее их; вести переговоры должен был Атос.

Один из двух всадников — тот, который заговорил вторым, — был шагов на десять впереди своего спутника. Атос знаком предложил Портосу и Арамису тоже остаться сзади и подъехал один.

— Прошу прощения, господин офицер, — сказал Атос, — но мы не знали, с кем имеем дело, и, как видите, были начеку.

— Ваше имя? — спросил офицер, лицо которого было наполовину закрыто плащом.

— Однако же, сударь, — ответил Атос, которого начинал раздражать этот допрос, — прошу вас привести доказательство того, что вы имеете право задавать мне вопросы.

— Ваше имя? — еще раз повторил всадник, поднимая капюшон и таким образом открывая лицо.

— Господин кардинал! — с изумлением вскричал мушкетер.

— Ваше имя? — в третий раз повторил кардинал.

— Атос, — сказал мушкетер.

Кардинал знаком подозвал к себе своего спутника, и тот поспешил подъехать к нему.

— Эти три мушкетера будут сопровождать нас, — вполголоса проговорил кардинал. — Я не хочу, чтобы в лагере знали о том, что я уезжал оттуда, и если они поедут с нами, то мы сможем быть уверены в их молчании.

— Мы дворяне, ваша светлость, — сказал Атос. — Возьмите с нас слово и ни о чем не беспокойтесь. Благодарение богу, мы умеем хранить тайны!

Кардинал устремил свой проницательный взгляд на смелого собеседника.

— У вас тонкий слух, господин Атос, — сказал кардинал, — но теперь выслушайте то, что я скажу вам. Я прошу вас сопровождать меня не потому, что я вам не доверяю, — я прошу об этом ради собственной безопасности. Ваши спутники — это, разумеется, господин Портос и господин Арамис?

— Да, ваше высокопреосвященство, — ответил Атос.

Между тем оба мушкетера, до сих пор остававшиеся сзади, подъехали ближе с шляпами в руках.

— Я знаю вас, господа, — сказал кардинал, — я знаю вас. Мне известно, что вы не принадлежите к числу моих друзей, и это очень огорчает меня. Но я знаю также, что вы храбрые и честные дворяне и что вам можно довериться... Итак, господин Атос, окажите мне честь сопровождать меня вместе с вашими двумя спутниками, и тогда у меня будет такая охрана, которой сможет позавидовать даже его величество, в случае если мы встретим его.

Каждый из мушкетеров склонил голову до самой шеи своей лошади.

— Клянусь честью, ваше высокопреосвященство, — сказал Атос, — вы хорошо делаете, что берете нас с собой: мы встретили дорогой несколько опасных личностей и с четырьмя из них даже имели ссору в «Красной голубятне».

— Ссору? Из-за чего же это, господа? — спросил кардинал. — Вы знаете, я не люблю ссор!

— Именно поэтому я и беру на себя смелость предупредить ваше высокопреосвященство о том, что́ произошло. Иначе вы могли бы узнать об этом от других лиц и счесть нас виновными вследствие неверного освещения событий.

— А каковы были последствия этой ссоры? — спросил кардинал, нахмурив брови.

— Да вот мой друг Арамис, который находится перед вами, получил легкий удар шпагой в руку, что не помешает ему завтра же пойти на приступ, если ваше высокопреосвященство отдаст приказ о штурме, и вы сами сможете убедиться в этом, ваше высокопреосвященство.

— Однако же вы не такие люди, которые позволяют безнаказанно наносить себе удары шпагой, — возразил кардинал. — Послушайте, господа, будьте откровенны: некоторые из этих ударов вы, наверное, вернули обратно? Исповедуйтесь мне — ведь вам известно, что я имею право отпускать грехи.

— Я, ваша светлость, — сказал Атос, — даже и не прикоснулся к шпаге — я просто взял своего противника в охапку и вышвырнул его в окно... Кажется, при падении, — продолжал Атос с некоторым колебанием, — он сломал себе ногу.

— Ага! — произнес кардинал. — А вы, господин Портос?

— Я, ваша светлость, знаю, что дуэли запрещены, поэтому я схватил скамью и нанес одному из этих разбойников удар, который, надо думать, разбил ему плечо.

— Так... — сказал кардинал. — А вы, господин Арамис?

— У меня, ваша светлость, самый безобидный нрав, и к тому же я собираюсь постричься в монахи, что, быть может, неизвестно вашему высокопреосвященству. Поэтому я всячески удерживал моих товарищей, как вдруг один из этих негодяев нанес мне предательский удар шпагой в левую руку. Тут мое терпение истощилось, я тоже выхватил шпагу, и когда он снова бросился на меня, то мне показалось, что он наткнулся на острие всем телом. Не знаю точно, так ли это, но твердо помню, что он упал, и, кажется, его унесли вместе с двумя остальными.

— Черт возьми, — произнес кардинал, — три человека выбыли из строя из-за трактирной ссоры?.. Да, господа, вы не любите шутить. А из-за чего возник спор?

— Эти негодяи были пьяны, — сказал Атос. — Они узнали, что вечером в гостиницу прибыла какая-то женщина, и хотели вломиться к ней.

— Вломиться к ней? — повторил кардинал. — С какой же целью?

— По всей вероятности, с целью совершить над ней насилие, — ответил Атос. — Ведь я уже имел честь сообщить вашему высокопреосвященству, что эти негодяи были пьяны.

— И эта женщина была молода и красива? — спросил кардинал с некоторым беспокойством.

— Мы не видели ее, ваша светлость, — ответил Атос.

— Ах, вы не видели ее? Ну прекрасно! — с живостью сказал кардинал. — Вы хорошо сделали, что вступились за честь женщины, и так как я сам еду сейчас в «Красную голубятню», то узнаю, правда ли то, что вы мне сказали.

— Ваша светлость, — гордо проговорил Атос, — мы дворяне и не стали бы лгать даже ради спасения жизни!

— Да я и не сомневаюсь в правдивости ваших слов, господин Атос, нисколько не сомневаюсь... Однако скажите, — добавил он, чтобы переменить разговор, — разве эта дама была одна?

— Вместе с этой дамой в комнате был мужчина, — сказал Атос, — но так как, несмотря на шум, он не вышел, надо полагать, что он трус.

— «Не судите опрометчиво», говорится в Евангелии, — возразил кардинал.

Атос поклонился.

— А теперь, господа, довольно, — продолжал кардинал. — Я узнал то, что хотел. Следуйте за мной.

Три мушкетера пропустили кардинала вперед; он опять закрыл лицо капюшоном, тронул лошадь и поехал, держась на расстоянии девяти или десяти шагов впереди своих четырех спутников.

Вскоре отряд подъехал к харчевне, которая казалась пустой и молчаливой: хозяин, видимо, знал, какой прославленный гость должен был приехать к нему, и заранее спровадил докучливых посетителей.

Шагов за десять до двери кардинал знаком приказал своему спутнику и трем мушкетерам остановиться. Чья-то оседланная лошадь была привязана к ставню; кардинал постучал три раза условным стуком.

Какой-то человек, закутанный в плащ, сейчас же вышел из дома, обменялся с кардиналом несколькими короткими фразами, сел на лошадь и поскакал по дороге к Сюржеру, которая вела также и в Париж.

— Подъезжайте ближе, господа, — сказал кардинал. — Вы сказали мне правду, господа мушкетеры, — обратился он к трем приятелям, — и, поскольку это будет зависеть от меня, наша сегодняшняя встреча принесет вам пользу. А пока что следуйте за мной.

Кардинал сошел с лошади, мушкетеры сделали то же; кардинал бросил поводья своему спутнику, три мушкетера привязали своих лошадей к ставням.

Трактирщик стоял на пороге — для него кардинал был просто офицером, приехавшим повидаться с дамой.

— Нет ли у вас внизу какой-нибудь комнаты, где бы эти господа могли подождать меня и погреться у камина? — спросил кардинал.

Трактирщик отворил дверь большой комнаты, где совсем недавно вместо прежней дрянной печурки поставили прекрасный большой камин.

— Вот эта, — сказал он.

— Хорошо, — сказал кардинал. — Войдите сюда, господа, и потрудитесь подождать меня, я задержу вас не более получаса.

И пока три мушкетера входили в комнату нижнего этажа, кардинал стал быстро подниматься по лестнице, не задавая больше никаких вопросов. Он, видимо, отлично знал дорогу.

XIV

О ПОЛЬЗЕ ПЕЧНЫХ ТРУБ

Было очевидно, что наши три друга, сами того не подозревая, движимые только рыцарскими побуждениями и отвагой, оказали услугу какой-то особе, которую кардинал удостаивал своим высоким покровительством.

Но кто же была эта особа? Вот вопрос, который прежде всего задали себе три мушкетера. Затем, видя, что, сколько бы они ни высказывали предположений, ни одно из них не является удовлетворительным, Портос позвал хозяина и велел подать игральные кости.

Портос и Арамис уселись за стол и стали играть. Атос в раздумье медленно расхаживал по комнате.

Раздумывая и прогуливаясь, Атос ходил взад и вперед мимо трубы наполовину разобранной печки; другой конец этой трубы был выведен в комнату верхнего этажа. Проходя мимо, он каждый раз слышал чьи-то приглушенные голоса, которые наконец привлекли его внимание. Атос подошел ближе и разобрал несколько слов, которые показались ему настолько интересными, что он сделал знак своим товарищам замолчать, а сам замер на месте, согнувшись и приложив ухо к нижнему отверстию трубы.

— Послушайте, миледи, — говорил кардинал, — дело это важное. Садитесь сюда, и давайте побеседуем.

— Миледи! — прошептал Атос.

— Я слушаю ваше высокопреосвященство, с величайшим вниманием, — ответил женский голос, при звуке которого мушкетер вздрогнул.

— Небольшое судно с английской командой, капитан которого мне предан, поджидает вас вблизи устья Шаранты, у форта Ла-Пуэнт. Оно снимется с якоря завтра утром.

— Так, значит, мне нужно выехать туда сегодня вечером?

— Сию же минуту, то есть сразу после того, как вы получите мои указания. Два человека, которых вы увидите у дверей, когда выйдете отсюда, будут охранять вас в пути. Я выйду первым. Вы подождете полчаса и затем выйдете тоже.

— Хорошо, ваша светлость. Но вернемся к тому поручению, которое вам угодно дать мне. Я хочу и впредь быть достойной доверия вашего высокопреосвященства, а потому благоволите ясно и точно изложить мне это поручение, чтобы я не совершила какой-нибудь оплошности.

Между двумя собеседниками на минуту водворилось глубокое молчание; было очевидно, что кардинал заранее взвешивал свои выражения, а миледи старалась мысленно сосредоточиться, чтобы понять то, что он скажет, и запечатлеть все в памяти.

Атос, воспользовавшись этой минутой, попросил своих товарищей запереть изнутри дверь, знаком подозвал их и предложил им послушать вместе с ним.

Оба мушкетера, любившие удобства, принесли по стулу для себя и стул для Атоса. Все трое уселись, сблизив головы и навострив уши.

— Вы поедете в Лондон, — продолжал кардинал. — В Лондоне вы навестите Бекингэма...

— Замечу вашему высокопреосвященству, — вставила миледи, — что после дела с алмазными подвесками, к которому герцог упорно считает меня причастной, его светлость питает ко мне недоверие.

— Но на этот раз, — возразил кардинал, — речь идет вовсе не о том, чтобы вы снискали его доверие, а о том, чтобы вы открыто и честно явились к нему в качестве посредницы.

— Открыто и честно... — повторила миледи с едва уловимым оттенком двусмысленности.

— Да, открыто и честно, — подтвердил кардинал прежним тоном. — Все эти переговоры должны вестись в открытую.

— Я в точности исполню указания вашего высокопреосвященства и с готовностью ожидаю их.

— Вы явитесь к Бекингэму от моего имени и скажете ему, что мне известны все его приготовления, но что они меня мало тревожат: как только он отважится сделать первый шаг, я погублю королеву.

— Поверит ли он, что ваше высокопреосвященство в состоянии осуществить свою угрозу?

— Да, ибо у меня есть доказательства.

— Надо, чтобы я могла представить ему эти доказательства и он по достоинству оценил их.

— Конечно. Вы скажете ему, что я опубликую донесение Буа-Робера и маркиза де Ботрю о свидании герцога с королевой у супруги коннетабля в тот вечер, когда супруга коннетабля давала бал-маскарад. А чтобы у него не оставалось никаких сомнений, вы ему скажете, что он приехал туда в костюме Великого Могола, в котором собирался быть там кавалер де Гиз и который он купил у де Гиза за три тысячи пистолей...

— Хорошо, ваша светлость.

— Мне известно до мельчайших подробностей, как он вошел и затем вышел ночью из дворца, куда он проник переодетый итальянцем-предсказателем. Для того чтобы он окончательно убедился в достоверности моих сведений, вы скажете ему, что под плащом на нем было надето широкое белое платье, усеянное черными блестками, черепами и скрещенными костями, так как в случае какой-либо неожиданности он хотел выдать себя за привидение Белой Дамы, которое, как всем известно, всегда появляется в Лувре перед каким-нибудь важным событием...

— Это все, ваша светлость?

— Скажите ему, что я знаю также все подробности похождения в Амьене, что я велю изложить их в виде небольшого занимательного романа с планом сада и с портретами главных действующих лиц этой ночной сцены.

— Я скажу ему это.

— Передайте ему еще, что Монтегю в моих руках, что Монтегю в Бастилии, хотя у него не перехватили, правда, никакого письма, но пытка может вынудить его сказать то, что он знает, и... даже то, чего не знает.

— Превосходно.

— И наконец, прибавьте, что герцог, спеша уехать с острова Рэ, забыл в своей квартире некое письмо госпожи де Шеврез, которое сильно порочит королеву, ибо оно доказывает не только то, что ее величество может любить врагов короля, но и то, что она состоит в заговоре с врагами Франции. Вы хорошо запомнили все, что я вам сказал, не так ли?

— Судите сами, ваше высокопреосвященство: бал у супруги коннетабля, ночь в Лувре, вечер в Амьене, арест Монтегю, письмо госпожи де Шеврез.

— Верно, совершенно верно. У вас прекрасная память, миледи.

— Но если, несмотря на все эти доводы, — возразила та, к кому относился лестный комплимент кардинала, — герцог не уступит и будет по-прежнему угрожать Франции?

— Герцог влюблен, как безумец или, вернее, как глупец, — с глубокой горечью ответил Ришелье. — Подобно паладинам старого времени, он затеял эту войну только для того, чтобы заслужить благосклонный взгляд своей дамы. Если он узнает, что война будет стоить чести, а быть может, и свободы владычице его помыслов, как он выражается, ручаюсь вам — он призадумается, прежде чем вести дальше эту войну.

— Но что, если... — продолжала миледи с настойчивостью, доказывавшей, что она хотела до конца выяснить возлагаемое на нее поручение, — если он все-таки будет упорствовать?

— Если он будет упорствовать? — повторил кардинал. — Это маловероятно.

— Это возможно.

— Если он будет упорствовать... — Кардинал сделал паузу, потом снова заговорил: — Если он будет упорствовать, тогда я буду надеяться на одно из тех событий, которые изменяют лицо государства.

— Если бы вы, ваше высокопреосвященство, потрудились привести мне исторические примеры таких событий, — сказала миледи, — я, возможно, разделила бы вашу уверенность.

— Да вот вам пример, — ответил Ришелье. — В тысяча шестьсот десятом году, когда славной памяти король Генрих Четвертый, руководствуясь примерно такими же побуждениями, какие заставляют действовать герцога, собирался одновременно вторгнуться во Фландрию и в Италию, чтобы сразу с двух сторон ударить по Австрии, — разве не произошло тогда событие, которое спасло Австрию? Почему бы королю Франции не посчастливилось так же, как императору?

— Ваше высокопреосвященство изволит говорить об ударе кинжалом на улице Медников?

— Совершенно правильно.

— Ваше высокопреосвященство не опасается, что казнь Равальяка держит в страхе тех, кому на миг пришла бы мысль последовать его примеру?

— Во все времена и во всех государствах, в особенности если эти государства раздирает религиозная вражда, находятся фанатики, которые ничего так не желают, как стать мучениками. И знаете, мне как раз приходит на память, что пуритане крайне озлоблены против герцога Бекингэма и их проповедники называют его антихристом.

— Так что же? — спросила миледи.

— А то, — продолжал кардинал равнодушным голосом, — что теперь достаточно было бы, например, найти женщину, молодую, красивую и ловкую, которая желала бы отомстить за себя герцогу. Такая женщина легко может сыскаться: герцог пользуется большим успехом у женщин, и если он своими клятвами в вечном постоянстве возбудил во многих сердцах любовь к себе, то он возбудил также и много ненависти своей вечной неверностью.

— Конечно, — холодно подтвердила миледи, — такая женщина может сыскаться.

— Если это так, подобная женщина, вложив в руки какого-нибудь фанатика кинжал Жака Клемана или Равальяка, спасла бы Францию.

— Да, но она оказалась бы сообщницей убийцы.

— А разве стали достоянием гласности имена сообщников Равальяка или Жака Клемана?

— Нет. И возможно, потому, что эти люди занимали слишком высокое положение, чтобы их осмелились изобличить. Ведь не для всякого сожгут палату суда, ваша светлость.

— Так вы думаете, что пожар палаты суда не был случайностью? — осведомился Ришелье таким тоном, точно он задал вопрос, не имеющий ни малейшего значения.

— Лично я, ваша светлость, ничего не думаю, — сказала миледи. — Я привожу факт, вот и все. Я говорю только, что если бы я была мадемуазель де Монпансье или королевой Марией Медичи, то принимала бы меньше предосторожностей, чем я принимаю теперь, будучи просто леди Кларик.

— Вы правы, — согласился Ришелье. — Так чего же вы хотели бы?

— Я хотела бы получить приказ, который заранее одобрял бы все, что я сочту нужным сделать для блага Франции.

— Но сначала надо найти такую женщину, которая, как я сказал, желала бы отомстить герцогу.

— Она найдена, — сказала миледи.

— Затем надо найти того презренного фанатика, который послужит орудием божественного правосудия.

— Он найдется.

— Вот тогда и настанет время получить тот приказ, о котором вы сейчас просили.

— Вы правы, ваше высокопреосвященство, — произнесла миледи, — и я ошиблась, полагая, что поручение, которым вы меня удостаиваете, не ограничивается тем, к чему оно сводится в действительности. Итак, я должна доложить его светлости, что вам известны все подробности относительно того переодевания, с помощью которого ему удалось подойти к королеве на маскараде, устроенном супругой коннетабля; что у вас есть доказательства состоявшегося в Лувре свидания королевы с итальянским астрологом, который был не кто иной, как герцог Бекингэм; что вы велели сочинить небольшой занимательный роман на тему о похождении в Амьене, с планом сада, где оно разыгралось, и с портретами его участников; что Монтегю в Бастилии и что пытка может принудить его сказать о том, что он помнит, и даже о том, что он, возможно, позабыл; и наконец, что к вам в руки попало письмо госпожи де Шеврез, найденное в квартире его светлости и порочащее не только ту особу, которая его написала, но и ту, от имени которой оно написано. Затем, если герцог, несмотря на все это, по-прежнему будет упорствовать, то, поскольку мое поручение ограничивается тем, что я перечислила, мне останется только молить бога, чтобы он совершил какое-нибудь чудо, которое спасет Францию. Все это так, ваше преосвященство, и больше мне ничего не надо делать?

— Да, так, — сухо подтвердил кардинал.

— А теперь... — продолжала миледи, словно не замечая, что кардинал Ришелье заговорил с ней другим тоном, — теперь, когда я получила указания вашего высокопреосвященства, касающиеся ваших врагов, не разрешите ли вы мне сказать вам два слова о моих?

— Так у вас есть враги?

— Да, ваша светлость, враги, против которых вы должны всеми способами поддержать меня, потому что я приобрела их на службе вашему высокопреосвященству.

— Кто они?

— Во-первых, некая мелкая интриганка Бонасье.

— Она в Мантской тюрьме.

— Вернее, она была там, — возразила миледи, — но королева получила от короля приказ, с помощью которого она перевела ее в монастырь.

— В монастырь?

— Да, в монастырь.

— В какой?

— Не знаю, это хранится в строгой тайне.

— Я узнаю эту тайну!

— И вы скажете мне, ваше высокопреосвященство, в каком монастыре эта женщина?

— Я не вижу к этому никаких препятствий.

— Хорошо... Но у меня есть другой враг, гораздо более опасный, чем эта ничтожная Бонасье.

— Кто?

— Ее любовник.

— Как его зовут?

— О, ваше высокопреосвященство его хорошо знает! — вскричала миледи в порыве гнева. — Это наш с вами злой гений: тот самый человек, благодаря которому мушкетеры короля одержали победу в стычке с гвардейцами вашего высокопреосвященства, тот самый, который нанес три удара шпагой вашему гонцу де Варду и расстроил все дело с алмазными подвесками; это тот, наконец, кто, узнав, что я похитила госпожу Бонасье, поклялся убить меня.

— А-а... — протянул кардинал. — Я знаю, о ком вы говорите.

— Я говорю об этом негодяе д'Артаньяне.

— Он смельчак.

— Поэтому-то и следует его опасаться.

— Надо бы иметь доказательство его тайных сношений с Бекингэмом...

— Доказательство! — вскричала миледи. — Я раздобуду десяток доказательств!

— Ну, в таком случае — нет ничего проще: представьте мне эти доказательства, и я посажу его в Бастилию.

— Хорошо, ваша светлость, а потом?

— Для тех, кто попадает в Бастилию, нет никакого «потом», — глухим голосом ответил кардинал. — Ах черт возьми, — продолжал он, — если б мне так же легко было избавиться от моего врага, как избавить вас от ваших, и если б вы испрашивали у меня безнаказанности за ваши действия против подобных людей!

— Ваша светлость, — предложила миледи, — давайте меняться — жизнь за жизнь, человек за человека: отдайте мне этого — я отдам вам того, другого.

— Не знаю, что вы хотите сказать, — ответил кардинал, — и не желаю этого знать, но мне хочется сделать вам любезность, и я не вижу, почему бы мне не исполнить вашу просьбу относительно столь ничтожного существа, тем более что этот д'Артаньян, как вы утверждаете, распутник, дуэлист и изменник.

— Бесчестный человек, ваша светлость, бесчестный!

— Дайте мне бумагу, перо и чернила.

— Вот они, ваша светлость.

Наступило минутное молчание, доказывавшее, что кардинал мысленно подыскивал выражения, в которых он собирался составить эту записку или уже писал ее.

Атос, слышавший до единого слова весь разговор, взял своих товарищей за руки и отвел их на другой конец комнаты.

— Ну, что тебе надо, отчего ты не даешь нам дослушать конец? — рассердился Портос.

— Тише! — прошептал Атос. — Мы узнали все, что нам нужно было узнать. Впрочем, я не мешаю вам дослушать разговор до конца, но мне необходимо уехать.

— Тебе необходимо уехать? — повторил Портос. — А если кардинал спросит о тебе, что мы ему ответим?

— Не дожидайтесь, пока он спросит обо мне, скажите ему сами, что я отправился дозором, так как кое-какие замечания нашего хозяина навели меня на подозрение, что дорога не совсем безопасна. К тому же я упомяну об этом оруженосцу кардинала. А остальное уж мое дело, ты об этом не беспокойся.

— Будьте осторожны, Атос! — сказал Арамис.

— Будьте покойны, — ответил Атос. — Как вам известно, я умею владеть собою.

Портос и Арамис снова уселись у печной трубы.

Что же касается Атоса, он на виду у всех вышел, отвязал своего коня, привязанного рядом с конями его друзей к засовам ставен, немногими словами убедил оруженосца в необходимости дозора для обратного пути, а затем с притворным вниманием осмотрел свой пистолет, взял в зубы шпагу и, как солдат, добровольно выполняющий опасную задачу, поехал по дороге к лагерю.

XV

СУПРУЖЕСКАЯ СЦЕНА

Как Атос и предвидел, кардинал не замедлил сойти вниз; он открыл дверь комнаты, куда вошли мушкетеры, и увидел, что Портос и Арамис с величайшим азартом играют в кости. Беглым взглядом окинув всю комнату, он убедился, что недостает одного из его телохранителей.

— Куда девался господин Атос? — спросил он.

— Ваша светлость, — отвечал Портос, — он поехал дозором вперед. Кое-какие разговоры нашего хозяина внушили ему подозрение, что дорога не совсем безопасна.

— А вы что делали, господин Портос?

— Я выиграл у Арамиса пять пистолей.

— Что ж, теперь возвращайтесь вместе со мною обратно.

— Мы к услугам вашего высокопреосвященства.

— Итак, на коней, господа, время позднее.

Оруженосец дожидался у дверей, держа под уздцы лошадь кардинала. Немного поодаль виднелись во мраке два человека и три лошади; это были те самые люди, которые должны были сопровождать миледи в форт Ла-Пуант и посадить ее там на корабль.

Оруженосец подтвердил кардиналу все сказанное ему двумя мушкетерами относительно Атоса. Кардинал одобрительно кивнул и пустился в обратный путь с теми же предосторожностями, какие он принял, отправляясь в трактир.

Предоставим ему следовать в лагерь под охраной оруженосца и двух мушкетеров и вернемся к Атосу.

Шагов сто Атос проехал все так же, не спеша, но, как только он убедился, что никто не видит его, свернул направо, окольным путем проскакал обратно и, притаившись в лесочке шагах в двадцати от дороги, стал выжидать проезда путников. Увидев широкополые шляпы своих товарищей и золотую бахрому кардинальского плаща, он подождал, пока всадники исчезли за поворотом дороги, и галопом вернулся в трактир, куда его беспрепятственно впустили.

Хозяин узнал его.

— Мой начальник, — сказал Атос, — забыл сообщить одну важную вещь даме, что живет во втором этаже. Он послал меня исправить свое упущение.

— Пройдите наверх, — предложил хозяин, — она еще у себя в комнате.

Атос воспользовался позволением и, как можно легче ступая по лестнице, взошел на площадку. Сквозь приоткрытую дверь он увидел, что миледи подвязывает ленты своей шляпы.

Он вошел в комнату и запер за собой дверь.

Услышав лязг задвигаемого засова, миледи обернулась.

Атос стоял у двери, закутавшись в плащ и надвинув на глаза шляпу.

При виде этой безмолвной, неподвижной, точно статуя, фигуры миледи испугалась.

— Кто вы? Что вам нужно? — вскричала она.

«Да, так и есть, это она!» — сказал про себя Атос.

Откинув плащ и сдвинув со лба шляпу, он подошел к миледи.

— Узнаете вы меня, сударыня? — спросил он.

Миледи подалась вперед и вдруг отпрянула, словно увидела змею.

— Так, хорошо... — сказал Атос. — Я вижу, вы меня узнали.

— Граф де Ла Фер! — прошептала миледи, бледнея и отступая все дальше, пока не коснулась стены.

— Да, миледи, — ответил Атос, — граф де Ла Фер, собственной персоной, нарочно явился с того света, чтобы иметь удовольствие вас видеть. Присядем же и побеседуем, как выражается господин кардинал.

Объятая невыразимым ужасом, миледи села, не издав ни звука.

— Вы демон, посланный на землю! — начал Атос. — Власть ваша велика, я знаю, но вам известно также, что люди с божьей помощью часто побеждали самых устрашающих демонов. Вы уже один раз оказались на моем пути. Я думал, что стер вас с лица земли, сударыня, но или я ошибся, или ад воскресил вас...

При этих словах, пробудивших в ней ужасные воспоминания, миледи опустила голову и глухо застонала.

— Да, ад воскресил вас, — продолжал Атос, — ад сделал вас богатой, ад дал вам другое имя, ад почти до неузнаваемости изменил ваше лицо, но он не смыл ни грязи с вашей души, ни клейма с вашего тела!

Миледи вскочила, точно подброшенная пружиной, глаза ее засверкали. Атос продолжал сидеть.

— Вы полагали, что я умер, не правда ли? И я тоже думал, что вы умерли. А имя Атос скрыло графа де Ла Фер, как имя леди Кларик скрыло Анну де Бейль! Не так ли вас звали, когда

445

ваш почтенный братец обвенчал нас?.. Право, у нас обоих странное положение, — с усмешкой продолжал Атос, — мы оба жили до сих пор только потому, что считали друг друга умершими. Ведь воспоминания не так стесняют, как живое существо, хотя иной раз воспоминания терзают душу!

— Что же привело вас ко мне? — сдавленным голосом проговорила миледи. — И чего вы от меня хотите?

— Я хочу вам сказать, что, упорно оставаясь невидимым для вас, я не упускал вас из виду.

— Вам известно, что я делала?

— Я могу день за днем перечислить вам, что вы делали, начиная с того времени, когда поступили на службу к кардиналу, и вплоть до сегодняшнего вечера.

Бледные губы миледи сложились в недоверчивую улыбку.

— Слушайте: вы срезали два алмазных подвеска с плеча герцога Бекингэма; вы похитили госпожу Бонасье; вы, влюбившись в де Варда и мечтая провести с ним ночь, впустили к себе господина д'Артаньяна; вы, думая, что де Вард обманул вас, хотели заставить соперника де Варда убить его; вы, когда этот соперник обнаружил вашу постыдную тайну, велели двум наемным убийцам, которых вы послали по его следам, подстрелить его; вы, узнав, что пуля не достигла цели, прислали ему отравленное вино с подложным письмом, желая уверить вашу жертву, что это вино — подарок друзей, и, наконец, вы здесь, в этой комнате, сидя на том самом стуле, на котором я сижу сейчас, только что взяли на себя перед кардиналом Ришелье обязательство подослать убийцу к герцогу Бекингэму, взамен чего он обещал позволить вам убить д'Артаньяна!

Лицо миледи покрылось смертельной бледностью.

— Вы сам сатана! — прошептала она.

— Быть может, но, во всяком случае, запомните одно: убьете ли вы или поручите кому-нибудь убить герцога Бекингэма — мне до этого нет дела: я его не знаю, и к тому же он англичанин, но не троньте и волоска на голове д'Артаньяна, верного моего друга, которого я люблю и охраняю, или, клянусь вам памятью моего отца, преступление, которое вы совершите, будет последним!

— Д'Артаньян жестоко оскорбил меня, — глухим голосом сказала миледи, — д'Артаньян умрет.

— Разве в самом деле возможно оскорбить вас, сударыня? — усмехнулся Атос. — Он вас оскорбил и он умрет?

— Он умрет, — повторила миледи. — Сначала она, потом он.

У Атоса потемнело в глазах. Вид этого существа, в котором не было ничего женственного, оживил в нем терзающие душу воспоминания. Он вспомнил, как однажды, в положении менее опасном, чем теперь, он уже хотел принести ее в жертву своей чести; жгучее желание убить ее снова поднялось в нем и овладело им с непреодолимой силой. Он встал, выхватил из-за пояса пистолет и взвел курок.

Миледи, бледная как смерть, пыталась крикнуть, но язык не повиновался ей, и с оцепеневших уст сорвался только хриплый звук, не имевший ни малейшего сходства с человеческой речью и напоминавший скорее рычание дикого зверя; вплотную прижавшись к темной стене, с разметавшимися волосами, она казалась воплощением ужаса.

Атос медленно поднял пистолет, вытянул руку так, что дуло почти касалось лба миледи, и голосом, еще более устрашающим, оттого что в нем звучали спокойствие и непоколебимая решимость, произнес:

— Сударыня, вы сию же минуту отдадите мне бумагу, которую подписал кардинал, или, клянусь жизнью, я пущу вам пулю в лоб!

Будь это другой человек, миледи еще усомнилась бы в том, что он исполнит свое намерение, но она знала Атоса; тем не менее она не шелохнулась.

— Даю вам секунду на размышление, — продолжал он.

По тому, как исказились черты его лица, миледи поняла, что сейчас раздастся выстрел. Она быстро поднесла руку к груди, вынула из-за корсажа бумагу и подала ее Атосу:

— Берите и будьте прокляты!

Атос взял бумагу, засунул пистолет за пояс, подошел к лампе, чтобы удостовериться, что это та самая бумага, развернул ее и прочитал:

«То, что сделал предъявитель сего, сделано по моему приказанию и для блага государства.

5 августа 1628 года.
Ришелье».

— А теперь... — сказал Атос, закутываясь в плащ и надевая шляпу, — теперь, когда я вырвал у тебя зубы, ехидна, кусайся, если можешь!

Он вышел из комнаты и даже не оглянулся.

У двери трактира он увидел двух всадников, державших на поводу еще одну лошадь.

— Господа, — обратился к ним Атос, — господин кардинал приказал, как вам уже известно, не теряя времени отвезти эту женщину в форт Ла-Пуант и не отходить от нее, пока она не сядет на корабль.

Так как его слова вполне соответствовали полученным этими людьми приказаниям, они поклонились в знак готовности исполнить распоряжение.

Что же касается Атоса, он легким движением вскочил в седло и помчался во весь дух, но, вместо того чтобы ехать по дороге, пустился напрямик через поле, усиленно пришпоривая коня и то и дело останавливаясь, чтобы прислушаться.

Во время одной такой остановки он услышал топот лошадей по дороге. Уверенный в том, что это кардинал и его конвой, Атос проскакал еще немного вперед, обтер лошадь вереском и листьями и шагов за двести до лагеря выехал на дорогу.

— Кто идет? — крикнул он, разглядев всадников.

— Это, кажется, наш храбрый мушкетер? — спросил кардинал.

— Да, ваша светлость, — ответил Атос, — он самый.

— Господин Атос, примите мою благодарность за то, что вы нас так хорошо охраняли... Вот мы и доехали, господа! Поезжайте к левой заставе, пароль: «Король и Рэ».

Сказав это, кардинал попрощался кивком головы с тремя друзьями и, сопровождаемый оруженосцем, повернул направо, так как хотел переночевать в лагере.

— Так вот, — в один голос заговорили Портос и Арамис, когда кардинал отъехал на такое расстояние, что не мог их слышать, — он подписал бумагу, которую она требовала!

— Знаю, — спокойно ответил Атос. — Вот эта бумага.

Три друга не обменялись больше ни единым словом до самой своей квартиры, если не считать того, что они назвали часовым пароль.

Но они послали Мушкетона сказать Планше, что его господина просят, когда он сменится с караула в траншее, немедленно прийти на квартиру мушкетеров.

Что же касается миледи, то она, как предвидел Атос, застав у дверей трактира поджидавших ее людей, без всяких возражений последовала за ними. На миг у нее, правда, возникло желание вернуться, явиться к кардиналу и все рассказать ему, но ее разоблачение повлекло бы за собой разоблачение со стороны Атоса; она, положим, сказала бы, что Атос некогда повесил ее, но тогда Атос сказал бы, что она заклеймена. Она рассудила, что лучше будет молчать, тайно уехать, исполнить со свойственной ей ловкостью взятое на себя трудное поручение, а потом, после того как все будет сделано к полному удовлетворению кардинала, явиться к нему и потребовать, чтобы он помог ей отомстить за себя.

Итак, проведя в седле всю ночь, она в семь часов утра прибыла в форт Ла-Пуэнт, в восемь часов была уже на борту, а в девять часов корабль, снабженный каперным свидетельством за подписью кардинала и якобы готовый к отплытию в Байонну, снялся с якоря и взял курс к берегам Англии.

XVI

БАСТИОН СЕН-ЖЕРВЕ

Явившись к своим друзьям, д'Артаньян застал их всех вместе в одной комнате: Атос о чем-то размышлял; Портос покручивал усы; Арамис молился по прелестному небольшому молитвеннику в голубом бархатном переплете.

— Черт возьми, господа! — сказал д'Артаньян. — Надеюсь, вам надо сообщить мне что-нибудь заслуживающее внимания, иначе, предупреждаю, я не прощу вам, что вы заставили меня прийти, не дав мне отдохнуть после нынешней ночи, после того, как я брал и разрушал бастион! Ах, как жаль, господа, что вас там не было! Жаркое было дело!

— Мы попали в другое место, где было тоже не холодно, — ответил Портос, придавая своим усам неподражаемый изгиб.

— Тсс! — вставил Атос.

— Ого! — сказал д'Артаньян, догадываясь, почему мушкетер нахмурил брови. — По-видимому, у вас есть что-то новое.

— Арамис, вы, кажется, третьего дня завтракали в кальвинистской харчевне у «Нечестивца»? — спросил Атос.

— Да.

— Каково там?

— Я-то плохо поел: был постный день, а там подавали только скоромное.

— Как! — удивился Атос. — В морской гавани и вдруг нет рыбы?

— Они говорят, что дамба, которую сооружает господин кардинал, гонит всю рыбу в открытое море, — пояснил Арамис, снова принимаясь за свое благочестивое занятие.

— Да я вас не об этом спрашивал, Арамис! Я вас спрашивал, вполне ли свободно вы себя там чувствовали и не потревожил ли вас кто-нибудь.

— Кажется, там было не очень много докучливых посетителей... Да, в самом деле, для того, что вы намерены рассказать, Атос, «Нечестивец» нам подходит.

— Так пойдемте к «Нечестивцу», — заключил Атос. — Здесь стены точно бумажные.

Д'Артаньян, привыкший к образу действий своего друга и по одному его слову, жесту или знаку тотчас понимавший, что положение серьезно, взял Атоса под руку и вышел с ним, ни о чем больше не спрашивая. Портос и Арамис, дружески беседуя, последовали за ними.

Дорогой они встретили Гримо. Атос сделал ему знак идти с ним; Гримо, по привычке, молча повиновался: бедняга дошел до того, что уже почти разучился говорить.

Друзья пришли в харчевню. Было семь часов утра, и начинало уже светать. Они заказали завтрак и вошли в зал, где, как уверял хозяин, их никто не мог потревожить.

К сожалению, время для тайного совещания было выбрано неудачно: только что пробили утреннюю зорю, и многие, желая стряхнуть с себя сон и согреться от утренней сырости, заглядывали в харчевню выпить мимоходом стакан вина. Драгуны, швейцарцы, гвардейцы, мушкетеры и кавалеристы быстро сменялись, что было весьма выгодно хозяину, но совершенно не соответствовало намерениям четырех друзей. Поэтому они очень хмуро отвечали на приветствия, тосты и шутки своих боевых товарищей.

— Полно, господа! — сказал Атос. — Мы еще, чего доброго, поссоримся здесь с кем-нибудь, а нам это сейчас вовсе не кстати. Д'Артаньян, расскажите нам, как вы провели эту ночь, а про свою мы вам расскажем после.

— В самом деле... — вмешался один кавалерист, слегка покачиваясь и держа в руке рюмку водки, которую он медленно смаковал, — в самом деле, вы сегодня ночью были в траншеях, господа гвардейцы, и, кажется, свели счеты с ларошельцами?

Д'Артаньян посмотрел на Атоса, как бы спрашивая его, отвечать ли непрошеному собеседнику.

— Ты разве не слышишь, что господин де Бюзиньи делает тебе честь и обращается к тебе? — спросил Атос. — Расскажи, что произошло сегодня ночью, раз эти господа желают узнать, как было дело.

— Фы фсяли пастион? — спросил швейцарец, который пил ром из пивной кружки.

— Да, сударь, — поклонившись, ответил д'Артаньян, — нам выпала эта честь. Мы даже подложили, как вы, быть может, слышали, под один из его углов бочонок пороху, и, когда порох взорвался, получилась изрядная брешь, да и вся остальная кладка — бастион-то ведь не новый — расшаталась.

— А какой это бастион? — спросил драгун, державший насаженного на саблю гуся, которого он принес зажарить.

— Бастион Сен-Жерве, — ответил д'Артаньян. — Под его прикрытием ларошельцы беспокоили наших землекопов.

— Жаркое было дело.

— Да, еще бы! Мы потеряли пять человек, а ларошельцы — девять или десять.

— Шерт фосьми! — воскликнул швейцарец, который, несмотря на великолепный набор ругательств, существующий в немецком языке, усвоил привычку браниться по-французски.

— Но вероятно, они пошлют сегодня землекопную команду, чтобы привести бастион в исправность?

— Да, вероятно, — подтвердил д'Артаньян.

— Господа, предлагаю пари! — заявил Атос.

— О та, пари! — подхватил швейцарец.

— Какое пари? — полюбопытствовал кавалерист.

— Погодите, — попросил драгун и положил свою саблю, как вертел, на два больших железных тагана, под которыми поддерживался огонь. — Я хочу тоже участвовать... Эй, горе-трактирщик, живо подставьте противень, чтобы не потерять ни капли жиру с этого драгоценного гуся!

— Он праф, — сказал швейцарец, — гусини шир ошень фкусно с фареньем.

— Вот так! — облегченно вздохнул драгун. — А теперь перейдем к нашему пари. Мы вас слушаем, господин Атос.

— Да, что за пари? — осведомился кавалерист.

— Так вот, господин де Бюзиньи, я держу с вами пари, — начал Атос, — что трое моих товарищей — господа Портос, Арамис и д'Артаньян — и я позавтракаем в бастионе Сен-Жерве и продержимся там ровно час, минута в минуту, как бы ни старался неприятель выбить нас оттуда.

Портос и Арамис переглянулись: они начинали понимать, в чем дело.

— Помилосердствуй, — шепнул д'Артаньян на ухо Атосу, — ведь нас убьют!

— Нас еще вернее убьют, если мы не пойдем туда, — ответил Атос.

— Честное слово, господа, вот это славное пари! — заговорил Портос, откидываясь на спинку стула и покручивая усы.

— Да, и я его принимаю, — сказал де Бюзиньи. — Остается только уговориться о закладе.

— Вас четверо, господа, и нас четверо. Обед на восемь человек, какой каждый пожелает, — предложил Атос. — Что вы на это скажете?

— Превосходно! — заявил де Бюзиньи.

— Отлично! — подтвердил драгун.

— Идет! — согласился швейцарец.

Четвертый участник, игравший во всей этой сцене немую роль, кивнул головой в знак согласия.

— Ваш завтрак готов, господа, — доложил хозяин.

— Так принесите его! — распорядился Атос.

Хозяин повиновался. Атос подозвал Гримо, указал ему на большую корзину, валявшуюся в углу зала, и сделал такой жест, словно он заворачивал в салфетки принесенное жаркое.

Гримо сразу понял, что речь идет о завтраке на лоне природы, взял корзину, уложил в нее кушанья, присоединил к ним бутылки и повесил корзину на руку.

— Где же вы собираетесь завтракать? — спросил хозяин.

— Не все ли равно? — ответил Атос. — Лишь бы вам заплатили за завтрак!

И он величественным жестом бросил на стол два пистоля.

— Прикажете дать вам сдачи, господин офицер? — спросил хозяин.

— Нет. Прибавь только две бутылки шампанского, а остальное пойдет за салфетки.

Дело оказалось не таким прибыльным, как трактирщик думал сначала, но он наверстал свое, всучив четырем участникам завтрака две бутылки анжуйского вина вместо шампанского.

— Господин де Бюзиньи, — сказал Атос, — угодно вам поставить ваши часы по моим или прикажете мне поставить свои по вашим?

— Отлично, милостивый государь! — ответил кавалерист, вынимая из кармана великолепные часы, украшенные алмазами. — Половина восьмого.

— Семь часов тридцать пять минут, — сказал Атос, — будем знать, что мои часы на пять минут впереди ваших, милостивый государь.

Отвесив поклон остолбеневшим посетителям трактира, четверо молодых людей направились к бастиону Сен-Жерве в сопровождении Гримо, который нес корзину, сам не зная, куда он идет, — он так привык беспрекословно повиноваться Атосу, что ему и в голову не приходило об этом спрашивать.

Пока четыре друга шли по лагерю, они не обменялись ни единым словом; к тому же по пятам за ними следовали любопытные, которые, прослышав о заключенном пари, хотели посмотреть, как наши друзья выпутаются из этого положения. Но как только они перешли за линию лагерных укреплений и очутились среди полей, д'Артаньян, бывший до сих пор в полном неведении, решил, что настало время попросить объяснений.

— А теперь, любезный Атос, — начал он, — скажите мне, прошу вас, куда мы идем.

— Как видите, — ответил Атос, — мы идем на бастион.

— А что мы там будем делать?

— Как вам известно, мы будем там завтракать.

— А почему мы не позавтракали у «Нечестивца»?

— Потому что нам надо поговорить об очень важных вещах, а в этой харчевне и пяти минут невозможно побеседовать из-за назойливых людей, которые то и дело приходят, уходят, раскланиваются, пристают с разговорами... Сюда по крайней мере, — продолжал Атос, указывая на бастион, — никто не придет мешать нам.

— По-моему, мы могли бы найти какое-нибудь укромное место среди дюн, на берегу моря... — заметил д'Артаньян, проявляя ту осмотрительность, которая так хорошо и естественно сочеталась в нем с беззаветной храбростью.

— ...где все бы увидели, как мы разговариваем вчетвером, и через каких-нибудь четверть часа шпионы кардинала донесли бы ему, что мы держим совет.

— Да, — подхватил Арамис, — Атос прав: «Animadvertuntur in desertis»*.

— Было бы неплохо забраться в пустыню, — вставил Портос, — но вся штука в том, чтобы найти ее.

— Нет такой пустыни, где бы птица не могла пролететь над головой, где бы рыба не могла вынырнуть из воды, где бы кролик не мог выскочить из своей норки. А мне кажется, что и птицы, и рыбы, и кролики — все стали шпионами кардинала. Так лучше же продолжать начатое нами предприятие, отступиться от которого мы, впрочем, уже и не можем, не покрыв себя позором. Мы заключили пари, которое не могло быть преднамеренным, и я уверен, что никто не угадает его настоящей причины. Чтобы выиграть наше пари, мы продержимся час на бастионе. Либо нас атакуют, либо этого не случится. Если нас не атакуют, у нас будет достаточно времени поговорить, и никто нас не подслушает: ручаюсь, что стены этого бастиона не имеют ушей. А если нас атакуют, мы все-таки сумеем поговорить о наших делах, и к тому же, обороняясь, мы покроем себя славой. Вы сами видите, что, как ни поверни, все выходит в нашу пользу.

— Да, — согласился д'Артаньян, — но нам не миновать пули.

— Эх, мой милый, — возразил Атос, — вы отлично знаете: самые опасные пули не те, что посылает неприятель.

— Но мне кажется, — вмешался Портос, — что для подобной экспедиции следовало бы захватить мушкеты.

— Вы глупы, друг Портос: зачем обременять себя бесполезной ношей!

— Когда я нахожусь лицом к лицу с неприятелем, мне не кажутся бесполезными исправный мушкет, дюжина патронов и пороховница.

— Да разве вы не слышали, что сказал д'Артаньян?

— А что сказал д'Артаньян?

— Он сказал, что во время ночной атаки было убито девять-десять французов и столько же ларошельцев.

---

* Их замечают в пустыне (*лат.*).

454

— Что же дальше?

— Их не успели ограбить, не так ли? Ведь у всех были в то время дела поважнее.

— Так что же?

— А то, что мы найдем там их мушкеты, пороховницы и патроны, и вместо четырех мушкетов и дюжины пуль у нас будет полтора десятка ружей и сотня выстрелов в запасе.

— О Атос, поистине ты великий человек! — воскликнул Арамис.

Портос наклонил голову в знак того, что он присоединяется к этому мнению.

Одного только д'Артаньяна не убедили, по-видимому, доводы Атоса.

Гримо, вероятно, разделял опасения юноши: видя, что все продолжают идти к бастиону, в чем он вначале сомневался, он дернул своего господина за полу.

«Куда мы идем?» — сделал он вопрошающий жест.

Атос указал ему на бастион.

«Но нас там ухлопают», — продолжал все на том же языке жестов безмолвный Гримо.

Атос возвел глаза и руки к небу.

Гримо поставил корзину на землю и сел, отрицательно покачав головой.

Атос вынул из-за пояса пистолет, посмотрел, хорошо ли он заряжен, взвел курок и приставил дуло к уху Гримо.

Гримо живо вскочил на ноги.

Атос знаком приказал ему взять корзину и идти вперед.

Гримо повиновался.

Единственное, что выиграл Гримо этой минутной пантомимой, — это то, что из арьергарда он перешел в авангард.

Взобравшись на бастион, четыре друга обернулись.

Более трехсот солдат всех видов оружия столпилось у заставы лагеря, а чуть поодаль от всех остальных можно было различить г-на де Бюзиньи, драгуна, швейцарца и четвертого участника пари.

Атос снял шляпу, насадил ее на острие шпаги и помахал ею в воздухе.

Зрители ответили на его приветствие поклонами, сопровождая это изъявление вежливости громкими возгласами «ура», долетевшими до наших смельчаков.

После этого все четверо скрылись в бастионе, куда уже успел юркнуть Гримо.

XVII

СОВЕТ МУШКЕТЕРОВ

Все оказалось так, как предвидел Атос: на бастионе никого не было, кроме человек двенадцати убитых французов и ларошельцев.

— Господа, — сказал Атос, принявший на себя командование экспедицией, — пока Гримо будет накрывать на стол, мы начнем с того, что подберем ружья и патроны. К тому же, собирая их, мы можем разговаривать без всякой помехи: эти господа, — прибавил он, указывая на убитых, — нас не услышат.

— А не лучше ли сбросить их в ров? — предложил Портос. — Но конечно, не раньше, чем мы удостоверимся, что в карманах у них пусто.

— Да, — проронил Атос, — это уже дело Гримо.

— Так пусть Гримо их обыщет и перебросит через стены, — сказал д'Артаньян.

— Ни в коем случае, — возразил Атос. — Они могут нам пригодиться.

— Эти мертвецы могут нам пригодиться? — удивился Портос. — Да ты с ума сходишь, любезный друг!

— «Не судите опрометчиво», говорят Евангелие и господин кардинал, — ответил Атос. — Сколько ружей, господа?

— Двенадцать, — ответил Арамис.

— Сколько выстрелов в запасе?

— Около сотни.

— Это все, что нам нужно. Зарядим ружья!

Четыре друга принялись за дело.

Они кончили заряжать последнее ружье, когда Гримо знаками доложил, что завтрак подан.

Атос ответил одобрительным жестом и указал ему на сторожевую башенку, где, как понял Гримо, он должен был нести караул.

А чтобы Гримо было не так скучно стоять на посту, Атос разрешил ему прихватить хлебец, две котлеты и бутылку вина.

— Теперь сядем за стол! — пригласил Атос.

Четыре друга уселись на землю, скрестив ноги, как турки или портные.

— Ну, теперь, когда больше нечего бояться, что тебя подслушают, — сказал д'Артаньян, — надеюсь, ты поведаешь нам свою тайну.

— Я полагаю, господа, что доставлю вам и удовольствие и славу, — начал Атос. — Я заставил вас совершить очаровательную прогулку. Вот вам вкусный завтрак, а вон там, как вы сами можете разглядеть через бойницы, пятьсот человек зрителей, которые считают нас безумцами или героями, — два разряда глупцов, очень похожих друг на друга.

— Ну а тайна? — спросил д'Артаньян.

— Тайна моя заключается в том, — ответил Атос, — что вчера вечером я видел миледи.

Д'Артаньян в этот миг подносил стакан ко рту, но при упоминании о миледи рука у него так сильно задрожала, что он принужден был поставить стакан на землю, чтобы не расплескать вино.

— Ты видел твою...

— Тсс! — перебил Атос. — Вы забываете, любезный друг, что эти господа не посвящены, подобно вам, в мои семейные дела. Итак, я видел миледи.

— А где? — спросил д'Артаньян.

— Примерно в двух лье отсюда, в гостинице «Красная голубятня».

— В таком случае — я погиб, — произнес д'Артаньян.

— Нет, не совсем еще, — возразил Атос, — потому что теперь она, вероятно, уже покинула берега Франции.

Д'Артаньян с облегчением вздохнул.

— В конце концов, кто она такая, эта миледи? — полюбопытствовал Портос.

— Очаровательная женщина, — ответил Атос и отведал пенистое вино. — Каналья трактирщик! — воскликнул он. — Всучил нам анжуйское вместо шампанского и воображает, что нас можно провести!.. Да, — продолжал он, — очаровательная женщина, которая весьма благосклонно отнеслась к нашему другу д'Артаньяну, но он сделал ей какую-то гнусность, и она пыталась отомстить: месяц назад подсылала к нему убийц, неделю назад пробовала отравить его, а вчера выпросила у кардинала его голову.

— Как! Выпросила у кардинала мою голову? — вскричал д'Артаньян, побледнев от страха.

— Это святая правда, — подтвердил Портос, — я сам, своими ушами слышал.

457

— И я тоже, — вставил Арамис.

— Если это так, бесполезно продолжать борьбу, — проговорил д'Артаньян, в отчаянии опуская руки. — Лучше уж я пущу себе пулю в лоб и сразу положу всему конец!

— К этой глупости всегда успеешь прибегнуть, — заметил Атос, — только она ведь непоправима.

— Но мне не миновать гибели, имея таких могущественных врагов, — возразил д'Артаньян. — Во-первых, незнакомец из Менга, затем де Вард, которому я нанес три удара шпагой, затем миледи, тайну которой я случайно раскрыл, и, наконец, кардинал, которому я помешал отомстить.

— А много ли их? Всего только четверо! — сказал Атос. — И нас ведь тоже четверо. Значит, выходит, один на одного... Черт возьми! Судя по тем знакам, какие подает Гримо, нам сейчас придется иметь дело с гораздо бо́льшим количеством... Что случилось, Гримо? Принимая во внимание серьезность положения, я вам разрешаю говорить, друг мой, но, прошу вас, будьте немногословны. Что вы видите?

— Отряд.

— Сколько человек?

— Двадцать.

— Кто они такие?

— Шестнадцать человек землекопной команды и четыре солдата.

— За сколько шагов отсюда?

— За пятьсот.

— Хорошо, мы еще успеем доесть курицу и выпить стакан вина за твое здоровье, д'Артаньян!

— За твое здоровье! — подхватили Портос и Арамис.

— Ну, так и быть, за мое здоровье! Однако я не думаю, чтобы ваши пожелания принесли мне большую пользу.

— Не унывай! — сказал Атос. — Аллах велик, как говорят последователи Магомета, и будущее в его руках.

Осушив свой стакан и поставив его подле себя, Атос лениво поднялся, взял первое попавшееся ружье и подошел к бойнице.

Портос, Арамис и д'Артаньян последовали его примеру, а Гримо получил приказание стать позади четырех друзей и перезаряжать ружья.

Спустя минуту показался отряд. Он шел вдоль узкой траншеи, служившей ходом сообщения между бастионом и городом.

— Черт побери! Стоило нам беспокоиться ради двух десятков горожан, вооруженных кирками, заступами и лопатами! — заметил Атос. — Достаточно было бы Гримо подать им знак, чтобы они убирались прочь, и я убежден, что они оставили бы нас в покое.

— Сомневаюсь, — сказал д'Артаньян. — Они очень решительно шагают в нашу сторону. К тому же горожан сопровождают бригадир и четыре солдата, вооруженных мушкетами.

— Это они потому так храбрятся, что еще не видят нас, — возразил Атос.

— Признаюсь, мне, честное слово, противно стрелять в этих бедных горожан, — заметил Арамис.

— Плох тот священник, который жалеет еретиков! — произнес Портос.

— В самом деле, Арамис прав, — согласился Атос. — Я сейчас пойду и предупрежу их.

— Куда это вас черт несет! — попытался остановить его д'Артаньян. — Вас пристрелят, друг мой!

Но Атос не обратил никакого внимания на это предостережение и взобрался на пробитую в стене брешь. Держа в одной руке ружье, а в другой шляпу, он обратился к солдатам и землекопам, которые, удивившись его неожиданному появлению, остановились в полусотне шагов от бастиона, и, приветствуя их учтивым поклоном, закричал:

— Господа, я и несколько моих друзей завтракаем сейчас в этом бастионе! А вы сами знаете, как неприятно, когда вас беспокоят во время завтрака. Поэтому мы просим вас, если уж вам непременно нужно побывать здесь, подождать, пока мы кончим завтракать, или прийти потом еще разок... или же, что будет самое лучшее, образумиться, оставить мятежников и пожаловать к нам выпить за здоровье французского короля.

— Берегись, Атос! — крикнул д'Артаньян. — Разве ты не видишь, что они в тебя целятся?

— Вижу, вижу, — отвечал Атос, — но эти мещане очень плохо стреляют и не сумеют попасть в меня.

Действительно, в ту же минуту раздались четыре выстрела, но пули, не попав в Атоса, расплющились о камни вокруг него.

Четыре выстрела тотчас прогремели в ответ; они были лучше направлены, чем выстрелы нападавших: три солдата свалились, убитые наповал, а один из землекопов был ранен.

— Гримо, другой мушкет! — приказал Атос, не сходя с бреши.

Гримо тотчас же повиновался. Трое друзей Атоса снова зарядили ружья. За первым залпом последовал второй: бригадир и двое землекопов были убиты на месте, а все остальные обратились в бегство.

— Вперед, господа, на вылазку! — скомандовал Атос.

Четыре друга ринулись за стены форта, добежали до поля сражения, подобрали четыре мушкета и пику бригадира и, уверенные в том, что беглецы не остановятся, пока не достигнут города, вернулись на бастион, захватив свои трофеи.

— Перезарядите ружья, Гримо, — приказал Атос. — А мы, господа, снова примемся за еду и продолжим наш разговор. На чем мы остановились?

— Я это хорошо помню, — сказал д'Артаньян, сильно озабоченный тем, куда именно должна была направиться миледи. — Ты говорил, что миледи покинула берега Франции.

— Она поехала в Англию, — пояснил Атос.

— А с какой целью?

— С целью самой убить Бекингэма или подослать к нему убийц.

Д'Артаньян издал возглас удивления и негодования.

— Какая низость! — вскричал он.

— Ну это меня мало беспокоит! — заметил Атос. — Теперь, когда вы справились с ружьями, Гримо, — продолжал он, — возьмите пику бригадира, привяжите к ней салфетку и воткните ее на вышке нашего бастиона, чтобы эти мятежники-ларошельцы видели и знали, что они имеют дело с храбрыми и верными солдатами короля.

Гримо беспрекословно повиновался. Минуту спустя над головами наших четырех друзей взвилось белое знамя. Гром рукоплесканий приветствовал его появление: половина лагеря столпилась на валу.

— Как! — снова заговорил д'Артаньян. — Тебя ничуть не беспокоит, что она убьет Бекингэма или подошлет кого-нибудь убить его? Но ведь герцог — наш друг!

— Герцог — англичанин, герцог сражается против нас. Пусть она делает с герцогом что хочет, меня это так же мало занимает, как пустая бутылка.

И Атос швырнул в дальний угол бутылку, содержимое которой он только что до последней капли перелил в свой стакан.

— Нет, постой, — сказал д'Артаньян, — я не оставлю на произвол судьбы Бекингэма! Он нам подарил превосходных коней.

— А главное, превосходные седла, — ввернул Портос, на плаще которого красовался в этот миг галун от его седла.

— К тому же бог хочет обращения грешника, а не его смерти, — поддержал Арамис.

— Аминь, — заключил Атос. — Мы вернемся к этому после, если вам будет угодно. А в ту минуту я больше всего был озабочен — и я уверен, что ты меня поймешь, д'Артаньян, — озабочен тем, чтобы отнять у этой женщины своего рода охранный лист, который она выклянчила у кардинала и с помощью которого собиралась безнаказанно избавиться от тебя, а быть может, и от всех нас.

— Да что она, дьявол, что ли! — возмутился Портос, протягивая свою тарелку Арамису, разрезавшему жаркое.

— А этот лист... — спросил д'Артаньян, — этот лист остался у нее в руках?

— Нет, он перешел ко мне, но не скажу, чтобы он мне легко достался.

— Дорогой Атос, — с чувством произнес д'Артаньян, — я уже потерял счет, сколько раз я обязан вам жизнью!

— Так ты оставил нас, чтобы проникнуть к ней? — спросил Арамис.

— Вот именно.

— И эта выданная кардиналом бумага у тебя? — продолжал допытываться д'Артаньян.

— Вот она, — ответил Атос и вынул из кармана своего плаща драгоценную бумагу.

Д'Артаньян дрожащей рукой развернул ее, не пытаясь даже скрыть охватившего его трепета, и прочитал:

«То, что сделал предъявитель сего, сделано по моему приказанию и для блага государства.

5 августа 1628 года.
Ришелье».

— Да, действительно, — сказал Арамис, — это отпущение грехов по всем правилам.

— Надо разорвать эту бумагу, — проговорил д'Артаньян, которому показалось, что он прочитал свой смертный приговор.

— Нет, напротив, надо беречь ее как зеницу ока, — возразил Атос. — Я не отдам эту бумагу, пусть даже меня осыплют золотом!

— А что миледи теперь сделает? — спросил юноша.

— Она, вероятно, напишет кардиналу, — небрежным тоном ответил Атос, — что один проклятый мушкетер, по имени Атос, силой отнял у нее охранный лист. В этом же самом письме она посоветует кардиналу избавиться также и от двух друзей этого мушкетера — Портоса и Арамиса. Кардинал вспомнит, что это те самые люди, которых он всегда встречает на своем пути, и вот в один прекрасный день он велит арестовать д'Артаньяна, а чтобы ему не скучно было одному, он пошлет нас в Бастилию составить ему компанию.

— Однако же ты что-то мрачно шутишь, любезный друг, — заметил Портос.

— Я вовсе не шучу, — возразил Атос.

— А ты знаешь, — сказал Портос, — ведь свернуть шею этой проклятой миледи — меньший грех, чем убивать бедных гугенотов, все преступление которых состоит только в том, что они поют по-французски те самые псалмы, которые мы поем по-латыни.

— Что скажет об этом наш аббат? — спокойно осведомился Атос.

— Скажу, что разделяю мнение Портоса, — ответил Арамис.

— А я тем более! — сказал д'Артаньян.

— К счастью, она теперь далеко, — продолжал Портос. — Признаюсь, она бы очень стесняла меня здесь.

— Она так же стесняет меня, будучи в Англии, как и во Франции, — сказал Атос.

— Она стесняет меня повсюду, — заключил д'Артаньян.

— Но раз она попалась тебе в руки, почему ты ее не утопил, не задушил, почему не повесил? — спросил Портос. — Ведь мертвые не возвращаются обратно.

— Вы так думаете, Портос? — заметил Атос с мрачной улыбкой, значение которой было понятно только д'Артаньяну.

— Мне пришла удачная мысль! — объявил д'Артаньян.

— Говорите, — сказали мушкетеры.

— К оружию! — крикнул Гримо.

Молодые люди вскочили и схватили ружья.

На этот раз приближался небольшой отряд, человек двадцать или двадцать пять, но это были уже не землекопы, а солдаты гарнизона.

— А не вернуться ли нам в лагерь? — предложил Портос. — По-моему, силы неравны.

— Это невозможно по трем причинам, — ответил Атос. — Первая та, что мы не кончили завтракать; вторая та, что нам надо еще переговорить о важных делах; а третья причина: еще остается десять минут до положенного часа.

— Необходимо, однако, составить план сражения, — заметил Арамис.

— Он очень прост, — сказал Атос. — Как только неприятель окажется на расстоянии выстрела, мы открываем огонь; если он продолжает наступать, мы стреляем снова и будем продолжать так, пока будет чем заряжать ружья. Если те, кто уцелеет, решат идти на приступ, мы дадим осаждающим спуститься в ров и сбросим им на головы кусок стены, который только каким-то чудом еще держится на месте.

— Браво! — закричал Портос. — Ты положительно рожден быть полководцем, Атос, и кардинал, хоть он и мнит себя военным гением, ничто в сравнении с тобой!

— Господа, прошу вас, не стреляйте двое в одну цель, — предупредил Атос. — Пусть каждый точно метит в своего противника.

— Я взял на мушку своего, — отозвался д'Артаньян.

— А я своего, — сказал Портос.

— И я тоже, — откликнулся Арамис.

— Огонь! — скомандовал Атос.

Четыре выстрела слились в один, и четыре солдата упали.

Тотчас забили в барабан, и отряд пошел в наступление.

Выстрелы следовали один за другим, всё такие же меткие. Но ларошельцы, словно зная численную слабость наших друзей, продолжали двигаться вперед, уже бегом.

От трех выстрелов упали еще двое, но тем не менее уцелевшие не замедляли шага.

До бастиона добежало человек двенадцать или пятнадцать; их встретили последним залпом, но это их не остановило: они попрыгали в ров и уже готовились лезть в брешь.

— Ну, друзья, — сказал Атос, — покончим с ними одним ударом. — К стене! К стене!

Четверо друзей и помогавший им Гримо стволами ружей принялись сдвигать с места огромный кусок стены. Он накренился, точно движимый ветром, и, отделившись от своего основания, с оглушительным грохотом упал в ров. Раздался ужасный крик, облако пыли поднялось к небу, и все было кончено.

— Мы что же, раздавили всех до одного? — спросил Атос.

463

— Да, черт побери, похоже, что всех, — подтвердил д'Артаньян.

— Нет, — возразил Портос, — вон двое или трое удирают, совсем покалеченные.

В самом деле, трое или четверо из этих несчастных, испачканные и окровавленные, убегали по ходу сообщения к городу. Это было все, что осталось от высланного отряда.

Атос посмотрел на часы.

— Господа, — сказал он, — уже час, как мы здесь, и теперь пари выиграно. Но надо быть заправскими игроками, к тому же д'Артаньян не успел еще высказать нам свою мысль.

И мушкетер со свойственным ему хладнокровием уселся кончать завтрак.

— Мою мысль? — переспросил д'Артаньян.

— Да, вы говорили, что вам пришла удачная мысль, — ответил Атос.

— Ах да, вспомнил: я вторично поеду в Англию и явлюсь к Бекингэму.

— Вы этого не сделаете, д'Артаньян, — холодно сказал Атос.

— Почему? Ведь я уже раз побывал там.

— Да, но в то время у нас не было войны, в то время Бекингэм был нашим союзником, а не врагом. То, что вы собираетесь сделать, сочтут изменой.

Д'Артаньян понял всю убедительность этого довода и промолчал.

— А мне, кажется, тоже пришла недурная мысль, — объявил Портос.

— Послушаем, что придумал Портос! — предложил Арамис.

— Я попрошу отпуск у господина де Тревиля под каким-нибудь предлогом, который вы сочините, сам я на это не мастер. Миледи меня не знает, и я могу получить к ней доступ, не возбуждая ее опасений. А когда я отыщу красотку, я ее задушу!

— Ну что ж... пожалуй, еще немного — и я соглашусь принять предложение Портоса, — сказал Атос.

— Фи, убивать женщину! — запротестовал Арамис. — Нет, вот у меня явилась самая правильная мысль.

— Говорите, Арамис, что вы придумали! — сказал Атос, питавший к молодому мушкетеру большое уважение.

— Надо предупредить королеву.

— Ах да, в самом деле! — воскликнули Портос и д'Артаньян.

И последний прибавил:

— По-моему, мы нашли верное средство.

— Предупредить королеву! — повторил Атос. — А как это сделать? Разве у нас есть связи при дворе? Разве мы можем послать кого-нибудь в Париж, чтобы это не стало тотчас известно всему лагерю? Отсюда до Парижа сто сорок лье. Не успеет наше письмо дойти до Анжера, как нас уже засадят в тюрьму!

— Что касается того, как надежным путем доставить письмо ее величеству, — начал, краснея, Арамис, — то я беру это на себя. Я знаю в Туре одну очень ловкую особу.

Арамис замолчал, заметив улыбку на лице Атоса.

— Вот так раз! Вы против этого предложения, Атос! — удивился д'Артаньян.

— Я не совсем его отвергаю, — ответил Атос, — но только хотел заметить Арамису, что он не может оставить лагерь, а ни на кого, кроме нас самих, нельзя положиться: через два часа после отъезда нашего гонца все капуцины, все шпионы, все приспешники кардинала будут знать ваше письмо наизусть, и тогда арестуют и вас и вашу ловкую особу.

— Не говоря уже о том, — вставил Портос, — что королева спасет Бекингэма, но не спасет нас.

— Господа, то, что сказал Портос, не лишено здравого смысла, — подтвердил д'Артаньян.

— Ого! Что такое творится в городе? — спросил Атос.

— Бьют тревогу.

Друзья прислушались: до них и в самом деле донесся барабанный бой.

— Вот увидите, они пошлют на нас целый полк, — заметил Атос.

— Не собираетесь же вы устоять против целого полка? — спросил Портос.

— А почему бы и нет? — ответил мушкетер. — Я чувствую себя в ударе и устоял бы против целой армии, если бы мы только догадались запастись еще одной дюжиной бутылок.

— Честное слово, барабанный бой приближается, — предупредил д'Артаньян.

— Пусть себе приближается, — ответил Атос. — Отсюда до города добрых четверть часа ходьбы. Следовательно, и из города сюда понадобится столько же. Этого времени для нас более чем достаточно, чтобы принять какое-нибудь решение. Если мы уйдем отсюда, то нигде больше не найдем такого подходящего места для разговора. И знаете, господа, мне именно сейчас приходит в голову превосходная мысль.

— Говорите же!

— Разрешите мне сначала отдать Гримо необходимые распоряжения. — Атос движением руки подозвал своего слугу и, указывая на лежавших в бастионе мертвецов, приказал: — Гримо, возьмите этих господ, прислоните их к стене, наденьте им на головы шляпы и вложите в руки мушкеты.

— О великий человек! — воскликнул д'Артаньян. — Я тебя понимаю.

— Вы понимаете? — переспросил Портос.

— А ты, Гримо, понимаешь? — спросил Арамис.

Гримо сделал утвердительный знак.

— Это все, что требуется, — заключил Атос. — Вернемся к моей мысли.

— Но мне бы очень хотелось понять, в чем тут суть, — продолжал настаивать Портос.

— А в этом нет надобности.

— Да, да, выслушаем Атоса! — сказали вместе д'Артаньян и Арамис.

— У этой миледи, у этой женщины, этого гнусного создания, этого демона, есть, как вы, д'Артаньян, кажется, говорили мне, деверь...

— Да, я его даже хорошо знаю, и мне думается, что он не очень-то расположен к своей невестке.

— Это неплохо, — сказал Атос. — А если бы он ее ненавидел, было бы еще лучше.

— В таком случае — обстоятельства вполне отвечают нашим желаниям.

— Однако я бы очень желал понять, что делает Гримо, — повторил Портос.

— Молчите, Портос! — остановил его Арамис.

— Как зовут ее деверя?

— Лорд Винтер.

— Где он теперь?

— Как только пошли слухи о войне, он вернулся в Лондон.

— Как раз такой человек нам и нужен, — продолжал Атос. — Его-то и следует предупредить. Мы дадим ему знать, что его невестка собирается кого-то убить, и попросим не терять ее из виду. В Лондоне, надеюсь, есть какое-нибудь исправительное заведение, вроде приюта Святой Магдалины или Дома кающихся распутниц. Он велит упрятать туда свою невестку, и вот тогда мы можем быть спокойны.

— Да, — согласился д'Артаньян, — до тех пор, пока она оттуда не выберется.

— Вы, право, слишком многого требуете, д'Артаньян, — заметил Атос. — Я выложил вам все, что мог придумать. Больше у меня в запасе ничего нет, так и знайте!

— А я нахожу, — выразил свое мнение Арамис, — что лучше всего будет, если мы предупредим и королеву и лорда Винтера.

— Да, но с кем мы пошлем письма в Тур и в Лондон?

— Я ручаюсь за Базена, — сказал Арамис.

— А я за Плапше, — заявил д'Артаньян.

— В самом деле, — подхватил Портос, — если мы не можем оставить лагерь, то нашим слугам это не возбраняется.

— Совершенно верно, — подтвердил Арамис. — Мы сегодня же напишем письма, дадим им денег, и они отправятся в путь.

— Дадим им денег? — переспросил Атос. — А разве у вас есть деньги?

Четыре друга переглянулись, и их прояснившиеся было лица снова омрачились.

— Смотрите! — крикнул д'Артаньян. — Я вижу черные и красные точки... вон они движутся. А вы еще говорили о полке, Атос! Да это целая армия!

— Да, вы правы, вот они! — сказал Атос. — Как вам нравятся эти хитрецы? Идут втихомолку, не бьют в барабаны и не трубят... А, ты уже справился, Гримо?

Гримо сделал утвердительный знак и показал на дюжину мертвецов, которых он разместил вдоль стены в самых живописных позах: одни стояли с ружьем у плеча, другие словно целились, а иные держали в руке обнаженную шпагу.

— Браво! — одобрил Атос. — Вот это делает честь твоему воображению!

— А все-таки, — снова начал Портос, — я очень хотел бы понять, в чем тут суть.

— Сначала давайте уберемся отсюда, — предложил д'Артаньян, — а потом ты поймешь.

— Погодите, господа, погодите минутку! Дадим Гримо время убрать со стола.

— Ого! — вскричал Арамис. — Черные и красные точки заметно увеличиваются, и я присоединяюсь к мнению д'Артаньяна: по-моему, нечего нам терять время, а надо поскорее вернуться в лагерь.

— Да, теперь и я ничего не имею против отступления, — сказал Атос. — Мы держали пари на один час, а пробыли здесь полтора. Теперь уж к нам никто не придерется. Идемте, господа, идемте!

Гримо уже помчался вперед с корзиной и остатками завтрака.

Четверо друзей вышли вслед за ним и сделали уже шагов десять, как вдруг Атос воскликнул:

— Эх, черт возьми, что же мы делаем, господа!

— Ты что-нибудь позабыл? — спросил Арамис.

— А знамя, черт побери! Нельзя оставлять знамя неприятелю, даже если это просто салфетка.

Атос бросился на бастион, поднялся на вышку и снял знамя, но так как ларошельцы уже приблизились на расстояние выстрела, они открыли убийственный огонь по человеку, который, словно потехи ради, подставлял себя под пули.

Однако Атос был точно заколдован: пули со свистом проносились вокруг, но ни одна не задела его.

Атос повернулся спиной к защитникам города и помахал знаменем, приветствуя защитников лагеря. С обеих сторон раздались громкие крики: с одной — вопли ярости, с другой — гул восторга.

За первым залпом последовал второй, и три пули, пробив салфетку, превратили ее в настоящее знамя.

Весь лагерь кричал:

— Спускайтесь, спускайтесь!

Атос сошел вниз; тревожно поджидавшие товарищи встретили его появление с большой радостью.

— Пойдем, Атос, пойдем! — торопил д'Артаньян. — Прибавим шагу, прибавим! Теперь, когда мы до всего додумались, кроме того, где взять денег, было бы глупо, если бы нас убили.

Но Атос продолжал идти величественной поступью, несмотря на увещания своих товарищей, и они, видя, что все уговоры бесполезны, пошли с ним в ногу.

Гримо и его корзина намного опередили их и уже находились на недосягаемом для пуль расстоянии.

Спустя минуту послышалась яростная пальба.

— Что это значит? В кого они стреляют? — недоумевал Портос. — Я не слышу свиста ответных пуль и никого не вижу.

— Они стреляют в наших мертвецов, — пояснил Атос.

— Но наши мертвецы им не ответят!

— Вот именно. Тогда они вообразят, что им устроили засаду, начнут совещаться, пошлют парламентера, а когда поймут, в чем дело, они уже в нас не попадут. Вот почему незачем нам спешить и наживать себе колотье в боку.

— А, теперь я понимаю! — восхитился Портос.

— Ну, слава богу! — заметил Атос, пожимая плечами.

Французы, видя, что четверо друзей возвращаются размеренным шагом, восторженно кричали.

Снова затрещали выстрелы, но на этот раз пули стали расплющиваться о придорожные камни вокруг наших друзей и зловеще свистеть им в уши. Ларошельцы наконец-то завладели бастионом.

— Отменно скверные стрелки! — сказал Атос. — Скольких из них мы уложили? Дюжину?

— Если не полтора десятка.

— А скольких раздавили?

— Не то восемь, не то десять.

— И взамен всего этого ни одной царапины! Нет, все-таки... Что это у вас на руке, д'Артаньян? Уж не кровь ли?

— Пустяки, — ответил д'Артаньян.

— Шальная пуля?

— Даже и не пуля.

— А что же тогда?

Мы уже говорили, что Атос любил д'Артаньяна, как родного сына; этот мрачный, суровый человек проявлял иногда к юноше чисто отеческую заботливость.

— Царапина, — пояснил д'Артаньян. — Я прищемил пальцы в кладке стены и камнем перстня ссадил кожу.

— Вот что значит носить алмазы, милостивый государь! — презрительным тоном заметил Атос.

— Ах да, в самом деле, в перстне алмаз! — вскричал Портос. — Так чего же мы, черт возьми, жалуемся, что у нас нет денег?

— Да, правда! — подхватил Арамис.

— Браво, Портос! На этот раз действительно счастливая мысль!

— Конечно, — сказал Портос, возгордившись от комплимента Атоса, — раз есть алмаз, можно продать его.

— Но это подарок королевы, — возразил д'Артаньян.

— Тем больше оснований пустить его в дело, — рассудил Атос. — То, что подарок королевы спасет Бекингэма, ее возлюбленного, будет как нельзя более справедливо, а то, что он спасет нас, ее друзей, будет как нельзя более добродетельно, и потому продадим алмаз. Что думает он этом господин аббат? Я не спрашиваю мнения Портоса, оно уже известно.

— Я полагаю, — краснея, заговорил Арамис, — что, поскольку этот перстень получен не от возлюбленной и, следовательно, не является залогом любви, д'Артаньян может продать его.

— Любезный друг, вы говорите как олицетворенное богословие. Итак, по вашему мнению...

— ...следует продать алмаз, — ответил Арамис.

— Ну хорошо! — весело согласился д'Артаньян. — Продадим алмаз, и не стоит больше об этом толковать.

Стрельба продолжалась, но наши друзья были уже на расстоянии, недосягаемом для выстрелов, и ларошельцы палили только для очистки совести.

— Право, эта мысль вовремя осенила Портоса: вот мы и дошли. Итак, господа, ни слова больше обо всем этом деле. На нас смотрят, к нам идут навстречу и нам устроят торжественный прием.

Действительно, как мы уже говорили, весь лагерь пришел в волнение: более двух тысяч человек были, словно на спектакле, зрителями благополучно окончившейся смелой выходки четырех друзей; о настоящей побудительной причине ее никто, конечно, не догадывался.

Над лагерем стоял гул приветствий:

— Да здравствуют гвардейцы! Да здравствуют мушкетеры!

Господин де Бюзиньи первый подошел, пожал руку Атосу и признал, что пари выиграно. За де Бюзиньи подошли драгун и швейцарец, а за ними кинулись и все их товарищи. Поздравлениям, рукопожатиям, объятиям и неистощимым шуткам и насмешкам над ларошельцами не было конца. Поднялся такой шум, что кардинал вообразил, будто начался мятеж, и послал капитана своей гвардии Ла Удиньера узнать, что случилось. Посланцу в самых восторженных выражениях рассказали обо всем происшедшем.

— В чем же дело? — спросил кардинал, когда Ла Удиньер вернулся.

— А в том, ваша светлость, что три мушкетера и один гвардеец держали пари с господином де Бюзиньи, что позавтракают на бастионе Сен-Жерве, и за этим завтраком продержались два часа против неприятеля и уложили невесть сколько ларошельцев.

— Вы узнали имена этих трех мушкетеров?

— Да, ваша светлость.

— Назовите их.

— Это господа Атос, Портос и Арамис.

«Все те же три храбреца!» — сказал про себя кардинал.

— А гвардеец?

— Господин д'Артаньян.

— Все тот же юный хитрец! Положительно необходимо, чтобы эта четверка друзей перешла ко мне на службу.

Вечером кардинал, беседуя с г-ном де Тревилем, коснулся утреннего подвига, который служил предметом разговоров всего лагеря. Г-н де Тревиль, слышавший рассказ об этом похождении из уст самих участников, пересказал его со всеми подробностями его высокопреосвященству, не забыв и эпизода с салфеткой.

— Отлично, господин де Тревиль! — сказал кардинал. — Пришлите мне, пожалуйста, эту салфетку, я велю вышить на ней три золотые лилии и вручу ее в качестве штандарта вашим мушкетерам.

— Ваша светлость, это будет несправедливо по отношению к гвардейцам, — возразил г-н де Тревиль, — ведь д'Артаньян не под моим началом, а у Дезэссара.

— Ну так возьмите его к себе, — предложил кардинал. — Раз эти четыре храбреца так любят друг друга, им по справедливости надо служить вместе.

В тот же вечер г-н де Тревиль объявил эту приятную новость трем мушкетерам и д'Артаньяну и тут же пригласил всех четверых на следующий день к себе на завтрак.

Д'Артаньян был вне себя от радости. Как известно, мечтой всей его жизни было сделаться мушкетером.

Трое его друзей тоже очень обрадовались.

— Честное слово, у тебя была блестящая мысль, — сказал д'Артаньян Атосу, — и ты оказался прав: мы снискали там славу и начали очень важный для нас разговор...

— ...который мы сможем теперь продолжить, не возбуждая ни в ком подозрения: ведь отныне, с божьей помощью, мы будем слыть кардиналистами.

В тот же вечер д'Артаньян отправился к г-ну Дезэссару выразить ему свое почтение и объявить об оказанной кардиналом милости.

Когда Дезэссар, очень любивший д'Артаньяна, узнал об этом, он предложил юноше свои услуги: перевод в другой полк был сопряжен с большими расходами на обмундирование и снаряжение.

Д'Артаньян отказался от его помощи, но, воспользовавшись удобным случаем, попросил Дезэссара, чтобы тот велел оценить алмаз, и отдал ему перстень, прося обратить его в деньги.

На следующий день, в восемь часов утра, лакей Дезэссара явился к д'Артаньяну и вручил ему мешок с золотом, в котором было семь тысяч ливров.

Это была цена алмаза королевы.

XVIII

СЕМЕЙНОЕ ДЕЛО

Атос нашел подходящее название: семейное дело. Семейное дело не подлежало ведению кардинала; семейное дело никого не касалось; семейным делом можно было заниматься на виду у всех.

Итак, Атос нашел название: семейное дело.

Арамис нашел способ: послать слуг.

Портос нашел средство: продать алмаз.

Один д'Артаньян, обычно самый изобретательный из всех четверых, ничего не придумал, но, сказать по правде, уже одно имя миледи парализовало все его мысли.

Ах нет, мы ошиблись: он нашел покупателя алмаза.

За завтраком у г-на де Тревиля царило самое непринужденное веселье. Д'Артаньян явился уже в новой форме: он был приблизительно одного роста с Арамисом, а так как Арамис — которому, как помнят читатели, издатель щедро заплатил за купленную у него поэму — сразу заказал себе все в двойном количестве, то он и уступил своему другу один комплект полного обмундирования.

Д'Артаньян был бы наверху блаженства, если бы не миледи, которая, как черная туча на горизонте, маячила перед его мысленным взором.

После этого завтрака друзья условились собраться вечером у Атоса и там окончить задуманное дело.

Д'Артаньян весь день разгуливал по улицам лагеря, щеголяя своей мушкетерской формой.

Вечером, в назначенный час, четыре друга встретились; оставалось решить только три вещи: что написать брату миледи, что написать ловкой особе в Туре и кому из слуг поручить доставить письма.

Каждый предлагал своего: Атос отмечал скромность Гримо, который говорил только тогда, когда его господин разрешал ему открывать рот; Портос превозносил силу Мушкетона, который был такого мощного сложения, что легко мог поколотить четырех людей обыкновенного роста; Арамис, доверявший ловкости Базена, рассыпался в пышных похвалах своему кандидату; а д'Артаньян, всецело полагавшийся на храбрость Планше, выставлял на вид его поведение в щекотливом булонском деле.

Эти четыре добродетели долго оспаривали друг у друга первенство, и по этому случаю были произнесены блестящие речи, которых мы не приводим из опасения, чтобы они не показались чересчур длинными.

— К несчастью, — заметил Атос, — надо бы, чтобы наш посланец сочетал в себе все четыре качества.

— Но где найти такого слугу?

— Такого не сыскать, — согласился Атос, — я сам знаю. А потому возьмите Гримо.

— Нет, Мушкетона.

— Лучше Базена.

— А по-моему, Планше. Он отважен и ловок; вот уже два качества из четырех.

— Господа, — заговорил Арамис, — главное, что нам нужно знать, — это вовсе не то, кто из наших четырех слуг всего скромнее, сильнее, изворотливее и храбрее; главное — кто из них больше всех любит деньги.

— Весьма мудрое замечание, — сказал Атос, — надо рассчитывать на пороки людей, а не на их добродетели. Господин аббат, вы великий нравоучитель!

— Разумеется, это главное, — продолжал Арамис. — Нам нужны надежные исполнители наших поручений не только для того, чтобы добиться успеха, но также и для того, чтобы не потерпеть неудачи. Ведь в случае неудачи ответит своей головой не слуга...

— Говорите тише, Арамис! — остановил его Атос.

— Вы правы... Не слуга, а господин и даже господа! Так ли нам преданы наши слуги, чтобы ради нас подвергнуть опасности свою жизнь? Нет.

— Честное слово, я почти ручаюсь за Планше, — возразил д'Артаньян.

— Так вот, милый друг, прибавьте к его бескорыстной преданности изрядное количество денег, что даст ему некоторый достаток, и тогда вы можете ручаться за него вдвойне.

— И все-таки вас обманут, — сказал Атос, который был оптимистом, когда дело шло о вещах, и пессимистом, когда речь шла о людях. — Они пообещают все, чтобы получить деньги, а в дороге страх помешает им действовать. Как только их поймают — их прижмут, а прижатые, они во всем сознаются. Ведь мы не дети, черт возьми! Чтобы попасть в Англию, — Атос понизил голос, — надо проехать всю Францию, которая кишит шпионами и ставленниками кардинала. Чтобы сесть на корабль, надо иметь пропуск. А чтобы найти дорогу в Лондон, надо уметь говорить по-английски. По-моему, дело это очень трудное.

— Да вовсе нет! — возразил д'Артаньян, которому очень хотелось, чтобы их замысел был приведен в исполнение. — По-моему, оно, напротив, очень легкое. Ну, разумеется, если расписать лорду Винтеру всякие ужасы, все гнусности кардинала...

— Потише! — предостерег Атос.

— ...все интриги и государственные тайны, — продолжал вполголоса д'Артаньян, последовав совету Атоса, — разумеется, всех нас колесуют живьем. Но бога ради, не забывайте, Атос, что мы ему напишем — как вы сами сказали, по семейному делу, — что мы ему напишем единственно для того, чтобы по приезде миледи в Лондон он лишил ее возможности вредить нам. Я напишу ему письмо примерно такого содержания...

— Послушаем, — сказал Арамис, заранее придавая своему лицу критическое выражение.

— «Милостивый государь и любезный друг...»

— Ну да, писать «любезный друг» англичанину! — перебил его Атос. — Нечего сказать, хорошее начало! Браво, д'Артаньян! За одно это обращение вас не то что колесуют, а четвертуют!

— Ну хорошо, допустим, вы правы. Я напишу просто: «Милостивый государь».

— Вы можете даже написать «милорд», — заметил Атос, который всегда считал нужным соблюдать принятые формы вежливости.

— «Милорд, помните ли вы небольшой пустырь за Люксембургом?»

— Отлично! Теперь еще и Люксембург! Решат, что это намек на королеву-мать. Вот так ловко придумано! — усмехнулся Атос.

— Ну хорошо, напишем просто: «Милорд, помните ли вы тот небольшой пустырь, где вам спасли жизнь?..»

— Милый д'Артаньян, вы всегда будете прескверным сочинителем, — сказал Атос. — «Где вам спасли жизнь»! Фи! Это недостойно! О подобных услугах человеку порядочному не напоминают. Попрекнуть благодеянием — значит оскорбить.

— Ах друг мой, вы невыносимы! — заявил д'Артаньян. — Если надо писать под вашей цензурой, я решительно отказываюсь.

— И хорошо сделаете. Орудуйте мушкетом и шпагой, мой милый, в этих двух занятиях вы проявляете большее искусство, а перо предоставьте господину аббату, это по его части.

— И в самом деле, предоставьте перо Арамису, — поддакнул Портос, — ведь он даже пишет латинские диссертации.

— Ну хорошо, согласен! — сдался д'Артаньян. — Составьте нам эту записку, Арамис. Но заклинаю вас святейшим отцом нашим — папой, выражайтесь осторожно! Я тоже буду выискивать у вас неудачные обороты, предупреждаю вас.

— Охотно соглашаюсь, — ответил Арамис с простодушной самоуверенностью, свойственной поэтам, — но познакомьте меня со всеми обстоятельствами. Мне, правда, не раз приходилось слышать, что невестка милорда — большая мошенница, и я сам в этом убедился, подслушав ее разговор с кардиналом...

— Да потише, черт возьми! — перебил Атос.

— ...но подробности мне неизвестны, — договорил Арамис.

— И мне тоже, — объявил Портос.

Д'Артаньян и Атос некоторое время молча смотрели друг на друга.

Наконец Атос, собравшись с мыслями и побледнев немного более обыкновенного, кивком головы выразил согласие, и д'Артаньян понял, что ему разрешается ответить.

— Так вот о чем нужно написать, — начал он. — «Милорд, ваша невестка — преступница, она пыталась подослать к вам убийц, чтобы унаследовать ваше состояние. Но она не имела права выйти замуж за вашего брата, так как была уже замужем во Франции и...»

Д'Артаньян запнулся, точно подыскивая подходящие слова, и взглянул на Атоса.

— «...и муж выгнал ее», — вставил Атос.

— «...оттого, что она заклеймена», — продолжал д'Артаньян.

— Да не может быть! — вскричал Портос. — Она пыталась подослать убийц к своему деверю?

— Да.

— Она была уже замужем? — переспросил Арамис.

— Да.

— И муж обнаружил, что на плече у нее клеймо в виде лилии? — спросил Портос.

— Да.

Эти три «да» были произнесены Атосом, и каждое последующее звучало мрачнее предыдущего.

— А кто видел у нее это клеймо? — осведомился Арамис.

— Д'Артаньян и я... или, вернее, соблюдая хронологический порядок, я и д'Артаньян, — ответил Атос.

— А муж этого ужасного создания жив еще? — спросил Арамис.

— Он еще жив.

— Вы в этом уверены?

— Да, уверен.

На миг воцарилось напряженное молчание, во время которого каждый из друзей находился под тем впечатлением, какое произвело на него все сказанное.

— На этот раз, — заговорил первым Атос, — д'Артаньян дал нам прекрасный набросок, именно со всего этого и следует начать наше письмо.

— Черт возьми, вы правы, Атос! — сказал Арамис. — Сочинить такое письмо — задача очень щекотливая. Сам господин канцлер затруднился бы составить столь многозначительное послание, хотя господин канцлер очень мило сочиняет протоколы. Ну ничего! Помолчите, я буду писать.

Арамис взял перо, немного подумал, написал изящным женским почерком десяток строк, а затем негромко и медленно, словно взвешивая каждое слово, прочел следующее:

«Милорд!

Человек, пишущий вам эти несколько слов, имел честь скрестить с вами шпаги на небольшом пустыре на улице Ада.

Так как вы после того много раз изволили называть себя другом этого человека, то и он считает долгом доказать свою дружбу добрым советом. Дважды вы чуть было не сделались жертвой вашей близкой родственницы, которую вы считаете своей наследницей, так как вам неизвестно, что она вступила в брак в Англии, будучи уже замужем во Франции. Но в третий раз, то есть теперь, вы можете погибнуть. Ваша родственница этой ночью выехала из Ла-Рошели в Англию. Следите за ее прибытием, ибо она лелеет чудовищные замыслы. Если вы пожелаете непременно узнать, на что она способна, прочтите ее прошлое на ее левом плече».

— Вот это превосходно! — одобрил Атос. — Вы пишете, как государственный секретарь, милый Арамис. Теперь лорд Винтер учредит строгий надзор, если только он получит это предостережение, и если бы даже оно попало в руки его высокопреосвященства, то не повредило бы нам. Но слуга, которого мы пошлем, может побывать не дальше Шательро, а потом уверять нас, что съездил в Лондон. Поэтому дадим ему вместе с письмом только половину денег, пообещав отдать другую половину, когда он привезет ответ... У вас при себе алмаз? — обратился Атос к д'Артаньяну.

— У меня при себе нечто лучшее — у меня деньги.

И д'Артаньян бросил мешок на стол.

При звоне золота Арамис поднял глаза, Портос вздрогнул, Атос же остался невозмутимым.

— Сколько в этом мешочке? — спросил он.

— Семь тысяч ливров луидорами по двенадцать франков.

— Семь тысяч ливров! — вскричал Портос. — Этот дрянной алмазик стоит семь тысяч ливров?

— По-видимому, — сказал Атос, — раз они на столе. Я не склонен предполагать, что наш друг д'Артаньян прибавил к ним свои деньги.

— Но, обсуждая все, мы не думаем о королеве, господа, — вернулся к своей мысли д'Артаньян. — Позаботимся немного о здоровье милого ее сердцу Бекингэма. Это самое малое, что мы обязаны для нее предпринять.

— Совершенно справедливо, — согласился Атос. — Но это по части Арамиса.

— А что от меня требуется? — краснея, отозвался Арамис.

— Самая простая вещь: составить письмо той ловкой особе, что живет в Туре.

Арамис снова взялся за перо, опять немного подумал и написал следующие строки, которые он тотчас представил на одобрение своих друзей:

«Милая кузина!..»

— А, эта ловкая особа — ваша родственница! — ввернул Атос.

— Двоюродная сестра, — сказал Арамис.

— Что ж, пусть будет двоюродная сестра!

Арамис продолжал:

«Милая кузина!

Его высокопреосвященство господин кардинал, да хранит его господь для блага Франции и на посрамление врагов королевства, уже почти покончил с мятежными еретиками Ла-Рошели. Английский флот, идущий к ним на помощь, вероятно, не сможет даже близко подойти к крепости. Осмелюсь высказать уверенность, что какое-нибудь важное событие помешает господину Бекингэму отбыть из Англии. Его высокопреосвященство — самый прославленный государственный деятель прошлого, настоящего и, вероятно, будущего. Он затмил бы солнце, если бы оно ему мешало. Сообщите эти радостные новости вашей сестре, милая кузина. Мне приснилось, что этот проклятый англичанин умер. Не могу припомнить, то ли от удара кинжалом, то ли от яда — одно могу сказать с уверенностью: мне приснилось, что он умер, а вы знаете, мои сны никогда меня не обманывают. Будьте же уверены, что вы скоро меня увидите».

— Превосходно! — воскликнул Атос. — Вы король поэтов, милый Арамис! Вы говорите, как Апокалипсис, и изрекаете истину, как Евангелие. Теперь остается только надписать на этом письме адрес.

— Это очень легко, — сказал Арамис.

Он кокетливо сложил письмо и надписал:

«Девице Мишон, белошвейке в Туре».

Три друга, смеясь, переглянулись: их уловка не удалась.

— Теперь вы понимаете, господа, — заговорил Арамис, — что только Базен может доставить это письмо в Тур: моя кузина знает только Базена и доверяет ему одному; всякий другой слуга провалит дело. К тому же Базен учен и честолюбив: Базен знает историю, господа, он знает, что Сикст Пятый, прежде чем сделаться папой, был свинопасом. А так как Базен намерен в одно время со мной принять духовное звание, то он не теряет надежды тоже сделаться папой или по меньшей мере кардиналом. Вы понимаете, что человек, который так высоко метит, не даст схватить себя; а уж если его поймают, скорее примет мучения, но ни в чем не сознается.

— Хорошо, хорошо, — согласился д'Артаньян, — я охотно уступаю вам Базена, но уступите мне Планше. Миледи однажды приказала вздуть его и выгнать из своего дома, а у Планше хорошая память, и, ручаюсь вам, если ему представится возможность отомстить, он скорее погибнет, чем откажется от этого удовольствия. Если дела в Туре касаются вас, Арамис, то дела в Лондоне касаются лично меня. А потому я прошу выбрать Планше, который к тому же побывал со мною в Лондоне и умеет совершенно правильно сказать: «London, sir, if you please»*, «My master lord d'Artagnan»**. Будьте покойны, с такими познаниями он отлично найдет дорогу туда и обратно.

— В таком случае — дадим Планше семьсот ливров при отъезде и семьсот ливров по его возвращении, а Базену — триста ливров, когда он будет уезжать, и триста ливров, когда вернется, — предложил Атос. — Это убавит наше богатство до пяти тысяч ливров. Каждый из нас возьмет себе тысячу ливров и употребит ее как ему вздумается, а оставшуюся тысячу мы отложим про запас, на случай непредвиденных расходов или для общих надобностей, поручив хранить ее аббату. Согласны вы на это?

— Любезный Атос, — сказал Арамис, — вы рассуждаете, как Нестор, который был, как всем известно, величайшим греческим мудрецом.

— Итак, решено: поедут Планше и Базен, — заключил Атос. — В сущности говоря, я рад оставить при себе Гримо: он привык к моему обращению, и я дорожу им. Вчерашний день, должно быть, уже изрядно измотал его, а это путешествие его бы доконало.

Друзья позвали Планше и дали ему необходимые указания; он уже был предупрежден д'Артаньяном, который прежде всего возвестил ему славу, затем посулил деньги и уж потом только упомянул об опасности.

---

* Будьте любезны, сэр, указать мне дорогу в Лондон (англ.).
** Мой господин лорд д'Артаньян (англ.).

— Я повезу письмо за отворотом рукава, — сказал Планше, — и проглочу его, если меня схватят.

— Но тогда ты не сможешь выполнить поручение, — возразил д'Артаньян.

— Дайте мне сегодня вечером копию письма, и завтра я буду знать его наизусть.

Д'Артаньян посмотрел на своих друзей, словно желая сказать: «Ну что? Правду я вам говорил?»

— Знай, — продолжал он, обращаясь к Планше, — тебе дается восемь дней на то, чтобы добраться к лорду Винтеру, и восемь дней на обратный путь, итого шестнадцать дней. Если на шестнадцатый день после твоего отъезда, в восемь часов вечера, ты не приедешь, то не получишь остальных денег, даже если бы ты явился в пять минут девятого.

— В таком случае купите мне, сударь, часы, — попросил Планше.

— Возьми вот эти, — сказал Атос, со свойственной ему беспечной щедростью отдавая Планше свои часы, — и будь молодцом. Помни: если ты разоткровенничаешься, если ты проболтаешься или прошатаешься где-нибудь, ты погубишь своего господина, который так уверен в твоей преданности, что поручился нам за тебя. И помни еще: если по твоей вине случится какое-нибудь несчастье с д'Артаньяном, я всюду найду тебя, чтобы распороть тебе живот!

— Эх, сударь! — произнес Планше, обиженный подозрением и к тому же испуганный невозмутимым видом мушкетера.

— А я, — сказал Портос, свирепо вращая глазами, — сдеру с тебя живого шкуру!

— Ах, сударь!

— А я, — сказал Арамис своим кротким, мелодичным голосом, — сожгу тебя на медленном огне по способу дикарей, запомни это!

— Ох, сударь!

И Планше заплакал; мы не сумеем сказать, было ли то от страха, внушенного ему этими угрозами, или от умиления при виде столь тесной дружбы четырех друзей.

Д'Артаньян пожал ему руку и обнял его.

— Видишь ли, Планше, — сказал он ему, — эти господа говорят тебе все это из чувства привязанности ко мне, но, в сущности, они тебя любят.

— Ах, сударь, или я исполню поручение, или меня изрежут на куски! — вскричал Планше. — Но даже если изрежут, то, будьте уверены, ни один кусочек ничего не выдаст.

Было решено, что Планше отправится в путь на следующий день, в восемь часов утра, чтобы за ночь он успел выучить письмо наизусть. Он выгадал на этом деле ровно двенадцать часов, так как должен был вернуться на шестнадцатый день, в восемь часов вечера.

Утром, когда он садился на коня, д'Артаньян, питавший в глубине сердца слабость к герцогу Бекингэму, отвел Планше в сторону.

— Слушай, — сказал он ему, — когда ты вручишь письмо лорду Винтеру и он прочтет его, скажи ему еще: «Оберегайте его светлость лорда Бекингэма: его хотят убить». Но видишь ли, Планше, это настолько важно и настолько серьезно, что я не признался в том, что доверяю тебе эту тайну, даже моим друзьям и не написал бы этого в письме, даже если бы меня пообещали произвести в капитаны.

— Будьте спокойны, сударь, вы увидите, что на меня можно во всем положиться.

Сев на превосходного коня, которого он должен был оставить в двадцати лье от лагеря, чтобы ехать дальше на почтовых, Планше поскакал галопом; и, хотя сердце у него слегка щемило при воспоминании о трех обещаниях мушкетеров, он все-таки был в отличном расположении духа.

Базен уехал на следующее утро в Тур; ему дано было восемь дней на то, чтобы исполнить возложенное на него поручение.

Все то время, пока их посланцы отсутствовали, четыре друга, разумеется, более чем когда-нибудь были настороже и держали ухо востро.

Они целые дни подслушивали, что говорится кругом, следили за действиями кардинала и разнюхивали, не прибыл ли к Ришелье какой-нибудь гонец. Не раз их охватывал трепет, когда их неожиданно вызывали для несения служебных обязанностей. К тому же им приходилось оберегать и собственную безопасность: миледи была привидением, которое, раз явившись человеку, не давало ему больше спать спокойно.

Утром восьмого дня Базен, бодрый, как всегда, и, по своему обыкновению, улыбающийся, вошел в кабачок «Нечестивец» в то время, когда четверо друзей завтракали там, и сказал, как было условлено:

— Господин Арамис, вот ответ вашей кузины.

Друзья радостно переглянулись: половина дела была сделана; правда, эта половина была более легкая и требовала меньше времени.

Арамис, невольно покраснев, взял письмо, написанное неуклюжим почерком и с орфографическими ошибками.

— О боже мой! — смеясь, воскликнул он. — Я положительно теряю надежду: бедняжка Мишон никогда не научится писать, как господин де Вуатюр!

— Што это са петная Мишон? — спросил швейцарец, беседовавший с четырьмя друзьями в ту минуту, как пришло письмо.

— Ах, боже мой, да почти ничто! — ответил Арамис. — Очаровательная юная белошвейка, я ее очень любил и попросил написать мне на память несколько строк.

— Шерт фосьми, если она такая польшая тама, как ее пукфы, вы счастлифец, тофарищ! — сказал швейцарец.

Арамис просмотрел письмо и передал его Атосу.

— Почитайте-ка, что она пишет, Атос, — предложил он.

Атос пробежал глазами это послание и, желая рассеять все подозрения, которые могли бы возникнуть, прочел вслух:

«Милый кузен, моя сестра и я очень хорошо отгадываем сны; и мы ужасно боимся их, но про ваш, надеюсь, можно сказать: не верь снам, сны — обман. Прощайте будьте здоровы и время от времени давайте нам о себе знать.

Аглая Мишон».

— А о каком сне она пишет? — спросил драгун, подошедший во время чтения письма.

— Та, о каком сне? — подхватил швейцарец.

— Ах, боже мой, да очень просто: о сне, который я видел и рассказал ей, — ответил Арамис.

— Та, поше мой, ошепь просто рассказать свой сон, но я никокта не фишу сноф.

— Вы очень счастливы, — заметил Атос, вставая из-за стола. — Я был бы рад, если бы мог сказать то же самое.

— Никокта! — повторил швейцарец, в восторге от того, что такой человек, как Атос, хоть в этом ему завидует. — Никокта! Никокта!

Д'Артаньян, увидев, что Атос встал, тоже поднялся, взял его под руку и вышел с ним.

Портос и Арамис остались отвечать на грубоватые шутки драгуна и швейцарца.

А Базен пошел и улегся спать на соломенную подстилку, и так как у него было более живое воображение, чем у швейцарца, то он видел сон, будто Арамис, сделавшись папой, возводит его в сан кардинала.

Однако, как мы уже сказали, своим благополучным возвращением Базен развеял только часть той тревоги, которая не давала покоя четырем друзьям. Дни ожидания тянутся долго, и в особенности чувствовал это д'Артаньян, который готов был побиться об заклад, что в сутках стало теперь сорок восемь часов. Он забывал о вынужденной медлительности путешествия по морю и преувеличивал могущество миледи. Он мысленно наделял эту женщину, казавшуюся ему демоном, такими же сверхъестественными, как и она сама, союзниками; при малейшем шорохе он воображал, что пришли его арестовать и привели обратно Планше для очной ставки с ним и его друзьями. И более того: доверие его к достойному пикардийцу с каждым днем уменьшалось. Его тревога настолько усилилась, что передавалась и Портосу и Арамису. Один только Атос оставался по-прежнему невозмутимым, точно вокруг него не витало ни малейшей опасности и ничто не нарушало обычного порядка вещей.

На шестнадцатый день это волнение с такой силой охватило д'Артаньяна и его друзей, что они не могли оставаться на месте и бродили, точно призраки, по дороге, по которой должен был вернуться Планше.

— Вы, право, не мужчины, а дети, если женщина может внушать вам такой страх! — говорил им Атос. — И что нам, в сущности, угрожает? Попасть в тюрьму? Но нас вызволят оттуда! Ведь вызволили же госпожу Бонасье! Быть обезглавленными? Но каждый день в траншеях мы с самым веселым видом подвергаем себя большей опасности, ибо ядро может раздробить нам ногу, и я убежден, что хирург причинит нам больше страданий, отрезая ногу, чем палач, отрубая голову. Ждите же спокойно: через два часа, через четыре, самое позднее через шесть Планше будет здесь. Он обещал быть, и я очень доверяю обещаниям Планше — он кажется мне славным малым.

— А если он не приедет? — спросил д'Артаньян.

— Ну если он не приедет, значит, он почему-либо задержался, вот и все. Он мог упасть с лошади, мог свалиться с
моста, мог от быстрой езды схватить воспаление легких. Эх,
господа, надо принимать во внимание все случайности!
Жизнь — это четки, составленные из мелких невзгод, и философ, смеясь, перебирает их. Будьте, подобно мне, философами, господа, садитесь за стол, и давайте выпьем: никогда
будущее не представляется в столь розовом свете, как в те
мгновения, когда смотришь на него сквозь бокал шамбертена.

— Совершенно справедливо, — ответил д'Артаньян, —
но мне надоело каждый раз, когда я раскупориваю новую
бутылку, опасаться, не из погреба ли она миледи.

— Вы уж очень разборчивы, — сказал Атос. — Она такая
красивая женщина!

— Женщина, отмеченная людьми! — неуклюже сострил
Портос и, по обыкновению, громко захохотал.

Атос вздрогнул, провел рукой по лбу, точно отирая пот,
и поднялся с нервным движением, которое он не в силах был
скрыть.

Между тем день прошел. Вечер наступал медленнее, чем
обыкновенно, но наконец все-таки наступил, и трактиры наполнились посетителями. Атос, получивший свою долю от
продажи алмаза, не выходил из «Нечестивца». В г-не де Бюзиньи, который, кстати сказать, угостил наших друзей великолепным обедом, он нашел вполне достойного партнера.
Итак, они, по обыкновению, играли вдвоем в кости, когда
пробило семь часов; слышно было, как прошли мимо патрули,
которые направлялись усилить сторожевые посты; в половине
восьмого пробили вечернюю зорю.

— Мы пропали! — шепнул д'Артаньян Атосу.

— Вы хотите сказать — пропали наши деньги? — спокойно поправил его Атос, вынимая из кармана четыре пистоля
и бросая их на стол. — Ну, господа, — продолжал он, —
бьют зорю, пойдемте спать.

И Атос вышел из трактира в сопровождении д'Артаньяна.
Позади них шел Арамис под руку с Портосом. Арамис бормотал какие-то стихи, а Портос в отчаянии безжалостно теребил свой ус.

Вдруг из темноты выступила какая-то фигура, очертания
которой показались д'Артаньяну знакомыми, и привычный его
слуху голос сказал:

— Я принес ваш плащ, сударь: сегодня прохладный вечер.

— Планше! — вскричал д'Артаньян вне себя от радости.

— Планше! — подхватили Портос и Арамис.

— Ну да, Планше, — сказал Атос. — Что же тут удивительного? Он обещал вернуться в восемь часов, и как раз бьет восемь. Браво, Планше, вы человек, умеющий держать слово! И если когда-нибудь вы оставите вашего господина, я возьму вас к себе в услужение.

— О нет, никогда! — возразил Планше. — Никогда я не оставлю господина д'Артаньяна!

В ту же минуту д'Артаньян почувствовал, что Планше сунул ему в руку записку.

Д'Артаньян испытывал большое желание обнять Планше, как он сделал это при его отъезде, но побоялся, как бы такое изъявление чувств по отношению к слуге посреди улицы не показалось странным кому-нибудь из прохожих, а потому сдержал свой порыв.

— Записка у меня, — сообщил он Атосу и остальным друзьям.

— Хорошо, — сказал Атос. — Пойдем домой и прочитаем.

Записка жгла руку д'Артаньяну, он хотел ускорить шаг, но Атос взял его под руку, и юноше поневоле пришлось идти в ногу со своим другом.

Наконец они вошли в палатку и зажгли светильник. Планше встал у входа, чтобы никто не застиг друзей врасплох, а д'Артаньян дрожащей рукой сломал печать и вскрыл долгожданное письмо.

Оно заключало полстроки, написанной чисто британским почерком, и было весьма лаконично:

«Thank you, be easy».

Что означало: «Благодарю вас, будьте спокойны».

Атос взял письмо из рук д'Артаньяна, поднес его к светильнику, зажег и держал, пока оно не обратилось в пепел.

Потом он подозвал Планше и сказал ему:

— Теперь, любезный, можешь требовать свои семьсот ливров, но ты не многим рисковал с такой запиской!

— Однако это не помешало мне прибегать к разным ухищрениям, чтобы благополучно довезти ее, — ответил Планше.

— Ну-ка, расскажи нам о своих приключениях! — предложил д'Артаньян.

— Это долго рассказывать, сударь.

— Ты прав, Планше, — сказал Атос. — К тому же пробили уже зорю, и, если у нас светильник будет гореть дольше, чем у других, это заметят.

— Пусть будет так, ляжем спать, — согласился д'Артаньян. — Спи спокойно, Планше!

— Честное слово, сударь, в первый раз за шестнадцать дней я спокойно усну!

— И я тоже! — сказал д'Артаньян.

— И я тоже! — вскричал Портос.

— И я тоже! — проговорил Арамис.

— Открою вам правду: и я тоже, — признался Атос.

XIX

ЗЛОЙ РОК

Между тем миледи, вне себя от гнева, металась по палубе, точно разъяренная львица, которую погрузили на корабль; ей страстно хотелось броситься в море и вплавь вернуться на берег: она не могла примириться с мыслью, что д'Артаньян оскорбил ее, что Атос угрожал ей, а она покидает Францию, так и не отомстив им. Эта мысль вскоре стала для нее настолько невыносимой, что, пренебрегая опасностями, которым она могла подвергнуться, она принялась умолять капитана высадить ее на берег. Но капитан, спешивший поскорее выйти из своего трудного положения между французскими и английскими военными кораблями — положения летучей мыши между крысами и птицами, — торопился добраться до берегов Англии и наотрез отказался подчиниться тому, что он считал женским капризом. Впрочем, он обещал своей пассажирке, которую кардинал поручил его особому попечению, что высадит ее, если позволят море и французы, в одном из бретонских портов — в Лориане или в Бресте. Но ветер дул противный, море было бурное, и приходилось все время лавировать. Через девять дней после отплытия из Шаранты миледи, бледная от огорчения и неистовой злобы, увидела вдали только синеватые берега Финистера.

Она рассчитала, что для того, чтобы проехать из этого уголка Франции к кардиналу, ей понадобится по крайней мере три дня; прибавьте к ним еще день на высадку — это составит четыре дня; прибавьте эти четыре дня к девяти истекшим — получится тринадцать потерянных дней! Тринадцать дней, в продолжение которых в Лондоне могло произойти столько важных событий! Она подумала, что кардинал, несомненно, придет в ярость, если она вернется, и, следовательно, будет более склонен слушать жалобы других на нее, чем ее обвинения против кого-либо. Поэтому, когда судно проходило мимо Лориана и Бреста, она не настаивала больше, чтобы капитан ее высадил, а он, со своей стороны, умышленно не напоминал ей об этом. Итак, миледи продолжала свой путь, и в тот самый день, когда Планше садился в Портсмуте на корабль, отплывавший во Францию, посланница его высокопреосвященства с торжеством входила в этот порт.

Весь город был в необычайном волнении: спускали на воду четыре больших, только что построенных корабля; на молу, весь в золоте, усыпанный, по своему обыкновению, алмазами и драгоценными камнями, в шляпе с белым пером, ниспадавшим ему на плечо, стоял Бекингэм, окруженный почти столь же блестящей, как и он, свитой.

Был один из тех редких прекрасных зимних дней, когда Англия вспоминает, что в мире есть солнце. Погасающее, но все еще великолепное светило закатывалось, обагряя и небо и море огненными полосами и бросая на башни и старинные дома города последний золотой луч, сверкавший в окнах, словно отблеск пожара.

Миледи, вдыхая морской воздух, все более свежий и благовонный по мере приближения к берегу, созерцая эти грозные приготовления, которые ей поручено было уничтожить, все могущество этой армии, которое она должна была сокрушить несколькими мешками золота — она одна, она, женщина, — мысленно сравнила себя с Юдифью, проникшей в лагерь ассирийцев и увидевшей великое множество воинов, колесниц, лошадей и оружия, которые по одному мановению ее руки должны были рассеяться как дым.

Судно стало на рейде. Но когда оно готовилось бросить якорь, к нему подошел превосходно вооруженный катер и, выдавая себя за сторожевое судно, спустил шлюпку, которая направилась к трапу; в шлюпке сидели офицер, боцман и восемь гребцов. Офицер поднялся на борт, где его встретили со всем уважением, какое внушает военная форма.

Офицер поговорил несколько минут с капитаном и дал ему прочитать какие-то бумаги, после чего, по приказанию капитана, вся команда судна и пассажиры были вызваны на палубу.

Когда они выстроились там, офицер громко осведомился, откуда отплыл бриг, какой держал курс, где приставал, и на все его вопросы капитан ответил без колебания и без затруднений. Потом офицер стал оглядывать одного за другим всех находившихся на палубе и, дойдя до миледи, очень внимательно посмотрел на нее, но не произнес ни слова.

Затем он снова подошел к капитану, сказал ему еще что-то и, словно приняв на себя его обязанности, скомандовал какой-то маневр, который экипаж тотчас выполнил. Судно двинулось дальше, сопровождаемое маленьким катером, который плыл с ним борт о борт, угрожая ему жерлами своих шести пушек, а шлюпка следовала за кормой судна и по сравнению с ним казалась чуть заметной точкой.

Пока офицер разглядывал миледи, она, как легко можно себе представить, тоже пожирала его глазами. Но при всей проницательности этой женщины с пламенным взором, читавшей в сердцах людей, на этот раз она встретила столь бесстрастное лицо, что ее пытливый взгляд не мог ничего обнаружить. Офицеру, который остановился перед нею и молча, с большим вниманием изучал ее внешность, можно было дать двадцать пять — двадцать шесть лет; лицо у него было бледное, глаза голубые и слегка впалые; изящный, правильно очерченный рот был все время плотно сжат; сильно выступающий подбородок изобличал ту силу воли, которая в простонародном британском типе обычно является скорее упрямством; лоб, немного покатый, как у поэтов, мечтателей и солдат, был едва прикрыт короткими редкими волосами, которые, как и борода, покрывавшая нижнюю часть лица, были красивого темно-каштанового цвета.

Когда судно и сопровождавший его катер вошли в гавань, было уже темно. Ночной мрак казался еще более густым от тумана, который окутывал сигнальные фонари на мачтах и огни мола дымкой, похожей на ту, что окружает луну перед наступлением дождливой погоды. Воздух был сырой и холодный.

Миледи, эта решительная, выносливая женщина, почувствовала невольную дрожь.

Офицер велел указать ему вещи миледи, приказал отнести ее багаж в шлюпку и, когда это было сделано, пригласил ее спуститься туда же и предложил ей руку.

Миледи посмотрела на него и остановилась в нерешительности.

— Кто вы такой, милостивый государь? — спросила она. — И почему вы так любезны, что оказываете мне особое внимание?

— Вы можете догадаться об этом по моему мундиру, сударыня: я офицер английского флота, — ответил молодой человек.

— Но неужели это обычно так делается? Неужели офицеры английского флота предоставляют себя в распоряжение своих соотечественниц, прибывающих в какую-нибудь гавань Великобритании, и простирают свою любезность до того, что доставляют их на берег?

— Да, миледи, но это обычно делается не из любезности, а из предосторожности: во время войны иностранцев доставляют в отведенную для них гостиницу, где они остаются под надзором до тех пор, пока о них не соберут самых точных сведений.

Эти слова были сказаны с безупречной вежливостью и самым спокойным тоном. Однако они не убедили миледи.

— Но я не иностранка, милостивый государь, — сказала она на самом чистом английском языке, который когда-либо раздавался от Портсмута до Манчестера. — Меня зовут леди Кларик, и эта мера...

— Эта мера — общая для всех, миледи, и вы напрасно будете настаивать, чтобы для вас было сделано исключение.

— В таком случае я последую за вами, милостивый государь.

Опираясь на руку офицера, она начала спускаться по трапу, внизу которого ее ожидала шлюпка; офицер сошел вслед за нею. На корме был разостлан большой плащ; офицер усадил на него миледи и сам сел рядом.

— Гребите, — приказал он матросам.

Восемь весел сразу погрузились в воду, их удары слились в один звук, движения их — в один взмах, и шлюпка, казалось, полетела по воде.

Через пять минут она пристала к берегу.

Офицер выскочил на набережную и предложил миледи руку. Их ожидала карета.

— Эта карета подана нам? — спросила миледи.

— Да, сударыня, — ответил офицер.

— Разве гостиница так далеко?

— На другом конце города.

— Едемте, — сказала миледи и не колеблясь села в карету.

Офицер присмотрел за тем, чтобы все вещи приезжей были тщательно привязаны позади кузова, и, когда это было сделано, сел рядом с миледи и захлопнул дверцу.

Кучер, не дожидаясь приказаний и даже не спрашивая, куда ехать, пустил лошадей галопом, и карета понеслась по улицам города.

Такой странный прием заставил миледи сильно призадуматься. Убедившись, что молодой офицер не проявляет ни малейшего желания вступить в разговор, она откинулась в угол кареты и стала перебирать всевозможные предположения, возникавшие у нее в уме.

Но спустя четверть часа, удивленная тем, что они так долго едут, она нагнулась к окну кареты, желая посмотреть, куда же ее везут. Домов не видно было больше, деревья казались в темноте большими черными призраками, гнавшимися друг за другом.

Миледи вздрогнула.

— Однако мы уже за городом, — сказала она.

Молодой офицер промолчал.

— Я не поеду дальше, если вы не скажете, куда вы меня везете. Предупреждаю вас, милостивый государь!

Ее угроза тоже осталась без ответа.

— О, это уж слишком! — вскричала миледи. — Помогите! Помогите!

Никто не отозвался на ее крик, карета продолжала быстро катиться по дороге, а офицер, казалось, превратился в статую.

Миледи взглянула на офицера с тем грозным выражением лица, которое было свойственно ей в иных случаях и очень редко не производило должного впечатления; от гнева глаза ее сверкали в темноте.

Молодой человек оставался по-прежнему невозмутимым.

Миледи попыталась открыть дверцу и выскочить.

— Берегитесь, сударыня, — хладнокровно сказал молодой человек, — вы расшибетесь насмерть.

Миледи опять села, задыхаясь от бессильной злобы. Офицер наклонился и посмотрел на нее; казалось, он был удивлен, увидев, что это лицо, недавно такое красивое, исказилось бешеным гневом и стало почти безобразным. Коварная женщина поняла, что погибнет, если даст возможность заглянуть себе в душу; она придала своему лицу кроткое выражение и заговорила жалобным голосом:

— Скажите мне, ради бога, кому именно — вам, вашему правительству или какому-нибудь врагу — я должна приписать учиняемое надо мною насилие?

— Над вами не учиняют никакого насилия, сударыня, и то, что с вами случилось, является только мерой предосторожности, которую мы вынуждены применять ко всем приезжающим в Англию.

— Так вы меня совсем не знаете?

— Я впервые имею честь видеть вас..

— И скажите по совести, у вас нет никакой причины ненавидеть меня?

— Никакой, клянусь вам.

Голос молодого человека звучал так спокойно, так хладнокровно и даже мягко, что миледи успокоилась.

Примерно после часа езды карета остановилась перед железной решеткой, замыкавшей накатанную дорогу, которая вела к тяжелой громаде уединенного, строгого по своим очертаниям замка. Колеса кареты покатились по мелкому песку; миледи услышала мощный гул и догадалась, что это шум моря, плещущего о скалистый берег.

Карета проехала под двумя сводами и наконец остановилась в темном четырехугольном дворе. Дверца кареты тотчас распахнулась; молодой человек легко выскочил и подал руку миледи; она оперлась на нее и довольно спокойно вышла.

— Все же, — заговорила миледи, оглядевшись вокруг, переведя затем взор на молодого офицера и подарив его самой очаровательной улыбкой, — я пленница. Но я уверена, что это ненадолго, — прибавила она, — моя совесть и ваша учтивость служат мне в том порукой.

Ничего не ответив на этот лестный комплимент, офицер вынул из-за пояса серебряный свисток, вроде тех, какие употребляют боцманы на военных кораблях, и трижды свистнул, каждый раз на иной лад. Явились слуги, распрягли взмыленных лошадей и поставили карету в сарай.

Офицер все так же вежливо и спокойно пригласил пленницу войти в дом. Она, все с той же улыбкой на лице, взяла его под руку и вошла с ним в низкую дверь, от которой сводчатый, освещенный только в глубине коридор вел к витой каменной лестнице. Поднявшись по ней, миледи и офицер остановились перед тяжелой дверью; молодой человек вложил в замок ключ, дверь тяжело повернулась на петлях и открыла вход в комнату, предназначенную для миледи.

Пленница одним взглядом рассмотрела все помещение, вплоть до мельчайших подробностей.

Убранство его в равной мере годилось и для тюрьмы и для жилища свободного человека, однако решетки на окнах и наружные засовы на двери склоняли к мысли, что это тюрьма.

На миг душевные силы оставили эту женщину, закаленную, однако, самыми сильными испытаниями; она упала в кресло, скрестила руки и опустила голову, трепетно ожидая, что в комнату войдет судья и начнет ее допрашивать.

Но никто не вошел, кроме двух-трех солдат морской пехоты, которые внесли сундуки и баулы, поставили их в угол комнаты и безмолвно удалились.

Офицер все с тем же неизменным спокойствием, не произнося ни слова, распоряжался солдатами, отдавая приказания движением руки или свистком.

Можно было подумать, что для этого человека и его подчиненных речь не существовала или стала излишней.

Наконец миледи не выдержала и нарушила молчание.

— Ради бога, милостивый государь, объясните, что все это означает? — спросила она. — Разрешите мое недоумение! Я обладаю достаточным мужеством, чтобы перенести любую опасность, которую я предвижу, любое несчастье, которое я понимаю. Где я и в качестве кого я здесь? Если я свободна, для чего эти железные решетки и двери? Если я узница, то в чем мое преступление?

— Вы находитесь в комнате, которая вам предназначена, сударыня. Я получил приказание выйти вам навстречу в море и доставить вас сюда, в замок. Приказание это я, по-моему, исполнил со всей непреклонностью солдата и вместе с тем со всей учтивостью дворянина. На этом заканчивается, по крайней мере в настоящее время, возложенная на меня забота о вас, остальное касается другого лица.

— А кто это другое лицо? — спросила миледи. — Можете вы назвать мне его имя?

В эту минуту на лестнице раздался звон шпор и прозвучали чьи-то голоса, потом все смолкло, и слышен был только шум шагов приближающегося к двери человека.

— Вот это другое лицо, сударыня, — сказал офицер, отошел от двери и замер в почтительной позе.

492

Дверь распахнулась, и на пороге появился какой-то человек. Он был без шляпы, со шпагой на боку и теребил в руках носовой платок.

Миледи показалось, что она узнала эту фигуру, стоящую в полумраке; она оперлась рукой о подлокотник кресла и подалась вперед, желая убедиться в своем предположении.

Незнакомец стал медленно подходить, и, по мере того как он вступал в полосу света, отбрасываемого лампой, миледи невольно все глубже откидывалась в кресле.

Когда у нее не оставалось больше никаких сомнений, она, совершенно ошеломленная, вскричала:

— Как! Лорд Винтер? Вы?

— Да, прелестная дама! — ответил лорд Винтер, отвешивая полуучтивый, полунасмешливый поклон. — Я самый.

— Так, значит, этот замок...

— Мой.

— Эта комната?..

— Ваша.

— Так я ваша пленница?

— Почти.

— Но это гнусное насилие!

— Не надо громких слов, сядем и спокойно побеседуем, как подобает брату и сестре. — Он обернулся к двери и, увидев, что молодой офицер ждет дальнейших приказаний, сказал: — Хорошо, благодарю вас! А теперь, господин Фельтон, оставьте нас.

XX

БЕСЕДА БРАТА С СЕСТРОЙ

Пока лорд Винтер запирал дверь, затворял ставни и придвигал стул к креслу своей невестки, миледи, глубоко задумавшись, перебирала в уме самые различные предположения и наконец поняла тот тайный замысел против нее, которого она даже не могла предвидеть, пока ей было неизвестно, в чьи руки она попала. За время знакомства со своим деверем миледи вывела заключение, что он настоящий дворянин, страстный охотник и неутомимый игрок, что он любит волочиться за женщинами, но не отличается умением вести интриги. Как мог он проведать о ее приезде и изловить ее? Почему он держит ее взаперти?

Правда, Атос сказал вскользь несколько слов, из которых миледи заключила, что ее разговор с кардиналом был подслушан посторонними, но она никак не могла допустить, чтобы Атос сумел так быстро и смело подвести контрмину.

Миледи скорее опасалась, что выплыли наружу ее прежние проделки в Англии. Бекингэм мог догадаться, что это она срезала два алмазных подвеска, и отомстить за ее мелкое предательство; но Бекингэм был не способен совершить какое-нибудь насилие по отношению к женщине, в особенности если он считал, что она действовала под влиянием ревности.

Это предположение показалось миледи наиболее вероятным: она вообразила, что хотят отомстить ей за прошлое, а не предотвратить будущее.

Как бы то ни было, она радовалась тому, что попала в руки своего деверя, от которого рассчитывала сравнительно дешево отделаться, а не в руки настоящего и умного врага.

— Да, поговорим, любезный брат, — сказала она с довольно веселым видом, рассчитывая выведать из этого разговора, как бы ни скрытничал лорд Винтер, все, что ей необходимо было знать для дальнейшего своего поведения.

— Итак, вы все-таки вернулись в Англию, — начал лорд Винтер, — вопреки вашему решению, которое вы так часто высказывали мне в Париже, что никогда больше нога ваша не ступит на землю Великобритании?

Миледи ответила вопросом на вопрос:

— Прежде всего объясните мне, каким образом вы сумели установить за мной такой строгий надзор, что заранее были осведомлены не только о моем приезде, но и о том, в какой день и час и в какую гавань я прибуду?

Лорд Винтер избрал ту же тактику, что и миледи, полагая, что раз его невестка придерживается ее, то, наверное, она самая лучшая.

— Сначала вы мне расскажите, любезная сестра, зачем вы пожаловали в Англию? — возразил он.

— Я приехала повидаться с вами, — ответила миледи, не зная того, что она невольно усиливает этим ответом подозрения, которые заронило в ее девере письмо д'Артаньяна, и желая только снискать этой ложью расположение своего собеседника.

— Вот как, повидаться со мной? — угрюмо переспросил лорд Винтер.

— Да, конечно, повидаться с вами. Что же тут удивительного?

— Так вас привело в Англию только желание увидеться со мной, никакой другой цели у вас не было?

— Нет.

— Стало быть, вы только ради меня взяли на себя труд переправиться через Ла-Манш?

— Только ради вас.

— Черт возьми! Какие нежности, сестра!

— А разве я не самая близкая ваша родственница? — спросила миледи с выражением трогательной наивности в голосе.

— И даже моя единственная наследница, не так ли? — спросил, в свою очередь, лорд Винтер, смотря в упор на миледи.

Несмотря на все свое самообладание, миледи невольно вздрогнула, и, так как лорд Винтер, говоря эти слова, положил руку на плечо невестки, эта дрожь не ускользнула от него.

Удар в самом деле пришелся в цель и проник глубоко. Первой мыслью миледи было, что ее выдала Кэтти, что Кэтти рассказала барону о том корыстолюбивом и потому неприязненном отношении к нему, которое миледи неосторожно обнаружила в присутствии своей камеристки; она вспомнила также свой яростный и неосторожный выпад против д'Артаньяна после того, как он спас жизнь ее деверя.

— Я не понимаю, милорд, — заговорила она, желая выиграть время и заставить своего противника высказаться, — что вы хотите сказать? И нет ли в ваших словах какого-нибудь скрытого смысла?

— Ну разумеется, нет, — сказал лорд Винтер с видом притворного добродушия. — У вас возникает желание повидать меня, и вы приезжаете в Англию. Я узнаю об этом желании или, вернее говоря, догадываюсь о нем и, чтобы избавить вас от всех неприятностей ночного прибытия в порт и всех тягот высадки, посылаю одного из моих офицеров вам навстречу. Я предоставляю в его распоряжение карету, и он привозит вас сюда, в этот замок, комендантом которого я состою, куда я ежедневно приезжаю и где я велю приготовить вам комнату, чтобы мы могли удовлетворить наше взаимное желание видеться друг с другом. Разве все это представляется вам более удивительным, чем то, что вы мне сказали?

— Нет, я нахожу удивительным только то, что вы были предупреждены о моем приезде.

— А это объясняется совсем просто, любезная сестра: разве вы не заметили, что капитан вашего судна, прежде чем стать на рейд, послал вперед, чтобы получить разрешение войти в порт, небольшую шлюпку с судовым журналом и списком команды и пассажиров? Я начальник порта, мне принесли этот список, и я прочел в нем ваше имя. Сердце подсказало мне то, что сейчас подтвердили ваши уста: я понял, ради чего вы подвергали себя опасностям столь затруднительного теперь переезда по морю, и выслал вам навстречу свой катер. Остальное вам известно.

Миледи поняла, что лорд Винтер лжет, и это еще больше испугало ее.

— Любезный брат, — заговорила она снова, — не милорда ли Бекингэма я видела сегодня вечером на молу, когда мы входили в гавань?

— Да, его... А, я понимаю! Увидев его, вы взволновались: вы приехали из страны, где, вероятно, мысль о нем заботит всех, и я знаю, что его приготовления к войне с Францией очень тревожат вашего друга — кардинала.

— Моего друга — кардинала?! — вскричала миледи, убеждаясь, что и в этом отношении лорд Винтер, по-видимому, хорошо осведомлен.

— А разве он не ваш друг? — небрежным тоном спросил барон. — Если я ошибся — извините: мне так казалось. Но мы вернемся к милорду герцогу после, а теперь не будем уклоняться от того крайне чувствительного направления, которое принял наш разговор. Вы приехали, говорите вы, чтобы повидать меня?

— Да.

— Ну что ж, я вам ответил, что все устроено согласно вашему желанию и что мы будем видеться каждый день.

— Значит, я навеки должна оставаться здесь? — с оттенком ужаса спросила миледи.

— Может быть, вы здесь терпите какие-нибудь неудобства, сестра? Требуйте, чего вам недостает, и я постараюсь вам это предоставить.

— У меня нет ни служанок, ни лакеев...

— У вас все это будет, сударыня. Скажите мне, на какую ногу был поставлен ваш дом при первом вашем муже, и, хотя я только ваш деверь, я заведу вам все на такой же лад.

— При моем первом муже? — вскричала миледи, уставившись на лорда Винтера растерянным взглядом.

— Да, вашем муже — французе, я говорю не о моем брате... Впрочем, если вы это забыли, то, так как он жив еще, я могу написать ему, и он сообщит мне все нужные сведения.

Холодный пот выступил на лбу миледи.

— Вы шутите! — проговорила она глухим голосом.

— Разве я похож на шутника? — спросил барон, вставая и отступая на шаг.

— Или, вернее, вы меня оскорбляете, — продолжала миледи, судорожно впиваясь пальцами в подлокотники кресла и приподнимаясь.

— Оскорбляю вас? — презрительно усмехнулся лорд Винтер. — Неужели же, сударыня, вы полагаете, что это возможно?

— Вы, милостивый государь, или пьяны, или сошли с ума, — сказала миледи. — Ступайте прочь и пришлите мне женщину для услуг!

— Женщины очень болтливы, сестра! Не могу ли я заменить вам камеристку? Таким образом, все наши семейные тайны останутся при нас.

— Наглец! — вскричала миледи вне себя от ярости и кинулась на барона, который стал в выжидательную позу, положив одну руку на эфес шпаги.

— Эге! — произнес он. — Я знаю, что вы имеете обыкновение убивать людей, но предупреждаю: я буду обороняться, хотя бы и против вас.

— О, вы правы, — сказала миледи, — у вас, пожалуй, хватит низости поднять руку на женщину.

— Да, быть может. К тому же у меня найдется оправдание: моя рука будет, я полагаю, не первой мужской рукой, поднявшейся на вас.

И барон медленным обвиняющим жестом указал на левое плечо миледи, почти коснувшись его пальцем.

Миледи испустила сдавленный стон, похожий на рычание, и попятилась в дальний угол комнаты, точно пантера, приготовившаяся к прыжку.

— Рычите, сколько вам угодно, — вскричал лорд Винтер, — но не пытайтесь укусить! Ибо, предупреждаю, это для вас плохо кончится: здесь нет прокуроров, которые заранее определяют права наследства, нет странствующего рыцаря, который вызвал бы меня на поединок из-за прекрасной дамы, которую я держу в заточении, но у меня есть наготове судьи, которые, если понадобится, учинят расправу над женщиной настолько бесстыдной, что она при живом муже прокралась на супружеское ложе моего старшего брата, лорда Винтера, и эти судьи, предупреждаю вас, передадут вас палачу, который сделает вам одно плечо похожим на другое.

Глаза миледи метали такие молнии, что, хотя лорд Винтер был мужчина и стоял вооруженный перед безоружной женщиной, он почувствовал, как в душе его зашевелился страх. Тем не менее он продолжал говорить, но уже с закипающей яростью:

— Да, я понимаю, что, получив наследство после моего брата, вам было бы приятно унаследовать и мое состояние. Но знайте наперед: вы можете убить меня или подослать ко мне убийц — я принял на этот случай предосторожности: ни одно пенни из того, чем я владею, не перейдет в ваши руки! Разве вы недостаточно богаты, имея около миллиона? И не пора ли вам остановиться на вашем гибельном пути, если вы делали зло из одного только ненасытного желания его делать? О, поверьте, если бы память моего брата не была для меня священна, я сгноил бы вас в какой-нибудь государственной тюрьме или отправил бы в Тайберн на потеху толпы! Я буду молчать, но и вы должны безропотно переносить ваше заключение. Дней через пятнадцать — двадцать я уезжаю с армией в Ла-Рошель, но накануне моего отъезда за вами прибудет корабль, который отплывет на моих глазах и отвезет вас в наши южные колонии. Я приставлю к вам человека, и, будьте покойны, он всадит вам пулю в лоб при первой вашей попытке вернуться в Англию или на материк!

Миледи слушала с пристальным вниманием, от которого ширились зрачки ее сверкающих глаз.

— Да, теперь вы будете жить в этом замке, — продолжал лорд Винтер. — Стены в нем толстые, двери тяжелые, решетки на окнах надежные; к тому же ваше окно расположено над самым морем. Люди моего экипажа, беззаветно мне преданные, несут караул перед этой комнатой и охраняют все проходы, ведущие на двор. Да если бы вы и пробрались туда, вам предстояло бы еще проникнуть сквозь три железные решетки. Отдан строгий приказ: один шаг, одно движение, одно слово, указывающее на попытку к бегству, — и в вас будут стрелять. Если вас убьют, английское правосудие, надеюсь, будет мне признательно, что я избавил его от хлопот... А, на вашем лице появилось прежнее выражение спокойствия и самоуверенности! Вы рассуждаете про себя: «Пятнадцать — двадцать дней... Ничего, ум у меня изобретательный, я до того времени что-нибудь да придумаю! Я чертовски умна и найду какую-нибудь жертву. Через пятнадцать дней, — говорите вы себе, — меня здесь не будет...» Что ж, попробуйте!

Миледи, видя, что лорд Винтер отгадал ее мысли, вонзила ногти в ладони, стараясь подавить в себе малейшее движение души, которое могло бы придать ее лицу какое-нибудь иное выражение, помимо выражения тоскливой тревоги.

Лорд Винтер продолжал:

— Офицера, который остается здесь начальником в мое отсутствие, вы уже видели и, стало быть, знаете его. Он, как вы убедились, умеет исполнять приказания: по дороге из Портсмута сюда вы, конечно, — я ведь вас знаю, — пытались вызвать его на разговор. И что вы скажете? Разве мраморная статуя могла быть молчаливее и бесстрастнее его? Вы уже на многих испытали власть ваших чар, и, к несчастью, с неизменным успехом. Испытайте-ка ее на этом человеке, и, черт возьми, если вы добьетесь своего, я готов буду поручиться, что вы — сам дьявол!

Лорд Винтер подошел к двери и резким движением распахнул ее.

— Позвать ко мне господина Фельтона! — распорядился он и, обращаясь к миледи, сказал: — Сейчас я представлю вас ему.

Между этими двумя лицами воцарилось напряженное молчание; затем в наступившей тишине послышались медленные и размеренные шаги, приближающиеся к комнате. Вскоре в полумраке коридора обозначилась человеческая фигура, и молодой лейтенант, с которым мы уже познакомились, остановился на пороге, ожидая приказаний барона.

— Войдите, милый Джон, — заговорил лорд Винтер. — Войдите и закройте дверь.

Офицер вошел.

— А теперь, — продолжал барон, — посмотрите на эту женщину. Она молода, она красива, она обладает всеми земными чарами. И что же! Это чудовище, которому всего двадцать пять лет, совершило столько преступлений, сколько вы не насчитаете и за год в архивах наших судов. Голос располагает в ее пользу, красота служит приманкой для жертвы, тело платит то, что она обещает, — в этом надо отдать ей справедливость. Она попы тается обольстить вас, а быть может, даже и убить. Я извлек вас из нищеты, я дал вам чин лейтенанта, я однажды спас вам жизнь — вы помните, при каких обстоятельствах. Я не только ваш покровитель, но и друг; не только благодетель, но и отец. Эта женщина вернулась в Англию, чтобы устроить покушение на мою жизнь. Я держу эту змею в своих руках, и вот я позвал вас и прошу: друг мой Фельтон, Джон, дитя мое, оберегай меня и в особенности сам берегись этой женщины! Поклянись спасением твоей души сохранить ее для той кары, которую она заслужила! Джон Фельтон, я полагаюсь на твое слово! Джон Фельтон, я верю в твою честность!

— Милорд... — ответил молодой офицер, вкладывая в брошенный на миледи взгляд всю ненависть, какую только он мог найти в своем сердце, — милорд, клянусь вам, все будет сделано так, как вы того желаете!

Миледи перенесла этот взгляд с видом безропотной жертвы; невозможно представить себе выражение более покорное и кроткое, чем то, какое было написано на ее прекрасном лице. Сам лорд Винтер с трудом узнал в ней тигрицу, с которой он за минуту перед тем готовился вступить в борьбу.

— Она не должна выходить из этой комнаты, слышите, Джон? — продолжал лорд Винтер. — Она ни с кем не должна переписываться, не должна разговаривать ни с кем, кроме вас, если вы окажете честь говорить с ней.

— Я поклялся, милорд, этого достаточно.

— А теперь, сударыня, постарайтесь примириться с богом, ибо людской суд над вами свершился.

Миледи поникла головой, точно подавленная этим приговором.

Лорд Винтер движением руки пригласил за собой Фельтона и вышел из комнаты. Фельтон пошел вслед за ним и запер дверь.

Мгновение спустя в коридоре раздались тяжелые шаги солдата морской пехоты, стоявшего на карауле с секирой за поясом и с мушкетом в руках.

Миледи несколько минут оставалась все в том же положении, думая, что за ней наблюдают сквозь замочную скважину, потом она медленно подняла голову, и лицо ее вновь приняло устрашающее выражение угрозы и вызова. Она подбежала к двери и прислушалась, затем взглянула в окно, отошла от него, опустилась в огромное кресло и задумалась.

XXI

ОФИЦЕР

Тем временем кардинал ждал известий из Англии, но никаких известий не приходило, кроме неприятных и угрожающих.

Хотя Ла-Рошель была в тесном кольце, хотя успех осады благодаря принятым мерам, и в особенности благодаря дамбе, препятствовавшей лодкам проникать в осажденный город, казался несомненным, тем не менее блокада могла тянуться еще долго, к великому позору для войск короля и к большому неудовольствию кардинала, которому, правда, не надо было больше ссорить Людовика XIII с Анной Австрийской, ибо это было уже сделано, но предстояло мирить г-на де Бассомпьера, поссорившегося с герцогом Ангулемским.

Что же касается брата короля, то он только начал осаду, а заботу окончить ее предоставил кардиналу.

Город, несмотря на чрезвычайную стойкость своего мэра, хотел было сдаться и потому сделал попытку поднять бунт, но мэр велел повесить бунтовщиков. Эта расправа успокоила самые горячие головы, и они решили лучше дать уморить себя голодом: такая гибель казалась им все же более медленной и менее верной, чем смерть на виселице.

Осаждающие время от времени хватали гонцов, которых ларошельцы посылали к Бекингэму, или шпионов, посылаемых Бекингэмом к ларошельцам. И в том и в другом случае суд был короток, кардинал произносил одно-единственное слово: «Повесить!» Приглашали короля смотреть казнь. Король приходил вялой походкой и становился на удобное место, чтобы видеть процедуру во всех ее подробностях. Это не мешало ему сильно скучать и каждую минуту говорить о своем возвращении в Париж, но это все-таки слегка развлекало его и заставляло более терпеливо сносить обиду, так что, если бы не гонцы и не шпионы, его высокопреосвященство, несмотря на всю свою изобретательность, оказался бы в очень затруднительном положении.

Однако время шло, а ларошельцы не сдавались. Последний гонец, которого поймали осаждающие, вез письмо Бекингэму. В письме сообщалось, правда, что город доведен до последней крайности, но в нем не говорилось в заключение: «Если ваша помощь не подоспеет в течение двух недель, мы сдадимся», а было просто сказано: «Если ваша помощь не подоспеет в течение двух недель, то к тому времени, когда она явится, мы все умрем с голоду».

Итак, ларошельцы возлагали надежды только на Бекингэма. Бекингэм был их мессией. Было очевидно, что, если бы им стало доподлинно известно, что на Бекингэма рассчитывать больше нечего, они потеряли бы вместе с надеждой и мужество.

Поэтому кардинал с большим нетерпением ждал из Англии известий о том, что Бекингэм не прибудет под Ла-Рошель.

Вопрос о том, чтобы взять город приступом, часто обсуждался в королевском совете, но его всегда отклоняли: во-первых, Ла-Рошель казалась неприступной, а во-вторых, кардинал, что бы он ни говорил, отлично понимал, что такое кровопролитие, когда французам пришлось бы сражаться против французов же, явилось бы в политике возвращением на шестьдесят лет назад, а кардинал был для своего времени человеком передовым, как теперь выражаются. В самом деле, разгром Ла-Рошели и убийство трех или четырех тысяч гугенотов, которые скорее дали бы себя убить, чем согласились сдаться, слишком походили бы в 1628 году на Варфоломеевскую ночь 1572 года; да и, наконец, это крайнее средство, к которому сам король, как ревностный католик, отнюдь не высказывал отвращения, неизменно отвергалось осаждающими генералами, выдвигавшими следующий довод: Ла-Рошель нельзя взять иначе, как только голодом.

Кардинал не мог отогнать от себя невольный страх, который внушала ему его страшная посланница: и он тоже подметил странные свойства этой женщины, казавшейся то змеей, то львицей. Не изменила ли она ему? Не умерла ли? Во всяком случае, он достаточно хорошо изучил ее и знал, что, независимо от того, действовала ли она в его пользу или против него, была ли ему другом или недругом, она не оставалась в бездействии, если только ее не вынуждали к этому большие препятствия. Но откуда было возникнуть таким препятствиям? Этого-то кардинал и не мог знать.

Впрочем, он твердо полагался на миледи, и не без основания: он догадывался, что прошлое этой женщины таит страшные вещи, покрыть которые может только его красная мантия, и чувствовал, что, по той или другой причине, эта женщина ему предана, ибо только в нем одном она может найти поддержку и защиту от угрожающей ей опасности.

Итак, он решился вести войну один и ожидать посторонней помощи так, как ждут счастливой случайности. Он продолжал воздвигать знаменитую дамбу, которая должна была уморить голодом население Ла-Рошели. Созерцая, в ожидании этого, несчастный город, заключавший в себе столько великих бедствий и столько героических добродетелей, он вспомнил слова Людовика XI, своего политического предшественника, подобно тому как сам он был предшественником Робеспьера, — слова покровителя Тристана: «Разделяй, чтобы властвовать».

Генрих IV, осаждая Париж, приказывал бросать через стены города хлеб и другие съестные припасы; кардинал же приказал подбрасывать письма, в которых он разъяснял ларошельцам, насколько поведение их начальников несправедливо, эгоистично и жестоко. У этих начальников хлеба было в изобилии, но они не раздавали его населению; они придерживались правила (у них тоже были свои правила), что не важно, если умрут женщины, старики и дети, лишь бы мужчины, обязанные защищать стены их города, оставались здоровыми и полными сил. К тому времени правило это, правда, не получило еще всеобщего применения, но, то ли вследствие бессилия жителей ему противодействовать, то ли вследствие их самопожертвования, превратилось уже из теории в практику; подметные письма кардинала подорвали веру в его неоспоримость; письма напоминали мужчинам, что обреченные на смерть дети, женщины и старики — их сыновья, жены и отцы, что было бы справедливее, если бы все разделяли общее бедствие, и тогда одинаковое положение приводило бы жителей к единодушным решениям.

Эти подметные письма произвели как раз то действие, какого и ожидал их составитель: склонили многих жителей вступить в сепаратные переговоры с королевской армией.

Но в то самое время, когда кардинал уже видел, что испытанное им средство приносит плоды, и радовался, что пустил его в ход, один из жителей Ла-Рошели, который сумел перейти линию королевских войск — одному богу известно, как ему удалось обмануть бдительность Бассомпьера, Шомберга и герцога Ангулемского, за которыми, в свою очередь, бдительно надзирал кардинал, — один из жителей Ла-Рошели, говорим мы, пробрался в город прямо из Портсмута и сообщил, что он видел там внушительный флот, готовый отплыть не позже как через неделю. Более того: Бекингэм извещал мэра, что наконец будет заключен великий союз против Франции и во Французское королевство одновременно вторгнутся английские, испанские и австрийские войска. Это письмо публично читалось на всех площадях города, копии с него были вывешены на перекрестках улиц, и даже те, кто начал уже переговоры с королевской армией, прервали их, решившись дождаться столь торжественно обещанной помощи.

Это неожиданное обстоятельство возбудило у Ришелье прежнее беспокойство и невольно заставило его снова обратить взоры по ту сторону моря.

Между тем королевская армия, которой были чужды тревоги ее единственного и настоящего главы, вела веселую жизнь. И съестных припасов и денег в лагере было вдоволь; все части соперничали друг с другом в удальстве и различных забавах. Хватать шпионов и вешать их, устраивать рискованные экспедиции на дамбу и на море, затевать самые безрассудные предприятия и хладнокровно выполнять их — вот в чем армия проводила все время и что помогало ей коротать дни, долгие не только для ларошельцев, терзаемых голодом и мучительным ожиданием, но и для кардинала, столь упорно блокировавшего их.

Кардинал, вечно разъезжавший верхом, как рядовой кавалерист, окидывал задумчивым взглядом эти нестерпимо медленно, как ему казалось, подвигавшиеся укрепления, возводимые под его руководством инженерами, которых он выписал со всех концов Франции. Если при его объездах ему случалось встретить мушкетера из полка де Тревиля, он иногда подъезжал к нему, внимательно вглядывался и, не признав в нем ни одного из наших четырех друзей, направлял на что-нибудь другое свой проницательный взгляд.

Однажды, томясь смертельной скукой, не надеясь больше на переговоры с городом и все еще не получая известий из Англии, кардинал выехал из дома в сопровождении только Каюзака и Ла Удиньера, выехал без всякой цели, лишь затем, чтобы прокатиться. Он ехал вдоль песчаного берега, предаваясь необъятным мечтам и созерцая необъятный простор океана. Неторопливо поднявшись на холм, он увидел невдалеке за изгородью семь человек, которые лежали и грелись в лучах солнца, редко проглядывающего в это время года, причем вокруг них валялись пустые бутылки. Четверо из этих людей были наши мушкетеры, приготовившиеся слушать чтение письма, только что полученного одним из них. Это письмо было настолько важно, что из-за него они оставили карты и кости, разложенные на барабане.

Трое остальных были заняты тем, что снимали смолу с горлышка огромной, оплетенной соломой бутыли колиурского вина; это были слуги наших молодых людей.

Кардинал, как мы уже сказали, был в мрачном расположении духа, а когда он впадал в него, ничто так не усиливало его угрюмость, как веселье других. К тому же у него было странное предубеждение: он всегда воображал, что причиной веселости других было как раз то, что печалило его самого. Сделав Каюзаку и Ла Удиньеру знак остановиться, кардинал спешился и направился к подозрительным весельчакам, надеясь, что благодаря заглушавшему его шаги песку и укрывавшей его изгороди ему удастся подслушать несколько слов из разговора, казавшегося ему крайне интересным. Очутившись в десяти шагах от изгороди, он узнал выговор гасконца, а так как он еще раньше разглядел, что это были мушкетеры, то больше не сомневался, что трое остальных были те, кого называли неразлучными приятелями, то есть Атос, Портос и Арамис.

Легко можно представить себе, насколько его желание расслышать их разговор усилилось от этого открытия; глаза его приняли странное выражение, и он кошачьей походкой подкрался к изгороди. Но едва ему удалось уловить несколько неясных звуков, без всякого определенного смысла, как вдруг громкий, отрывистый возглас заставил его вздрогнуть и привлек внимание мушкетеров.

— Офицер! — крикнул Гримо.

— Вы, кажется, заговорили, негодяй! — сказал Атос, приподнимаясь на локте и устремляя на Гримо сверкающий взор.

Гримо не прибавил больше ни слова и только протянул указательный палец по направлению к изгороди, возвещая этим жестом приход кардинала и его свиты.

Одним прыжком мушкетеры очутились на ногах и почтительно поклонились.

Кардинал, по-видимому, был взбешен.

— Кажется, господа мушкетеры велят караулить себя! — заметил он. — Уж не подходят ли сухим путем англичане? Или мушкетеры считают себя старшими офицерами?

— Ваша светлость... — ответил Атос, так как среди общего смятения он один сохранил то спокойствие и хладнокровие настоящего вельможи, которое никогда его не покидало, — ваша светлость, мушкетеры, когда они не несут службы или когда их служба окончена, пьют и играют в кости, и они для своих слуг — офицеры очень высокого ранга.

— Слуги! — проворчал кардинал. — Слуги, которым приказано предупреждать своих господ, когда кто-нибудь проходит мимо, уже не слуги, а часовые.

— Ваше высокопреосвященство, однако, сами видите, что если бы мы не приняли этой предосторожности, то, чего доброго, упустили бы случай засвидетельствовать вам наше почтение и принести благодарность за оказанную милость — за то, что вы соединили нас всех вместе... Д'Артаньян, — продолжал Атос, — вы сейчас только говорили о вашем желании найти случай выразить его светлости вашу признательность: случай представился, воспользуйтесь же им.

Это было сказано с невозмутимым хладнокровием, отличавшим Атоса в минуты опасности, и с крайней вежливостью, делавшей его в иные минуты более величественным, чем прирожденные короли.

Д'Артаньян подошел и пробормотал несколько благодарственных слов, которые быстро замерли у него на языке под угрюмым взглядом кардинала.

— Все равно, господа... — заговорил Ришелье, которого замечание Атоса, по-видимому, нисколько не отклонило от его первоначального намерения, — все равно, господа, я не люблю, чтобы простые солдаты, потому только, что они имеют преимущество служить в привилегированной части, разыгрывали знатных вельмож: они должны соблюдать такую же дисциплину, как и все.

Атос предоставил кардиналу договорить до конца эту фразу и, поклонившись в знак согласия, ответил:

— Надеюсь, ваша светлость, что мы ничем не нарушили дисциплины. Мы сейчас не несем службы и думали, что можем располагать своим временем, как нам заблагорассудится. Если вашему высокопреосвященству угодно будет осчастливить нас каким-нибудь особым приказанием, мы готовы повиноваться. Вы сами видите, ваша светлость, — продолжал мушкетер, хмуря брови, так как этот допрос начинал выводить его из терпения, — что мы захватили с собой оружие, чтобы быть наготове при малейшей тревоге.

И он указал кардиналу пальцем на четыре мушкета, составленных в козлы около барабана, на котором лежали карты и кости.

— Будьте уверены, ваше высокопреосвященство, что мы вышли бы вам навстречу, — прибавил д'Артаньян, — если бы могли предположить, что это вы подъезжаете к нам с такой малочисленной свитой.

Кардинал кусал усы и губы.

— Знаете ли вы, на кого вы похожи, когда, как теперь, собираетесь вместе, вооруженные и охраняемые вашими слугами? — спросил кардинал. — Вы похожи на четырех заговорщиков.

— Совершенно верно, ваша светлость, — подтвердил Атос, — мы действительно составляем заговор, как ваше высокопреосвященство могли сами убедиться однажды утром, но только против ларошельцев.

— Э, господа политики, — возразил кардинал, в свою очередь хмуря брови, — в ваших мозгах, пожалуй, нашлась бы разгадка многих секретов, если бы они были так же доступны для чтения, как то письмо, которое вы спрятали, заметив меня!

Краска бросилась в лицо Атосу, он сделал шаг к кардиналу:

— Можно подумать, что вы действительно подозреваете нас, ваша светлость, и подвергаете настоящему допросу. Если это так, то пусть ваше высокопреосвященство соблаговолит объясниться, и мы по крайней мере будем знать, как нам следует поступать.

— А что, если бы это и в самом деле был допрос? — возразил кардинал. — И не такие люди, как вы, подвергались ему и отвечали, господин мушкетер.

— Вот почему я и сказал вашему высокопреосвященству, что в его воле допрашивать нас, мы готовы отвечать.

— Что это за письмо, которое вы начали читать, господин Арамис, а затем спрятали?

— Письмо от женщины, ваша светлость.

— О, я понимаю! — сказал кардинал. — Относительно такого рода писем следует хранить молчание. Однако их можно показывать духовнику, а ведь я, как вам известно, посвящен в духовный сан.

— Ваша светлость, — заговорил Атос со спокойствием тем более ужасающим, что, отвечая таким образом, он рисковал головой, — письмо это от женщины, но оно не подписано ни Марион Делорм, ни госпожой д'Эгильон.

Кардинал смертельно побледнел, и глаза его вспыхнули зловещим огнем. Он обернулся, словно затем, чтобы отдать приказание Каюзаку и Ла Удиньеру. Атос уловил это движение и сделал шаг к мушкетам, на которые были устремлены глаза его трех друзей, вовсе не склонных позволить себя арестовать. На стороне кардинала, считая его самого, было трое, а мушкетеров вместе со слугами было семь человек. Кардинал рассудил, что игра будет тем более неравной, что Атос и его товарищи действительно тайно сговаривались о чем-то, и прибегнул к одному из тех внезапных поворотов, к которым он всегда прибегал: весь его гнев растворился в улыбке.

— Ну полно, полно! — сказал он. — Вы храбрые молодые люди: гордые при свете дня, преданные во мраке ночи. Неплохо оберегать себя, когда так хорошо оберегаешь других. Господа, я вовсе не забыл той ночи, когда вы охраняли меня на пути к «Красной голубятне». Если бы на той дороге, по которой я сейчас поеду, мне угрожала какая-нибудь опасность, я попросил бы вас сопровождать меня. Но так как опасности не предвидится, оставайтесь тут, доканчивайте ваши бутылки, вашу игру и ваше письмо. Прощайте, господа!

Сев на коня, которого подвел ему Каюзак, он попрощался с ними взмахом руки и умчался.

Четверо молодых людей, застыв на месте, не произнося ни слова, провожали его глазами, пока он не исчез из виду. Затем они переглянулись.

У всех были удрученные лица: они понимали, что, несмотря на дружеское прощание, кардинал уехал взбешенный.

Один Атос улыбался властной, презрительной улыбкой. Когда кардинал отъехал на такое расстояние, что не мог ни слышать, ни видеть их, Портос, которому не терпелось сорвать на ком-нибудь свой гнев, вскричал:

— Этот болван Гримо поздно спохватился!

Гримо хотел было что-то сказать в свое оправдание, но Атос поднял палец, и Гримо промолчал.

— Вы бы отдали письмо, Арамис? — спросил д'Артаньян.

— Я принял такое решение, — отвечал Арамис самым приятным, нежным голосом. — Если б кардинал потребовал, я одной рукой вручил бы письмо, а другой проткнул бы его шпагой.

— Так я и думал, — сказал Атос. — Вот почему я вмешался в ваш разговор. Право, этот человек очень неосторожно поступает, разговаривая так с мужчинами. Можно подумать, что ему приходилось иметь дело только с женщинами и детьми.

— Любезный Атос, я восхищен вами, но в конце концов мы все-таки были не правы, — возразил д'Артаньян.

— Как — не правы! — возмутился Атос. — Кому принадлежит воздух, которым мы дышим? Океан, на который мы обращаем взоры? Песок, на котором мы лежали? Кому принадлежит письмо вашей любовницы? Разве кардиналу? Клянусь честью, этот человек воображает, что он владеет всем миром! Вы стояли перед ним и что-то бормотали, ошеломленный, подавленный... Можно было подумать, что вам уже мерещится Бастилия и что гигантская Медуза собирается превратить вас в камень. Ну скажите, да разве быть влюбленным значит составлять заговоры? Вы влюблены в женщину, которую кардинал запрятал в тюрьму, и хотите вызволить ее из его рук. Вы ведете игру с его высокопреосвященством, это письмо — ваш козырь. Зачем вам показывать противнику ваши карты? Это не принято. Пусть он их отгадывает, в добрый час! Мы-то ведь отгадываем его игру!

— В самом деле, — согласился д'Артаньян, — все, что вы говорите, Атос, вполне справедливо.

— В таком случае — ни слова больше о том, что сейчас произошло, и пусть Арамис продолжает читать письмо своей кузины с того места, на котором кардинал прервал его.

Арамис вынул письмо из кармана, трое его друзей пододвинулись к нему, а слуги опять столпились вокруг бутыли.

— Вы прочитали всего одну или две строчки, — заметил д'Артаньян, — так уж начните опять с начала.

— Охотно, — ответил Арамис.

«Любезный кузен, я, кажется, решусь уехать в Стене, где моя сестра поместила нашу юную служанку в местный монастырь кармелиток. Бедняжка покорилась своей участи, она знает, что не может жить в другом месте, не подвергаясь опасности погубить свою душу. Однако если наши семейные дела уладятся так, как мы того желаем, она, кажется, рискнет навлечь на себя проклятие и вернется к тем, по ком она тоскует, тем более что о ней постоянно думают и она знает это. А пока что она не так уж несчастна: единственное ее желание — получить письмо от своего возлюбленного. Я знаю, что такого рода товар нелегко проникает через решетки монастыря, но, как я уже доказала вам, любезный кузен, я не такая уж неловкая и возьмусь за это поручение. Моя сестра благодарит вас за вашу неизменную добрую память о ней. Одно время она очень тревожилась, но теперь несколько успокоилась, послав туда своего поверенного, чтобы там не случилось чего-нибудь непредвиденного.

Прощайте, любезный кузен, пишите о себе как можно чаще, то есть каждый раз, как вам представится надежная возможность прислать нам весточку. Целую вас.

Аглая Мишон».

— О, как я вам обязан, Арамис! — вскричал д'Артаньян. — Дорогая Констанция! Наконец-то я имею о ней сведения! Она жива, она за монастырской оградой, вне опасности, она в Стене! Как вы полагаете, Атос, где это?

— В Лотарингии, в нескольких лье от границы Эльзаса. Мы можем прокатиться в ту сторону, как только кончится осада.

— И надо надеяться, этого недолго ждать, — вставил Портос. — Сегодня утром повесили одного шпиона, который показал, что ларошельцы уже питаются кожей своих сапог. Если предположить, что, съев кожу, они примутся за подметки, то я уж не знаю, что им после этого останется... разве только пожирать друг друга.

— Бедные глупцы! — заметил Атос, осушая стакан превосходного бордоского вина, которое хотя и не пользовалось в то время такой доброй славой, как теперь, но заслуживало ее не меньше нынешнего. — Бедные глупцы! Как будто католичество не самое удобное и не самое приятное из всех вероисповеданий!.. А все-таки, — заключил он, допив вино и прищелкнув языком, — они молодцы... Но что вы, черт возьми, делаете, Арамис? — продолжал он. — Вы прячете в карман это письмо?

— Да, — поддержал его д'Артаньян, — Атос прав: его надо сжечь. Впрочем, кто знает... может быть, кардинал обладает секретом вопрошать пепел?

— Уж наверное обладает, — сказал Атос.

— Что же вы хотите сделать с этим письмом? — спросил Портос.

— Подите сюда, Гримо, — приказал Атос.

Гримо встал и повиновался.

— В наказание за то, что вы заговорили без позволения, друг мой, вы съедите этот клочок бумаги. Затем, в награду за услугу, которую вы нам окажете, вы выпьете этот стакан вина. Вот вам сначала письмо, разжуйте его хорошенько.

Гримо улыбнулся и, устремив глаза на стакан, который Атос наполнил до краев, прожевал бумагу и проглотил ее.

— Браво! Молодец, Гримо! — похвалил его Атос. — А теперь берите стакан... Хорошо, можете не благодарить.

Гримо безмолвно проглотил стакан бордоского, но глаза его, поднятые к небу, говорили в продолжение этого приятного занятия очень выразительным, хоть и немым языком.

— Ну, теперь, — сказал Атос, — если только кардиналу не придет в голову хитроумная мысль распороть Гримо живот, я думаю, что мы можем быть более или менее спокойны...

Тем временем его высокопреосвященство продолжал свою меланхолическую прогулку и бормотал себе в усы:

— Положительно необходимо, чтобы эта четверка друзей перешла ко мне на службу!

XXII

ПЕРВЫЙ ДЕНЬ ЗАКЛЮЧЕНИЯ

Вернемся к миледи, которую мы, бросив взгляд на берега Франции, на миг потеряли из виду.

Мы застанем ее в том же отчаянном положении, в каком ее покинули, — погруженной в бездну мрачных размышлений, в кромешный ад, у врат которого она оставила почти всякую надежду: впервые она сомневается, впервые страшится.

Дважды счастье изменило ей, дважды ее разгадали и предали, и в обоих случаях виновником ее неудачи был злой дух, должно быть, ниспосланный всевышним, чтобы ее одолеть: д'Артаньян победил ее — ее, эту непобедимую злую силу.

Он насмеялся над ее любовью, унизил ее гордость, обманул ее честолюбивые замыслы и вот теперь губит ее счастье, посягает на свободу и даже угрожает жизни. Более того: он приподнял уголок ее маски, той эгиды, которой она обычно прикрывалась и которая делала ее такой сильной.

Д'Артаньян отвратил от Бекингэма — а его она ненавидит, как ненавидит все, что прежде любила, — бурю, которой грозил ему Ришелье, угрожая королеве. Д'Артаньян выдал себя за де Варда, к которому она на миг воспылала страстью тигрицы, неукротимой, как вообще страсть женщин такого склада. Д'Артаньяну известна ее страшная тайна, а она поклялась, что тот, кто узнает эту тайну, поплатится жизнью. И наконец, в ту минуту, когда ей удалось получить охранный лист, с помощью которого она собиралась отомстить своему врагу, этот охранный лист вырывают у нее из рук. И все тот же д'Артаньян держит ее в заточении и ушлет в какой-нибудь гнусный Ботанибей, в какой-нибудь мерзкий Тайберн Индийского океана...

Сомнения нет, все это случилось с ней по милости д'Артаньяна — кто другой мог покрыть ее таким позором! Только он мог сообщить лорду Винтеру все эти страшные тайны, которые он роковым образом открыл одну за другой. Он знает ее деверя и, должно быть, написал ему.

Какая ненависть клокочет в ней!

Она сидит неподвижно, уставив горящий взор в глубину пустынной комнаты; глухие стоны порой вырываются вместе с дыханием из ее груди и согласно вторят шуму волн, которые вздымаются, рокочут и с ревом, как вечное и бессильное отчаяние, разбиваются о скалы, на которых воздвигнут этот мрачный и горделивый замок.

Какие превосходные планы мести, теряющиеся в дали будущего, замышляет против г-жи Бонасье, против Бекингэма и в особенности против д'Артаньяна ее ум, озаряемый вспышками бурного гнева!

Да, но, чтобы мстить, надо быть свободной, а чтобы стать свободной, когда находишься в заточении, надо проломить стену, распилить решетки, разобрать пол. Подобные предприятия может довести до конца терпеливый и сильный мужчина, но женщина, да еще в состоянии лихорадочного возбуждения, обречена на неудачу. К тому же для всего этого нужно иметь время — месяцы, годы, а у нее... у нее впереди десять или двенадцать дней, как сказал ей лорд Винтер, ее грозный брат и тюремщик.

И все-таки, будь она мужчиной, она предприняла бы эту попытку и, возможно, добилась бы успеха. Зачем небо совершило такую ошибку, вложив мужественную душу в хрупкое, изнеженное тело!

Итак, первые минуты заточения были ужасны: миледи не могла побороть судорожных движений ярости, женская слабость отдала дань природе. Но мало-помалу она обуздала порывы безумного гнева, нервная дрожь, сотрясавшая ее тело, прекратилась, она свернулась клубком и стала собираться с силами, как усталая змея, которая отдыхает.

— Ну полно, полно же! Я с ума сошла, что впала в такое исступление, — сказала она, смотрясь в зеркало, отразившее ее огненный взгляд, который, казалось, вопрошал ее самое. — Не надо неистовствовать: неистовство — признак слабости. К тому же это средство никогда не удавалось мне. Может быть, если бы я пустила в ход силу, имея дело с женщинами, мне посчастливилось бы, и я могла бы их победить. Но я веду борьбу с мужчинами, и для них я всего лишь слабая женщина. Будем бороться женским оружием: моя сила в моей слабости.

И, словно желая своими глазами убедиться в том, какие изменения она могла придать своему выразительному и подвижному лицу, миледи заставила его попеременно принимать все выражения, начиная от гнева, искажавшего ее черты, и кончая самой кроткой, самой нежной и обольстительной улыбкой. Затем ее искусные руки стали менять прическу, чтобы еще больше увеличить прелесть лица. Наконец, вполне удовлетворенная собой, она прошептала:

— Ничего еще не потеряно: я все так же красива.

Было около восьми часов вечера. Миледи заметила в комнате кровать; она подумала, что недолгий отдых освежит не только голову и мысли, но и цвет лица. Однако прежде чем она легла спать, ей пришла еще более удачная мысль. Она слышала, как говорили об ужине. А она уже более часа находилась в этой комнате, и, наверное, ей вскоре должны были принести еду.

Пленница не хотела терять время и решила, что она в этот же вечер сделает попытку нащупать почву, занявшись изучением характера тех людей, которым было поручено стеречь ее.

Под дверью показался свет; он возвещал о приходе ее тюремщиков. Миледи, которая было встала, поспешно опять уселась в кресло; голова ее была откинута назад, красивые волосы распущены по плечам, грудь немного обнажилась под смятыми кружевами, одна рука покоилась на сердце, а другая свешивалась с кресла.

Загремели засовы, дверь заскрипела на петлях, и в комнате раздались шаги.

— Поставьте там этот стол, — сказал кто-то.

И миледи узнала голос Фельтона.

Приказание было исполнено.

— Принесите свечи и смените часового, — продолжал Фельтон.

Это двукратное приказание, которое молодой лейтенан[т] отдал одним и тем же лицам, убедило миледи в том, что е[е] прислуживают те же люди, которые стерегут ее, то есть солдать[...].

Приказания Фельтона выполнялись к тому же с молчаливой быстротой, свидетельствовавшей о безукоризненном повиновении, в котором он держал своих подчиненных.

Наконец Фельтон, еще ни разу не взглянувший на миледи, обернулся к ней.

— А-а! Она спит, — сказал он. — Хорошо, она поужинает, когда проснется.

И он сделал несколько шагов к двери.

— Да нет, господин лейтенант, — остановил Фельтона подошедший к миледи солдат, не столь непоколебимый, как его начальник, — эта женщина не спит.

— Как так — не спит? — спросил Фельтон. — А что же она делает?

— Она в обмороке. Лицо у нее очень бледное, и, сколько ни прислушиваюсь, я не слышу дыхания.

— Вы правы, — согласился Фельтон, посмотрев на миледи с того места, где он стоял, и ни на шаг не подойдя к ней. — Доложите лорду Винтеру, что его пленница в обмороке. Это случай непредвиденный, я не знаю, как поступить!

Солдат вышел, чтобы исполнить приказание своего офицера. Фельтон сел в кресло, случайно оказавшееся возле двери, и стал ждать, не произнося ни слова, не делая ни одного движения. Миледи владела великим искусством, хорошо изученным женщинами: смотреть сквозь свои длинные ресницы, как бы не открывая глаз. Она увидела Фельтона, сидевшего к ней спиной; не отрывая взгляда, она смотрела на него минут десять, и за все это время ее невозмутимый страж ни разу не обернулся.

Она вспомнила, что сейчас придет лорд Винтер, и сообразила, что его присутствие придаст ее тюремщику новые силы. Ее первый опыт не удался, она примирилась с этим, как женщина, у которой еще немало средств в запасе, подняла голову, открыла глаза и слегка вздохнула.

Услышав этот вздох, Фельтон наконец оглянулся.

— А, вот вы и проснулись, сударыня! — сказал он. — Ну, значит, мне здесь делать больше нечего. Если вам что-нибудь понадобится — позвоните.

— Ах, боже мой, боже мой, как мне было плохо! — прошептала миледи тем благозвучным голосом, который, подобно олосам волшебниц древности, очаровывал всех, кого она хотела погубить.

И, выпрямившись в кресле, она приняла позу еще более привлекательную и непринужденную, чем та, в какой она перед тем находилась.

Фельтон встал.

— Вам будут подавать еду три раза в день, сударыня, — сказал он. — Утром в десять часов, затем в час дня и вечером в восемь. Если этот распорядок вам не подходит, вы можете назначить свои часы вместо тех, какие я вам предлагаю, и мы будем сообразовываться с вашими желаниями.

— Но неужели я всегда буду одна в этой большой, мрачной комнате? — спросила миледи.

— Вызвана женщина, которая живет по соседству. Завтра она явится в замок и будет приходить к вам каждый раз, когда вам будет желательно ее присутствие.

— Благодарю вас, — смиренно ответила пленница.

Фельтон слегка поклонился и пошел к двери. В ту минуту, когда он готовился переступить порог, в коридоре появился лорд Винтер в сопровождении солдата, посланного доложить ему, что миледи в обмороке. Он держал в руке флакон с нюхательной солью.

— Ну, что такое? Что здесь происходит? — спросил он насмешливым голосом, увидев, что его пленница уже встала, а Фельтон готовится уйти. — Покойница, стало быть, уже воскресла? Черт возьми, Фельтон, дитя мое, разве ты не понял, что тебя принимают за новичка и разыгрывают перед тобой первое действие комедии, которую мы, несомненно, будем иметь удовольствие увидеть всю до конца?

— Я так и подумал, милорд, — ответил Фельтон. — Но поскольку пленница все-таки женщина, я хотел оказать ей внимание, которое всякий благовоспитанный человек обязан оказывать женщине, если не ради нее, то по крайней мере ради собственного достоинства.

Миледи вся задрожала. Слова Фельтона леденили ей кровь.

— Итак, — смеясь заговорил лорд Винтер, — эти искусно распущенные красивые волосы, эта белая кожа и томный взгляд еще не соблазнили тебя, каменное сердце?

— Нет, милорд, — ответил бесстрастный молодой человек, — и, поверьте, нужно нечто большее, чем женские уловки и женское кокетство, чтобы совратить меня.

— В таком случае, мой храбрый лейтенант, предоставим миледи поискать другое средство, а сами пойдем ужинать. О, будь спокоен, выдумка у нее богатая, и второе действие комедии не замедлит последовать за первым!

С этими словами лорд Винтер взял Фельтона под руку и, продолжая смеяться, увел его.

— О, я найду то, что нужно для тебя! — прошептала сквозь зубы миледи. — Будь покоен, бедный неудавшийся монах, несчастный новообращенный солдат! Тебе бы ходить не в мундире, а в рясе!

— Кстати, — сказал Винтер, останавливаясь на пороге, — постарайтесь, миледи, чтобы эта неудача не лишила вас аппетита: отведайте рыбы и цыпленка. Клянусь честью, я их не приказывал отравить! Я доволен своим поваром, и, так как он не ожидает после меня наследства, я питаю к нему полное и безграничное доверие. Берите с меня пример. Прощайте, любезная сестра! До следующего вашего обморока!

Это был предел того, что могла перенести миледи; она судорожно вцепилась руками в кресло, заскрипела зубами и проследила взглядом за движением двери, затворявшейся за лордом Винтером и Фельтоном. Когда она осталась одна, на нее вновь напало отчаяние. Она взглянула на стол, увидела блестевший нож, ринулась к нему и схватила его, но ее постигло жестокое разочарование: лезвие ножа было из гнущегося серебра и с закругленным концом.

За неплотно закрытой дверью раздался взрыв смеха, и дверь снова растворилась.

— Ха-ха! — воскликнул лорд Винтер. — Ха-ха-ха! Видишь, милый Фельтон, видишь, что я тебе говорил: этот нож был предназначен для тебя — она бы тебя убила. Это, видишь ли, одна из ее слабостей: тем или иным способом отделываться от людей, которые ей мешают. Если б я тебя послушался и позволил подать ей острый стальной нож, то Фельтону пришел бы конец: она бы тебя зарезала, а после тебя всех нас. Посмотри-ка, Джон, как хорошо она умеет владеть ножом!

Действительно, миледи еще держала в судорожно сжатой руке наступательное оружие, но это величайшее оскорбление заставило ее руки разжаться, лишило ее сил и даже воли.

Нож упал на пол.

— Вы правы, милорд, — сказал Фельтон тоном глубокого отвращения, кольнувшим миледи в самое сердце. — Вы правы, а я ошибался.

Оба снова вышли.

На этот раз миледи прислушивалась более внимательно, чем в первый раз, и выждала, пока они не удалились и звук шагов не замер в глубине коридора.

— Я погибла! — прошептала она. — Я во власти людей, на которых все мои уловки так же мало действуют, как на бронзовые или гранитные статуи. Они знают меня наизусть и неуязвимы для любого моего оружия. И все-таки нельзя допустить, чтобы все это кончилось так, как они решили!

Действительно, как показывало последнее рассуждение миледи и ее инстинктивный возврат к надежде, ни страх, ни слабость не овладевали надолго этой сильной душой. Миледи села за стол, отведала разных кушаний, выпила немного испанского вина и почувствовала, что к ней вернулась вся ее решимость.

Прежде чем лечь спать, она уже разобрала, обдумала, истолковала и изучила все со всех сторон: слова, поступки, жесты, малейшее движение и даже молчание своих собеседников; результатом этого искусного и тщательного исследования явилось убеждение, что из двух ее мучителей Фельтон все же более уязвим. Одна фраза в особенности все снова и снова приходила на память пленнице: «Если б я тебя послушался», — сказал лорд Винтер Фельтону.

Значит, Фельтон говорил в ее пользу, раз лорд Винтер не послушался его.

«У этого человека есть, следовательно, хоть слабая искра жалости ко мне, — твердила миледи. — Из этой искры я раздую пламя, которое будет бушевать в нем. Ну а лорд Винтер меня знает, он боится меня и понимает, чего ему можно от меня ждать, если мне когда-нибудь удастся вырваться из его рук, а потому бесполезно и пытаться покорить его... Вот Фельтон — совсем другое дело: он наивный молодой человек, чистый душой и, по-видимому, добродетельный; его можно совратить».

И миледи легла и уснула с улыбкой на устах; тот, кто увидел бы ее спящей, мог бы подумать, что это молодая девушка и что ей снится венок из цветов, которым она украсит себя на предстоящем празднике.

XXIII

ВТОРОЙ ДЕНЬ ЗАКЛЮЧЕНИЯ

Миледи снилось, что д'Артаньян наконец-то в ее руках, что она присутствует при его казни, и эту очаровательную улыбку на устах у нее вызывал вид его ненавистной крови, брызнувшей под топором палача.

Она спала, как спит узник, убаюканный впервые блеснувшей надеждой.

Когда наутро вошли в ее комнату, она еще лежала в постели. Фельтон остался в коридоре; он привел женщину, про которую говорил накануне и которая только что приехала. Эта женщина вошла в комнату и, подойдя к миледи, предложила ей свои услуги.

Миледи обычно была бледна, и цвет ее лица мог обмануть того, кто видел ее в первый раз.

— У меня лихорадка, — сказала она. — Я ни на миг не сомкнула глаз всю эту долгую ночь, я ужасно страдаю... Отнесетесь ли вы ко мне человечнее, чем обошлись здесь со мной вчера? Впрочем, все, чего я прошу, — чтобы мне позволили остаться в постели.

— Не угодно ли вам, чтобы позвали врача? — спросила женщина.

Фельтон слушал этот разговор, не произнося ни слова.

Миледи рассудила, что чем больше вокруг нее будет народу, тем больше будет людей, которых она могла бы разжалобить, и тем больше усилится надзор лорда Винтера; к тому же врач может объявить, что ее болезнь притворна, а миледи, проиграв первую игру, не хотела проигрывать и вторую.

— Посылать за врачом? — проговорила она. — К чему? Эти господа объявили вчера, что моя болезнь — комедия. То же самое было бы, без сомнения, и сегодня: ведь со вчерашнего вечера они успели предупредить и врача.

— В таком случае, — вмешался выведенный из терпения Фельтон, — скажите сами, сударыня, как вы желаете лечиться.

— Ах, боже мой, разве я знаю как! Я чувствую, что больна, вот и все. Пусть мне дают что угодно, мне все равно.

— Подите пригласите сюда лорда Винтера, — приказал Фельтон, которого утомили эти нескончаемые жалобы.

— О нет, нет! — вскричала миледи. — Нет, не зовите его, умоляю вас! Я чувствую себя хорошо, мне ничего не нужно, только не зовите его!

Она вложила в это восклицание такую горячность, такую убедительность, что Фельтон невольно переступил порог комнаты и сделал несколько шагов.

«Он вошел ко мне», — подумала миледи.

— Однако, сударыня, — сказал Фельтон, — если вы действительно больны, мы пошлем за врачом; а если вы нас обманываете — ну что ж, тем хуже для вас, но по крайней мере нам не в чем будет себя упрекнуть.

Миледи ничего не ответила и, уткнув прелестную головку в подушки, залилась слезами.

Фельтон с минуту смотрел на нее с обычным своим бесстрастием; затем, видя, что припадок грозит затянуться, вышел. Женщина вышла вслед за ним. Лорд Винтер не показывался.

«Кажется, я начинаю понимать!» — с неудержимой радостью сказала про себя миледи и зарылась под одеяло, чтобы скрыть от тех, кто, возможно, подсматривал за нею, этот порыв внутреннего удовлетворения.

Прошло два часа.

«Теперь пора болезни кончиться, — решила миледи. — Встанем и постараемся сегодня же добиться чего-нибудь. У меня только десять дней, и второй из них сегодня вечером истекает».

Утром, когда входили в комнату миледи, ей принесли завтрак; миледи сообразила, что скоро придут убирать со стола, и тогда она опять увидит Фельтона.

Миледи не ошиблась: Фельтон явился снова и, не обратив ни малейшего внимания на то, притронулась ли она к еде или нет, распорядился вынести из комнаты стол, который обычно вносили уже накрытым.

Когда солдаты выходили, Фельтон пропустил их вперед, а сам задержался в комнате; в руке у него была книга.

Миледи, полулежа в кресле, стоявшем подле камина, прекрасная, бледная, покорная, казалась святой девственницей, ожидающей мученической смерти.

Фельтон подошел к ней.

— Лорд Винтер — он католик, как и вы, сударыня, — подумал, что вас может тяготить то, что вы лишены возможности исполнять обряды вашей церкви и посещать ее службы. Поэтому он изъявил согласие, чтобы вы каждый день читали ваши молитвы. Вы найдете их в этой книге.

Заметив, с каким видом Фельтон положил книгу на столик, стоявший возле миледи, каким тоном он произнес слова «ваши молитвы» и какой презрительной улыбкой сопровождал их, миледи подняла голову и более внимательно взглянула на офицера.

И тут по его строгой прическе, по преувеличенной простоте костюма, по его гладкому, как мрамор, но такому же суровому и непроницаемому лбу она узнала в нем одного из тех мрачных пуритан, каких ей приходилось встречать как при дворе короля Якова, так и при дворе французского короля, где, несмотря на воспоминание о Варфоломеевской ночи, они иногда искали убежища.

Ее осенило внезапное вдохновение, что бывает только с людьми гениальными в моменты перелома, в те критические минуты, когда решается их судьба, их жизнь.

Эти два слова — «ваши молитвы» — и беглый взгляд, брошенный на Фельтона, вдруг уяснили миледи всю важность тех слов, которые она произнесет в ответ.

Благодаря свойственной ей быстроте соображения эти слова мгновенно сложились в ее уме.

— Я? — сказала она с презрением, созвучным презрению, подмеченному ею в голосе молодого офицера. — Я, сударь... мои молитвы! Лорд Винтер, этот развращенный католик, отлично знает, что я не одного с ним вероисповедания. Это ловушка, которую он мне хочет поставить.

— Какого же вы вероисповедания, сударыня? — спросил Фельтон с удивлением, которое, несмотря на его умение владеть собой, ему не вполне удалось скрыть.

— Я скажу это в тот день, — вскричала с притворным воодушевлением миледи, — когда достаточно пострадаю за свою веру!

Взгляд Фельтона открыл миледи, как далеко она продвинулась в своих стараниях одной этой фразой.

Однако молодой офицер не проронил ни слова, не сделал ни малейшего движения, и только взгляд его говорил красноречиво.

— Я в руках моих врагов! — продолжала миледи тем восторженным тоном, который она подметила у пуритан. — Уповаю на господа моего! Или господь спасет меня, или я погибну за него! Вот мой ответ, который я прошу вас передать лорду Винтеру. А книгу эту, — прибавила она, указывая на молитвенник пальцем, но не дотрагиваясь до него, словно боясь осквернить себя таким прикосновением, — вы можете унести и пользоваться ею сами, ибо вы, без сомнения, вдвойне сообщник лорда Винтера — сообщник в гонении и сообщник в ереси.

Фельтон ничего не ответил, взял книгу с тем же чувством отвращения, которое он уже выказывал, и удалился, задумавшись.

Около пяти часов вечера пришел лорд Винтер. У миледи в продолжение целого дня было достаточно времени обдумать свое дальнейшее поведение. Она приняла своего деверя как женщина, уже вполне овладевшая собой.

— Кажется... — начал барон, развалясь в кресле напротив миледи и небрежно вытянув ноги на ковре перед камином, — кажется, мы совершили небольшое отступничество?

— Что вы хотите этим сказать, милостивый государь?

— Я хочу сказать, что с тех пор, как мы с вами в последний раз виделись, вы переменили веру. Уж не вышли ли вы за третьего мужа — протестанта?

— Объяснитесь, милорд, — произнесла пленница величественным тоном. — Заявляю вам, что я слышу ваши слова, но не понимаю их.

— Ну, значит, вы совсем неверующая — мне это даже больше нравится, — насмешливо возразил лорд Винтер.

— Конечно, это больше вяжется с вашими правилами, — холодно заметила миледи.

— О, признаюсь вам, для меня это совершенно безразлично!

— Если бы вы даже и не признавались в своем равнодушии к вопросам веры, милорд, ваше распутство и ваши беззакония изобличили бы вас.

— Гм... Вы говорите о распутстве, госпожа Мессалина, леди Макбет! Или я толком не расслышал, или вы, черт возьми, на редкость бесстыдны!

— Вы говорите так потому, что знаете, что нас слушают, — холодно заметила миледи, — и потому, что хотите вооружить против меня ваших тюремщиков и палачей.

— Тюремщиков? Палачей?.. Вот так раз, сударыня! Вы впадаете в патетический тон, и вчерашняя комедия переходит сегодня в трагедию. Впрочем, через неделю вы будете там, где вам надлежит быть, и мое намерение будет доведено до конца.

— Постыдное намерение! Нечестивое намерение! — произнесла миледи с экзальтацией жертвы, бросающей вызов своему судье.

— Честное слово, мне кажется, эта развратница сходит с ума! — сказал лорд Винтер и встал. — Ну довольно, ну успокойтесь же, госпожа пуританка, или я велю посадить вас в тюрьму! Готов поклясться, это, должно быть, мое испанское вино бросилось вам в голову. Впрочем, не волнуйтесь: такое опьянение неопасно и не приведет к пагубным последствиям.

И лорд Винтер ушел, отпуская ругательства, что в ту эпоху было в обычае даже у людей высшего общества.

Фельтон действительно стоял за дверью и слышал до единого слова весь разговор.

Миледи угадала это.

— Да, ступай, ступай! — прошептала она вслед своему деверю. — Пагубные для тебя последствия не заставят себя ждать, но ты, глупец, заметишь их только тогда, когда их уже нельзя будет избежать!

Опять стало тихо. Прошло еще два часа. Солдаты принесли ужин и услышали, что миледи громко читает молитвы, те молитвы, которым научил ее старый слуга ее второго мужа, ревностный пуританин. Она, казалось, была в каком-то экстазе и даже не обращала внимания на то, что происходило вокруг нее. Фельтон сделал знак, чтобы ей не мешали, и, когда все было приготовлено, бесшумно вышел вместе с солдатами.

Миледи знала, что за ней могут наблюдать в окошечко двери, а потому прочитала свои молитвы до конца, и ей показалось, что часовой у ее двери ходит иначе, чем ходил до сих пор, и как будто прислушивается.

В этот вечер ей ничего больше и не надо было; она встала, села за стол, немного поела и выпила только воды.

Через час солдаты пришли вынести стол, но миледи заметила, что на этот раз Фельтон не сопровождал их.

Значит, он боялся часто видеть ее.

Миледи отвернулась к стене и улыбнулась: эта улыбка выражала такое торжество, что могла бы ее выдать.

Она подождала еще полчаса. В старом замке царила тишина, слышен был только вечный шум прибоя — это необъятное дыхание океана. Своим чистым, мелодичным и звучным голосом миледи запела первый стих излюбленного псалма пуритан:

> Ты нас, о боже, покидаешь,
> Чтоб нашу силу испытать.
> А после сам же осеняешь
> Небесной милостью тех, кто умел страдать.

Эти стихи были очень далеки от совершенства, но, как известно, пуритане не могли похвастаться поэтическим мастерством.

Миледи пела и прислушивалась. Часовой у ее двери остановился как вкопанный; из этого миледи могла заключить, какое действие произвело ее пение.

И она продолжала петь с невыразимым жаром и чувством; ей казалось, что звуки разносятся далеко под сводами и, как волшебные чары, смягчают сердца ее тюремщиков. Однако часовой, без сомнения ревностный католик, стряхнул с себя это очарование и крикнул через дверь:

— Да замолчите, сударыня! Ваша песня наводит тоску, как заупокойное пение, и если, кроме удовольствия стоять здесь в карауле, придется еще слушать подобные вещи, то будет уж совсем невмоготу...

— Молчать! — сурово приказал кто-то, и миледи узнала голос Фельтона. — Чего вы суетесь не в свое дело, наглец? Разве вам было приказано, чтобы вы мешали этой женщине петь? Нет, вам велели стеречь ее и стрелять, если она затеет побег. Стерегите ее; если она надумает бежать, убейте ее, но не отступайте от данного вам приказа!

Выражение неописуемой радости, мгновенное, как вспышка молнии, озарило лицо миледи, и, точно не слыша этого разговора, из которого она не упустила ни одного слова, пленница тотчас снова запела, придавая своему голосу всю полноту звука, все обаяние и всю чарующую прелесть, какой наделил его дьявол:

> Для горьких слез, для трудной битвы,
> Для заточенья и цепей
> Есть молодость, есть жар молитвы,
> Ведущей счет дням и ночам скорбей.

Голос миледи, на редкость полнозвучный и проникнутый страстным воодушевлением, придавал грубоватым, неуклюжим стихам псалма магическую силу и такую выразительность, какую самые восторженные пуритане редко находили в пении своих братьев, хотя они и украшали его всем пылом своего воображения. Фельтону казалось, что он слышит пение ангела, утешающего трех еврейских отроков в печи огненной.

Миледи продолжала:

> Но избавленья час настанет
> Для нас, о всеблагой творец!
> И если воля нас обманет,
> То не обманут смерть и праведный венец.

Этот стих, в который неотразимая очаровательница постаралась вложить всю душу, довершил смятение в сердце молодого офицера; он резким движением распахнул дверь и предстал перед миледи, бледный, как всегда, но с горящими, блуждающими глазами.

— Зачем вы так поете, — проговорил он, — и таким голосом?

— Простите, — кротко ответила миледи, — я забыла, что мои песнопения неуместны в этом доме. Я, может быть, оскорбила ваше религиозное чувство, но, клянусь вам, это было сделано без умысла! Простите мою вину, быть может и большую, но, право же, невольную...

Миледи была так прекрасна в эту минуту, религиозный экстаз, в котором, казалось, она пребывала, придавал такое неземное выражение ее лицу, что ослепленному ее красотой Фельтону почудилось, будто он видит перед собой ангела, пение которого он только что слышал.

— Да, да... — ответил он. — Да, вы смущаете, вы волнуете людей, живущих в замке...

Бедный безумец сам не замечал бессвязности своих слов, а миледи между тем зорким взглядом старалась проникнуть в тайники его сердца.

— Я не буду больше петь, — опуская глаза, сказала миледи со всей кротостью, какую только могла придать своему голосу, со всей покорностью, какую только могла изобразить своей позой.

— Нет, нет, сударыня, — возразил Фельтон, — только пойте тише, в особенности ночью.

И с этими словами Фельтон, чувствуя, что он не в состоянии надолго сохранить суровость по отношению к пленнице, бросился вон из комнаты.

— Вы хорошо сделали, господин лейтенант! — сказал солдат. — Ее пение переворачивает всю душу. Впрочем, к этому скоро привыкаешь — голос у нее такой чудесный!

XXIV

ТРЕТИЙ ДЕНЬ ЗАКЛЮЧЕНИЯ

Фельтон явился, но предстояло сделать еще один шаг: надо было удержать его или, вернее, надо было добиться того, чтобы он сам пожелал остаться, и миледи еще неясно представляла себе, как ей этого достичь.

Надо было достигнуть большего: необходимо было заставить его говорить, чтобы иметь возможность самой говорить с ним, — миледи хорошо знала, что самое большое ее очарование таилось в голосе, так искусно принимавшем все оттенки, начиная от человеческой речи и кончая ангельским пением.

Однако несмотря на все эти обольщения, миледи могла потерпеть неудачу, ибо Фельтон был предупрежден против малейшей случайности. Поэтому она стала наблюдать за всеми своими поступками, за каждым своим словом, за самым обыкновенным взглядом и жестом и даже за дыханием, которое можно было истолковать как вздох. Короче говоря, она стала изучать все, как делает искусный актер, которому только что дали новую, необычную для него роль.

Ее поведение относительно лорда Винтера не представляло особых трудностей, поэтому она обдумала его еще накануне и решила в присутствии деверя быть молчаливой и держать себя с достоинством, время от времени раздражая его напускным пренебрежением, каким-нибудь презрительным словом подстрекая его к угрозам и насилиям, которые составят контраст ее покорности. Фельтон будет всему этому свидетелем; он, может быть, ничего не скажет, но все увидит.

Утром Фельтон явился в обычный час, но за все время, пока он распоряжался приготовлениями к завтраку, миледи не сказала ему ни слова. Зато в ту минуту, когда он собрался уходить, ей показалось, что он хочет заговорить сам, и у нее мелькнула надежда. Однако губы его шевельнулись, не издав ни звука; сделав над собой усилие, он затаил в своем сердце слова, которые чуть было не сорвались с его уст, и удалился.

Около полудня пришел лорд Винтер.

Был довольно хороший зимний день, и луч бледного солнца Англии, которое светит, но не греет, проникал сквозь решетку в тюрьму миледи.

Она глядела в окно и сделала вид, что не слышала, как открылась дверь.

— Вот как! — усмехнулся лорд Винтер. — После того как мы разыгрывали сначала комедию, затем трагедию, мы теперь ударились в меланхолию.

Пленница ничего не ответила.

— Да, да, понимаю, — продолжал лорд Винтер. — Вам бы хотелось очутиться на свободе на этом берегу, хотелось бы рассекать на надежном корабле изумрудные волны этого моря, хотелось бы устроить мне, на воде или на суше, одну из тех ловких засад, на которые вы такая мастерица. Потерпите! Потерпите немного! Через четыре дня берег станет для вас доступным, море будет для вас открыто, даже более открыто, чем вы того желаете, ибо через четыре дня Англия от вас избавится.

Миледи сложила руки и, подняв красивые глаза к небу, проговорила с ангельской кротостью в голосе и в движениях:

— Боже, боже! Прости этому человеку, как я ему прощаю!

— Да, молись, проклятая! — закричал барон. — Твоя молитва тем более великодушна, что ты, клянусь в этом, находишься в руках человека, который никогда не простит тебя!

Он вышел.

В тот миг, когда он выходил из комнаты, чей-то пристальный взгляд скользнул в полуотворенную дверь, и миледи заметила Фельтона, который быстро отощел в сторону, не желая, чтобы она его видела.

Тогда она бросилась на колени и стала громко молиться.

— Боже, боже! Боже мой! — говорила она. — Ты знаешь, за какое святое дело я страдаю, так дай мне силу перенести страдания...

Дверь тихо открылась. Прекрасная молельщица притворилась, будто не слышит ее скрипа, и со слезами в голосе продолжала:

— Боже карающий! Боже милосердный! Неужели ты допустишь, чтобы осуществились ужасные замыслы этого человека?..

И только после этого она сделала вид, что услышала шаги Фельтона, мгновенно вскочила и покраснела, словно устыдившись, что к ней вошли в ту минуту, когда она стояла на коленях и творила молитву.

— Я не люблю мешать тем, кто молится, сударыня, — серьезно сказал Фельтон, — а потому настоятельно прошу вас, не тревожьтесь из-за меня.

— Почему вы думаете, что я молилась? — спросила миледи сдавленным от слез голосом. — Вы ошибаетесь, я не молилась.

— Неужели вы полагаете, сударыня, — ответил Фельтон все так же серьезно, но уже более мягко, — что я считаю себя вправе препятствовать созданию пасть ниц перед создателем? Сохрани меня боже! К тому же раскаяние приличествует виновным. Каково бы ни было преступление, преступник священен для меня, когда он повергается к стопам всевышнего.

— Виновна, я виновна! — произнесла миледи с улыбкой, которая обезоружила бы ангела на Страшном суде. — Боже, ты знаешь, так ли это! Скажите, что я осуждена, это правда, но вам известно, что господь бог любит мучеников и допускает, чтобы иной раз осуждали невинных.

— Преступница вы или мученица — и в том и в другом случае вам надлежит молиться, и я сам буду молиться за вас.

— О, вы праведник! — вскричала миледи и упала к его ногам. — Выслушайте, я не могу дольше таиться перед вами: я боюсь, что у меня не хватит сил в ту минуту, когда мне надо будет выдержать борьбу и открыто исповедать свою веру. Выслушайте же мольбу отчаявшейся женщины! Вас вводят в заблуждение, но не в этом дело — я прошу вас только об одной милости, и, если вы мне ее окажете, я буду благословлять вас и на этом и на том свете!

— Поговорите с моим начальником, сударыня, — ответил Фельтон, — мне, к счастью, не дано права ни прощать, ни наказывать. Эту ответственность бог возложил на того, кто выше меня.

— Нет, на вас, на вас одного! Лучше вам выслушать меня, чем способствовать моей гибели, способствовать моему бесчестью!

— Если вы заслужили этот позор, сударыня, если вы навлекли на себя это бесчестье, надо претерпеть его, покорившись воле божьей.

— Что вы говорите? О, вы меня не понимаете! Вы думаете, что, говоря о бесчестье, я разумею какое-нибудь наказание, тюрьму или смерть? Дай бог, чтобы это было так! Что мне смерть или тюрьма!

— Я перестаю понимать вас, сударыня.

— Или делаете вид, что перестали, — проронила пленница с улыбкой сомнения.

— Нет, сударыня, клянусь честью солдата, клянусь верой христианина!

— Как! Вам неизвестны намерения лорда Винтера относительно меня?

— Нет, неизвестны.

— Не может быть, ведь вы его поверенный!

— Я никогда не лгу, сударыня.

— Ах, он так мало скрывает свои намерения, что их нетрудно угадать!

— Я не стараюсь ничего отгадывать, сударыня, я жду, чтобы мне доверились, а лорд Винтер, кроме того, что он говорил при вас, ничего мне больше не доверял.

— Значит, вы не его сообщник? — вскричала миледи с величайшей искренностью в голосе. — Значит, вы не знаете, что он готовит мне позор, в сравнении с которым ничто все земные наказания?

— Вы ошибаетесь, сударыня, — краснея, возразил Фельтон. — Лорд Винтер не способен на такое злодеяние.

«Отлично! — подумала миледи. — Еще не зная, о чем идет речь, он называет это злодеянием».

И продолжала вслух:

— Друг низкого человека на все способен.

— Кого вы называете низким человеком? — спросил Фельтон.

— Разве есть в Англии другой человек, которого можно было бы назвать так?

— Вы говорите о Джордже Вильерсе?.. — снова спросил Фельтон, и глаза его засверкали.

— ...которого язычники и неверующие зовут герцогом Бекингэмом, — договорила миледи. — Я не думала, чтобы в Англии нашелся хоть один англичанин, которому нужно было бы так долго объяснять, о ком я говорю!

— Десница господня простерта над ним, — сказал Фельтон, — он не избегнет кары, которую заслуживает.

Фельтон лишь выражал по отношению к герцогу чувство омерзения, которое питали все англичане к тому, кого даже католики называли вымогателем, кровопийцей и развратником, а пуритане — просто сатаной.

— О боже мой! Боже мой! — воскликнула миледи. — Когда я молю тебя послать этому человеку заслуженную им кару, ты знаешь, что я поступаю так не из личной мести, а взываю об избавлении целого народа!

— Разве вы его знаете? — спросил Фельтон.

«Наконец-то он обращается ко мне с вопросом!» — мысленно отметила миледи, вне себя от радости, что она так быстро достигла такого значительного результата.

— Знаю ли я его! О да! К моему несчастью, к моему вечному несчастью!

Миледи стала ломать руки, словно в порыве глубочайшей скорби. Фельтон, должно быть, почувствовал, что стойкость оставляет его, и сделал несколько шагов к двери, пленница, не спускавшая с него глаз, вскочила, кинулась ему вслед и остановила его.

— Господин Фельтон, будьте добры, будьте милосердны, выслушайте мою просьбу! — вскричала она. — Дайте мне нож, который из роковой предосторожности барон отнял у меня, ибо он знает, для чего я хочу им воспользоваться... О, выслушайте меня до конца! Отдайте мне на минуту нож, сделайте это из милости, из жалости! Смотрите, я у ваших ног! Поверьте мне, к вам я не питаю злого чувства. Бог мой! Ненавидеть вас... вас, единственного справедливого, доброго, сострадательного человека, которого я встретила! Вас, моего спасителя, быть может!.. На одну только минуту, на одну-единственную минуту, и я верну его вам через окошечко двери. Всего лишь на минуту, господин Фельтон, и вы спасете мне честь!

— Вы хотите лишить себя жизни? — в ужасе вскрикнул Фельтон, забывая высвободить свои руки из рук пленницы.

— Я выдала себя! — прошептала миледи и, как будто обессилев, опустилась на пол. — Я выдала себя! Теперь он все знает... Боже мой, я погибла!

Фельтон стоял, не двигаясь и не зная, на что решиться.

«Он еще сомневается, — подумала миледи, — я была недостаточно естественна».

Они услышали, что кто-то идет по коридору. Миледи узнала шаги лорда Винтера; Фельтон узнал их тоже и сделал движение к двери.

Миледи кинулась к нему.

— Не говорите ни слова... — сказала она сдавленным голосом, — ни слова этому человеку из всего, что я вам сказала, иначе я погибла, и это вы, вы...

Шаги приближались. Она умолкла из страха, что услышат их голоса, и жестом бесконечного ужаса приложила свою красивую руку к губам Фельтона. Фельтон мягко отстранил миледи; она отошла и упала в кресло.

Лорд Винтер, не останавливаясь, прошел мимо двери, и шаги его удалились.

Фельтон, бледный как смерть, несколько мгновений напряженно прислушивался, затем, когда шум шагов замер, вздохнул, как человек, пробудившийся от сна, и кинулся прочь из комнаты.

— А! — сказала миледи, в свою очередь прислушавшись и уверившись, что шаги Фельтона удаляются в сторону, противоположную той, куда ушел лорд Винтер. — Наконец-то ты мой!

Затем ее лицо снова омрачилось.

«Если он скажет барону, — подумала она, — я погибла: барон знает, что я не убью себя, он при нем даст мне в руки нож, и Фельтон убедится, что все это ужасное отчаяние было притворством».

Она посмотрела в зеркало: никогда еще она не была так хороша собой.

— О нет! — проговорила она, улыбаясь. — Конечно, он ему ничего не скажет.

Вечером, когда принесли ужин, пришел лорд Винтер.

— Разве ваше присутствие, милостивый государь, — обратилась к нему миледи, — составляет неизбежную принадлежность моего заточения? Не можете ли вы избавить меня от терзаний, которые причиняет мне ваш приход?

— Как, любезная сестра! — сказал лорд Винтер. — Ведь вы сами трогательно объявили мне вашими красивыми устами, из которых я слышу сегодня такие жестокие речи, что приехали в Англию только для того, чтобы иметь удовольствие видеться со мной, удовольствие, лишение которого вы, по вашим словам, так живо ощущали, что ради него решились пойти на все: на морскую болезнь, на бурю, на плен! Ну вот, я перед вами, будьте довольны. К тому же на этот раз мое посещение имеет определенную цель.

Миледи вздрогнула: она подумала, что Фельтон ее выдал; никогда, быть может, за всю жизнь у этой женщины, испытавшей столько сильных и самых противоположных волнений, не билось так отчаянно сердце.

Она сидела. Лорд Винтер придвинул кресло и уселся возле миледи, потом вынул из кармана какую-то бумагу и медленно развернул ее.

— Посмотрите! — заговорил он. — Я хотел показать вам этот документ, я сам его составил, и впредь он будет служить вам своего рода видом на жительство, так как я согласен сохранить вам жизнь. — Он перевел глаза с миледи на бумагу и вслух прочитал: — «Приказ отвезти в...» — для названия, куда именно, оставлен пробел, — перебил сам себя Винтер. — Если вы предпочитаете какое-нибудь место, укажите его мне, и, лишь бы только оно отстояло не менее чем на тысячу миль от Лондона, я исполню вашу просьбу. Итак, читаю снова: «Приказ отвезти в... поименованную Шарлотту Баксон, заклейменную судом Французского королевства, но освобожденную после наказания; она будет жить в этом месте, никогда не удаляясь от него больше чем на три мили. В случае попытки к бегству она подвергнется смертной казни. Ей будет положено пять шиллингов в день на квартиру и пропитание». ·

— Этот приказ относится не ко мне, — холодно ответила миледи, — в нем проставлено не мое имя.

— Имя! Да разве оно у вас есть?

— Я ношу фамилию вашего брата.

— Вы ошибаетесь: мой брат был вашим вторым мужем, а ваш первый муж жив еще. Назовите мне его имя, и я поставлю его вместо имени Шарлотты Баксон... Не хотите? Нет?.. Вы молчите? Хорошо. Вы будете внесены в арестантский список под именем Шарлотты Баксон.

Миледи продолжала безмолвствовать, но на этот раз не из обдуманного притворства, а от ужаса: она вообразила, что приказ тотчас же будет приведен в исполнение. Она подумала, что лорд Винтер ускорил ее отъезд; подумала, что ей предстоит уехать сегодня же вечером. На минуту ей представилось, что все потеряно, как вдруг она заметила, что приказ не скреплен подписью.

Радость, вызванная в ней этим открытием, была так велика, что она не могла утаить ее.

— Да, да... — сказал лорд Винтер, подметивший, что с ней творится, — да, вы ищете подпись, и вы говорите себе: «Не все еще потеряно, раз этот приказ не подписан; мне его показывают, только чтобы испугать меня». Вы ошибаетесь: завтра этот приказ будет послан лорду Бекингэму, послезавтра он будет возвращен, подписанный им собственноручно и скрепленный его печатью, а спустя еще двадцать четыре часа, ручаюсь вам, он будет приведен в исполнение. Прощайте, сударыня. Вот все, что я имел вам сообщить.

— А я отвечу вам, милостивый государь, что это злоупотребление властью и это изгнание под вымышленным именем — подлость!

— Вы предпочитаете быть повешенной под вашим настоящим именем, миледи? Ведь вам известно, что английские законы безжалостно карают преступления против брака. Объяснимся же откровенно: хотя мое имя или, вернее, имя моего брата оказывается замешанным в эту позорную историю, я пойду на публичный скандал, чтобы быть вполне уверенным, что раз и навсегда избавился от вас.

Миледи ничего не ответила, но побледнела как мертвец.

— А, я вижу, что вы предпочитаете дальнее странствие! Отлично, сударыня. Старинная поговорка утверждает, что путешествия просвещают юношество. Честное слово, в конце концов вы правы! Жизнь — вещь хорошая. Вот потому-то я и забочусь о том, чтобы вы ее у меня не отняли. Значит, остается договориться относительно пяти шиллингов. Я могу показаться несколько скуповатым, не так ли? Объясняется это моей заботой о том, чтобы вы не подкупили ваших стражей. Впрочем, чтобы обольстить их, при вас еще останутся все ваши чары. Воспользуйтесь ими, если неудача с Фельтоном не отбила у вас охоты к такого рода попыткам.

«Фельтон не выдал меня! — подумала миледи. — В таком случае ничего еще не потеряно».

— А теперь — до свидания, сударыня. Завтра я приду объявить вам об отъезде моего гонца.

Лорд Винтер встал, насмешливо поклонился миледи и вышел.

Миледи облегченно вздохнула: у нее было еще четыре дня впереди; четырех дней ей будет достаточно, чтобы окончательно обольстить Фельтона.

Но у нее явилась ужасная мысль, что лорд Винтер, возможно, пошлет как раз Фельтона к Бекингэму получить его подпись на приказе; в таком случае Фельтон ускользнет из ее рук; а для полного успеха пленнице необходимо было, чтобы действие ее чар не прерывалось.

Все же, как мы уже говорили, одно обстоятельство успокаивало миледи: Фельтон не выдал ее.

Пленница не хотела обнаруживать волнение, вызванное в ней угрозами лорда Винтера, поэтому она села за стол и поела.

Потом, как и накануне, она опустилась на колени и прочитала вслух молитвы. Как и накануне, солдат перестал ходить и остановился, прислушиваясь.

Вскоре она различила более легкие, чем у часового, шаги; они приблизились из глубины коридора и остановились у ее двери.

«Это он», — подумала миледи.

И она запела тот самый гимн, который накануне привел Фельтона в такое восторженное состояние.

Но хотя ее чистый, сильный голос звучал так мелодично и проникновенно, как никогда, дверь не открылась. Миледи украдкой бросила взгляд на дверное окошечко, и ей показалось, что она видит сквозь частую решетку горящие глаза молодого человека; но она так и не узнала, было ли то в самом деле, или ей только почудилось: на этот раз у него хватило самообладания не войти в комнату.

Однако спустя несколько мгновений после того, как миледи кончила петь, ей показалось, что она слышит глубокий вздох; затем те же шаги, которые перед тем приблизились к ее двери, медленно и как бы нехотя удалились.

XXV

ЧЕТВЕРТЫЙ ДЕНЬ ЗАКЛЮЧЕНИЯ

На следующий день Фельтон, войдя к миледи, увидел, что она стоит на кресле и держит в руках веревку, свитую из батистовых платков, которые были разорваны на узкие полосы, заплетенные жгутами и связанные концами одна с другой. Когда заскрипела открываемая Фельтоном дверь, миледи легко спрыгнула с кресла и попыталась спрятать за спину импровизированную веревку, которую она держала в руках.

Молодой человек был бледнее обыкновенного, и его покрасневшие от бессонницы глаза указывали на то, что он провел тревожную ночь.

Однако по выражению его лица можно было заключить, что он вооружился самой непреклонной суровостью.

Он медленно подошел к миледи, усевшейся в кресло, и, подняв конец смертоносного жгута, который она нечаянно или, может быть, нарочно оставила на виду, холодно спросил:

— Что это такое, сударыня?

— Это? Ничего, — ответила миледи с тем скорбным выражением, которое она так искусно умела придавать своей улыбке. — Скука — смертельный враг заключенных. Я скучала и развлекалась тем, что плела эту веревку.

Фельтон обратил взгляд на стену, у которой стояло кресло миледи, и увидел над ее головой позолоченный крюк, вделанный в стену и служивший вешалкой для платья или оружия.

Он вздрогнул, и пленница заметила это: хотя глаза ее были опущены, ничто не ускользало от нее.

— А что вы делали, стоя на кресле? — спросил Фельтон.

— Что вам до этого?

— Но я желаю это знать, — настаивал Фельтон.

— Не допытывайтесь. Вы знаете, что нам, истинным христианам, запрещено лгать.

— Ну так я сам скажу, что вы делали или, вернее, что собирались сделать: вы хотели привести в исполнение гибельное намерение, которое лелеете в уме. Вспомните, сударыня, что если господь запрещает ложь, то еще строже он запрещает самоубийство!

— Когда господь видит, что одно из его созданий несправедливо подвергается гонению и что ему приходится выбирать между самоубийством и бесчестьем, то, поверьте, бог простит ему самоубийство, — возразила миледи тоном глубокого убеждения. — Ведь в таком случае самоубийство — мученическая смерть.

— Вы или преувеличиваете, или не договариваете. Скажите все, сударыня, ради бога, объяснитесь!

— Рассказать вам о моих несчастьях, чтобы вы сочли их выдумкой, поделиться с вами моими замыслами, чтобы вы донесли о них моему гонителю, — нет, милостивый государь! К тому же что для вас жизнь или смерть несчастной осужденной женщины? Ведь вы отвечаете только за мое тело, не так ли? И лишь бы вы представили труп — с вас больше ничего не спросят, если в нем признают меня. Быть может, даже вы получите двойную награду.

— Я, сударыня, я? — вскричал Фельтон. — И вы можете предположить, что я соглашусь принять награду за вашу жизнь? Вы не думаете о том, что говорите!

— Не препятствуйте мне, Фельтон, не препятствуйте! — воодушевляясь, сказала миледи. — Каждый солдат должен быть честолюбив, не правда ли? Вы лейтенант, а за моим гробом вы будете идти в чине капитана.

— Да что я вам сделал, что вы возлагаете на меня такую ответственность перед богом и людьми? — проговорил поясенный ее словами Фельтон. — Через несколько дней вы ...окинете этот замок, сударыня, ваша жизнь не будет больше ...од моей охраной, и тогда... — прибавил он со вздохом, — ...огда поступайте с ней, как вам будет угодно.

— Итак, — вскричала миледи, словно не в силах больше ...держать священное негодование, — вы, богобоязненный че-...ловек, вы, кого считают праведником, желаете только одно-...о — чтобы вас не обвинили в моей смерти, чтобы она не ...причинила вам никакого беспокойства?

— Я должен оберегать вашу жизнь, сударыня, и я сумею ...сделать это.

— Но понимаете ли вы, какую вы выполняете обязанность? То, что вы делаете, было бы жестоко, даже если б я была виновна; как же назовете вы свое поведение, как назовет его господь, если я невинна?

— Я солдат, сударыня, и исполняю полученные приказания.

— Вы думаете, господь в день Страшного суда отделит слепо повиновавшихся палачей от неправедных судей? Вы не хотите, чтобы я убила свое тело, а вместе с тем делаетесь исполнителем воли того, кто хочет погубить мою душу!

— Повторяю, — сказал Фельтон, начавший колебаться, — вам не грозит никакая опасность, и я отвечаю за лорда Вин-тера, как за самого себя.

— Безумец! — вскричала миледи. — Жалкий безумец тот, кто осмеливается ручаться за другого, когда наиболее мудрые, наиболее угодные богу люди не осмеливаются поручиться за самих себя! Безумец тот, кто принимает сторону сильнейшего и счастливейшего, чтобы притеснять слабую и несчастную!

— Невозможно, сударыня, невозможно! — вполголоса произнес Фельтон, сознававший в душе всю справедливость этого довода. — Пока вы узница, вы не получите через меня свободу; пока вы живы, вы не лишитесь через меня жизни.

— Да, — вскричала миледи, — но я лишусь того, что мне дороже жизни: я лишусь чести! И вас, Фельтон, вас я сделаю ответственным перед богом и людьми за мой стыд и за мой позор!

На этот раз Фельтон, как ни был он бесстрастен или как ни старался казаться таким, не мог устоять против тайного воздействия, которому он уже начал подчиняться: видеть эту женщину, такую прекрасную, чистую, словно непорочное ви-дение, — видеть ее то проливающей слезы, то угрожающей, в одно и то же время испытывать обаяние ее красоты покоряющую силу ее скорби — это было слишком много для мечтателя, слишком много для ума, распаленного восторгами исступленной веры, слишком много для сердца, снедаемого пылкой любовью к богу и жгучей ненавистью к людям.

Миледи уловила это смущение, бессознательно почуяла пламя противоположных страстей, бушевавших в крови молодого фанатика; подобно искусному полководцу, который, видя, что неприятель готов отступить, идет на него с победным кличем, она встала, прекрасная, как древняя жрица, вдохновенная, как христианская девственница; шея ее обнажилась, волосы разметались, взор зажегся тем огнем, который уже внес смятение в чувства молодого пуританина; одной рукой стыдливо придерживая на груди платье, другую простирая вперед, она шагнула к нему и запела своим нежным голосом, которому в иных случаях умела придавать страстное и грозное выражение:

> Бросьте жертву в пасть Ваала,
> Киньте мученицу львам —
> Отомстит всевышний вам!..
> Я из бездн к нему воззвала...

При этом странном обращении Фельтон застыл от неожиданности.

— Кто вы, кто вы? — вскричал он, с мольбой складывая ладони. — Посланница ли вы неба, служительница ли ада, ангел вы или демон, зовут вас Элоа или Астарта?

— Разве ты не узнал меня, Фельтон? Я не ангел и не демон — я дочь земли, и я сестра тебе по вере, вот и все.

— Да, да! Я сомневался еще, теперь я верю...

— Ты веришь, а между тем ты сообщник этого отродья Велиала, которого зовут лордом Винтером! Ты веришь, а между тем ты оставляешь меня в руках моих врагов, врага Англии, врага божия! Ты веришь, а между тем ты предаешь меня тому, кто наполняет и оскверняет мир своей ересью и своим распутством, — гнусному Сарданапалу, которого слепцы зовут герцогом Бекингэмом, а верующие называют антихристом!

— Я предаю вас Бекингэму? Я? Что вы такое говорите!

— Имеющие глаза — не увидят! — вскричала миледи. — Имеющие уши — не услышат!

— Да-да, — сказал Фельтон и провел рукой по лбу, покрытому потом, словно желая с корнем вырвать последнее сомнение. — Да, я узнаю голос, вещавший мне во сне. Да, я узнаю черты ангела, который является мне каждую ночь и громко говорит моей душе, не знающей сна: «Рази, спаси Англию, спаси самого себя, ибо ты умрешь, не укротив гнева господня!» Говорите, говорите, — вскричал Фельтон, — теперь я вас понимаю!

Устрашающая радость, мгновенная, как вспышка молнии, сверкнула в глазах миледи.

Как ни мимолетен был этот зловещий луч радости, Фельтон уловил его и содрогнулся, словно он осветил бездну сердца этой женщины.

Фельтон вспомнил вдруг предостережения лорда Винтера относительно чар миледи и ее первые попытки обольщения; он отступил на шаг и опустил голову, не переставая глядеть на нее: точно завороженный этим странным созданием, он не мог отвести от миледи глаза.

Миледи была достаточно проницательна, чтобы правильно истолковать смысл его нерешительности. Ледяное хладнокровие, таившееся за ее кажущимся волнением, ни на миг не покидало ее.

Прежде чем Фельтон снова заговорил и тем заставил бы ее продолжать разговор в том же восторженном духе, что было бы чрезвычайно трудно, она уронила руки, словно женская слабость пересилила восторг вдохновения.

— Нет, — сказала она, — не мне быть Юдифью, которая освободит Ветулию от Олоферна. Меч всевышнего слишком тяжел для руки моей. Дайте же мне умереть, чтобы избегнуть бесчестья, дайте мне найти спасение в мученической смерти! Я не прошу у вас ни свободы, как сделала бы преступница, ни мщения, как сделала бы язычница. Дайте мне умереть, вот и все. Я умоляю вас, на коленях взываю к вам: дайте мне умереть, и мой последний вздох будет благословлять моего избавителя!

При звуках этого кроткого и умоляющего голоса, при виде этого робкого, убитого взгляда Фельтон снова подошел к ней.

Мало-помалу обольстительница вновь предстала перед ним в том магическом уборе, который она по своему желанию то выставляла напоказ, то прятала и который создавали красота, кротость, слезы и в особенности неотразимая прелесть мистического сладострастия — самая губительная из всех страстей.

— Увы! — сказал Фельтон. — Я единственно только могу пожалеть вас, если вы докажете, что вы жертва. Но лорд Винтер возводит на вас тяжкие обвинения. Вы христианка, вы мне сестра по вере. Я чувствую к вам влечение — я, никогда не любивший никого, кроме своего благодетеля, не встречавший в жизни никого, кроме предателей и нечестивцев! Но вы, сударыня, вы так прекрасны и с виду так невинны! Должно быть, вы совершили какие-нибудь беззакония, если лорд Винтер так преследует вас...

— Имеющие глаза — не увидят, — повторила миледи с оттенком невыразимой печали в голосе, — имеющие уши — не услышат.

— Но если так, говорите, говорите же! — вскричал молодой офицер.

— Поверить вам мой позор! — сказала миледи с краской смущения в лице. — Ведь часто преступление одного бывает позором другого... Мне, женщине, поверить мой позор вам, мужчине! О... — продолжала она, стыдливо прикрывая рукой свои прекрасные глаза, — о, никогда, никогда я не буду в состоянии поведать это!

— Мне, брату? — сказал Фельтон.

Миледи долго смотрела на него с таким выражением, которое молодой офицер принял за колебание; на самом же деле оно показывало только, что миледи наблюдает за ним и желает его обворожить.

Фельтон с умоляющим видом сложил руки.

— Ну хорошо, — проговорила миледи, — я доверюсь моему брату, я решусь!

В эту минуту послышались шаги лорда Винтера, но на этот раз грозный деверь миледи не ограничился тем, что прошел мимо двери, как накануне, а, остановившись, обменялся несколькими словами с часовым; затем дверь открылась, и он появился на пороге.

Во время этого краткого разговора за дверью Фельтон отскочил в сторону, и, когда лорд Винтер вошел, он стоял в нескольких шагах от пленницы.

Барон вошел медленно и обвел испытующим взглядом пленницу и молодого человека.

— Вы что-то давно здесь, Джон, — сказал он. — Уж не рассказывает ли вам эта женщина о своих преступлениях? В таком случае я не удивляюсь тому, что ваш разговор продолжается столько времени.

Фельтон вздрогнул, и миледи поняла, что она погибла, если не придет на помощь опешившему пуританину.

— А, вы боитесь, чтобы пленница не ускользнула из ваших рук! — заговорила она. — Спросите вашего достойного тюремщика, о какой милости я сейчас умоляла его.

— Вы просили о милости? — подозрительно спросил барон.

— Да, милорд, — подтвердил смущенный молодой человек.

— О какой же это милости? — заинтересовался лорд Винтер.

— Миледи просила у меня нож и обещала отдать его через минуту в окошко двери, — ответил Фельтон.

— А разве здесь кто-нибудь спрятан, кого эта милая особа хочет зарезать? — произнес лорд Винтер своим насмешливым, презрительным тоном.

— Здесь нахожусь я, — ответила миледи.

— Я предоставил вам на выбор Америку или Тайберн, — заметил лорд Винтер. — Выбирайте Тайберн, миледи: веревка, поверьте, надежнее ножа.

Фельтон побледнел и сделал шаг вперед, вспомнив, что в ту минуту, когда он вошел в комнату, миледи держала в руках веревку.

— Вы правы, — сказала она, — я уже думала об этом. — И прибавила сдавленным голосом: — И еще подумаю.

Фельтон почувствовал, как дрожь пронизала все его тело; вероятно, это движение не укрылось от взгляда лорда Винтера.

— Не верь этому, Джон, — сказал он. — Джон, друг мой, я положился на тебя! Будь осторожен, я предупреждал тебя! Впрочем, мужайся, дитя мое: через три дня мы избавимся от этого создания, и там, куда я ушлю ее, она никому не сможет вредить.

— Ты слышишь! — громко вскричала миледи, чтобы барон подумал, что она взывает к богу, а Фельтон понял, что она обращается к нему.

Фельтон опустил голову и задумался.

Барон, взяв офицера под руку, пошел с ним к двери, все время глядя через плечо на миледи и не спуская с нее глаз, пока они не покинули комнату.

«Оказывается, я еще не настолько преуспела в моем деле, как предполагала, — подумала пленница, когда дверь закрылась за ними. — Винтер изменил своей обычной глупости и проявляет небывалую осторожность. Вот что значит жажда мести! И как она совершенствует характер человека! Ну а Фельтон... Фельтон колеблется! Ах, он не такой человек, как этот проклятый д'Артаньян! Пуританин обожает только непорочных дев, и к тому же обожает их, сложив молитвенно руки. Мушкетер же любит женщин, и любит их, заключая в свои объятия».

Однако миледи с нетерпением ожидала возвращения Фельтона: она не сомневалась, что еще увидится с ним в этот день. Наконец, спустя час после описанной нами сцены, она услышала тихий разговор у двери; вскоре дверь отворилась, и перед ней предстал Фельтон.

Молодой человек быстро вошел в комнату, оставив за собой дверь полуоткрытой, и сделал миледи знак, чтобы она молчала; лицо его выражало сильную тревогу.

— Чего вы от меня хотите? — спросила миледи.

— Послушайте, — тихо заговорил Фельтон, — я удалил часового, чтобы мой приход к вам остался для всех тайной и никто не подслушал нашу беседу. Барон сейчас рассказал мне ужасающую историю...

Миледи улыбнулась своей улыбкой покорной жертвы и покачала головой.

— Или вы демон, — продолжал Фельтон, — или барон, мой благодетель, мой отец, — чудовище! Я вас знаю всего четыре дня, а его я люблю уже два года. Мне простительно поэтому колебаться в выборе между вами. Не пугайтесь моих слов, мне необходимо убедиться, что вы говорите правду. Сегодня после полуночи я приду к вам, и вы меня убедите.

— Нет, Фельтон, нет, брат мой, — отвечала она, — ваша жертва слишком велика, и я понимаю, чего она вам стоит! Нет, я погибла, не губите себя вместе со мной! Моя смерть будет гораздо красноречивее моей жизни, и молчание трупа убедит вас гораздо лучше слов узницы...

— Замолчите, сударыня! — вскричал Фельтон. — Не говорите мне этого! Я пришел, чтобы вы обещали мне, дали честное слово, поклялись всем, что для вас свято, что не посягнете на свою жизнь.

— Я не хочу обещать, — ответила миледи. — Никто так не уважает клятвы, как я, и, если я обещаю, я должна буду сдержать слово.

— Так обещайте по крайней мере подождать, не покушаться на себя, пока мы не увидимся снова! И если вы после того, как увидитесь со мной, будете по-прежнему упорствовать в вашем намерении, тогда делать нечего... вы вольны поступать, как вам угодно, и я сам вручу вам оружие, которое вы просили.

— Что ж, ради вас я подожду.

— Поклянитесь!

— Клянусь нашим богом! Довольны вы?

— Хорошо, до наступления ночи.

И он бросился из комнаты, запер за собой дверь и стал ждать в коридоре, с пикой солдата в руке, точно заменяя на посту часового.

Когда солдат вернулся, Фельтон отдал ему его оружие.

Подойдя к дверному окошечку, миледи увидела, с каким исступлением перекрестился Фельтон и как пошел по коридору вне себя от восторга.

Она вернулась на свое место с улыбкой злобного презрения на губах, повторяя имя божие, которым она только что поклялась, так и не научившись познавать его.

— Мой бог? — сказала она. — Безумный фанатик! Мой бог — это я и тот, кто поможет мне отомстить за себя!

XXVI

ПЯТЫЙ ДЕНЬ ЗАКЛЮЧЕНИЯ

Между тем миледи наполовину уже торжествовала победу, и достигнутый успех удваивал ее силы.

Нетрудно было одерживать победы, как она делала это до сих пор, над людьми, которые легко поддавались обольщению и которых галантное придворное воспитание быстро увлекало в ее сети; миледи была настолько красива, что на пути к покорению мужчин не встречала сопротивления со стороны плоти, и настолько ловка, что без труда преодолевала препятствия, чинимые духом.

Но на этот раз ей пришлось вступить в борьбу с натурой дикой, замкнутой, нечувствительной благодаря привычке к самоистязанию. Религия и суровая религиозная дисциплина сделали Фельтона человеком, недоступным обычным обольщениям. В этом восторженном уме роились такие обширные планы, такие мятежные замыслы, что в нем не оставалось места для случайной любви, порождаемой чувственным влечением, той любви, которая вскармливается праздностью и растет под влиянием нравственной испорченности. Миледи пробила брешь: своей притворной добродетелью поколебала мнение о себе человека, сильно предубежденного против нее, а своей красотой покорила сердце и чувства человека целомудренного и чистого душой. Наконец-то в этом опыте над самым строптивым существом, какое только могли предоставить ей для изучения природа и религия, она развернула во всю ширь свои силы и способности, ей самой дотоле неведомые.

Но тем не менее много раз в продолжение этого вечера она отчаивалась в своей судьбе и в себе самой; она, правда, не призывала бога, но зато верила в помощь духа зла, в эту могущественную силу, которая правит человеческой жизнью в мельчайших ее проявлениях и которой, как повествует арабская сказка, достаточно одного гранатового зернышка, чтобы возродить целый погибший мир.

Миледи хорошо подготовилась к предстоящему приходу Фельтона и тщательно обдумала свое поведение при этом свидании. Она знала, что ей остается только два дня и что как только приказ будет подписан Бекингэмом (а Бекингэм не задумается подписать его еще и потому, что в приказе проставлено вымышленное имя и, следовательно, он не будет знать, о какой женщине идет речь), как только, повторяем, приказ этот будет подписан, барон немедленно отправит ее. Она знала также, что женщины, присужденные к ссылке, обладают гораздо менее могущественными средствами обольщения, чем женщины, слывущие добродетельными во мнении света, те, чья красота усиливается блеском высшего общества, восхваляется голосом моды и золотится волшебными лучами аристократического происхождения. Осуждение на унизительное, позорное наказание не лишает женщину красоты, но оно служит непреодолимым препятствием к достижению могущества вновь. Как все по-настоящему одаренные люди, миледи отлично понимала, какая среда больше всего подходит к ее натуре, к ее природным данным. Бедность отталкивала ее, унижение отнимало у нее две трети величия. Миледи была королевой лишь между королевами; для того чтобы властвовать, ей нужно было сознание удовлетворенной гордости.

Повелевать низшими существами было для нее скорее унижением, чем удовольствием.

Разумеется, она вернулась бы из своего изгнания, в этом она не сомневалась ни одной минуты, но сколько времени могло продолжаться это изгнание? Для такой деятельной и властолюбивой натуры, как миледи, дни, когда человек не возвышается, казались злосчастными днями; какое же слово можно подыскать, чтобы назвать дни, когда человек катится вниз! Потерять год, два года, три года — значит, потерять вечность; вернуться, когда д'Артаньян, вместе со своими друзьями, торжествующий и счастливый, уже получит от королевы заслуженную награду, — все это были такие мучительные мысли, которых не могла перенести женщина, подобная миледи. Впрочем, бушевавшая в ней буря удваивала ее силы, и она была бы в состоянии сокрушить стены своей темницы, если бы хоть на мгновение физические ее возможности могли сравняться с умственными.

Помимо всего этого, ее мучила мысль о кардинале. Что должен был думать, чем мог себе объяснить ее молчание недоверчивый, беспокойный, подозрительный кардинал — кардинал, который был не только единственной ее опорой, единственной поддержкой и единственным покровителем в настоящем, но еще и главным орудием ее счастья и мщения в будущем? Она знала его, знала, что, вернувшись из безуспешного путешествия, она напрасно стала бы оправдываться заключением в тюрьме, напрасно стала бы расписывать перенесенные ею страдания: кардинал сказал бы ей в ответ с насмешливым спокойствием скептика, сильного как своей властью, так и своим умом: «Не надо было попадаться!»

В такие минуты миледи призывала всю свою энергию и мысленно твердила имя Фельтона, этот единственный проблеск света, проникавший к ней на дно того ада, в котором она очутилась; и, словно змея, которая, желая испытать свою силу, свивается в кольца и вновь развивает их, она заранее опутывала Фельтона множеством извивов своего изобретательного воображения.

Между тем время шло, часы один за другим, казалось, будили мимоходом колокол, и каждый удар медного языка отзывался в сердце пленницы. В девять часов пришел, по своему обыкновению, лорд Винтер, осмотрел окно и прутья решетки, исследовал пол, стены, камин и двери, и в продолжение этого долгого и тщательного осмотра ни он, ни миледи не произнесли ни слова.

Без сомнения, оба понимали, что положение стало слишком серьезным, чтобы терять время на бесполезные слова и бесплодный гнев.

— Нет-нет, — сказал барон, уходя от миледи, — этой ночью вам еще не удастся убежать!

В десять часов Фельтон пришел поставить часового, и миледи узнала его походку. Она угадывала ее теперь, как любовница угадывает походку своего возлюбленного, а между тем миледи ненавидела и презирала этого бесхарактерного фанатика.

Условленный час еще не наступил, и Фельтон не вошел.

Два часа спустя, когда пробило полночь, сменили часового.

На этот раз время наступило, и миледи стала с нетерпением ждать.

Новый часовой начал прохаживаться по коридору.

Через десять минут пришел Фельтон.

Миледи насторожилась.

— Слушай, — сказал молодой человек часовому, — ни под каким предлогом не отходи от этой двери. Тебе ведь известно, что в прошлую ночь милорд наказал одного солдата за то, что тот на минуту оставил свой пост, а между тем я сам караулил за него во время его недолгого отсутствия.

— Да, это мне известно, — ответил солдат.

— Приказываю тебе надзирать самым тщательным образом. Я же, — прибавил Фельтон, — войду и еще раз осмотрю комнату этой женщины: у нее, боюсь, есть злое намерение покончить с собой, и мне приказано следить за ней.

— Отлично, — прошептала миледи, — вот строгий пуританин начинает уже лгать.

Солдат только усмехнулся:

— Черт возьми, господин лейтенант, вы не можете пожаловаться на такое поручение, особенно если милорд уполномочил вас заглянуть к ней в постель.

Фельтон покраснел; при всяких других обстоятельствах он сделал бы солдату строгое внушение за то, что тот позволил себе подобную шутку, но совесть говорила в нем слишком громко, чтобы уста осмелились что-нибудь произнести.

— Если я позову, — сказал он, — войди. Точно так же, если кто-нибудь придет, позови меня.

— Слушаюсь, господин лейтенант, — ответил солдат.

Фельтон вошел к миледи. Миледи встала.

— Это вы? — промолвила она.

— Я вам обещал прийти и пришел.

— Вы мне обещали еще и другое.

— Что же? Боже мой! — проговорил молодой человек, и, несмотря на все умение владеть собой, у него задрожали колени и на лбу выступил пот.

— Вы обещали принести нож и оставить его мне после нашего разговора.

— Не говорите об этом, сударыня! Нет такого положения, как бы ужасно оно ни было, которое давало бы право божьему созданию лишать себя жизни. Я подумал и пришел к заключению, что ни в коем случае не должен принимать на свою душу такой грех.

— Ах, вы подумали! — сказала пленница, с презрительной улыбкой садясь в кресло. — И я тоже подумала и тоже пришла к заключению.

— К какому?

— Что мне нечего сказать человеку, который не держит слова.

— О боже мой! — прошептал Фельтон.

— Вы можете удалиться, я ничего не скажу.

— Вот нож! — проговорил Фельтон, вынимая из кармана оружие, которое, согласно своему обещанию, он принес, но не решался передать пленнице.

— Дайте мне взглянуть на него.

— Зачем?

— Клянусь честью, я его отдам сейчас же! Вы положите его на этот стол и станете между ним и мною.

Фельтон подал оружие миледи; она внимательно осмотрела лезвие и попробовала острие на кончике пальца.

— Хорошо, — сказала она, возвращая нож молодому офицеру, — этот из отменной твердой стали... Вы верный друг, Фельтон.

Фельтон взял нож и, как было условлено, положил его на стол.

Миледи проследила за Фельтоном взглядом и удовлетворенно кивнула головой.

— Теперь, — сказала она, — выслушайте меня.

Это приглашение было излишне: молодой офицер стоял перед ней и жадно ждал ее слов.

— Фельтон... — начала миледи торжественно и меланхо- лично. — Фельтон, представьте себе, что ваша сестра, дочь вашего отца, сказала вам: когда я была еще молода и, к не- счастью, слишком красива, меня завлекли в западню, но я усто- яла... Против меня умножили козни и насилия — я устояла. Стали глумиться над верой, которую я исповедую, над богом, которому я поклоняюсь, — потому что я призывала на помощь бога и эту мою веру, — но и тут я устояла. Тогда стали осыпать меня оскорблениями и, так как не могли погубить мою душу, захотели навсегда осквернить мое тело. Наконец...

Миледи остановилась, и горькая улыбка мелькнула на ее губах.

— Наконец, — повторил за ней Фельтон, — что же сде- лали наконец?

— Наконец, однажды вечером, решили сломить мое упор- ство, победить которое все не удавалось... Итак, однажды вечером мне в воду примешали сильное усыпляющее сред- ство. Едва окончила я свой ужин, как почувствовала, что мало-помалу впадаю в какое-то странное оцепенение. Хотя я ничего не подозревала, смутный страх овладел мною, и я старалась побороть сон. Я встала, хотела кинуться к окну, позвать на помощь, но ноги отказались мне повиноваться. Мне показалось, что потолок опускается на мою голову и давит меня своей тяжестью. Я протянула руки, пыталась за- говорить, но произносила что-то нечленораздельное. Непре- одолимое оцепенение овладевало мною, я ухватилась за крес- ло, чувствуя, что сейчас упаду, но вскоре эта опора стала недостаточной для моих обессилевших рук — я упала на одно колено, потом на оба. Хотела молиться — язык онемел. Гос- подь, без сомнения, не видел и не слышал меня, и я свалилась на пол, одолеваемая сном, похожим на смерть.

Обо всем, что произошло во время этого сна, и о том, сколько времени он продолжался, я не сохранила никакого воспоминания. Помню только, что я проснулась, лежа в по- стели в какой-то круглой комнате, роскошно убранной, в которую свет проникал через отверстие в потолке. К тому же в ней, казалось, не было ни одной двери. Можно было подумать, что это великолепная темница.

Я долго не в состоянии была понять, где я нахожусь, не могла отдать себе отчет в тех подробностях, о которых только что рассказала вам: мой ум, казалось, безуспешно силился стряхнуть с себя тяжелый мрак этого сна, который я не могла превозмочь. У меня было смутное ощущение езды в карете и какого-то страшного сновидения, отнявшего у меня все силы, но все это представлялось мне так сбивчиво, так неясно, как будто все эти события происходили не со мной, а с кем-то другим и все-таки, в силу причудливого раздвоения моего существа, вплетались в мою жизнь.

Некоторое время состояние, в котором я находилась, казалось мне настолько странным, что я вообразила, будто вижу все это во сне... Я встала, шатаясь. Моя одежда лежала на стуле возле меня, но я не помнила, как разделась, как легла. Тогда мало-помалу действительность начала представляться мне со всеми ее ужасами, и я поняла, что нахожусь не у себя дома. Насколько я могла судить по лучам солнца, проникавшим в комнату, уже близился закат, а уснула я накануне вечером — значит, мой сон продолжался около суток! Что произошло во время этого долгого сна?

Я оделась так быстро, как только позволили мне мои силы. Все мои движения, медлительные и вялые, свидетельствовали о том, что действие усыпляющего средства все еще сказывалось. Эта комната, судя по ее убранству, предназначалась для приема женщины, и самая законченная кокетка, окинув комнату взглядом, убедилась бы, что все ее желания предупреждены.

Без сомнения, я была не первой пленницей, очутившейся взаперти в этой роскошной тюрьме, но вы понимаете, Фельтон, что чем больше мне бросалось в глаза все великолепие моей темницы, тем больше мной овладевал страх. Да, это была настоящая темница, ибо я тщетно пыталась выйти из нее. Я исследовала все стены, стараясь найти дверь, но при постукивании все они издавали глухой звук.

Я, быть может, раз двадцать обошла вокруг комнаты, ища какого-нибудь выхода, — никакого выхода не оказалось. Подавленная ужасом и усталостью, я упала в кресло.

Между тем быстро наступила ночь, а с ней усилился и мой ужас. Я не знала, оставаться ли мне там, где я сидела: мне чудилось, что со всех сторон меня подстерегает неведомая опасность и стоит мне сделать только шаг, как я подвергнусь ей. Хотя я еще ничего не ела со вчерашнего дня, страх заглушал во мне чувство голода.

Ни малейшего звука извне, по которому я могла бы определить время, не доносилось до меня. Я предполагала только, что должно быть часов семь или восемь вечера: это было в октябре, и уже совсем стемнело.

Вдруг заскрипела дверь, и я невольно вздрогнула. Над застекленным отверстием потолка показалась зажженная лампа в виде огненного шара. Она ярко осветила комнату. И я с ужасом увидела, что в нескольких шагах от меня стоит человек.

Стол с двумя приборами, накрытый к ужину, появился, точно по волшебству, на середине комнаты.

Это был тот самый человек, который преследовал меня уже целый год, который поклялся обесчестить меня и при первых словах которого я поняла, что в прошлую ночь он исполнил свое намерение...

— Негодяй! — прошептал Фельтон.

— О да, негодяй! — вскричала миледи, видя, с каким участием, весь превратившись в слух, внимает молодой офицер этому страшному рассказу. — Да, негодяй! Он думал, что достаточно ему было одержать надо мной победу во время сна, чтобы все было решено. Он пришел в надежде, что я соглашусь признать мой позор, раз позор этот свершился. Он решил предложить мне свое богатство взамен моей любви.

Я излила на этого человека все презрение, все негодование, какое может вместить сердце женщины. Вероятно, он привык к подобным упрекам: он выслушал меня спокойно, скрестив руки и улыбаясь; затем, думая, что я кончила, стал подходить ко мне. Я кинулась к столу, схватила нож и приставила его к своей груди.

«Еще один шаг, — сказала я, — и вам придется укорять себя не только в моем бесчестье, но и в моей смерти!»

Мой взгляд, мой голос и весь мой облик, вероятно, были исполнены той неподдельной искренности, которая является убедительной для самых испорченных людей, потому что он остановился.

«В вашей смерти? — переспросил он. — О нет! Вы слишком очаровательная любовница, чтобы я согласился потерять вас таким образом, вкусив счастье обладать вами только один раз. Прощайте, моя красавица! Я подожду и навещу вас, когда вы будете в лучшем расположении духа».

Сказав это, он свистнул. Пламенеющий шар, освещавший комнату, поднялся еще выше над потолком и исчез. Я опять оказалась в темноте. Мгновение спустя повторился тот же скрип открываемой и снова закрываемой двери, пылающий шар вновь спустился, и я опять очутилась в одиночестве.

Эта минута была ужасна. Если у меня и осталось еще некоторое сомнение относительно моего несчастья, то теперь это сомнение исчезло, и я познала ужасную действительность: я была в руках человека, которого не только ненавидела, но и презирала, в руках человека, способного на все и уже роковым образом доказавшего мне, что́ он может сделать...

— Но кто был этот человек? — спросил Фельтон.

— Я провела ночь, сидя на стуле, вздрагивая при малейшем шуме, потому что около полуночи лампа погасла и я вновь оказалась в темноте. Но ночь прошла без каких-либо новых поползновений со стороны моего преследователя. Наступил день, стол исчез, и только нож все еще был зажат в моей руке.

Этот нож был моей единственной надеждой.

Я изнемогала от усталости, глаза мои горели от бессонницы, я не решалась заснуть ни на минуту. Дневной свет успокоил меня, я бросилась на кровать, не расставаясь со спасительным ножом, который я спрятала под подушку.

Когда я проснулась, снова стоял уже накрытый стол.

На этот раз, несмотря на весь мой страх, на всю мою тоску, я почувствовала отчаянный голод: уже двое суток я не принимала никакой пищи. Я поела немного хлеба и фруктов. Затем, вспомнив об усыпляющем средстве, подмешанном в воду, которую я выпила, я не прикоснулась к той, что была на столе, и наполнила свой стакан водой из мраморного фонтана, устроенного в стене над умывальником.

Несмотря на эту предосторожность, я все же вначале страшно беспокоилась, но на этот раз мои опасения были неосновательны: день прошел, и я не ощутила ничего похожего на то, чего боялась. Чтобы моя недоверчивость осталась незамеченной, воду из графина я предусмотрительно наполовину вылила.

Наступил вечер, а с ним наступила и темнота. Однако мои глаза стали привыкать к ней; я видела во мраке, как стол ушел вниз и через четверть часа поднялся с поданным мне ужином, а минуту спустя появилась та же лампа и осветила комнату.

Я решила ничего не есть, кроме того, к чему нельзя примешать усыпляющего снадобья. Два яйца и немного фруктов составили весь мой ужин. Затем я налила стакан воды из моего благодетельного фонтана и напилась.

При первых же глотках мне показалось, что вода не такая на вкус, как была утром. Во мне тотчас зашевелилось подозрение, и я не стала пить дальше, но я уже отпила примерно с полстакана.

Я с отвращением выплеснула остаток воды и, покрываясь холодным потом, стала ожидать последствий.

Без сомнения, какой-то невидимый свидетель заметил, как я брала воду из фонтана, и воспользовался моим простодушием, чтобы вернее добиться моей гибели, которая была так хладнокровно предрешена и которой добивались с такой жестокостью.

Не прошло и получаса, как появились те же признаки, что и в первый раз. Но так как на этот раз я выпила всего полстакана, то я дольше боролась и не заснула, а впала в какое-то сонливое состояние, которое не лишило меня понимания всего происходящего вокруг, но отняло всякую способность защищаться или бежать.

Я пыталась доползти до кровати, чтобы извлечь из-под подушки единственное оставшееся у меня средство защиты — мой спасительный нож, но не могла добраться до изголовья и упала на колени, судорожно ухватившись за ножку кровати. Тогда я поняла, что погибла...

Фельтон побледнел, и судорожная дрожь пробежала по всему его телу.

— И всего ужаснее было то, — продолжала миледи изменившимся голосом, словно все еще испытывая отчаянную тревогу, овладевшую ею в ту ужасную минуту, — что на этот раз я ясно сознавала грозившую мне опасность: душа моя, утверждаю, бодрствовала в уснувшем теле, и потому я все видела и слышала. Правда, все происходило точно во сне, но это было тем ужаснее.

Я видела, как поднималась вверх лампа, как я постепенно погружалась в темноту. Затем я услышала скрип двери, хорошо знакомый мне, хотя дверь открывалась всего два раза.

Я инстинктивно почувствовала, что ко мне кто-то приближается, — говорят, что несчастный человек, заблудившийся в пустынных степях Америки, чувствует таким образом приближение змеи.

Я пыталась превозмочь свою немоту и закричать. Благодаря невероятному усилию воли я даже встала, но для того только, чтобы тотчас снова упасть... упасть в объятия моего преследователя...

— Скажите же мне, кто был этот человек? — вскричал молодой офицер.

Миледи с первого взгляда увидела, сколько страданий она причиняет Фельтону тем, что останавливается на всех подробностях своего рассказа, но не хотела избавить его ни от единой пытки: чем глубже она уязвит его сердце, тем больше будет уверенности, что он отомстит за нее. Поэтому она продолжала, точно не расслышав его восклицания или рассудив, что еще не пришло время ответить на него:

— Только на этот раз негодяй имел дело не с безвольным и бесчувственным подобием трупа. Я вам уже говорила: не будучи в состоянии окончательно овладеть своими телесными и душевными способностями, я все же сохраняла сознание грозившей мне опасности. Я боролась изо всех сил и, по-видимому, упорно сопротивлялась, так как слышала, как он воскликнул:

«Эти негодные пуританки! Я знал, что они доводят до изнеможения своих палачей, но не думал, что они так сильно противятся своим любовникам».

Увы, это отчаянное сопротивление не могло быть длительным. Я почувствовала, что силы мои слабеют, и на этот раз негодяй воспользовался не моим сном, а моим обмороком...

Фельтон слушал, не произнося ни слова и лишь издавая глухие стоны; только холодный пот струился по его мраморному лбу и рука была судорожно прижата к груди.

— Моим первым движением, когда я пришла в чувство, было нащупать под подушкой нож, до которого перед тем я не могла добраться: если он не послужил мне защитой, то по крайней мере мог послужить моему искуплению.

Но когда я взяла этот нож, Фельтон, ужасная мысль пришла мне в голову. Я поклялась все сказать вам и скажу все. Я обещала открыть вам правду и открою ее, пусть даже я погублю себя этим!

— Вам пришла мысль отомстить за себя этому человеку? — вскричал Фельтон.

— Увы, да! — ответила миледи. — Я знаю, такая мысль не подобает христианке. Без сомнения, ее внушил мне этот извечный враг души нашей, этот лев, непрестанно рыкающий вокруг нас. Словом, признаюсь вам, Фельтон, — продолжала миледи тоном женщины, обвиняющей себя в преступлении, — эта мысль пришла мне и уже не оставляла меня больше. За эту греховную мысль я и несу сейчас наказание.

— Продолжайте, продолжайте! — просил Фельтон. — Мне не терпится узнать, как вы за себя отомстили.

— Я решила отомстить как можно скорее; я была уверена, что он придет в следующую ночь. Днем мне нечего было опасаться.

Поэтому, когда настал час завтрака, я не задумываясь ела и пила: я решила за ужином сделать вид, что ем, но ни к чему не притрагиваться, и мне нужно было утром подкрепиться, чтобы не чувствовать голода вечером.

Я только припрятала стакан воды от завтрака, потому что, когда мне пришлось пробыть двое суток без пищи и питья, я больше всего страдала от жажды.

Все, что я передумала в течение дня, еще больше укрепило меня в принятом решении. Не сомневаясь в том, что за мной наблюдают, я старалась, чтобы выражение моего лица не выдало моей затаенной мысли, и даже несколько раз поймала себя на том, что улыбаюсь. Фельтон, я не решаюсь признаться вам, какой мысли я улыбалась, — вы почувствовали бы ко мне отвращение.

— Продолжайте, продолжайте! — умолял Фельтон. — Вы видите, я слушаю и хочу поскорее узнать, чем все это кончилось.

— Наступил вечер, все шло по заведенному порядку. По обыкновению, мне в темноте подали ужин, затем зажглась лампа, и я села за стол.

Я поела фруктов, сделала вид, что наливаю себе воды из графина, но выпила только ту, что оставила от завтрака. Подмена эта была, впрочем, сделана так искусно, что мои шпионы, если они у меня были, не могли бы ничего заподозрить.

После ужина я притворилась, что на меня нашло такое же оцепенение, как накануне, но на этот раз, сделав вид, что я изнемогаю от усталости или уже освоилась с опасностью, я добралась до кровати, сбросила платье и легла.

Я нащупала под подушкой нож и, притворившись спящей, судорожно впилась пальцами в его рукоятку.

Два часа прошло, не принеся с собой ничего нового, и — боже мой, я ни за что бы не поверила этому еще накануне! — я почти боялась, что он не придет.

Вдруг я увидела, что лампа медленно поднялась и исчезла высоко над потолком. Темнота наполнила комнату, но ценой некоторого усилия мне удалось проникнуть взором в эту темноту.

Прошло минут десять. До меня не доносилось ни малейшего шума, я слышала только биение собственного сердца.

Я молила бога, чтобы тот человек пришел.

Наконец раздался столь знакомый мне звук открывшейся и снова закрывшейся двери, и послышались чьи-то шаги, под которыми поскрипывал пол, хотя он был устлан толстым ковром. Я различила в темноте какую-то тень, приближавшуюся к моей постели...

— Скорее, скорее! — торопил Фельтон. — Разве вы не видите, что каждое ваше слово жжет меня, как расплавленный свинец?

— Тогда, — продолжала миледи, — я собрала все силы, я говорила себе, что пробил час мщения или, вернее, правосудия, я смотрела на себя как на новую Юдифь. Я набралась решимости, крепко сжала в руке нож и, когда он подошел ко мне и протянул руки, отыскивая во мраке свою жертву, тогда с криком горести и отчаяния я нанесла ему удар в грудь.

Негодяй, он все предвидел: грудь его была защищена кольчугой, и нож притупился о нее.

«Ах так! — вскричал он, схватив мою руку и вырывая у меня нож, который сослужил мне такую плохую службу. — Вы покушаетесь на мою жизнь, прекрасная пуританка? Да это больше, чем ненависть, это прямая неблагодарность! Ну, ну, успокойтесь, мое прелестное дитя... Я думал, что вы уже смягчились. Я не из тех тиранов, которые удерживают женщину силой. Вы меня не любите, в чем я сомневался по свойственной мне самонадеянности. Теперь я в этом убедился, и завтра вы будете на свободе».

Я ждала только одного — чтобы он убил меня.

«Берегитесь, — сказала я ему, — моя свобода грозит вам бесчестьем!»

«Объяснитесь, моя прелестная сивилла».

«Хорошо. Как только я выйду отсюда, я все расскажу — расскажу о насилии, которое вы надо мной учинили, расскажу, как вы держали меня в плену. Я во все услышание объявлю об этом дворце, в котором творятся гнусности. Вы высоко поставлены, милорд, но трепещите: над вами есть король, а над королем — бог!»

Как ни хорошо владел собой мой преследователь, он не смог сдержать гневное движение. Я не пыталась разглядеть выражение его лица, но почувствовала, как задрожала его рука, на которой лежала моя.

«В таком случае — вы не выйдете отсюда!»

«Отлично! Место моей пытки будет и моей могилой. Прекрасно! Я умру здесь, и тогда вы увидите, что призрак-обвинитель страшнее угроз живого человека».

«Вам не оставят никакого оружия».

«У меня есть одно, которое отчаяние предоставило каждому существу, достаточно мужественному, чтобы к нему прибегнуть: я уморю себя голодом».

«Послушайте, не лучше ли мир, чем подобная война? — предложил негодяй. — Я немедленно возвращаю вам свободу, объявляю вас воплощенной добродетелью и провозглашаю вас Лукрецией Англии».

«А я объявлю, что вы ее Секст, я разоблачу вас перед людьми, как уже разоблачила перед богом, и, если нужно будет скрепить, как Лукреции, мое обвинение кровью, я сделаю это!»

«Ах вот что! — насмешливо произнес мой враг. — Тогда другое дело. Честное слово, в конце концов вам здесь хорошо живется, вы не чувствуете ни в чем недостатка, и если вы уморите себя голодом, то будете сами виноваты».

С этими словами он удалился. Я слышала, как открылась и опять закрылась дверь, и я осталась, подавленная не столько горем, сколько — признаюсь в этом — стыдом, что так и не отомстила за себя.

Он сдержал слово. Прошел день, прошла еще ночь, и я его не видела. Но и я держала свое слово и ничего не пила и не ела. Я решила, как я объявила ему, убить себя голодом.

Я провела весь день и всю ночь в молитве: я надеялась, что бог простит мне самоубийство.

На следующую ночь дверь отворилась. Я лежала на полу — силы оставили меня...

Услышав скрип двери, я приподнялась, опираясь на руку.

«Ну как, смягчились ли мы немного? — спросил голос, так грозно отдавшийся у меня в ушах, что я не могла не узнать его. — Согласны ли мы купить свободу ценой одного лишь обещания молчать? Послушайте, я человек добрый, — прибавил он, — и хотя я не люблю пуритан, но отдаю им справедливость, и пуританкам тоже, когда они хорошенькие. Ну, поклянитесь-ка мне на распятии, больше я от вас ничего не требую».

«Поклясться вам на распятии? — вскричала я, вставая: при звуках этого ненавистного голоса ко мне вернулись все мои силы. — На распятии! Клянусь, что никакое обещание, никакая угроза, никакая пытка не закроют мне рта!.. Поклясться на распятии!.. Клянусь, я буду всюду изобличать вас как убийцу, как похитителя чести, как подлеца!.. На распятии!..

Клянусь, если мне когда-либо удастся выйти отсюда, я буду молить весь род человеческий отомстить вам!..»

«Берегитесь! — сказал он таким угрожающим голосом, какого я еще у него не слышала. — У меня есть вернейшее средство, к которому я прибегну только в крайнем случае, закрыть вам рот или по крайней мере не допустить того, чтобы люди поверили хоть одному вашему слову».

Я собрала остаток сил и расхохоталась в ответ на его угрозу.

Он понял, что впредь между нами вечная война не на жизнь, а на смерть.

«Послушайте, я даю вам на размышление еще остаток этой ночи и завтрашний день, — предложил он. — Если вы обещаете молчать, вас ждет богатство, уважение и даже почести; если вы будете угрожать мне, я предам вас позору».

«Вы! — вскричала я. — Вы!»

«Вечному, неизгладимому позору!»

«Вы!..» — повторяла я.

О, уверяю вас, Фельтон, я считала его сумасшедшим!

«Да, я!» — отвечал он.

«Ах, оставьте меня! — сказала я ему. — Уйдите прочь, если вы не хотите, чтобы я на ваших глазах разбила себе голову о стену!»

«Хорошо, — сказал он, — как вам будет угодно. До завтрашнего вечера».

«До завтрашнего вечера!» — ответила я, падая на пол и кусая ковер от ярости...

Фельтон опирался о кресло, и миледи с демонической радостью видела, что у него, возможно, не хватит сил выслушать ее рассказ до конца.

XXVII

ИСПЫТАННЫЙ ПРИЕМ КЛАССИЧЕСКОЙ ТРАГЕДИИ

После минутного молчания, во время которого миледи украдкой наблюдала за слушавшим ее молодым человеком, она продолжала:

— Почти три дня я ничего не пила и не ела. Я испытывала жестокие мучения: порой словно какое-то облако давило мне лоб и застилало глаза — это начинался бред.

Наступил вечер. Я так ослабела, что поминутно впадала в беспамятство и каждый раз, когда я лишалась чувств, благодарила бога, думая, что умираю.

Во время одного такого обморока я услышала, как дверь открылась. От страха я очнулась.

Он вошел ко мне в сопровождении какого-то человека с лицом, прикрытым маской; сам он был тоже в маске, но я узнала его шаги, узнала его голос, узнала этот величественный вид, которым ад наделил его на несчастье человечества.

«Ну что же, — спросил он меня, — согласны вы дать мне клятву, которую я от вас требовал?»

«Вы сами сказали, что пуритане верны своему слову. Я дала слово — и вы это слышали — предать вас на земле суду человеческому, а на том свете — суду божьему».

«Итак, вы упорствуете?»

«Клянусь перед богом, который меня слышит, я призову весь свет в свидетели вашего преступления и буду призывать до тех пор, пока не найду мстителя!»

«Вы публичная женщина, — заявил он громовым голосом, — и подвергнетесь наказанию, налагаемому на подобных женщин! Заклейменная в глазах света, к которому вы взываете, попробуйте доказать этому свету, что вы не преступница и не сумасшедшая!»

Потом он обратился к человеку в маске.

«Палач, делай свое дело!» — приказал он.

— О! Его имя! Имя! — вскричал Фельтон. — Назовите мне его имя!

— И вот, несмотря на мои крики, несмотря на мое сопротивление — я начинала понимать, что мне предстоит нечто худшее, чем смерть, — палач схватил меня, повалил на пол, сдавил в своих руках. Я задыхалась от рыданий, почти лишалась чувств, взывала к богу, который не внимал моей мольбе... и вдруг я испустила отчаянный крик боли и стыда — раскаленное железо, железо палача, впилось в мое плечо...

Фельтон издал угрожающий возглас.

— Смотрите... — сказала миледи и встала с величественным видом королевы, — смотрите, Фельтон, какое новое мучение изобрели для молодой невинной девушки, которая стала жертвой насилия злодея! Научитесь познавать сердца людей и впредь не делайтесь так опрометчиво орудием их несправедливой мести!

Миледи быстрым движением распахнула платье, разорвала батист, прикрывавший ее грудь, и, краснея от притворного гнева и стыда, показала молодому человеку неизгладимую печать, бесчестившую это красивое плечо.

— Но я вижу тут лилию! — изумился Фельтон.

— Вот в этом-то вся подлость! — ответила миледи. — Будь это английское клеймо!.. Надо было бы еще доказать, какой суд приговорил меня к этому наказанию, и я могла бы подать жалобы во все суды государства. А французское клеймо... О, им я была надежно заклеймена!

Для Фельтона это было слишком.

Бледный, недвижимый, подавленный ужасным признанием миледи, ослепленный сверхъестественной красотой этой женщины, показавшей ему свою наготу с бесстыдством, которое он принял за особое величие души, он упал перед ней на колени, как это делали первые христиане перед непорочными святыми мучениками, которых императоры, гонители христианства, предавали в цирке на потеху кровожадной черни. Клеймо перестало существовать для него, осталась одна красота.

— Простите! Простите! — восклицал Фельтон. — О, простите мне!

Миледи прочла в его глазах: люблю, люблю!

— Простить вам — что? — спросила она.

— Простите мне, что я примкнул к вашим гонителям.

Миледи протянула ему руку.

— Такая прекрасная, такая молодая! — воскликнул Фельтон, покрывая ее руку поцелуями.

Миледи подарила его одним из тех взглядов, которые раба делают королем.

Фельтон был пуританин — он отпустил руку этой женщины и стал целовать ее ноги.

Он уже не любил — он боготворил ее.

Когда этот миг душевного восторга прошел, когда к миледи, казалось, вернулось самообладание, которого она ни на минуту не теряла, когда Фельтон увидел, как завеса стыдливости вновь скрыла сокровища любви, лишь затем так тщательно оберегаемые от его взора, чтобы он еще более пылко желал их, он сказал:

— Теперь мне остается спросить вас только об одном: как зовут вашего настоящего палача? По-моему, только один был палачом, другой являлся его орудием, не больше.

— Как, брат мой, — вскричала миледи, — тебе еще нужно, чтоб я назвала его! А сам ты не догадался?

— Как, — спросил Фельтон, — это он?.. Опять он!.. Все он же... Как! Настоящий виновник...

— Настоящий виновник — опустошитель Англии, гонитель истинно верующих, гнусный похититель чести стольких женщин, тот, кто из прихоти своего развращенного сердца намерен пролить кровь стольких англичан, кто сегодня покровительствует протестантам, а завтра предаст их...

— Бекингэм! Так это Бекингэм! — с ожесточением выкрикнул Фельтон.

Миледи закрыла лицо руками, словно она была не в силах перенести постыдное воспоминание, которое вызывало у нее это имя.

— Бекингэм — палач этого ангельского создания! — восклицал Фельтон. — И ты не поразил его громом, господи! И ты позволил ему остаться знатным, почитаемым, всесильным, на погибель всем нам!

— Бог отступается от того, кто сам от себя отступается! — сказала миледи.

— Так, значит, он хочет навлечь на свою голову кару, постигающую отверженных! — с возрастающим возбуждением продолжал Фельтон. — Хочет, чтобы человеческое возмездие опередило правосудие небесное!

— Люди боятся и щадят его.

— О, я не боюсь и не пощажу его! — возразил Фельтон.

Миледи почувствовала, как душа ее наполняется дьявольской радостью.

— Но каким образом мой покровитель, мой отец, лорд Винтер, оказывается причастным ко всему этому? — спросил Фельтон.

— Слушайте, Фельтон, ведь наряду с людьми низкими и презренными есть на свете благородные и великодушные натуры. У меня был жених, человек, которого я любила и который любил меня... мужественное сердце, подобное вашему, Фельтон, такой человек, как вы. Я пришла к нему и все рассказала. Он знал меня и ни секунды не колебался. Это был знатный вельможа, человек, во всех отношениях равный Бекингэму. Он ничего не сказал, опоясался шпагой, закутался в плащ и направился во дворец Бекингэма...

— Да, да, понимаю, — вставил Фельтон. — Хотя, когда имеешь дело с подобными людьми, нужна не шпага, а кинжал.

— Бекингэм накануне уехал чрезвычайным послом в Испанию — просить руки инфанты для короля Карла Первого, который тогда был еще принцем Уэльским. Мой жених вернулся ни с чем. «Послушайте, — сказал он мне, — этот человек уехал, и я покамест не могу ему отомстить. В ожидании его приезда обвенчаемся, как мы решили, а затем положитесь на лорда Винтера, который сумеет поддержать свою честь и честь своей жены».

— Лорда Винтера! — вскричал Фельтон.

— Да, лорда Винтера, — подтвердила миледи. — Теперь вам все должно быть понятно, не так ли? Бекингэм был в отъезде около года. За неделю до его возвращения лорд Винтер внезапно скончался, оставив меня своей единственной наследницей. Кем был нанесен этот удар? Всеведущему богу одному это известно, я никого не виню...

— О, какая бездна падения! Какая бездна! — ужаснулся Фельтон.

— Лорд Винтер умер, ничего не сказав своему брату. Страшная тайна должна была остаться скрытой от всех до тех пор, пока бы она как гром не поразила виновного. Вашему покровителю было прискорбно то, что старший брат его женился на молодой девушке, не имевшей состояния. Я поняла, что мне нечего рассчитывать на поддержку со стороны человека, обманутого в своих надеждах на получение наследства. Я уехала во Францию, твердо решив прожить там остаток моей жизни. Но все мое состояние в Англии. Из-за войны сообщение между обоими государствами прекратилось, я стала испытывать нужду, и мне поневоле пришлось вернуться сюда. Шесть дней назад я высадилась в Портсмуте.

— А дальше? — спросил Фельтон.

— Дальше? Бекингэм, вероятно, узнал о моем возвращении, переговорил обо мне с лордом Винтером, который и без того уже был предубежден против меня, и сказал ему, что его невестка — публичная женщина, заклейменная преступница. Мужа моего уже нет в живых, чтобы поднять свой правдивый, благородный голос в мою защиту. Лорд Винтер поверил всему, что ему рассказали, поверил тем охотнее, что ему это было выгодно. Он велел арестовать меня, доставить сюда и отдал под вашу охрану. Остальное вам известно: послезавтра он удаляет меня в изгнание, отправляет в ссылку, послезавтра он на всю жизнь водворяет меня среди отверженных! О, поверьте, злой умысел хорошо обдуман! Сеть искусно сплетена, и честь моя погибнет! Вы сами видите, Фельтон, мне надо умереть... Фельтон, дайте мне нож!

С этими словами миледи, словно исчерпав все свои силы, в изнеможении склонилась в объятия молодого офицера, опьяненного любовью, гневом и дотоле неведомым ему наслаждением; он с восторгом подхватил ее и прижал к своему сердцу, затрепетав от дыхания этого прекрасного рта, обезумев от прикосновения этой вздымавшейся груди.

— Нет, нет! — воскликнул он. — Нет, ты будешь жить всеми почитаемой и незапятнанной, ты будешь жить для того, чтобы восторжествовать над твоими врагами!

Миледи отстранила его медленным движением руки, в то же время привлекая его взглядом; но Фельтон вновь заключил ее в объятия, и глаза его умоляюще смотрели на нее, как на божество.

— Ах смерть! Смерть! — сказала она, придавая своему голосу томное выражение и закрывая глаза. — Ах, лучше смерть, чем позор! Фельтон, брат мой, друг мой, заклинаю тебя!

— Нет! — воскликнул Фельтон. — Нет, ты будешь жить, и жить отомщенной!

— Фельтон, я приношу несчастье всем, кто меня окружает! Оставь меня, Фельтон! Дай мне умереть!

— Если так, мы умрем вместе! — воскликнул Фельтон, целуя узницу в губы.

Послышались частые удары в дверь. На этот раз миледи по-настоящему оттолкнула Фельтона.

— Ты слышишь! — сказала она. — Нас подслушали, сюда идут! Все кончено, мы погибли!

— Нет, — возразил Фельтон, — это стучит часовой. Он предупреждает меня, что подходит дозор.

— В таком случае — бегите к двери и откройте ее сами.

Фельтон повиновался — эта женщина уже овладела всеми его помыслами, всей его душой.

Он распахнул дверь и очутился лицом к лицу с сержантом, командовавшим сторожевым патрулем.

— Что случилось? — спросил молодой лейтенант.

— Вы приказали мне открыть дверь, если я услышу, что вы зовете на помощь, но забыли оставить мне ключ, — доложил солдат. — Я услышал ваш крик, но не разобрал слов. Хотел открыть дверь, а она оказалась запертой изнутри. Тогда я позвал сержанта...

— Честь имею явиться, — отозвался сержант.

Фельтон, растерянный, обезумевший, стоял и не мог вымолвить ни слова.

Миледи поняла, что ей следует отвлечь на себя общее внимание, — она подбежала к столу, схватила нож, положенный туда Фельтоном, и выкрикнула:

— А по какому праву вы хотите помешать мне умереть?

— Боже мой! — воскликнул Фельтон, увидев, что в руке у нее блеснул нож.

В эту минуту в коридоре раздался язвительный хохот.

Барон, привлеченный шумом, появился на пороге, в халате, со шпагой, зажатой под мышкой.

— А-а... — протянул он. — Ну вот мы и дождались последнего действия трагедии! Вы видите, Фельтон, драма прошла одну за другой все фазы, как я вам и предсказывал. Но будьте спокойны, кровь не прольется.

Миледи поняла, что она погибла, если не даст Фельтону немедленного и устрашающего доказательства своего мужества.

— Вы ошибаетесь, милорд, кровь прольется, и пусть эта кровь падет на тех, кто заставил ее пролиться!

Фельтон вскрикнул и бросился к миледи... Он опоздал — миледи нанесла себе удар.

Но благодаря счастливой случайности, вернее говоря — благодаря ловкости миледи, нож встретил на своем пути одну из стальных планшеток корсета, которые в тот век, подобно панцирю, защищали грудь женщины. Нож скользнул, разорвав платье, и вонзился наискось между кожей и ребрами.

Тем не менее платье миледи тотчас обагрилось кровью.

Миледи упала навзничь и, казалось, лишилась чувств.

Фельтон вытащил нож.

— Смотрите, милорд, — сказал он мрачно, — вот женщина, которая была под моей охраной и лишила себя жизни.

— Будьте покойны, Фельтон, она не умерла, — возразил лорд Винтер. — Демоны так легко не умирают. Не волнуйтесь, ступайте ко мне и ждите меня там.

— Однако, милорд...

— Ступайте, я вам приказываю.

Фельтон повиновался своему начальнику, но, выходя из комнаты, спрятал нож у себя на груди.

Что касается лорда Винтера, он ограничился тем, что позвал женщину, которая прислуживала миледи, а когда она явилась, поручил ее заботам узницу, все еще лежавшую в обмороке, и оставил ее с ней наедине.

Но так как рана, вопреки его предположениям, могла все же оказаться серьезной, он тотчас послал верхового за врачом.

XXVIII

ПОБЕГ

Как и предполагал лорд Винтер, рана миледи была неопасна; едва миледи осталась наедине с вызванной бароном женщиной, которая стала ее поспешно раздевать, она открыла глаза.

Однако надо было притворяться слабой и больной, что было нетрудно для такой комедиантки, как миледи; бедная служанка была совсем одурачена узницей и, несмотря на ее настояния, упорно решила просидеть всю ночь у ее постели.

Но присутствие этой женщины не мешало миледи предаваться своим мыслям.

Вне всякого сомнения, Фельтон был убежден в правоте ее слов, Фельтон был предан ей всей душой; если бы ему теперь явился ангел и стал обвинять миледи, то в том состоянии духа, в котором он находился, он, наверное, принял бы этого ангела за посланца дьявола.

При этой мысли миледи улыбалась, ибо отныне Фельтон был ее единственной надеждой, единственным средством спасения.

Но ведь лорд Винтер мог его заподозрить, теперь за самим Фельтоном могли установить надзор.

Около четырех часов утра приехал врач, но рана миледи уже успела закрыться, и потому врач не мог выяснить ни ее направления, ни глубины, а только определил по пульсу, что состояние больной не внушает опасений.

Утром миледи отослала ухаживавшую за ней женщину под предлогом, что та не спала всю ночь и нуждается в отдыхе.

Она надеялась, что Фельтон придет, когда ей принесут завтрак, но Фельтон не явился.

Неужели ее опасения подтвердились? Неужели Фельтон, заподозренный бароном, не придет ей на помощь в решающую минуту? Ей оставался всего один день: лорд Винтер объявил ей, что отплытие назначено на двадцать четвертое число, а уже наступило утро двадцать второго.

Все же миледи довольно терпеливо прождала до обеда.

Хотя она утром ничего не ела, обед принесли в обычное время, и она с ужасом заметила, что у солдат, охранявших ее, уже другая форма. Тогда она отважилась спросить, где Фельтон. Ей ответили, что Фельтон час назад сел на коня и уехал.

Она осведомилась, все ли еще барон в замке. Солдат ответил утвердительно и прибавил, что барон приказал известить его, если узница пожелает с ним говорить.

Миледи сказала, что она сейчас еще слишком слаба и что ее единственное желание — остаться одной.

Солдат поставил обед на стол и вышел.

Фельтона отстранили, солдат морской пехоты сменили — значит, Фельтону не доверяли больше!

Это был последний удар, нанесенный узнице.

Оставшись одна в комнате, миледи встала: постель, в которой она из предосторожности пролежала все утро, чтобы ее считали тяжело раненной, жгла ее, как раскаленная жаровня. Она взглянула на дверь — окошечко было забито доской. Вероятно, барон боялся, как бы она не ухитрилась каким-нибудь дьявольским способом обольстить через это отверстие стражу.

Миледи улыбнулась от радости: наконец-то она могла предаваться обуревавшим ее чувствам, не опасаясь того, что за ней наблюдают! В порыве ярости она стала метаться по комнате, как запертая в клетке тигрица. Наверное, если бы у нее остался нож, она на этот раз помышляла бы убить не себя, а барона.

В шесть часов пришел лорд Винтер; он был вооружен до зубов. Этот человек, о котором миледи до сих пор думала, что он всего лишь глуповатый придворный кавалер, стал превосходным тюремщиком: казалось, он все предвидел, обо всем догадывался, все предупреждал.

Один взгляд, брошенный на миледи, пояснил ему, что творится в ее душе.

— Пусть так, — сказал он, — но сегодня вы меня еще не убьете: у вас нет больше оружия, и к тому же я начеку. Вы начали совращать беднягу Фельтона, он уже стал поддаваться вашему дьявольскому влиянию, но я хочу спасти его: он вас больше не увидит, все кончено. Соберите ваши пожитки — завтра вы отправляетесь в путь. Сначала я назначил ваше отплытие на двадцать четвертое число, но потом подумал, что чем скорее дело будет сделано, тем оно будет вернее. Завтра в полдень у меня на руках будет приказ о вашей ссылке, подписанный Бекингэмом. Если вы, прежде чем сядете на корабль, скажете кому бы то ни было хоть одно слово, мой сержант пустит вам пулю в лоб — так ему приказано. Если на корабле вы без разрешения капитана скажете кому бы то ни было хоть одно слово, капитан велит бросить вас в море — такое ему дано распоряжение. До свидания. Вот все, что я имел вам сегодня сообщить. Завтра я вас увижу — приду, чтобы распрощаться с вами.

С этими словами барон удалился.

Миледи выслушала всю эту грозную тираду с улыбкой презрения на губах, но с бешеной злобой в душе.

Подали ужин. Миледи почувствовала, что ей нужно подкрепиться: неизвестно было, что могло произойти в эту ночь. Она уже надвигалась, мрачная и бурная: по небу неслись тяжелые тучи, а отдаленные вспышки молнии предвещали грозу.

Гроза разразилась около десяти часов вечера. Миледи было отрадно видеть, что природа разделяет смятение, царившее в ее душе; гром рокотал в воздухе, как гнев в ее сердце; ей казалось, что порывы ветра обдавали ее лицо подобно тому, как они налетали на деревья, сгибая ветви и срывая с них листья; она выла, как дикий зверь, и голос ее сливался с могучим голосом природы, которая, казалось, тоже стонала и приходила в отчаяние.

Вдруг миледи услышала стук в окно и при слабом блеске молнии увидела за его решеткой лицо человека.

Она подбежала к окну и открыла его.

— Фельтон! — вскричала она. — Я спасена!

— Да, — отозвался Фельтон, — но говорите тише! Мне надо еще подпилить прутья решетки. Берегитесь только, чтобы они не увидели вас в окошечко двери.

— Вот доказательство тому, что бог за нас, Фельтон, — сказала миледи, — они забили окошечко доской.

— Это хорошо... Господь лишил их разума! — ответил Фельтон.

— Что я должна делать? — спросила миледи.

— Ничего, ровно ничего, закройте только окно. Ложитесь в постель или хотя бы прилягте не раздеваясь. Когда я кончу, я постучу. Но в состоянии ли вы следовать за мною?

— О да!

— А ваша рана?

— Причиняет мне боль, но не мешает ходить.

— Будьте готовы по первому знаку.

Миледи закрыла окно, погасила лампу, легла, как посоветовал ей Фельтон, и забилась под одеяло. Среди завываний бури она слышала визг пилы, ходившей по решетке, и при каждой вспышке молнии различала тень Фельтона за оконными стеклами.

Целый час она лежала, едва переводя дыхание, покрываясь холодным потом и чувствуя, как сердце у нее отчаянно замирает от страха при малейшем шорохе, доносившемся из коридора.

Бывают часы, которые длятся годы...

Через час Фельтон снова постучал в окно.

Миледи вскочила с постели и распахнула его. Два прута решетки были перепилены, и образовалось отверстие, в которое мог пролезть человек.

— Вы готовы? — спросил Фельтон.

— Да. Нужно ли мне что-нибудь захватить с собой?

— Золото, если оно у вас есть.

— Да, к счастью, мне оставили то золото, которое я имела при себе.

— Тем лучше. Я истратил все свои деньги на то, чтобы нанять судно.

— Возьмите, — сказала миледи, вручая Фельтону мешок с золотыми монетами.

Фельтон взял мешок и бросил его вниз, к подножию стены.

— А теперь, — сказал он, — пора спускаться.

— Хорошо.

Миледи встала на кресло и высунулась в окно. Она увидела, что молодой офицер висит над пропастью на веревочной лестнице.

Впервые ее объял страх и напомнил ей, что она женщина. Ее пугала зияющая бездна.

— Этого я и боялся, — сказал Фельтон.

— Это пустяки... пустяки... — проговорила миледи. — Я спущусь с закрытыми глазами.

— Вы мне доверяете? — спросил Фельтон.

— И вы еще спрашиваете!

— Протяните мне ваши руки. Скрестите их. Вытяните. Вот так.

Фельтон связал ей кисти рук своим платком и поверх платка — веревкой.

— Что вы делаете? — с удивлением спросила миледи.

— Положите мне руки на шею и не бойтесь ничего.

— Но из-за меня вы потеряете равновесие, и мы оба упадем и разобьемся.

— Не беспокойтесь, я моряк.

Нельзя было терять ни мгновения; миледи обвила руками шею Фельтона и с его помощью проскользнула в окно.

Фельтон начал медленно спускаться со ступеньки на ступеньку. Несмотря на тяжесть двух тел, лестница качалась в воздухе от яростных порывов ветра.

Вдруг Фельтон остановился.

— Что случилось? — спросила миледи.

— Тише! — сказал Фельтон. — Я слышу чьи-то шаги.

— Нас увидели!

Несколько мгновений они молчали и прислушивались.

— Нет, — заговорил Фельтон, — ничего страшного,

— Но чьи же это шаги?

— Это часовые обходят дозором замок.

— А где они должны пройти?

— Как раз под нами.

— Они нас заметят...

— Нет, если не сверкнет молния.

— Они заденут конец лестницы.

— К счастью, она на шесть футов не достает до земли.

— Вот они... боже мой!

— Молчите!

Они продолжали висеть, не двигаясь и затаив дыхание, на высоте двадцати футов над землей, а в то самое время под ними, смеясь и разговаривая, проходили солдаты.

Для беглецов настала страшная минута...

Патруль прошел. Слышен был шум удаляющихся шагов и замирающие вдали голоса.

— Теперь мы спасены, — сказал Фельтон.

Миледи вздохнула и лишилась чувств.

Фельтон стал опять спускаться. Добравшись до нижнего конца лестницы и не чувствуя дальше опоры для ног, он начал цепляться за ступеньки руками; ухватившись наконец за последнюю, он повис на ней, и ноги его коснулись земли. Он нагнулся, подобрал мешок с золотом и взял его в зубы.

Потом он схватил миледи на руки и быстро пошел в сторону, противоположную той, куда удалился патруль.

Вскоре он свернул с дозорного пути, спустился между скалами и, дойдя до самого берега, свистнул.

В ответ раздался такой же свист, и пять минут спустя на море показалась лодка с четырьмя гребцами.

Лодка подплыла настолько близко, насколько это было возможно: недостаточная глубина помешала ей пристать к берегу. Фельтон вошел по пояс в воду, не желая никому доверять свою драгоценную ношу.

К счастью, буря начала затихать. Однако море еще бушевало: маленькую лодку подбрасывало на волнах, точно ореховую скорлупу.

— К шхуне! — приказал Фельтон. — И гребите быстрее!

Четыре матроса принялись грести, но море так сильно волновалось, что весла с трудом рассекали воду.

Тем не менее беглецы удалялись от замка, а это было самое важное.

Ночь была очень темная, и с лодки уже почти невозможно было различить берег, а тем более увидеть с берега лодку.

Какая-то черная точка покачивалась на море.

Это была шхуна.

Пока четыре матроса изо всех сил гребли к ней, Фельтон распутал сначала веревку, а потом и платок, которым были связаны руки миледи.

Высвободив ее руки, он зачерпнул морской воды и спрыснул ей лицо.

Миледи вздохнула и открыла глаза.

— Где я? — спросила она.

— Вы спасены! — ответил молодой офицер.

— О! Спасена! — воскликнула она. — Да, вот небо, вот море! Воздух, которым я дышу, — воздух свободы... Ах!.. Благодарю вас, Фельтон, благодарю!

Молодой человек прижал ее к своему сердцу.

— Но что с моими руками? — удивилась миледи. — Мне их словно сдавили в тисках!

Миледи подняла руки: кисти их действительно онемели и были покрыты синяками.

— Увы! — вздохнул Фельтон, глядя на эти красивые руки и грустно качая головой.

— Ах, это пустяки, пустяки! — воскликнула миледи. — Теперь я вспомнила!

Миледи что-то поискала глазами вокруг себя.

— Он тут, — успокоил ее Фельтон и ногой пододвинул к ней мешок с золотом.

Они подплыли к шхуне. Вахтенный окликнул сидевших в лодке — с лодки ответили.

— Что это за судно? — осведомилась миледи.

— Шхуна, которую я для вас нанял.

— Куда она меня доставит?

— Куда вам будет угодно, лишь бы вы меня высадили в Портсмуте.

— Что вы собираетесь делать в Портсмуте? — спросила миледи.

— Исполнить приказания лорда Винтера, — с мрачной усмешкой ответил Фельтон.

— Какие приказания?

— Неужели вы не понимаете?

— Нет. Объясните, прошу вас.

— Не доверяя мне больше, он решил сам стеречь вас, а меня послал отвезти на подпись Бекингэму приказ о вашей ссылке.

— Но если он вам не доверяет, как же он поручил вам доставить этот приказ?

— Разве мне полагается знать, что́ я везу?

— Это верно. И вы отправляетесь в Портсмут?

— Мне надо торопиться: завтра двадцать третье число, и Бекингэм отплывает с флотом.

— Он уезжает завтра? Куда?

— В Ла-Рошель.

— Он не должен ехать! — вскричала миледи, теряя свое обычное самообладание.

— Будьте спокойны, — ответил Фельтон, — он не уедет.

Миледи затрепетала от радости — она прочитала в сокровенной глубине сердца молодого человека: там была написана смерть Бекингэма.

— Фельтон, ты велик, как Иуда Маккавей! Если ты умрешь, я умру вместе с тобой, — вот все, что я могу тебе сказать!

— Тише! — напомнил ей Фельтон. — Мы подходим.

В самом деле, лодка уже подходила к шхуне.

Фельтон первый взобрался по трапу и подал миледи руку, а матросы поддержали ее, так как море было еще бурное.

Минуту спустя они стояли на палубе.

— Капитан, — сказал Фельтон, — вот особа, о которой я вам говорил и которую нужно целой и невредимой доставить во Францию.

— За тысячу пистолей, — отвечал капитан.

— Я уже дал вам пятьсот.

— Совершенно верно.

— А вот остальные, — вмешалась миледи, берясь за мешок с золотом.

— Нет, — возразил капитан, — я никогда не изменяю своему слову, а я дал слово этому молодому человеку: остальные пятьсот причитаются мне по прибытии в Булонь.

— А доберемся мы туда.

— Целыми и невредимыми, — подтвердил капитан. — Это так же верно, как то, что меня зовут Джек Бутлер.

— Так вот: если вы сдержите слово, я дам вам не пятьсот, а тысячу пистолей.

— Ура, прекрасная дама! — вскричал капитан. — И пошли мне бог почаще таких пассажиров, как ваша милость!

— А пока что, — сказал Фельтон, — доставьте нас в бухту... помните, относительно которой мы с вами уговорились, что вы доставите нас туда.

В ответ капитан приказал взять нужный курс, и около семи часов утра небольшое судно бросило якорь в указанной Фельтоном бухте.

Во время этого переезда Фельтон все рассказал миледи: как он, вместо того чтобы отправиться в Лондон, нанял это судно, как он вернулся, как вскарабкался на стену, втыкая, по мере того как поднимался, в расселины между камнями железные скобы и становясь на них, и как, наконец, добравшись до решетки окна, привязал веревочную лестницу. Остальное было известно миледи.

Миледи же пыталась укрепить Фельтона в его замысле. Но с первых сказанных им слов она поняла, что молодого фанатика надо было скорее сдерживать, чем поощрять.

Они условились, что миледи будет ждать Фельтона до десяти часов, а если в десять часов он не вернется, она тронется в путь. Тогда, в случае если он останется на свободе, они встретятся во Франции, в монастыре кармелиток в Бетюне.

XXIX

ЧТО ПРОИСХОДИЛО В ПОРТСМУТЕ 23 АВГУСТА 1628 ГОДА

Фельтон простился с миледи, поцеловав ей руку, как прощается брат с сестрой, уходя на прогулку.

С виду он казался спокойным, как всегда, только глаза его сверкали необыкновенным, словно лихорадочным блеском. Лицо его было бледнее, чем обычно, губы плотно сжаты, а речь звучала коротко и отрывисто, изобличая клокотавшие в нем мрачные чувства.

Пока он находился в лодке, отвозившей его с корабля на берег, он не отрываясь смотрел на миледи, которая, стоя на палубе, провожала его взглядом. Оба они уже почти не опасались погони: в комнату миледи никогда не входили раньше девяти часов, а от замка до Портсмута было три часа езды.

Фельтон сошел на берег, взобрался по гребню холма на вершину утеса, в последний раз приветствовал миледи и повернул к городу.

Дорога шла под уклон, и, когда Фельтон отошел шагов на сто, ему видна была уже только мачта шхуны.

Он устремился по направлению к Портсмуту, башни и дома которого вставали перед ним, окутанные утренним туманом, приблизительно на расстоянии полумили.

По ту сторону Портсмута море было заполнено кораблями; их мачты, похожие на лес тополей, оголенных дыханием зимы, покачивались на ветру.

Быстро шагая вперед, Фельтон перебирал в уме все обвинения, истинные или ложные, против Бекингэма, фаворита Якова I и Карла I, — обвинения, которые накопились у него в итоге двухлетних размышлений и длительного пребывания в кругу пуритан.

Сравнивая публичные преступления этого министра, преступления нашумевшие и, если можно так выразиться, европейские, с частными и никому не ведомыми преступлениями, в которых обвиняла его миледи, Фельтон находил, что из двух человек, которые уживались в Бекингэме, более виновным был тот, чья жизнь оставалась неизвестной широкой публике. Дело в том, что любовь Фельтона, такая странная, внезапная і пылкая, в преувеличенных размерах рисовала ему низкие и зымышленные обвинения леди Винтер, подобно тому как пылинки, в действительности едва уловимые для глаза, даже по сравнению с муравьем, представляются нам сквозь увеличительное стекло страшными чудовищами.

Быстрая ходьба еще сильнее разжигала его пыл; мысль о том, что там, позади него, оставалась, подвергаясь угрозе страшной мести, женщина, которую он любил, вернее, боготворил, как святую, недавно пережитое волнение, испытываемая усталость — все это приводило его в состояние величайшего душевного подъема.

Он вошел в Портсмут около восьми часов утра. Все население города было на ногах; на улицах и в гавани били барабаны, отъезжавшие войска направлялись к морю.

Фельтон подошел к адмиралтейству весь в пыли и поту; его лицо, обычно бледное, раскраснелось от жары и гнева. Часовой не хотел пропускать его, но Фельтон позвал начальника караула и, вынув из кармана приказ, который ему велено было доставить, заявил:

— Спешное поручение от лорда Винтера.

Услышав имя лорда Винтера, являвшегося, как было всем известно, одним из ближайших друзей его светлости, начальник караула приказал пропустить Фельтона, который к тому же был в мундире морского офицера.

Фельтон ринулся во дворец.

В ту минуту, когда он входил в вестибюль, туда же вошел какой-то запыхавшийся, весь покрытый пылью человек, оставивший у крыльца почтовую лошадь, которая, доскакав, рухнула на колени. Фельтон и незнакомец одновременно обратились к камердинеру Патрику, который пользовался полным доверием герцога.

Фельтон сказал, что он послан бароном Винтером; незнакомец отказался сказать, кем он послан, и заявил, что может назвать себя одному только герцогу. Каждый из них настаивал на том, чтобы пройти первым.

Патрик, знавший, что лорда Винтера связывают с герцогом и служебные дела, и дружеские отношения, отдал предпочтение тому, кто явился от его имени. Другому гонцу пришлось дожидаться, и видно было, как он проклинает эту задержку.

Камердинер прошел с Фельтоном через большой зал, в котором ждала приема депутация от жителей Ла-Рошели во главе с принцем Субизом, и подвел его к дверям комнаты, где Бекингэм, только что принявший ванну, заканчивал свой туалет, уделяя ему, как всегда, очень большое внимание.

— Лейтенант Фельтон, — доложил Патрик. — Явился по поручению лорда Винтера.

— По поручению лорда Винтера? — повторил Бекингэм. — Впустите его.

Фельтон вошел. Бекингэм в эту минуту швырнул на диван богатый халат, затканный золотом, и стал надевать камзол синего бархата, весь расшитый жемчугом.

— Почему барон не приехал сам? — спросил Бекингэм. — Я ждал его сегодня утром.

— Он поручил мне передать вашей светлости, — ответил Фельтон, — что он весьма сожалеет, что не может иметь этой чести, так как ему приходится самому быть на страже в замке.

— Да-да, я знаю. У него есть узница.

— Об этой узнице я и хотел поговорить с вашей светлостью.

— Ну, говорите!

— То, что мне нужно вам сказать, никто не должен слышать, кроме вас, милорд.

— Оставьте нас, Патрик, — приказал Бекингэм, — но будьте поблизости, чтобы тотчас явиться на мой звонок. Я сейчас позову вас.

Патрик вышел.

— Мы одни, сударь, — сказал Бекингэм. — Говорите.

— Милорд, барон Винтер писал вам несколько дней назад, прося вас подписать приказ о ссылке, касающейся одной молодой женщины, именуемой Шарлоттой Баксон.

— Да, сударь, я ему ответил, чтобы он привез сам или прислал мне этот приказ, и я подпишу его.

— Вот он, милорд.

— Давайте.

Герцог взял из рук Фельтона бумагу и бегло просмотрел ее. Убедившись, что это тот самый приказ, о котором ему сообщал лорд Винтер, он положил его на стол и взял перо, собираясь поставить свою подпись.

— Простите, милорд... — сказал Фельтон, удерживая герцога. — Но известно ли вашей светлости, что Шарлотта Баксон — не настоящее имя этой молодой женщины?

— Да, сударь, это мне известно, — ответил герцог и обмакнул перо в чернила.

— Значит, ваша светлость знает ее настоящее имя?

— Я его знаю.

Герцог поднес перо к бумаге. Фельтон побледнел.

— И, зная это настоящее имя, вы все-таки подпишете, ваша светлость?

— Конечно, и нисколько не задумываясь.

— Я не могу поверить, — все более резким и отрывистым голосом продолжал Фельтон, — что вашей светлости известно, что дело идет о леди Винтер...

— Мне это отлично известно, но меня удивляет, как вы это можете знать?

— И вы без угрызения совести подпишете этот приказ, ваша светлость?

Бекингэм надменно посмотрел на молодого человека:

— Однако, сударь, вы предлагаете мне странные вопросы, и я поступаю очень снисходительно, отвечая вам!

— Отвечайте, ваша светлость! — сказал Фельтон. — Положение гораздо серьезнее, чем вы, быть может, думаете.

Бекингэм решил, что молодой человек, явившись по поручению лорда Винтера, говорит, конечно, от его имени, и смягчился.

— Без всякого угрызения совести, — подтвердил он. — Барону, как и мне, известно, что леди Винтер — большая преступница и что ограничить ее наказание ссылкой почти равносильно тому, что помиловать ее.

Герцог пером коснулся бумаги.

— Вы не подпишете этого приказа, милорд! — воскликнул Фельтон, делая шаг к герцогу.

— Я не подпишу этого приказа? — удивился Бекингэм. — А почему?

— Потому что вы заглянете в свою душу и воздадите миледи справедливость.

— Справедливость требовала бы отправить ее в Тайберн. Миледи — бесчестная женщина.

— Ваша светлость, миледи — ангел, вы хорошо это знаете, и я прошу вас дать ей свободу!

— Да вы с ума сошли! Как вы смеете так говорить со мной?

— Извините меня, милорд, я говорю, как умею, я стараюсь сдерживаться... Однако подумайте о том, милорд, что вы намерены сделать, и опасайтесь превысить меру!

— Что?.. Да простит меня бог! — вскричал Бекингэм. — Он, кажется, угрожает мне!

— Нет, милорд, я вас еще прошу и говорю вам: одной капли довольно, чтобы чаша переполнилась, одна небольшая вина может навлечь кару на голову того, кого щадил еще всевышний, несмотря на все его преступления!

— Господин Фельтон, извольте выйти отсюда и немедленно отправиться под арест! — приказал Бекингэм.

— Извольте выслушать меня до конца, милорд. Вы соблазнили эту молодую девушку, вы ее жестоко оскорбили, запятнали ее честь... Загладьте то зло, какое вы ей причинили, дайте ей беспрепятственно уехать, и я ничего больше не потребую от вас.

— Ничего не потребуете? — проговорил Бекингэм, с изумлением глядя на Фельтона и делая ударение на каждом слове.

— Милорд... — продолжал Фельтон, все больше воодушевляясь по мере того, как он говорил. — Берегитесь, милорд, вся Англия устала от ваших беззаконий! Милорд, вы злоупотребили королевской властью, которую вы почти узурпировали. Милорд, вы внушаете отвращение и людям и богу! Бог накажет вас впоследствии, я же накажу вас сегодня!

— Это уж слишком! — крикнул Бекингэм и сделал шаг к двери.

Фельтон преградил ему дорогу.

— Смиренно прошу вас, — сказал он, — подпишите приказ об освобождении леди Винтер. Вспомните, это женщина, которую вы обесчестили!

— Ступайте вон, сударь! Или я позову стражу и велю заковать вас в кандалы!

— Вы никого не позовете, — заявил Фельтон, встав между герцогом и колокольчиком, стоявшим на столике с серебряными инкрустациями. — Берегитесь, милорд, вы теперь в руках божьих!

— В руках дьявола, хотите вы сказать! — вскричал Бекингэм, повышая голос, чтобы привлечь внимание людей в соседней комнате, но еще прямо не взывая о помощи.

— Подпишите, милорд, подпишите приказ об освобождении леди Винтер! — настаивал Фельтон, протягивая герцогу бумагу.

— Вы хотите меня принудить? Да вы смеетесь надо мной!.. Эй, Патрик!

— Подпишите, милорд!

— Ни за что!

— Ни за что?

— Ко мне! — крикнул герцог и схватился за шпагу.

Но Фельтон не дал ему времени обнажить ее: на груди он держал наготове нож, которым ранила себя миледи, и одним прыжком бросился на герцога.

В эту минуту в кабинет вошел Патрик и крикнул:

— Милорд, письмо из Франции!

— Из Франции? — воскликнул Бекингэм, забывая все на свете и думая только о том, от кого это письмо.

Фельтон воспользовался этим мгновением и всадил ему в бок нож по самую рукоятку.

— А, предатель! — крикнул Бекингэм. — Ты убил меня...

— Убийство!.. — завопил Патрик.

Фельтон, пытаясь скрыться, оглянулся по сторонам и, увидев, что дверь открыта, ринулся в соседний зал, где, как мы уже говорили, ждала приема депутация Ла-Рошели, бегом промчался по нему и устремился к лестнице, но на первой ступеньке столкнулся с лордом Винтером. Увидев мертвенную бледность Фельтона, его блуждающий взгляд и пятна крови на руках и лице, лорд Винтер схватил его за горло и закричал:

— Я это знал! Я догадался, но, увы, минутой позже, чем следовало! О я несчастный! Несчастный!..

Фельтон не оказал ни малейшего сопротивления. Лорд Винтер передал его в руки стражи, которая, в ожидании дальнейших распоряжений, отвела его на небольшую террасу, выходившую на море, а сам поспешил в кабинет Бекингэма.

На крик герцога, на зов Патрика человек, с которым Фельтон встретился в вестибюле, вбежал в кабинет.

Герцог лежал на диване и рукой судорожно зажимал рану.

— Ла Порт... — произнес герцог угасающим голосом, — Ла Порт, ты от нее?

— Да, ваша светлость, — ответил верный слуга Анны Австрийской, — но, кажется, я опоздал...

— Тише, Ла Порт, вас могут услышать... Патрик, не впускайте никого... Ах, я так и не узнаю, что она велела мне передать! Боже мой, я умираю!

И герцог лишился чувств.

Между тем лорд Винтер, посланцы Ла-Рошели, начальники экспедиционных войск и офицеры свиты Бекингэма толпой вошли в комнату; повсюду раздавались крики отчаяния. Печальная новость, наполнившая дворец стенаниями и горестными воплями, вскоре перекинулась за его пределы и разнеслась по городу.

Пушечный выстрел возвестил, что произошло нечто важное и неожиданное.

Лорд Винтер рвал на себе волосы.

— Минутой позже! — восклицал он. — Одной минутой! О, боже, боже, какое несчастье!

Действительно, в семь часов утра ему доложили, что у одного из окон замка висит веревочная лестница. Он тотчас бросился в комнату миледи и увидел, что комната пуста, окно открыто, прутья решетки перепилены; он вспомнил словесное предостережение д'Артаньяна, переданное через его гонца, затрепетал от страха за герцога, бегом кинулся в конюшню и, не дожидаясь, пока ему оседлают коня, вскочил на первого попавшегося, во весь опор примчался в адмиралтейство, спрыгнул во дворе наземь, взбежал по лестнице и, как мы уже говорили, столкнулся на верхней ступеньке с Фельтоном.

Однако герцог был еще жив: он пришел в чувство, открыл глаза, и в сердца всех окружающих вселилась надежда.

— Господа, — сказал он, — оставьте меня одного с Ла Портом и Патриком... А, это вы, Винтер! Вы сегодня утром прислали ко мне какого-то странного безумца. Посмотрите, что он со мной сделал!

— О милорд, — вскричал барон, — я навсегда останусь неутешным!

— И будешь не прав, милый Винтер, — возразил Бекингэм, протягивая ему руку. — Я не знаю ни одного человека, который заслуживал бы того, чтобы другой человек оплакивал его всю свою жизнь... Но оставь нас, прошу тебя.

Барон, рыдая, вышел.

В комнате остались только раненый герцог, Ла Порт и Патрик.

Приближенные герцога искали врача и не могли найти его.

— Вы будете жить, милорд, вы будете жить! — твердил, стоя на коленях перед диваном, верный слуга Анны Австрийской.

— Что она мне пишет? — слабым голосом спросил Бекингэм; истекая кровью, он пересиливал жестокую боль, чтобы говорить о той, кого любил. — Что она мне пишет? Прочитай мне ее письмо.

— Как можно, милорд! — испугался Ла Порт.

— Повинуйся, Ла Порт. Разве ты не видишь, что мне нельзя терять время?

Ла Порт сломал печать и поднес пергамент к глазам герцога, но Бекингэм тщетно пытался разобрать написанное.

— Читай же... — приказал он, — читай, я уже не вижу. Читай! Ведь скоро я, быть может, перестану слышать и умру, так и не узнав, что она мне написала...

Ла Порт не стал больше возражать и прочитал:

«Милорд!

Заклинаю вас всем, что я выстрадала из-за вас и ради вас с тех пор, как я вас знаю, — если вам дорог мой покой, прекратите ваши обширные вооружения против Франции и положите конец войне. Ведь даже вслух все говорят о том, что религия — только видимая ее причина, а втихомолку утверждают, что истинная причина — ваша любовь ко мне. Эта война может принести не только великие бедствия Франции и Англии, но и несчастья вам, милорд, что сделает меня неутешной.

Берегите свою жизнь, которой угрожает опасность и которая станет для меня драгоценной с той минуты, когда я не буду вынуждена видеть в вас врага.

Благосклонная к вам
Анна».

Бекингэм собрал остаток сил, чтобы выслушать все до конца. Затем, когда письмо было прочитано, он спросил с оттенком горького разочарования в голосе:

— Неужели вам нечего передать мне на словах, Ла Порт?

— Да как же, ваша светлость! Королева поручила мне сказать вам, чтобы вы были осторожны: ее предупредили, что вас хотят убить.

— И это все? Все? — нетерпеливо спрашивал Бекингэм.

— Она еще поручила мне сказать вам, что по-прежнему вас любит.

— Ах!.. Слава богу! — воскликнул Бекингэм. — Значит, моя смерть не будет для нее безразлична!

Ла Порт залился слезами.

— Патрик, — сказал герцог, — принесите мне ларец, в котором лежали алмазные подвески.

Патрик принес его, и Ла Порт узнал ларец, принадлежавший королеве.

— А теперь белый атласный мешочек, на котором вышит жемчугом ее вензель.

Патрик исполнил и это приказание.

— Возьмите, Ла Порт, — сказал Бекингэм. — Вот един-ственные знаки ее расположения, которые я получил от нее: этот ларец и эти два письма. Отдайте их ее величеству и как последнюю память обо мне... — он взглядом поискал вокруг себя какую-нибудь драгоценность, — присоедините к ним...

Он снова стал искать что-то взглядом, но его затума-ненные близкой смертью глаза различили только нож, ко-торый выпал из рук Фельтона и еще дымился алой кровью, расплывшейся по лезвию.

— ...присоедините этот нож, — договорил герцог, сжимая руку Ла Порта.

Он смог еще положить мешочек на дно ларца и опустить туда нож, знаком показывая Ла Порту, что не может больше говорить.

Потом, забившись в предсмертной судороге, которую на этот раз он был уже не в силах побороть, скатился с дивана на паркет.

Патрик громко закричал.

Бекингэм хотел в последний раз улыбнуться, но смерть остановила его мысль, и она запечатлелась на его челе как последний поцелуй любви.

В эту минуту явился взволнованный врач герцога; он был уже на борту адмиральского судна, и пришлось послать за ним туда.

Врач подошел к герцогу, взял его руку, подержал ее в своей и опустил.

— Все бесполезно, — сказал он, — герцог умер.

— Умер, умер! — закричал Патрик.

На его крик вся толпа хлынула в комнату, и повсюду воцарились отчаяние, горестное изумление и растерянность.

Как только лорд Винтер увидел, что Бекингэм испустил дух, он кинулся к Фельтону, которого солдаты по-прежнему стерегли на террасе дворца.

— Негодяй! — сказал он молодому человеку, к которому после смерти Бекингэма вернулось спокойствие и хладнокро-вие, по-видимому не оставившие его до конца. — Негодяй! Что ты сделал!

— Я отомстил за себя, — ответил Фельтон.

— За себя! — повторил барон. — Скажи лучше, что ты послужил орудием этой проклятой женщины! Но клянусь тебе, это будет ее последним злодеянием!

— Я не понимаю, что вы хотите сказать, — спокойно ответил Фельтон, — и я не знаю, о ком вы говорите, милорд. Я убил герцога Бекингэма за то, что он дважды отклонил вашу просьбу произвести меня в чин капитана. Я наказал его за несправедливость, вот и все.

Винтер, ошеломленный, смотрел на солдат, вязавших Фельтона, и поражался подобной бесчувственности.

Одна только мысль омрачала спокойное лицо Фельтона: когда до него доносился какой-нибудь шум, наивному пуританину казалось, что он слышит шаги и голос миледи, которая явилась кинуться в его объятия, признать себя виновной и погибнуть вместе с ним.

Вдруг он вздрогнул и устремил взор на какую-то точку в море, которое во всю ширь открывалось перед ним с террасы, где он находился.

Орлиным взором моряка он разглядел то, что другой человек принял бы на таком расстоянии за покачивающуюся на волнах чайку, — парус шхуны, отплывавшей к берегам Франции.

Он побледнел, схватился рукой за сердце, которое готово было разорваться, и понял все предательство миледи.

— Прошу вас о последней милости, милорд! — обратился он к барону.

— О какой? — спросил лорд Винтер.

— Скажите, который час?

Барон вынул часы.

— Без десяти минут девять, — ответил он.

Миледи на полтора часа ускорила свой отъезд: как только она услышала пушечный выстрел, возвестивший роковое событие, она приказала сняться с якоря.

Судно плыло под ясным небом, на большом расстоянии от берега.

— Так угодно было богу, — сказал Фельтон с покорностью фанатика, не в силах, однако, отвести глаза от крохотного суденышка, на палубе которого ему чудился белый призрак той, для кого ему предстояло пожертвовать жизнью.

Лорд Винтер проследил за взглядом Фельтона, перевел вопрошающий взор на его страдальческое лицо и все отгадал.

— Сначала ты один понесешь наказание, негодяй, — сказал он Фельтону, который, неотступно глядя на море, покорно подчинялся уводившим его солдатам, — но, клянусь памятью моего брата, которого я горячо любил, твоей сообщнице не удастся спастись!

Фельтон опустил голову и не проронил ни слова.

А лорд Винтер сбежал с лестницы и поспешил в гавань.

XXX

ВО ФРАНЦИИ

Когда английский король Карл I узнал о смерти Бекингэма, его первым и самым большим опасением было, как бы эта страшная весть не лишила ларошельцев бодрости духа. Поэтому он старался, как рассказывает Ришелье в своих «Мемуарах», скрывать ее от них возможно дольше. Он приказал запереть все гавани своего государства и тщательно следить за тем, чтобы ни один корабль не вышел в море до отплытия армии, которую снаряжал Бекингэм и за отправкой которой, после его смерти, король сам взялся надзирать.

Он довел строгость этого запрета до того, что даже задержал в Англии датских послов, которые уже откланялись ему, и голландского посла, который должен был доставить в Флиссинген ост-индские корабли, возвращенные Карлом I Соединенным Нидерландам.

Но так как он позаботился отдать этот приказ только через пять часов после печального события, то есть в два часа дня, два корабля успели выйти из гавани. Один, как мы знаем, увозил миледи, которая уже догадывалась о том, что произошло, и еще больше уверилась в своем предположении, увидев, что на мачте адмиральского корабля поднят черный флаг. Что касается второго корабля, мы расскажем после, кто на нем находился и каким образом он отплыл.

За это время, впрочем, в лагере под Ла-Рошелью не случилось ничего нового; только король, очень скучавший, как всегда, а в лагере, пожалуй, еще больше, чем в других местах, решил уехать инкогнито в Сен-Жермен — провести там день святого Людовика и попросил кардинала снарядить ему конзой всего из двадцати мушкетёров. Кардинал, которому иногда передавалась скука короля, с большим удовольствием предоставил этот отпуск своему царственному помощнику, обещавшему вернуться к 15 сентября.

Господин де Тревиль, уведомленный его высокопреосвященством, собрался в дорогу и, зная, что его друзья, по неизвестной ему причине, испытывают сильное желание и даже настоятельную потребность вернуться в Париж, разумеется, включил их в конвой короля.

Четверо молодых людей узнали эту новость через четверть часа после г-на де Тревиля, так как им первым он сообщил о ней. Вот когда д'Артаньян особенно оценил милость, которую оказал ему кардинал, наконец-то позволив перейти в мушкетёры! Если бы не это обстоятельство, д'Артаньяну пришлось бы остаться в лагере, а его товарищи уехали бы без него.

Нечего и говорить, что их побуждала вернуться в Париж мысль о той опасности, которая угрожала г-же Бонасье при встрече в Бетюнском монастыре с ее смертельным врагом — миледи. Поэтому, как мы уже сказали, Арамис немедленно написал той самой турской белошвейке, у которой были такие влиятельные знакомства, чтобы она испросила у королевы разрешение для г-жи Бонасье выйти из монастыря и удалиться в Лотарингию или Бельгию. Ответ не заставил себя долго ждать, и через девять-десять дней Арамис получил следующее письмо:

«Любезный кузен!

Вот вам разрешение моей сестры взять нашу юную служанку из Бетюнского монастыря, воздух которого, по вашему мнению, вреден для нее. Моя сестра с большим удовольствием посылает вам свое разрешение, так как она очень любит эту славную девушку и надеется в случае надобности быть ей полезной и в дальнейшем.

Целую вас.
Аглая Мишон».

К этому письму было приложено разрешение, составленное в следующих выражениях:

«Настоятельнице Бетюнского монастыря надлежит передать на попечение того лица, которое вручит ей это письмо, послушницу, поступившую к ней в монастырь по моей рекомендации и находящуюся под моим покровительством.

В Лувре, 10 августа 1628 года.
Анна».

Можно себе представить, какую пищу веселому остроумию молодых людей давали эти родственные отношения Арамиса с белошвейкой, называвшей королеву своей сестрой! Но Арамис, два-три раза густо покраснев в ответ на грубоватые шутки Портоса, попросил своих друзей впредь не возвращаться к этой теме и заявил, что, если они скажут ему по этому поводу хоть одно слово, он больше не прибегнет в такого рода делах к посредничеству своей кузины.

Поэтому о белошвейке больше не упоминалось в разговорах четырех мушкетеров, которые к тому же добились того, чего хотели: получили разрешение взять г-жу Бонасье из Бетюнского монастыря кармелиток. Правда, от этого разрешения им было мало пользы, пока они находились в лагере под Ла-Рошелью, иначе говоря — на другом конце Франции. А потому д'Артаньян уже собирался откровенно признаться г-ну де Тревилю, для чего ему необходимо уехать, и попросить у него отпуск, как вдруг г-н де Тревиль объявил ему и его трем товарищам, что король едет в Париж с конвоем из двадцати мушкетеров и что они назначены в число конвойных.

Друзья очень обрадовались. Они послали слуг вперед с багажом и наутро выехали сами.

Кардинал проводил его величество от Сюржера до Мозе, и там король и его министр простились с взаимными изъявлениями дружеских чувств.

Желая приехать в Париж к двадцать третьему числу, король как можно быстрее продвигался вперед. Однако в поисках развлечений он время от времени останавливался для соколиной охоты, своей излюбленной забавы, к которой некогда пристрастил его герцог де Люинь. Когда это случалось, шестнадцать мушкетеров из двадцати очень радовались такому веселому времяпрепровождению, а остальные четверо проклинали все на свете, в особенности д'Артаньян; у него постоянно звенело в ушах, что Портос объяснял следующим образом:

— Как мне сказала одна очень знатная дама, это значит, что о вас где-то вспоминают.

Наконец в ночь на двадцать третье число конвой проехал Париж и добрался до места своего назначения. Король поблагодарил г-на де Тревиля и разрешил ему поочередно увольнять конвойных в отпуск на четыре дня, с условием, чтобы никто из счастливцев, под страхом заключения в Бастилию, не показывался в публичных местах.

Первые четыре отпуска, как легко догадаться, были даны нашим четырем друзьям; более того, Атос выпросил у г-на де Тревиля шесть дней вместо четырех и присоединил к ним еще две ночи — они уехали двадцать четвертого, в пять часов вечера, а г-н де Тревиль любезно пометил отпуск двадцать пятым числом.

— Ах, боже мой, по-моему, мы причиняем себе много хлопот из-за пустяков! — сказал д'Артаньян, как известно никогда ни в чем не сомневавшийся. — В два дня, загнав двух-трех лошадей, — это мне нипочем, деньги у меня есть! — я доскачу до Бетюна, вручу настоятельнице письмо королевы и увезу мою милую не в Лотарингию и не в Бельгию, а в Париж — где она будет лучше укрыта, особенно пока кардинал будет стоять под Ла-Рошелью. А когда мы вернемся из похода, тут уж мы добьемся от королевы — отчасти пользуясь покровительством ее кузины, отчасти за оказанные нами услуги — всего, чего захотим. Оставайтесь здесь, не тратьте сил понапрасну! Меня и Планше вполне хватит для такого простого предприятия.

На это Атос спокойно ответил:

— У нас тоже есть деньги — я еще не пропил всей своей доли, полученной за перстень, а Портос и Арамис еще не всю ее проели. Стало быть, мы так же легко можем загнать четырех лошадей, как и одну. Но не забывайте, д'Артаньян... — прибавил он таким мрачным голосом, что юноша невольно вздрогнул, — не забывайте, что Бетюн — тот самый город, где кардинал назначил свидание женщине, которая повсюду, где бы она ни появлялась, приносит несчастье! Если бы вы имели дело только с четырьмя мужчинами, д'Артаньян, я отпустил бы вас одного. Вы же будете иметь дело с этой женщиной — так поедем вчетвером, и дай бог, чтобы всех нас, да еще с четырьмя слугами в придачу, оказалось достаточно!

— Вы меня пугаете, Атос! — вскричал д'Артаньян. — Да чего же вы опасаетесь, черт возьми?

— Всего! — ответил Атос.

Д'Артаньян внимательно поглядел на своих товарищей, лица которых, как и лицо Атоса, выражали глубокую тревогу;

не промолвив ни слова, все пришпорили коней и продолжали свой путь.

Двадцать пятого числа под вечер, когда они въехали в Аррас и д'Артаньян спешился у «Золотой бороны», чтобы выпить стакан вина в этой гостинице, какой-то всадник выехал с почтового двора, где он переменил лошадь, и на свежем скакуне галопом помчался по дороге в Париж.

В ту минуту, как он выезжал из ворот на улицу, ветром распахнуло плащ, в который он был закутан, хотя дело происходило в августе, и чуть не снесло с него шляпу, но путник вовремя удержал ее рукой, поймав уже на лету, и проворно надвинул себе на глаза.

Д'Артаньян, пристально смотревший на этого человека. отчаянно побледнел и выронил из рук стакан.

— Что с вами, сударь? — встревожился Планше. — Эй, господа, бегите на помощь, господину моему худо!

Трое друзей подбежали и увидели, что д'Артаньян и не думал падать в обморок, а кинулся к своему коню. Они преградили ему дорогу.

— Куда ты, черт побери, летишь сломя голову? — крикнул Атос.

— Это он! — вскричал д'Артаньян. — Это он! Дайте мне его догнать!

— Да кто «он»? — спросил Атос.

— Он, этот человек!

— Какой человек?

— Тот проклятый человек — мой злой гений, который попадается мне навстречу каждый раз, когда угрожает какое-нибудь несчастье! Тот, кто сопровождал эту ужасную женщину, когда я ее в первый раз встретил, тот, кого я искал, когда вызвал на дуэль нашего друга Атоса, кого я видел утром того самого дня, когда похитили госпожу Бонасье! Я его разглядел, это он! Я узнал его!

— Черт возьми... — задумчиво проговорил Атос.

— На коней, господа, на коней! Поскачем за ним, и мы его догоним.

— Мой милый, примите во внимание, — удержал его Арамис, — что он едет в сторону, противоположную той, куда мы направляемся; что у него свежая лошадь, а наши устали, и, следовательно, мы их загоним, даже без всякой надежды настичь его. Оставим мужчину, д'Артаньян, спасем женщину!

— Эй, сударь! — закричал конюх, выбегая из ворот и кидаясь вслед незнакомцу. — Эй, сударь! Вот бумажка, которая выпала из вашей шляпы... Эй, сударь! Эй!

— Друг мой, — остановил его д'Артаньян, — хочешь полпистоля за эту бумажку?

— Извольте, сударь, с большим удовольствием! Вот она!

Конюх, в восторге от удачной сделки, вернулся на почтовый двор, а д'Артаньян развернул листок бумаги.

— Что там? — спросили обступившие его друзья.

— Всего одно слово! — ответил д'Артаньян.

— Да, — подтвердил Арамис, — но это слово — название города или деревни.

— «Армантьер», — прочитал Портос. — Армантьер... Не слыхал такого места.

— И это название города или деревни написано ее рукой! — заметил Атос.

— Если так, спрячем хорошенько эту бумажку — может быть, я не зря отдал последние полпистоля, — заключил д'Артаньян. — На коней, друзья, на коней!

И четверо товарищей пустились вскачь по дороге в Бетюн.

XXXI

МОНАСТЫРЬ КАРМЕЛИТОК В БЕТЮНЕ

Большим преступникам предназначен в жизни определенный путь, на котором они преодолевают все препятствия и избавляются от всех опасностей вплоть до того часа, когда по воле провидения, уставшего от их злодеяний, наступает конец их беззаконному благополучию.

Так было и с миледи: она удачно проскользнула между сторожевыми судами обоих государств и прибыла в Булонь без всяких приключений.

Высаживаясь в Портсмуте, миледи утверждала, что она англичанка, которую преследования французов заставили покинуть Ла-Рошель; высадившись, после двухдневного переезда по морю, в Булони, она выдала себя за француженку, которую англичане из ненависти к Франции притесняли в Портсмуте.

Миледи обладала к тому же самым надежным паспортом — красотой, представительным видом и щедростью, с которой она раздавала направо и налево пистоли. Избавленная благодаря любезности и учтивым манерам старика, начальника порта, от соблюдения обычных формальностей, она пробыла в Булони лишь столько времени, сколько потребовалось для того, чтобы отправить по почте письмо такого содержания:

«Его высокопреосвященству монсеньору кардиналу де Ришелье, в лагерь под Ла-Рошелью.

Вы можете быть спокойны, ваше высокопреосвященство: его светлость герцог Бекингэм не поедет во Францию.

Миледи.

Булонь, вечером 25 августа.

P. S. Согласно желанию вашего высокопреосвященства, я направляюсь в Бетюн, в монастырь кармелиток, где буду ждать ваших приказаний».

Действительно, в тот же вечер миледи тронулась в путь. Ночь застала ее в дороге; она остановилась на ночлег в гостинице, в пять часов утра отправилась дальше и три часа спустя приехала в Бетюн.

Она осведомилась, где находится монастырь кармелиток, и тотчас явилась туда.

Настоятельница вышла ей навстречу. Миледи показала приказ кардинала; аббатиса велела отвести приезжей комнату и подать завтрак.

Прошлое уже изгладилось из памяти миледи; всецело устремляя взгляд в будущее, она видела перед собой только ожидавшие ее великие милости кардинала, которому она так удачно услужила, нисколько не замешав его имени в это кровавое дело.

Снедавшие ее все новые страсти делали ее жизнь похожей на те облака, которые плывут по небу, отражая то лазурь, то пламя, то непроглядный мрак бури, и оставляют на земле одни только следы опустошения и смерти.

После завтрака аббатиса пришла к ней с визитом; в монастыре мало развлечений, и доброй настоятельнице не терпелось познакомиться со своей новой гостьей.

Миледи хотела понравиться аббатисе, что было нетрудно для этой женщины, обладавшей блестящим умом и привлекательной внешностью; она постаралась быть любезной и обворожила добрую настоятельницу занимательным разговором и прелестью, которой было исполнено все ее существо.

Аббатиса была особой знатного происхождения и очень любила придворные истории, так редко доходившие до отдаленных уголков королевства и еще того реже проникавшие за стены монастырей, у порога которых смолкает мирская суета.

Миледи же как раз была широко осведомлена о всех аристократических интригах, среди которых она постоянно жила в продолжение пяти или шести лет; поэтому она стала занимать добрую аббатису рассказами о легкомысленных нравах французского двора, мирно уживавшихся с преувеличенной набожностью короля; она познакомила ее со скандальными похождениями придворных дам и вельмож, имена которых были хорошо известны аббатисе, слегка коснулась любви королевы и Бекингэма и наговорила кучу всяких вещей, чтобы заставить и свою собеседницу разговориться.

Но аббатиса только слушала и улыбалась, не произнося в ответ ни слова. Тем не менее, видя, что подобные рассказы ее очень забавляют, миледи продолжала в том же духе, но перевела разговор на кардинала.

Тут она оказалась в большом затруднении: она не знала, была аббатиса роялисткой или кардиналисткой, а потому старалась осторожно держаться середины; но аббатиса вела себя еще осторожнее и только низко склоняла голову всякий раз, как приезжая упоминала имя его высокопреосвященства.

Миледи начала думать, что ей будет очень скучно в монастыре; поэтому она решилась на рискованный шаг, чтобы сразу выяснить, как ей следовало поступать. Желая посмотреть, как далеко простирается сдержанность доброй аббатисы, она принялась сначала иносказательно, а затем и более откровенно злословить о кардинале, рассказывать о любовных связях министра с г-жой д'Эгильон, Марион Делорм и другими куртизанками.

Аббатиса стала слушать внимательнее, понемногу оживилась и начала улыбаться.

«Хорошо, — подумала миледи, — она уже входит во вкус. Если она и кардиналистка, то, во всяком случае, не проявляет фанатизма».

Миледи перешла к преследованиям, которым кардинал подвергал своих врагов.

Аббатиса только перекрестилась, не выражая ни одобрения, ни порицания.

Это утвердило миледи во мнении, что монахиня скорее роялистка, чем кардиналистка. Миледи продолжала свои рассказы, все больше сгущая краски.

— Я не очень сведуща во всех этих вещах, — сказала наконец аббатиса, — но, как мы ни далеки от двора и от всех мирских дел, у нас есть очень печальные примеры того, о чем вы рассказываете. Одна из наших послушниц много выстрадала от кардинала: он мстил ей и преследовал ее.

— Одна из ваших послушниц? — повторила миледи. — Ах, боже мой, бедная женщина, мне жаль ее!

— И вы правы: она достойна сожаления. Чего ей только не пришлось вынести: и тюрьму, и всякого рода угрозы, и жестокое обхождение... Впрочем, — прибавила аббатиса, — у господина кардинала, быть может, были веские основания так поступать, и хотя с виду она настоящий ангел, но не всегда можно судить о людях по наружности.

«Хорошо! — подумала миледи. — Как знать... может быть, я здесь что-нибудь разведаю. Мне повезло!»

Она постаралась придать своему лицу самое искреннее выражение и сказала:

— Да, увы, я это знаю. Многие говорят, что лицу человека не надо верить. Но чему же и верить, как не самому прекрасному творению создателя! Я, возможно, всю жизнь буду обманываться, но я всегда доверюсь особе, лицо которой внушает мне симпатию.

— Значит, вы склонны думать, что эта молодая женщина ни в чем не повинна? — спросила аббатиса.

— Господин кардинал преследует не одни только преступления, — ответила миледи, — есть добродетели, которые он преследует строже иных злодеяний.

— Разрешите мне, сударыня, выразить вам мое удивление! — сказала аббатиса.

— А по какому поводу? — наивно спросила миледи.

— По поводу того, что вы ведете такие речи.

— Что вы находите удивительного в моих речах? — улыбаясь спросила миледи.

— Раз кардинал прислал вас сюда, значит, вы его друг, а между тем...

— ...а между тем я говорю о нем худо, — подхватила миледи, досказывая мысль настоятельницы.

— Во всяком случае, вы не говорите о нем ничего хорошего.

— Это потому, что я не друг его, а жертва, — вздохнула миледи.

— Однако это письмо, в котором он поручает вас моему попечению...

— ...является для меня приказом оставаться здесь, как в тюрьме, пока он не велит кому-нибудь из своих приспешников выпустить меня отсюда.

— Но отчего вы не бежали?

— А куда? Неужели есть, по-вашему, на земле такое место, где бы меня не нашел кардинал, если он только даст себе труд протянуть руку? Будь я мужчиной, это еще было бы возможно, но женщине... что может поделать женщина!.. А эта послушница, которая живет у вас, разве пыталась бежать?

— Нет, не пыталась. Но она — другое дело. По-моему, ее удерживает во Франции любовь к кому-то.

— Если она любит, — сказала, вздохнув, миледи, — значит, она не совсем несчастна.

— Итак, — заговорила аббатиса, с возрастающим интересом глядя на миледи, — я вижу перед собой еще одну бедную, гонимую женщину?

— Увы, да! — подтвердила миледи.

В глазах аббатисы отразилось беспокойство, словно в уме у нее зародилась новая мысль.

— Вы не враг нашей святой веры? — спросила она, запинаясь.

— Я? — вскричала миледи. — Я протестантка?! Нет, призываю в свидетели господа бога, который слышит нас, что я, напротив, ревностная католичка!

— Если так — успокойтесь, сударыня, — улыбаясь сказала аббатиса. — Дом, где вы находитесь, не будет для вас суровой тюрьмой, и мы все сделаем, чтобы вы полюбили ваше заключение. Более того: вы увидите здесь эту молодую женщину, гонимую, наверное, вследствие какой-нибудь придворной интриги. Она мила и приветлива.

— Как ее зовут?

— Одна очень высокопоставленная особа поручила ее моему попечению под именем Кэтти. Я не старалась узнать ее настоящее имя.

— Кэтти? — вскричала миледи. — Как, вы в этом уверены?

— Что она так называет себя? Да, сударыня. А вы ее знаете?

Миледи усмехнулась про себя — ей пришла в голову мысль, что, может быть, это ее бывшая камеристка. Воспоминание о молодой девушке вызвало в душе миледи чувство гнева, жажда мести исказила ее черты; впрочем, они почти тотчас вновь приняли спокойное и доброжелательное выражение, которое эта столикая женщина на миг позволила себе утратить.

— А когда я смогу увидеть эту молодую даму, к которой я уже чувствую большую симпатию? — спросила миледи.

— Да сегодня вечером, — ответила аббатиса, — даже, если угодно, днем. Но вы четыре дня пробыли в дороге, как вы мне сами сказали, сегодня вы встали в пять часов утра, и вам, наверное, хочется отдохнуть. Ложитесь и усните. К обеду мы вас разбудим.

Возбужденная новым похождением, от которого трепетало ее падкое на интриги сердце, миледи отлично могла бы обойтись и без сна, но тем не менее она последовала совету настоятельницы: за последние две недели она испытала столько различных треволнений, что, хотя ее железное тело еще могло выдерживать утомление, душа нуждалась в покое.

Она простилась с аббатисой и легла, убаюкиваемая приятными мыслями о мщении, на которые невольно навело ее имя Кэтти. Она вспомнила почти безоговорочное обещание кардинала предоставить ей свободу действий в случае, если она успешно выполнит свое предприятие. Она добилась успеха, и, стало быть, д'Артаньян в ее власти!

Одно только приводило миледи в трепет — воспоминание о муже, о графе де Ла Фер. Она думала, что он умер или покинул Францию, и неожиданно узнала его в Атосе, лучшем друге д'Артаньяна.

Но если он друг д'Артаньяна, он, наверное, помогал ему во всех происках, с помощью которых королева расстроила замыслы его высокопреосвященства; если он друг д'Артаньяна, значит, он враг кардинала, и она сумеет завлечь его в сети мщения, которые она расставит и в которых, надо надеяться, задушит молодого мушкетера.

Все эти надежды навевали отрадные мысли; убаюканная ими, миледи вскоре заснула.

Ее разбудил приятный голос, прозвучавший у ее постели. Она открыла глаза и увидела аббатису в сопровождении молодой женщины с белокурыми волосами и нежным цветом лица, которая смотрела на нее с доброжелательным любопытством.

Лицо молодой женщины было ей совершенно незнакомо. Обе они, обмениваясь обычными приветствиями, внимательно оглядывали друг друга: обе были очень красивы, но совсем разной красотой. Однако миледи с улыбкой отметила про себя, что у нее самой гораздо более представительный вид и более аристократические манеры, чем у этой молодой женщины. Правда, платье послушницы, облекавшее ее стан, было не очень-то выгодно для такого рода состязания.

Аббатиса познакомила их; выполнив эту формальность, она удалилась, так как обязанности настоятельницы призывали ее в церковь, и молодые женщины остались одни.

Послушница, видя, что миледи лежит в постели, хотела уйти вслед за аббатисой, но миледи удержала ее.

— Как, сударыня, — заговорила она, — едва я вас увидела, вы уже хотите лишить меня вашего общества? Признаюсь вам, я немного рассчитываю на него, пока мне придется жить здесь.

— Нет, сударыня, — ответила послушница, — я просто испугалась, что не вовремя пришла: вы спали, вы утомлены...

— Ну так что ж? — возразила миледи. — Чего могут желать те, кто спит? Хорошего пробуждения! Вы мне его доставили, так позвольте мне вполне им насладиться.

И, взяв молодую женщину за руку, миледи притянула ее к стоявшему возле кровати креслу.

Послушница села.

— Боже мой, как мне не везет! — сказала она. — Уже полгода, как я живу здесь, не имея никаких развлечений. Теперь вы приехали, ваше присутствие сулит мне очаровательное общество, и вот, по всей вероятности, я с минуты на минуту покину монастырь!

— Как! — удивилась миледи. — Вы скоро выходите из монастыря?

— По крайней мере я на это надеюсь! — ответила послушница с радостью, которую она ничуть не пыталась скрыть.

— Я кое-что слышала о том, что вы много выстрадали от кардинала. Если это так, то вот еще одна причина для нашей взаимной симпатии.

— Значит, мать настоятельница сказала правду: вы, так же как и я, жертва этого злого пастыря?

— Тише! — остановила миледи молодую женщину. — Даже здесь не будем так говорить о нем. Все мои несчастья проистекают оттого, что я выразилась примерно так, как вы сейчас, при женщине, которую я считала своим другом и которая предала меня. И вы тоже жертва предательства?

— Нет, — ответила послушница, — я жертва моей преданности, преданности женщине, которую я любила, за которую я отдала бы жизнь и готова отдать ее и впредь!

— И которая покинула вас в беде? Так всегда бывает!

— Я была настолько несправедлива, что думала так, но два-три дня назад я убедилась в противном и благодарю за это создателя: мне тяжело было бы думать, что она меня забыла... Но вы, сударыня... вы, кажется, свободны, и, если бы вы захотели бежать, это зависит только от вашего желания.

— А куда я пойду, не имея друзей, не имея денег, в незнакомых мне краях, в которых я прежде никогда не бывала?

— Ах, что касается друзей, они будут у вас везде, где бы вы ни были! — воскликнула послушница. — Вы кажетесь такой доброй, и вы такая красавица!

— Что не мешает мне быть одинокой и гонимой, — возразила миледи, придавая своей улыбке ангельское выражение.

— Верьте мне, — заговорила послушница, — надо надеяться на провидение. Всегда наступает такая минута, когда однажды сделанное нами добро становится нашим ходатаем перед богом. И быть может, как я ни бессильна, как ни ничтожна — это ваше счастье, что вы меня встретили. Если я выйду отсюда, у меня найдутся влиятельные друзья, которые, выступив на мою защиту, смогут потом выступить и на вашу.

— Если я сказала, что я одинока, это не значит, что у меня нет знакомых, занимающих высокое положение, — продолжала миледи в надежде, что, говоря о себе, она вызовет послушницу на откровенность. — Но эти знакомые сами трепещут перед кардиналом, сама королева не осмеливается никого поддержать против грозного министра. У меня есть доказательства того, что ее величество, несмотря на доброе сердце, не раз бывала вынуждена отдавать в жертву гнева его высокопреосвященства тех, кто оказывал ей услуги.

— Поверьте мне, сударыня, королева может сделать вид, что она от них отступилась, но нельзя судить по внешнему впечатлению: чем больше они подвергаются гонениям, тем больше королева о них думает, и часто в ту минуту, когда они этого меньше всего ожидают, они убеждаются в том, что не забыты ее милостивым вниманием.

— Увы! — вздохнула миледи. — Я верю этому — ведь королева так добра!

¹/₂19*

— Ах, значит, вы знаете нашу прекрасную и великодуш-
ую королеву, если вы о ней так отзываетесь! — восторженно
роизнесла послушница.

— То есть я не имею чести быть лично знакомой с ней, —
тветила миледи, спохватившись, что она зашла слишком
алеко, — но я знакома со многими из ее ближайших друзей:
знаю господина де Пютанжа, знала в Англии господина
южара, знакома с господином де Тревилем...

— С господином де Тревилем! — вскричала послушни-
а. — Вы знакомы с господином де Тревилем?

— Да, как же, и даже хорошо знакома.

— С капитаном королевских мушкетеров?

— Да, с капитаном королевских мушкетеров.

— В таком случае вы увидите, что скоро, очень скоро мы
с вами станем близкими знакомыми, почти друзьями! Если вы
знакомы с господином де Тревилем, вы, вероятно, бывали у
него в доме?

— Да, часто, — подтвердила миледи. Вступив на этот
путь и видя, что она лжет удачно, она решила держаться
его до конца.

— Вы, вероятно, встречали у него кое-кого из мушкетеров?

— Всех, кого он обычно у себя принимает, — ответила
миледи, уже по-настоящему заинтересованная этим разговором.

— Назовите мне кого-нибудь из тех, кого вы знаете, и вы
увидите — они окажутся моими друзьями.

— Ну, например... — в замешательстве начала миледи, —
я знаю господина де Сувиньи, господина де Куртиврона, господина де Ферюссака...

Послушница выслушала миледи, не перебивая ее, потом,
видя, что миледи умолкла, спросила:

— Не знаете ли вы кавалера по имени Атос?

Миледи побледнела, как полотно простыни, на которой
она лежала, и, как ни велико было ее умение владеть собой,
она невольно вскрикнула, схватив собеседницу за руку и по-
жирая ее глазами.

— Что такое? Что с вами? — спросила бедняжка. —
Ах, боже мой, не сказала ли я чего-нибудь такого, что
оскорбило вас?

— Нет, но это имя поразило меня, так как я тоже знала
этого кавалера, и мне показалось странным встретить человека, который, по-видимому, хорошо знаком с ним.

— Да, хорошо, очень хорошо! И не только с ним, но с его друзьями господином Портосом и господином Арамисо...

— В самом деле? Их я тоже знаю! — воскликнула миледи чувствуя, что вся холодеет от страха.

— Ну, если вы их знаете, вам, конечно, известно, что он славные и смелые люди. Отчего вы не обратитесь к ним, есл... вам нужна помощь?

— Дело в том... — запинаясь ответила миледи, — что ... ни с кем из них не связана дружбой. Я их знаю только по рассказам их друга, господина д'Артаньяна.

— Вы знаете господина д'Артаньяна? — вскричала послуш... ница, в свою очередь схватив миледи за руку и впиваясь в нее глазами. Заметив странное выражение во взгляде миледи, она спросила: — Простите, сударыня, в каких вы с ним отношениях?

— Он... — смутилась миледи, — он мой друг.

— Вы меня обманываете, сударыня, — сказала послушница. — Вы были его любовницей!

— Это вы были любовницей д'Артаньяна! — воскликнула в ответ миледи.

— Я? — проговорила послушница.

— Да, вы. Теперь я вас знаю: вы госпожа Бонасье.

Молодая женщина удивленно и испуганно отшатнулась.

— Не отпирайтесь! Отвечайте мне! — продолжала миледи.

— Ну что ж! Да, сударыня! — сказала послушница. — Значит, мы соперницы?

Лицо миледи вспыхнуло таким свирепым огнем, что при всяких иных обстоятельствах г-жа Бонасье со страха обратилась бы в бегство, но в эту минуту она была во власти ревности.

— Признайтесь же, сударыня, — заговорила она с такой настойчивостью, какую нельзя было предположить в ней, — вы его любовница? Или может быть, вы были его любовницей прежде?

— О нет! — воскликнула миледи голосом, не допускавшим сомнения в ее правдивости. — Никогда! Никогда!

— Я верю вам, — сказала г-жа Бонасье. — Но отчего же вы так вскрикнули?

— Как, вы не понимаете? — притворно удивилась миледи, уже оправившаяся от смущения и вполне овладевшая собой.

— Как я могу понять? Я ничего не знаю.

— Вы не понимаете, что господин д'Артаньян поверял мне, как другу, свои сердечные тайны?

— В самом деле?

— Вы не понимаете, что мне известно все: ваше похищение из домика в Сен-Клу, его отчаяние, отчаяние его друзей и их безуспешные поиски. И как же мне не удивляться, когда я вдруг неожиданно встречаюсь с вами? Ведь мы так часто беседовали с ним о вас! Ведь он вас любит всей душой и заставил меня полюбить вас заочно. Ах, милая Констанция, наконец-то я нашла вас, наконец-то я вас вижу!

И миледи протянула г-же Бонасье руки, и г-жа Бонасье, убежденная ее словами, видела теперь в этой женщине, которую она за минуту до того считала соперницей, своего искреннего и преданного друга.

— О, простите меня! Простите! — воскликнула она и склонилась на плечо к миледи. — Я так люблю его!

Обе женщины с минуту держали друг друга в объятиях. Если бы силы миледи равнялись ее ненависти, г-жа Бонасье, конечно, нашла бы в объятиях миледи смерть. Но, не будучи в состоянии задушить ее, миледи ей улыбнулась и воскликнула:

— Милая моя красавица, дорогая моя малютка, как я счастлива, что вижу вас! Дайте мне на вас наглядеться!

И, говоря это, она пожирала ее глазами.

— Да-да, конечно, это вы! По всему тому, что он говорил мне, я сейчас узнаю вас, отлично узнаю!

Бедная молодая женщина и не подозревала жестоких замыслов, которые таились за этим ясным лбом, за этими блестящими глазами, в которых она читала только участие и жалость.

— Значит, вам известно, сколько я выстрадала, если он рассказывал вам о моих страданиях, — сказала г-жа Бонасье. — Но страдать ради него — блаженство!

Миледи машинально повторила:

— Да, блаженство.

Она думала о другом.

— И к тому же мои мучения скоро кончатся, — продолжала г-жа Бонасье. — Завтра или, быть может, сегодня вечером я его опять увижу, и грустное прошлое будет забыто.

— Сегодня вечером? Завтра? — переспросила миледи, которую эти слова вывели из задумчивости. — Что вы хотите этим сказать? Вы ждете от него какого-нибудь известия?

— Я жду его самого.

— Его самого? Д'Артаньян будет здесь?

— Да, будет.

— Но это невозможно! Он на осаде Ла-Рошели, вмест с кардиналом. Он вернется только после взятия города.

— Вы так думаете? Но разве есть на свете что-нибудь невозможное для моего д'Артаньяна, для этого благородного и честного кавалера!

— Я не могу вам поверить!

— Ну так прочтите сами! — предложила от избытка горделивой радости несчастная молодая женщина и протянула миледи письмо.

«Почерк госпожи де Шеврез! — отметила про себя миледи. — А, я так и знала, что они поддерживают сношения с этим лагерем!»

И она жадно прочитала следующие строки:

«Милое дитя, будьте наготове. *Наш друг* вскоре навестит вас, и навестит только затем, чтобы вызволить вас из тюрьмы, где вам пришлось укрыться ради вашей безопасности. Приготовьтесь же к отъезду и никогда не отчаивайтесь в нашей помощи.

Наш очаровательный гасконец недавно выказал себя, как всегда, человеком храбрым и преданным; передайте ему, что где-то очень ему признательны за предостережение».

— Да-да, — сказала миледи, — в письме все ясно сказано. Известно вам, что это за предостережение?

— Нет. Но я догадываюсь, что он, должно быть, предупредил королеву о каких-нибудь новых кознях кардинала.

— Да, наверное, это так! — сказала миледи, возвращая г-же Бонасье письмо и в задумчивости снова опуская голову.

В эту минуту послышался топот скачущей лошади.

— Ах! — вскричала г-жа Бонасье, бросаясь к окну. — Уж не он ли это?

Миледи, окаменев от удивления, осталась в постели: на нее сразу свалилось столько неожиданностей, что она впервые в жизни растерялась.

— Он! Он! — прошептала она. — Неужели это он?

И она продолжала лежать в постели, устремив неподвижный взор в пространство.

— Увы, нет, — вздохнула г-жа Бонасье. — Это какой-то езнакомый человек... Однако он, кажется, едет к нам... Да, >н замедляет бег коня... останавливается у ворот... звонит...

Миледи вскочила с постели.

— Вы вполне уверены, что это не он? — спросила она.

— Да, вполне.

— Вы, может быть, не разглядели?

— Ах, стоит мне только увидеть перо его шляпы, кончик плаща, и я его тотчас узнаю!

Миледи продолжала одеваться.

— Все равно. Вы говорите, этот человек идет сюда?

— Да, он уже вошел.

— Это или к вам, или ко мне.

— Ах, боже мой, какой у вас взволнованный вид!

— Да, признаюсь, я не так доверчива, как вы, я всего опасаюсь...

— Тише! — остановила ее г-жа Бонасье. — Сюда идут!

В самом деле, дверь открылась, и вошла настоятельница.

— Это вы приехали из Булони? — обратилась она к миледи.

— Да, я, — ответила миледи, пытаясь вернуть себе хладнокровие. — Кто меня спрашивает?

— Какой-то человек, который не хочет назвать себя, но говорит, что прибыл по поручению кардинала.

— И желает меня видеть?

— Он желает видеть даму, приехавшую из Булони.

— В таком случае, пожалуйста, пригласите его сюда, сударыня.

— Ах боже мой, боже мой! — ужаснулась г-жа Бонасье. — Уж не привез ли он какое-нибудь плохое известие?

— Боюсь, что да.

— Я оставлю вас с этим незнакомцем, но, как только он уедет, я, если позволите, вернусь к вам.

— Конечно, прошу вас.

Настоятельница и г-жа Бонасье вышли.

Миледи осталась одна и устремила глаза на дверь; минуту спустя раздался звон шпор, гулко отдававшийся на лестнице, затем шаги приблизились, дверь распахнулась, и на пороге появился человек.

Миледи радостно вскрикнула: этот человек был граф де Рошфор, душой и телом преданный кардиналу.

XXXII

ДВЕ РАЗНОВИДНОСТИ ДЕМОНОВ

— А! — воскликнули одновременно миледи и Рошфор. — Это вы!

— Да, я.

— И откуда? — спросила миледи.

— Из-под Ла-Рошели. А вы?

— Из Англии.

— Бекингэм?

— Умер или опасно ранен. Когда я уезжала, ничего не добившись от него, один фанатик его убил.

— А! — усмехнулся Рошфор. — Вот счастливая случайность! Она очень обрадует его высокопреосвященство. Известили вы его?

— Я написала ему из Булони. Но каким образом вы здесь?

— Его высокопреосвященство беспокоится и послал меня отыскать вас.

— Я только вчера приехала.

— А что вы делали со вчерашнего дня?

— Я не теряла даром времени.

— О, в этом я не сомневаюсь!

— Знаете, кого я здесь встретила?

— Нет!

— Отгадайте!

— Как я могу отгадать?

— Ту молодую женщину, которую королева освободила из тюрьмы.

— Любовницу этого мальчишки д'Артаньяна?

— Да, госпожу Бонасье, местопребывание которой было неизвестно кардиналу.

— Ну, вот еще одна счастливая случайность, под пару той, — заметил Рошфор. — Положительно, господину кардиналу везет!

— Можете представить мое удивление, — продолжала миледи, — когда я очутилась лицом к лицу с этой женщиной!

— Она вас знает?

— Нет!

— Значит, вы для нее чужая?

Миледи улыбнулась:

— Я ее лучший друг!

— Клянусь честью, только вы, милая графиня, можете творить такие чудеса!

— И счастье мое, что мне удалось стать ее другом, шевалье: знаете ли вы, что здесь происходит?

— Нет!

— Завтра или послезавтра за ней приедут с приказом королевы.

— Вот как! Кто же это?

— Д'Артаньян и его друзья.

— Право, они дождутся того, что мы будем вынуждены засадить их в Бастилию.

— Почему же они до сих пор на свободе?

— Ничего не поделаешь! Господин кардинал питает к этим людям какую-то непонятную для меня слабость.

— В самом деле?

— Да.

— Ну так скажите ему следующее, Рошфор: скажите ему, что наш разговор в гостинице «Красная голубятня» был подслушан этой четверкой; скажите ему, что после его отъезда один из них явился ко мне и силой отнял у меня охранный лист, который кардинал дал мне; скажите ему, что они предупредили лорда Винтера о моем приезде в Англию; что и на этот раз они едва не помешали исполнить данное мне поручение, как уже помешали в деле с подвесками; скажите ему, что из этих четырех человек следует опасаться только двоих: д'Артаньяна и Атоса; скажите ему, что третий, Арамис, — любовник госпожи де Шеврез; его надо оставить в живых, тайна его нам известна, и он может быть нам полезен; а что касается четвертого, Портоса, то это дурак, фат и простофиля, и не стоит даже обращать на него внимание.

— Но все четверо теперь, должно быть, на осаде Ла-Рошели?

— Я сама так думала, но письмо, которое госпожа Бонасье получила от супруги коннетабля и имела неосторожность показать мне, заставляет меня предположить, что все четверо, напротив, сейчас в дороге и явятся сюда, чтобы увезти ее.

— Черт возьми! Что же делать?

— Что приказал вам кардинал относительно меня?

— Получить ваши донесения, письменные или словесные, и вернуться на почтовых; а когда он будет осведомлен обо всем, что вы сделали, он решит, как вам дальше поступить.

— Так я должна остаться здесь?

— Здесь или где-нибудь поблизости.

— Вы не можете увезти меня с собой?

— Нет, мне дано точное приказание. В окрестностях лагеря вас могут узнать, а ваше присутствие, сами понимаете, будет бросать тень на его высокопреосвященство.

— Ну что ж, придется мне ждать здесь или где-нибудь поблизости.

— Только скажите мне заранее, где вы будете ожидать известий от кардинала, чтобы я всегда знал, где вас найти.

— Послушайте, я, вероятно, не смогу остаться здесь...

— Почему?

— Вы забываете, что с минуты на минуту сюда могут приехать мои враги.

— Это правда. Но в таком случае эта юная особа улизнет от его высокопреосвященства?

— Ну нет! — ответила миледи с присущей только ей улыбкой. — Вы забываете, что я ее лучший друг.

— Да, это правда! Итак, я могу сказать кардиналу относительно этой женщины...

— ...что он может быть покоен.

— И это все?

— Он поймет, что это означает.

— Он догадается. А что же мне теперь делать?

— Немедленно ехать обратно. По-моему, известия, которые вы доставите кардиналу, стоят того, чтобы поспешить.

— Моя коляска сломалась, когда я въезжал в Лилье.

— Чудесно!

— Как так — чудесно?

— Да так, ваша коляска нужна мне.

— А как же я в таком случае доберусь?

— Верхом. Скачите во весь опор.

— Хорошо вам это говорить! А каково мне будет проскакать сто восемьдесят лье?

— Пустяки!

— Ну, так и быть. А дальше?

— Дальше: когда вы будете проезжать через Лилье, вы пошлете мне коляску и прикажете вашему слуге, чтобы он был в моем распоряжении.

— Хорошо.

— У вас, конечно, есть с собой какой-нибудь приказ кардинала?

— У меня есть письменное полномочие действовать по своему усмотрению.

— Вы предъявите его настоятельнице и скажете, что сегодня или завтра за мной приедут и что мне велено отправиться с тем лицом, которое явится от вашего имени.

— Отлично!

— Не забудьте резко отзываться обо мне в разговоре с настоятельницей.

— Зачем это?

— Я жертва кардинала. Мне необходимо внушить доверие этой дурочке Бонасье.

— Совершенно справедливо! А теперь, пожалуйста, потрудитесь составить донесение обо всем, что произошло.

— Я ведь вам рассказала то, что случилось. У вас хорошая память: повторите все, что я вам говорила, а бумага может потеряться.

— Вы правы. Только бы мне знать, где потом найти вас, чтобы не рыскать напрасно по окрестностям...

— Верно. Подождите-ка...

— Дать вам карту?

— О, я прекрасно знаю эти места!

— Вы? А когда же вы бывали здесь?

— Я здесь воспитывалась.

— Вот как?

— Как видите, иногда и то обстоятельство, что вы где-то получили воспитание, может на что-нибудь пригодиться.

— Итак, где вы меня будете ждать?

— Дайте минутку подумать... Да вот где: в Армантьере.

— А что это такое — Армантьер?

— Небольшой городок на реке Лис. Мне стоит только переправиться через реку, и я буду в чужом государстве.

— Превосходно! Но разумеется, вы переправитесь только в случае опасности?

— Разумеется.

— А если это случится, как я узнаю, где вы?

— Вам не нужен ваш лакей?

— Нет!

— Он надежен?

— Вполне. Он человек испытанный.

— Отдайте его мне. Никто его не знает, я его оставлю в том месте, откуда уеду, и он проводит вас туда, где я буду.

— Так вы говорите, что будете ждать меня в Армантьере?

— Да, в Армантьере.

— Напишите мне это название на клочке бумаги, а то я боюсь, что забуду. Ведь в названии города нет ничего порочащего, не так ли?

— Как знать... Ну, так и быть, я готова набросить тень на свое доброе имя! — согласилась миледи и написала название на листке бумаги.

— Хорошо, — сказал Рошфор, взял листок из рук миледи, сложил его и засунул за подкладку своей шляпы. — Впрочем, будьте спокойны: если даже я потеряю эту бумагу, то поступлю, как делают дети — всю дорогу буду твердить это название. Ну, как будто все?

— Кажется, да.

— Вспомним хорошенько: Бекингэм убит или тяжело ранен... ваш разговор с кардиналом подслушан четырьмя мушкетерами... лорд Винтер был предупрежден о вашем приезде в Портсмут... д'Артаньяна и Атоса в Бастилию... Арамис — любовник госпожи де Шеврез... Портос — фат... госпожа Бонасье найдена... послать вам как можно скорее коляску... предоставить моего лакея в ваше распоряжение... изобразить вас жертвой кардинала, чтобы у настоятельницы не возникло никаких подозрений... Армантьер на берегу Лиса. Так?

— Право, у вас чудесная память, любезный шевалье! Кстати, прибавьте еще кое-что.

— Что же?

— Я видела славный лес, который, по-видимому, прилегает к монастырскому саду. Скажите настоятельнице, что мне позволено гулять в этом лесу. Как знать... может быть, мне понадобится уйти с заднего крыльца.

— Вы обо всем позаботились!

— А вы забыли еще одно...

— Что же еще?

— Спросить меня, не нужно ли мне денег.

— Да, правда. Сколько вам дать?

— Все золото, какое у вас найдется.

— У меня около пятисот пистолей.

— И у меня столько же. Имея тысячу пистолей, можно выйти из любого положения. Выкладывайте все, что у вас в карманах.

— Извольте.

— Хорошо. Когда вы едете?

— Через час. Я только наскоро пообедаю, а тем временем кто-нибудь сходит за почтовой лошадью.

— Отлично! Прощайте, шевалье!

— Прощайте, графиня!

— Засвидетельствуйте мое почтение кардиналу.

— А вы — мое почтение сатане.

Миледи и Рошфор обменялись улыбками и расстались.

Час спустя Рошфор галопом умчался обратно; пять часов спустя он проехал через Аррас.

Наши читатели уже знают, каким образом д'Артаньян узнал его и как эта встреча, возбудив опасения четырех мушкетеров, заставила их еще поспешнее продолжать свой путь.

XXXIII

ПОСЛЕДНЯЯ КАПЛЯ

Как только Рошфор вышел, г-жа Бонасье вернулась в комнату и увидела, что миледи радостно улыбается.

— Ну вот, то, чего вы опасались, случилось, — заговорила молодая женщина, — сегодня вечером или завтра кардинал пришлет за вами.

— Кто вам это сказал, дитя мое? — спросила миледи.

— Я об этом слышала из уст самого гонца.

— Подойдите и сядьте тут возле меня, — предложила миледи.

— Извольте.

— Подождите, я посмотрю, не подслушивает ли нас кто-нибудь.

— К чему все эти предосторожности?

— Вы сейчас узнаете.

Миледи встала, подошла к двери, открыла ее, выглянула в коридор, потом опять уселась рядом с г-жой Бонасье и спросила:

— Значит, он хорошо сыграл свою роль?

— Кто это?

— Тот, кто представился настоятельнице как посланный кардинала.

— Так он только играл роль?

— Да, дитя мое.

— Так, значит, этот человек не...

— Этот человек, — сказала миледи, понизив голос, — мой брат.

— Ваш брат? — вскричала г-жа Бонасье.

— Вы одна знаете эту тайну, дитя мое. Если вы ее доверите кому бы то ни было, я погибла, а возможно, и вы тоже.

— Ах боже мой!

— Слушайте, вот что произошло. Мой брат, который спешил сюда ко мне на помощь, с тем чтобы, если понадобится, силой освободить меня, встретил гонца, посланного за мной кардиналом, и поехал за ним следом. Добравшись до пустынного и уединенного места, он выхватил шпагу и, угрожая гонцу, потребовал, чтобы тот отдал ему бумаги, он вез. Гонец вздумал обороняться, и брат убил его.

— Ах!.. — содрогнулась г-жа Бонасье.

— Это было единственное средство, поймите! Дальше брат решил действовать не силой, а хитростью: он взял бумаги, явился сюда под видом посланца самого кардинала, и через час или два, по приказанию его высокопреосвященства, за мной должна приехать карета.

— Я понимаю: эту карету вам пришлет ваш брат.

— Совершенно верно. Но это еще не все: письмо, которое вы получили, как вы полагаете, от госпожи де Шеврез...

— Ну?

— ...подложное письмо.

— Как так?

— Да, подложное: это западня, устроенная для того, чтобы вы не сопротивлялись, когда за вами приедут.

— Но ведь приедет д'Артаньян!

— Перестаньте заблуждаться: д'Артаньян и его друзья на осаде Ла-Рошели.

— Откуда вы это знаете?

— Мой брат встретил посланцев кардинала, переодетых мушкетерами. Вас вызвали бы к воротам, вы подумали бы, что имеете дело с друзьями, вас похитили бы и отвезли обратно в Париж.

— О, боже, я теряю голову в этом хаосе преступлений! Я чувствую, что, если так будет продолжаться, — промолвила г-жа Бонасье, поднося ладони ко лбу, — я сойду с ума!

— Постойте!

— Что такое?

— Я слышу лошадиный топот... Это уезжает мой брат. Я хочу с ним еще раз проститься, пойдемте.

Миледи открыла окно и движением руки подозвала к себе г-жу Бонасье. Молодая женщина подошла.

Рошфор галопом мчался под окном.

— До свидания, брат! — крикнула миледи.

Всадник поднял голову, увидел обеих молодых женщин и на всем скаку дружески махнул миледи рукой.

— Славный Жорж! — сказала она, придавая своему лицу нежное и грустное выражение, и закрыла окно.

Она уселась на прежнее место и сделала вид, что погрузилась в глубокие размышления.

— Простите, сударыня, разрешите прервать ваши мысли! — обратилась к ней г-жа Бонасье. — Что вы мне посоветуете делать? Боже мой! Вы опытнее меня в житейских делах и научите меня, как мне быть.

— Прежде всего, — ответила миледи, — возможно, что я ошибаюсь и д'Артаньян и его друзья в самом деле приедут к вам на помощь.

— Ах, это было бы так хорошо, что даже и не верится! — воскликнула г-жа Бонасье. — Такое счастье не для меня!

— В таком случае вы понимаете, это только вопрос времени, своего рода состязание — кто приедет первый. Если ваши друзья — вы спасены, а если приспешники кардинала — вы погибли.

— О, да-да, погибла безвозвратно! Что же делать?

— Есть, пожалуй, одно средство, очень простое и вполне естественное...

— Какое, скажите?

— Ждать, укрывшись где-нибудь в окрестностях, и сначала удостовериться, кто эти люди, которые приедут за вами.

— Но где ждать?

— Ну, это легко придумать. Я сама остановлюсь в нескольких лье отсюда и буду скрываться там, пока ко мне не приедет брат. Сделаем так: я увезу вас с собой, мы спрячемся и будем ждать вместе.

— Но меня не выпустят отсюда, я здесь на положении пленницы.

— Здесь думают, что я уезжаю по приказанию кардинала, и уверены, что вы вовсе не склонны сопровождать меня.

— Ну?

— Ну вот, карета подана, вы прощаетесь со мной, вы становитесь на подножку, желая в последний раз обнять меня. Слуга моего брата, которого он пришлет за мной, будет обо всем предупрежден — он подаст знак почтарю, и мы умчимся вскачь.

— Но д'Артаньян? Что, если приедет д'Артаньян?

— Мы это узнаем.

— Каким образом?

— Да ничего не может быть легче! Мы пошлем обратно в Бетюн слугу моего брата, на которого, повторяю, мы вполне можем положиться. Он переоденется и поселится против монастыря. Если приедут посланцы кардинала, он не двинется с места, а если д'Артаньян и его друзья — он проводит их к нам.

— А разве он их знает?

— Конечно, знает! Ведь он не раз видел д'Артаньяна у меня в доме.

— Да-да, вы правы... Итак, все улаживается, все складывается как нельзя лучше... Но не будем уезжать далеко отсюда.

— Самое большее за семь-восемь лье. Мы остановимся в укромном месте у самой границы и при первой тревоге уедем из Франции.

— А до тех пор что делать?

— Ждать.

— А если они приедут?

— Карета моего брата приедет раньше.

— Но что, если меня не будет с вами, когда за вами явятся, — например, если в это время я буду обедать или ужинать?

— Сделайте одну вещь.

— Какую?

— Скажите добрейшей настоятельнице, что вы просите у нее позволения обедать и ужинать вместе со мной, чтобы нам как можно меньше расставаться друг с другом.

— Позволит ли она?

— А почему бы нет?

— Отлично! Таким образом, мы ни на минуту не будем расставаться!

— Ступайте же к ней и попросите ее об этом. У меня какая-то тяжесть в голове, я пойду прогуляться по саду.

— Идите. А где я вас найду?

— Здесь, через час.

— Здесь, через час... Ах, благодарю вас, вы так добры!

— Как же мне не принимать в вас участия! Если бы даже вы не были сами по себе такой красивой и очаровательной, вы ведь подруга одного из моих лучших друзей!

— Милый д'Артаньян, как он будет вам благодарен!

— Надеюсь. Ну вот, мы обо всем условились. Пойдемте вниз.

— Вы идете в сад?

— Да.

— Пройдите по этому коридору и спуститесь по маленькой лестнице — она выведет вас прямо в сад.

— Отлично! Благодарю вас.

Молодые женщины обменялись приветливой улыбкой и разошлись.

Миледи сказала правду — она действительно ощущала какую-то тяжесть в голове: неясные еще замыслы хаотично теснились в ее уме. Ей надо было уединиться, чтобы разобраться в своих мыслях. Она смутно представляла себе дальнейшие события, и ей нужны были тишина и покой, чтобы придать своим неясным намерениям определенную форму, чтобы составить план действий.

Прежде всего нужно было как можно скорее похитить г-жу Бонасье, укрыть ее в надежном месте и, если понадобится, держать там заложницей. Миледи начинала страшиться исхода этой отчаянной борьбы, в которую ее враги вкладывали столько же упорства, сколько она вкладывала ожесточения.

К тому же она чувствовала, как иные люди чувствуют надвигающуюся грозу, что исход этот близок и неминуемо будет ужасен.

Итак, главное для нее, как мы уже сказали, было захватить г-жу Бонасье в свои руки. Г-жа Бонасье была для д'Артаньяна все; ее жизнь, жизнь любимой женщины, была для него дороже собственной. Если бы счастье изменило миледи и ее постигла неудача, она могла бы, имея г-жу Бонасье заложницей, вступить в переговоры и, несомненно, добилась бы выгодных условий. Эту задачу она уже разрешила: г-жа Бонасье готова была доверчиво сопровождать ее; а если они обе укроются в Армантьере, миледи легко будет убедить г-жу Бонасье, что д'Артаньян не приезжал в Бетюн. Самое большее через полмесяца вернется Рошфор, а за эти полмесяца миледи придумает, как ей отомстить четырем друзьям. Скучать ей, благодарение богу, не придется — ей предстоит самое приятное времяпрепровождение, какое только могут доставить обстоятельства женщине с ее характером: довести до совершенства замысел своей мести.

Размышляя, миледи в то же время окидывала взглядом сад и старалась запомнить его расположение. Она действовала, как искусный полководец, который предусматривает сразу и победу и поражение и готовится — смотря по тому, как будет протекать битва, — либо идти вперед, либо отступать.

Через час она услышала, что кто-то зовет ее ласковым голосом. Это была г-жа Бонасье. Добрая настоятельница, конечно, изъявила полное согласие, и для начала молодые женщины отправились вместе ужинать.

Когда они вошли во двор, до них донесся стук подъезжавшей кареты.

Миледи прислушалась.

— Вы слышите? — спросила она.

— Да, у ворот остановилась карета.

— Это та самая, которую прислал нам мой брат.

— О боже!

— Ну полно, мужайтесь!

Миледи не ошиблась: у ворот монастыря раздался звонок.

— Подите в свою комнату, — сказала она г-же Бонасье, — у вас, наверное, есть кое-какие драгоценности, которые вам хотелось бы захватить с собою.

— У меня есть его письма, — ответила г-жа Бонасье.

— Так заберите их и приходите ко мне, мы наскоро поужинаем. Нам, возможно, придется ехать всю ночь — надо запастись силами.

— Боже мой! — проговорила г-жа Бонасье, хватаясь за грудь. — У меня так бьется сердце, я не могу идти...

— Мужайтесь! Говорю вам, мужайтесь! Подумайте, через четверть часа вы спасены. И помните: все, что вы собираетесь делать, вы делаете для него.

— О да, все для него! Вы одним словом вернули мне бодрость. Ступайте, я приду к вам.

Миледи поспешно поднялась к себе в комнату, застала там слугу Рошфора и отдала ему необходимые приказания.

Он должен был ждать у ворот; если бы вдруг появились мушкетеры, карета должна была умчаться прочь, обогнуть монастырь, направиться в небольшую деревню, расположенную по ту сторону леса, и поджидать там миледи. В таком случае она прошла бы через сад и пешком добралась бы до деревни — мы уже говорили, что миледи отлично знала эти края.

Если же мушкетеры не появятся, все должно произойти так, как условлено: г-жа Бонасье станет на подножку под тем предлогом, что хочет еще раз проститься с миледи, и та увезет ее.

Госпожа Бонасье вошла. Желая развеять все подозрения, какие могли бы у нее возникнуть, миледи в ее присутствии повторила слуге вторую половину своих приказаний.

Миледи задала слуге несколько вопросов относительно кареты. Выяснилось, что она запряжена тройкой лошадей, которыми правит почтарь; слуга Рошфора должен был сопровождать карету в качестве форейтора.

Напрасно миледи опасалась, что у г-жи Бонасье могут зародиться подозрения: бедняжка была слишком чиста душой, чтобы заподозрить в другой женщине такое коварство; к тому же имя графини Винтер, которое она слышала от настоятельницы, было ей совершенно незнакомо, и она даже не знала, что какая-то женщина принимала столь деятельное и роковое участие в постигших ее бедствиях.

— Как видите, все готово, — сказала миледи, когда слуга вышел. — Настоятельница ни о чем не догадывается и думает, что за мной приехали по приказанию кардинала. Этот человек пошел отдать последние распоряжения. Покушайте немножко, выпейте глоток вина, и поедем.

— Да, — безвольно повторила г-жа Бонасье, — поедем.

Миледи знаком пригласила ее сесть за стол, налила ей рюмку испанского вина и положила на тарелку грудку цыпленка.

— Смотрите, как все нам благоприятствует! — заметила она. — Вот уже темнеет; на рассвете мы приедем в наше убежище, и никто не догадается, где мы... Ну полно, не теряйте бодрости, скушайте что-нибудь...

Госпожа Бонасье машинально проглотила два-три кусочка и пригубила вино.

— Да выпейте же, выпейте! Берите пример с меня, — уговаривала миледи, поднося ко рту свою рюмку.

Но в ту самую минуту, когда она готовилась прикоснуться к ней губами, рука ее застыла в воздухе: она услышала отдаленный топот скачущих коней; топот все приближался, и почти тотчас ей послышалось ржание лошади.

Этот шум сразу вывел ее из состояния радости, подобно тому как шум грозы будит нас и прерывает пригрезившийся нам чудесный сон. Она побледнела и кинулась к окну, а г-жа Бонасье дрожа всем телом, встала и оперлась о стул, чтобы не упасть.

Ничего еще не было видно, слышался только быстрый, неуклонно приближающийся топот.

— Ах, боже мой, что это за шум? — спросила г-жа Бонасье.

— Это едут или наши друзья, или наши враги, — ответила миледи со свойственным ей ужасающим хладнокровием. — Стойте там. Сейчас я вам скажу, кто это.

Госпожа Бонасье замерла на месте, безмолвная и бледная, как мраморное изваяние.

Топот все усиливался, лошади были уже, вероятно, не дальше как за полтораста шагов от монастыря; если их еще не было видно, то лишь потому, что в этом месте дорога делала изгиб. Однако топот слышался уже так явственно, что можно было бы сосчитать число лошадей по отрывистому цокоту подков.

Миледи напряженно всматривалась вдаль: было еще достаточно светло, чтобы разглядеть едущих.

Вдруг она увидела, как на повороте дороги заблестели обшитые галунами шляпы и заколыхались на ветру перья. Она насчитала сначала двух, потом пять и, наконец, восемь всадников; один из них вырвался на два корпуса вперед.

Миледи издала глухой стон: в скачущем впереди всаднике она узнала д'Артаньяна.

— Ах боже мой, боже мой! — воскликнула г-жа Бонасье. — Что там такое?

— Это мундиры гвардейцев кардинала, нельзя терять ни минуты! — крикнула миледи. — Бежим, бежим!

— Да-да, бежим! — повторила г-жа Бонасье, но, пригвожденная страхом, не могла сойти с места.

Слышно было, как всадники проскакали под окном.

— Идем! Да идем же! — восклицала миледи, схватив молодую женщину за руку и силясь увлечь ее за собой. — Через сад мы еще успеем убежать, у меня есть ключ... Поспешим! Еще пять минут — и будет поздно.

Госпожа Бонасье попыталась идти, сделала два шага — у нее подогнулись колени, и она упала.

Миледи попробовала поднять ее и унести, но у нее не хватило сил.

В эту минуту послышался стук отъезжающей кареты: увидев мушкетеров, почтарь погнал лошадь галопом. Потом раздались три-четыре выстрела.

— В последний раз спрашиваю: намерены вы идти? — крикнула миледи.

— О боже, боже! Вы видите, мне изменяют силы, вы сами видите, что я совсем не могу идти... Бегите одна!

— Бежать одной? Оставить вас здесь? Нет-нет, ни за что! — вскричала миледи.

Вдруг она остановилась, глаза ее сверкнули недобрым огнем; она подбежала к столу и высыпала в рюмку г-жи Бонасье содержимое оправы перстня, которую она открыла с удивительной быстротой.

Это было красноватое зернышко, которое сразу же растворилось в вине.

Потом она твердой рукой взяла рюмку и сказала:

— Пейте, это вино придаст вам силы! Пейте!

И она поднесла рюмку к губам молодой женщины, которая машинально выпила.

«Ах, не так мне хотелось отомстить! — сказала про себя миледи, с дьявольской улыбкой ставя рюмку на стол. — Но приходится делать то, что возможно».

И она ринулась из комнаты.

Госпожа Бонасье проводила ее взглядом, но не могла последовать за ней: она впала в то состояние, какое испытывают люди, которые видят во сне, как кто-то гонится за ними, и тщетно пытаются бежать.

Прошло несколько минут — раздался отчаянный стук в ворота; г-жа Бонасье каждую минуту ждала возвращения миледи, но миледи не появлялась.

Пылающий лоб молодой женщины — должно быть, от страха — то и дело покрывался холодным потом. Наконец она услышала лязг отпираемых решеток, на лестницах загремели сапоги и зазвенели шпоры, поднялся гул голосов, звучавших все ближе и ближе, и ей показалось, что она слышит свое имя, произнесенное среди этого гула.

Вдруг она радостно вскрикнула и бросилась к двери: она узнала голос д'Артаньяна.

— Д'Артаньян! Д'Артаньян! — закричала она. — Это вы? Сюда, сюда!

— Констанция! Констанция, где вы? — отвечал юноша. — Боже мой!

В тот же миг дверь кельи отворилась, вернее — поддалась под напором извне, и несколько человек вбежали в комнату.

Г-жа Бонасье опустилась в кресло, не в силах больше ше вельнуться.

Д'Артаньян бросил еще дымившийся пистолет, который он держал в руке, и упал на колени перед своей возлюбленной Атос заткнул свой пистолет за пояс, а Портос и Арамис, державшие шпаги наголо, вложили их в ножны.

— О д'Артаньян, любимый мой! Наконец ты приехал, ты не обманул меня!.. Да, это ты...

— Да-да, Констанция, мы опять вместе!

— Как она ни уверяла, что ты не приедешь, я все-таки втайне надеялась и не захотела бежать. Ах, как я хорошо сделала, как я счастлива!

При слове «она» Атос, спокойно усевшийся в кресло, внезапно встал.

— Она? Кто «она»? — спросил д'Артаньян.

— Да моя приятельница, та самая, которая из дружбы ко мне хотела укрыть меня от моих гонителей, та, которая приняла вас за гвардейцев кардинала и только что убежала отсюда.

— Ваша приятельница? — вскричал д'Артаньян, и лицо его стало бледнее белого покрывала его возлюбленной. — О какой приятельнице вы говорите?

— О той, чья карета стояла у ворот, о женщине, которая называет себя вашим другом, д'Артаньян, и которой вы все рассказали.

— Ее имя, имя? — допытывался д'Артаньян. — Боже мой, неужели вы не знаете ее имени?

— Да как же, его называли при мне... Погодите... вот странно... Ах, боже мой, у меня мутится в голове... темнеет в глазах...

— Ко мне, друзья мои, помогите! — закричал д'Артаньян. — У нее холодеют руки, ей дурно... Боже мой, она лишается чувств!

Пока Портос во весь голос звал на помощь, Арамис кинулся к столу и хотел налить стакан воды, но остановился, увидев, как жутко изменился в лице Атос: он стоял перед столом, уставив застывшие от ужаса глаза на одну из рюмок, и, казалось, терзался страшным подозрением.

— О нет, нет, это невозможно! — повторял он. — Бог не допустит такого преступления!

— Воды, воды! — кричал д'Артаньян. — Воды!

— Бедняжка! Бедняжка! — хриплым голосом шептал Атос. Оживленная поцелуями д'Артаньяна, г-жа Бонасье открыла глаза.

— Она приходит в себя! — воскликнул юноша. — Слава богу!

— Сударыня... — заговорил Атос, — сударыня, скажите, ради бога, чья это пустая рюмка?

— Моя, сударь... — ответила молодая женщина умирающим голосом.

— А кто вам налил вино, которое было в рюмке?

— Она.

— Да кто же это «она»?

— А, вспомнила! — сказала г-жа Бонасье. — Графиня Винтер.

Четыре друга все разом вскрикнули, но крик Атоса был громче остальных.

Лицо г-жи Бонасье покрылось мертвенной бледностью, острая боль подкосила ее, и она, задыхаясь, упала на руки Портоса и Арамиса.

Д'Артаньян с неописуемой тревогой схватил Атоса за руку.

— Неужели ты допускаешь?.. — Голос его перешел в рыдание.

— Я допускаю все, — ответил Атос и до крови закусил губы, стараясь подавить невольный вздох.

— Д'Артаньян, д'Артаньян, — крикнула г-жа Бонасье, — где ты? Не оставляй меня, видишь — я умираю!

Д'Артаньян, все еще трепетно сжимавший руку Атоса, выпустил ее и кинулся к г-же Бонасье.

Ее прекрасное лицо исказилось, остекленевшие глаза уже утратили всякое выражение, судорожная дрожь сотрясала тело, по лбу катился пот...

— Ради бога, бегите, позовите кого-нибудь... Портос, Арамис, просите помощи!

— Бесполезно, — сказал Атос. — Бесполезно: от яда, который подмешивает она, нет противоядия.

— Да-да, помогите! — прошептала г-жа Бонасье. — Помогите!

Потом, собрав последние силы, она взяла обеими руками голову юноши, посмотрела на него так, словно изливала в этом взгляде всю душу, и с горестным возгласом прижалась губами к его губам.

— Констанция! Констанция! — крикнул д'Артаньян.

Вздох вылетел из уст г-жи Бонасье и коснулся уст д'Артаньяна — то отлетела на небо ее чистая и любящая душа.

Д'Артаньян сжимал в объятиях труп.

Юноша вскрикнул и упал подле своей возлюбленной такой же бледный и похолодевший, как она.

Портос заплакал, Атос погрозил кулаком небу, Арамис перекрестился.

В эту минуту в дверях показался незнакомый человек, почти такой же бледный, как все бывшие в комнате; осмотревшись вокруг себя, он увидел мертвую г-жу Бонасье и лежавшего без чувств д'Артаньяна.

Он явился в тот миг оцепенения, который обычно следует за большими катастрофами.

— Я не ошибся, — сказал он. — Вот господин д'Артаньян, а вы — трое его друзей: господа Атос, Портос и Арамис.

Все трое с удивлением смотрели на незнакомца, назвавшего их по именам; всем им казалось, что когда-то они уже видели его.

— Господа, — продолжал вновь пришедший, — вы, так же как и я, разыскиваете женщину, которая, — прибавил он с ужасной улыбкой, — наверное, побывала здесь, ибо я вижу труп!

Три друга по-прежнему безмолвствовали; голос этого человека тоже казался им знакомым, но они не могли припомнить, при каких обстоятельствах они его слышали.

— Господа, — снова заговорил незнакомец, — так как вы не хотите узнать человека, который, вероятно, дважды обязан вам жизнью, мне приходится назвать себя. Я лорд Винтер, деверь той женщины.

Трое друзей вскрикнули от изумления.

Атос встал и подал лорду Винтеру руку.

— Добро пожаловать, милорд, — сказал он. — Будем действовать сообща.

— Я уехал пятью часами позже нее из Портсмута, — стал рассказывать лорд Винтер, — тремя часами позже нее прибыл в Булонь, всего на двадцать минут разминулся с ней в Сент-Омере и, наконец, в Лилье потерял ее след. Я ехал наудачу, всех расспрашивая, как вдруг вы галопом проскакали мимо меня. Я узнал д'Артаньяна. Я окликнул вас, но вы не ответили; я хотел пуститься за вами следом, но моя лошадь выбилась из сил и не могла идти вскачь, как ваши. Однако несмотря на всю вашу поспешность, вы, кажется, явились слишком поздно!

— Вы видите, — ответил Атос, показывая лорду Винтеру на бездыханную г-жу Бонасье и на д'Артаньяна, которого Портос и Арамис пытались привести в чувство.

— Они оба умерли? — невозмутимо спросил лорд Винтер.

— К счастью, нет, — ответил Атос. — Господин д'Артаньян только в обмороке.

— А, тем лучше! — сказал лорд Винтер.

Действительно, д'Артаньян в эту минуту открыл глаза.

Он вырвался из рук Портоса и Арамиса и как безумный бросился на труп своей возлюбленной.

Атос встал, медленно и торжественно подошел к своему другу, нежно обнял его и, когда д'Артаньян разрыдался, сказал ему своим проникновенным голосом:

— Друг, будь мужчиной: женщины оплакивают мертвых, мужчины мстят за них!

— Да! — произнес д'Артаньян. — Да! Чтобы отомстить за нее, я готов последовать за тобой куда угодно!

Атос воспользовался минутным приливом сил, который надежда на мщение вызвала в его несчастном друге, и сделал знак Портосу и Арамису сходить за настоятельницей.

Оба встретили ее в коридоре, взволнованную и растерявшуюся от такого множества событий. Настоятельница позвала нескольких монахинь, и они, вопреки всем монастырским обычаям, очутились в присутствии пяти мужчин.

— Сударыня, — обратился Атос к настоятельнице, беря д'Артаньяна под руку, — мы поручаем вашим благочестивым заботам тело этой несчастной женщины. До того как она стала ангелом на небе, она была ангелом на земле. Похороните ее как монахиню вашего монастыря. Со временем мы приедем помолиться на ее могиле.

Д'Артаньян спрятал лицо на груди Атоса и зарыдал.

— Плачь, — сказал Атос, — плачь, сердце твое полно любви, молодости и жизни! Ах, если б я еще мог плакать, как ты!

И он увел своего друга, любовно опекая его, как отец, утешая, как духовный пастырь, и проявляя величие человека, который сам много выстрадал.

Все пятеро в сопровождении своих слуг, которые вели в поводьях лошадей, направились к городу Бетюн, предместье которого виднелось вдали, и остановились перед первой же встретившейся им по дороге гостиницей.

— А почему мы не гонимся за этой женщиной? — спросил д'Артаньян.

— Отложим погоню, — ответил Атос. — Сначала нужно принять кое-какие меры.

— Она ускользнет от нас! — встревожился юноша. — Она ускользнет, Атос, и ты будешь в этом виноват!

— Я отвечаю за нее, — ответил Атос.

Д'Артаньян питал такое доверие к своему другу, что опустил голову и, не возражая больше, вошел в гостиницу.

Портос и Арамис переглянулись, не понимая, откуда у Атоса такая уверенность.

Лорд Винтер подумал, что Атос говорит это, желая смягчить скорбь д'Артаньяна.

— Теперь, господа, удалимся каждый к себе, — предложил Атос, после того как удостоверился, что в гостинице есть пять свободных комнат. — Д'Артаньяну необходимо побыть одному, чтобы выплакаться и заснуть. Я все беру на себя, будьте спокойны.

— Мне думается, однако, — заметил лорд Винтер, — что если нужно принять какие-нибудь меры против графини, то это мое дело: она моя невестка.

— И мое, — сказал Атос, — она моя жена.

Д'Артаньян улыбнулся: он понял, что Атос уверен в своем мщении, раз он открыл такую тайну. Портос и Арамис побледнели и переглянулись. Лорд Винтер решил, что Атос сошел с ума.

— Итак, ступайте каждый в свою комнату, — повторил Атос, — и предоставьте мне действовать. Вы сами видите, что это мое дело, так как я ее муж. Только отдайте мне, д'Артаньян, если вы его не потеряли, листок бумаги, который выпал из шляпы того человека и на котором написано название деревни.

— А, понимаю! — воскликнул д'Артаньян. — Это название написано ее рукой.

— Ты видишь сам, — сказал Атос, — есть бог на небесах!

XXXIV

ЧЕЛОВЕК В КРАСНОМ ПЛАЩЕ

Отчаяние Атоса сменилось затаенной печалью, которая еще обостряла блестящие качества его ума.

Поглощенный мыслью о данном им обещании и о принятой на себя ответственности, он последним ушел к себе в комнату,

...попросил хозяина гостиницы достать ему карту этой провинции, склонился над ней, изучил нанесенные на ней линии, выяснил, что из Бетюна в Армантьер ведут четыре разные дороги, и велел позвать к себе слуг.

Планше, Гримо, Мушкетон и Базен явились к Атосу и получили от него ясные, точные и обдуманные приказания.

Они должны были на рассвете отправиться в Армантьер, каждый своей дорогой. Планше как самый смышленый из всех четверых должен был направиться по той дороге, куда уехала карета, в которую стреляли четыре друга и которую, как помнят читатели, сопровождал слуга Рошфора.

Атос пустил в дело слуг прежде всего потому, что за время их службы у него и у его друзей он подметил в каждом из них немаловажные достоинства. Далее, слуги, которые расспрашивают прохожих, внушают меньше подозрений, чем их господа, и встречают больше доброжелательства в тех, к кому они обращаются. И наконец, миледи знала господ, но не знала слуг; слуги же, напротив, отлично ее знали.

Все четверо в одиннадцать часов следующего дня должны были сойтись в условленном месте. Если им удастся обнаружить, где скрывается миледи, трое останутся стеречь ее, а четвертый должен вернуться в Бетюн, чтобы известить Атоса и служить проводником четырем друзьям.

Выслушав эти распоряжения, слуги удалились.

Атос встал со стула, опоясался шпагой, закутался в плащ и вышел из гостиницы. Было около десяти часов. В десять часов вечера, как известно, улицы провинциального города обычно безлюдны; однако Атос явно искал кого-нибудь, к кому бы он мог обратиться с вопросом. Наконец он встретил запоздалого прохожего, подошел к нему и сказал несколько слов. Человек, к которому он обратился, в испуге отшатнулся, но все же в ответ на слова мушкетера куда-то указал рукой. Атос предложил этому человеку полпистоля за то, чтобы тот проводил его, но прохожий отказался.

Атос углубился в улицу, на которую прохожий указал ему, но, дойдя до перекрестка, опять остановился, видимо затрудняясь, в какую сторону идти дальше. Но так как на перекрестке он скорее всего мог кого-нибудь встретить, то он продолжал стоять там. И в самом деле, вскоре прошел ночной сторож. Атос обратился к нему с тем же вопросом, который он уже задавал прохожему; сторож точно так же испугался тоже отказался проводить Атоса и показал ему рукой дорогу.

Атос пошел в указанном направлении и добрался до предместья, расположенного на окраине города, противоположной той, через которую он и его товарищи вошли в город. Здесь он, по-видимому, опять оказался в затруднительном положении и в третий раз остановился.

К счастью, мимо проходил нищий; он подошел к Атосу попросить у него милостыню. Атос предложил экю за то, чтобы нищий довел его туда, куда он держал путь. Нищий сначала заколебался, но при виде серебряной монеты, блестевшей в темноте, решился и пошел впереди Атоса.

Дойдя до угла одной улицы, он издали показал Атосу небольшой, стоящий особняком домик, уединенный и унылый. Атос направился к нему, а нищий, получивший свою плату, со всех ног побежал прочь.

Атосу пришлось обойти дом кругом, прежде чем он различил дверь на фоне багровой краски, которой были покрыты стены; сквозь щели ставен не пробивался наружу ни один луч света, не слышно было ни малейшего звука, который позволил бы предположить, что этот дом обитаем: он был мрачен и безмолвен, как могила.

Атос трижды постучал, но никто ему не ответил. Однако после третьего раза изнутри донесся шум приближающихся шагов; наконец дверь приоткрылась, и показался высокий человек с бледным лицом, черными волосами и черной бородой.

Атос и незнакомец тихо обменялись несколькими словами, после чего высокий человек сделал мушкетеру знак, что он может войти. Атос тотчас воспользовался этим разрешением, и дверь закрылась за ним.

Человек, в поисках которого Атос так далеко забрался и которого он нашел с таким трудом, ввел Атоса в кабинет, где он перед тем скреплял проволокой побрякивавшие кости скелета. Весь остов был уже собран, только череп еще отдельно лежал на столе.

Все остальное убранство комнаты показывало, что ее хозяин занимается естественными науками: разные змеи лежали в банках, на которых виднелись ярлыки с названием каждой породы; высушенные ящерицы сверкали, точно изумруды, вставленные в большие рамы черного дерева; пучки дикорастущих трав, пахучих и, вероятно, обладающих свойствами, неизвестными людям непосвященным, были подвязаны к потолку и свешивались по углам комнаты.

Бросалось в глаза отсутствие семьи и слуг: высокий человек жил один в этом доме.

Атос окинул невозмутимым, равнодушным взглядом все описанные нами предметы и по приглашению того, к кому он пришел, сел возле него.

Затем он объяснил ему причину своего посещения и ту услугу, за которой он к нему обращается. Но едва Атос изложил свою просьбу, как незнакомец, стоявший перед мушкетером, в ужасе отпрянул и отказался. Тогда Атос вынул из кармана листок бумаги, на котором были написаны две строчки, скрепленные подписью и печатью, и показал их тому, кто чересчур поторопился проявить свое отвращение. Как только высокий человек прочитал эти две строчки, увидел подпись и узнал печать, он тотчас поклонился в знак того, что у него нет больше возражений и что он готов повиноваться.

Атосу только это и нужно было. Он встал, попрощался, вышел, зашагал обратно той же дорогой, по которой пришел, вернулся в гостиницу и заперся у себя в комнате.

На рассвете д'Артаньян вошел к нему и спросил, что надо делать.

— Ждать, — ответил Атос.

Спустя несколько минут настоятельница монастыря уведомила мушкетеров, что похороны состоятся в полдень. Что же касается отравительницы, то о ней не было никаких сведений; предполагали только, что она бежала через сад: там обнаружили на песке ее следы, и садовая калитка оказалась запертой, а ключ от нее исчез.

В назначенный час лорд Винтер и четверо друзей явились в монастырь; там звонили во все колокола, двери часовни были открыты, но решетка клироса оставалась запертой. Посреди клироса стоял гроб с телом жертвы злодеяния, облаченным в одежду послушницы. По обеим сторонам клироса, позади решеток, куда вход был прямо из монастыря, находились кармелитки, все в полном сборе; они слушали оттуда заупокойную службу и присоединяли свое пение к песнопениям священников, не видя мирян и сами невидимые для них.

Подойдя к дверям часовни, д'Артаньян почувствовал, что ему вновь изменяет мужество; он обернулся, ища глазами Атоса, но Атос скрылся.

Верный взятой на себя задаче мщения, Атос велел проводить себя в сад; идя там по легким, тянувшимся по песку отпечаткам ног этой женщины, которая оставляла за собой кровавый след повсюду, где она появлялась, он дошел до калитки, выходившей на опушку, велел отпереть ее и углубился в лес.

Тут все его предположения подтвердились: дорога, на которую свернула карета, огибала лес. Атос некоторое время шел по этой дороге, устремив глаза в землю; он то и дело различал на ней небольшие пятна крови, которые свидетельствовали о ране, нанесенной или человеку, верхом сопровождавшему карету, или одной из лошадей. А примерно в трех четвертях лье от монастыря, шагов за пятьдесят от Фестюбера, виднелось пятно большего размера, и земля вокруг была утоптана лошадьми. Между лесом и этим изобличающим местом, немного поодаль от взрытой копытами земли, тянулись следы тех же мелких шагов, что и в саду; здесь карета, по-видимому, останавливалась.

В этом месте миледи вышла из леса и села в карету.

Довольный этим открытием, подтверждавшим все его догадки, Атос вернулся в гостиницу и застал там нетерпеливо ожидавшего его Планше.

Все обстояло так, как предполагал Атос.

Двигаясь по дороге, Планше, так же как и Атос, заметил пятна крови и обнаружил место, где останавливались лошади; но оттуда Атос повернул обратно, а Планше двинулся дальше и в деревне Фестюбер, сидя в трактире и распивая вино, узнал, даже никого не расспрашивая, что накануне, в восемь с половиной часов вечера, раненый человек, сопровождавший даму, которая путешествовала в почтовой карете, вынужден был остановиться, так как не мог ехать дальше. Его рану проезжавшие объяснили нападением грабителей, якобы остановивших в лесу карету. Раненый остался в деревне; женщина переменила лошадей и продолжала путь.

Планше принялся разыскивать почтаря этой кареты и нашел его. Почтарь довез даму до Фромеля, а из Фромеля она поехала в Армантьер. Планше пустился напрямик проселочной дорогой и в семь часов утра добрался до Армантьера.

Оказалось, что там только одна гостиница, при почтовой станции. Планше явился туда под видом слуги, который остался без места и ищет службу. Не поговорил он и десяти минут с прислугой гостиницы, как ему уже стало известно, что какая-то женщина, никем не сопровождаемая, приехала накануне, в одиннадцать часов вечера, заняла комнату, велела позвать к себе смотрителя гостиницы и сказала ему, что она желала бы некоторое время пожить в окрестностях Армантьера.

Планше узнал все, что ему было нужно. Он побежал в назначенное для свидания место, встретился там, как было условлено, с остальными тремя слугами, поручил им караулить все выходы гостиницы и поспешил обратно к Атосу.

Планше еще сообщал собранные им сведения, когда друзья Атоса вернулись с похорон и вошли к нему в комнату.

Лица у всех, и даже кроткое лицо Арамиса, были угрюмы и нахмурены.

— Что надо делать? — спросил д'Артаньян.

— Ждать, — ответил Атос.

Все разошлись по своим комнатам.

В восемь часов вечера Атос приказал седлать лошадей и велел сказать лорду Винтеру и своим друзьям, чтобы они собирались в путь. Вмиг все пятеро были готовы. Каждый из них осмотрел свое оружие и привел его в надлежащий вид. Атос сошел вниз последним. Д'Артаньян уже сидел на коне и торопил с отъездом.

— Потерпите немного, — сказал Атос, — нам недостает еще одного человека.

Четыре всадника с удивлением осмотрелись кругом; каждый из них тщетно старался припомнить, кого это им недостает.

Между тем Планше привел лошадь Атоса; мушкетер легко вскочил в седло.

— Подождите меня, я скоро вернусь, — сказал он и ускакал.

Через четверть часа он действительно вернулся в сопровождении человека в маске, закутанного в длинный красный плащ.

Лорд Винтер и три мушкетера вопросительно переглянулись. Ни один из них не мог осведомить остальных: никому не было известно, кто этот человек. Но они мысленно решили, что так оно и должно быть, раз это исходило от Атоса.

В девять часов небольшая кавалькада, руководимая Планше, двинулась в путь по той самой дороге, по которой проехала карета.

Печальное зрелище представляли эти шесть человек, ехавшие молча, погруженные в свои мысли, мрачные, как само отчаяние, грозные, как само возмездие.

XXXV

СУД

Ночь была темная и бурная, тяжелые тучи неслись по небу, заволакивая звезды; луна должна была взойти только в полночь.

Порой при свете молнии, сверкавшей на краю неба, белела пустынная, уходившая вдаль дорога, а затем все опять погружалось во мрак.

Атос каждую минуту подзывал д'Артаньяна, все время опережавшего небольшой отряд, но в следующее мгновение д'Артаньян снова уносился вперед; у него была одна мысль: мчаться вперед — и он мчался.

Всадники в молчании проехали через деревню Фестюбер, где остался раненый слуга, потом обогнули Ришбургский лес. Когда они достигли Эрлие, Планше, по-прежнему указывавший дорогу кавалькаде, свернул налево.

Несколько раз то лорд Винтер, то Портос, то Арамис пытались заговорить с человеком в красном плаще, но на все задаваемые вопросы он отвечал безмолвным поклоном. Путники поняли, что незнакомец молчал не без причины, и перестали с ним заговаривать.

Между тем гроза усиливалась, вспышки молнии быстро следовали одна за другой, гремели раскаты грома, и ветер, предвестник урагана, развевал волосы всадников и перья на их шляпах.

Кавалькада пошла крупной рысью.

Вскоре после того как она миновала Фромель, полил дождь. Всадники закутались в плащи; им оставалось еще три лье — они проехали их под проливным дождем.

Д'Артаньян снял шляпу и откинул плащ: он с наслаждением подставлял под ливень пылающий лоб и сотрясаемое лихорадочной дрожью тело.

Когда кавалькада, оставив позади себя Госкаль, подъезжала к почтовой станции, какой-то человек, укрывавшийся от дождя под деревом, отделился от ствола, с которым он сливался в темноте, вышел на середину дороги и приложил палец к губам.

Атос узнал Гримо.

— Что случилось? — крикнул д'Артаньян. — Неужели она уехала из Армантьера?

Гримо утвердительно кивнул головой. Д'Артаньян заскрежетал зубами.

— Молчи, д'Артаньян! — приказал Атос. — Я все взял на себя, так предоставь мне расспросить Гримо.

— Где она? — спросил Атос.

Гримо протянул руку по направлению к реке Лис.

— Далеко отсюда? — спросил Атос.

Гримо показал своему господину согнутый указательный палец.

— Одна? — спросил Атос.

Гримо сделал утвердительный знак.

— Господа, — сказал Атос, — она одна, за пол-лье отсюда, по направлению к реке.

— Хорошо, — отозвался д'Артаньян. — Веди нас, Гримо.

Гримо зашагал через поля, кавалькада последовала за ним.

Шагов через пятьдесят всадники встретили ручей и перешли его вброд.

При блеске молнии они на миг увидели деревню Ангенгем.

— Там, Гримо? — спросил Атос.

Гримо отрицательно покачал головой.

— Тише, господа! — сказал Атос.

Отряд продолжал свой путь.

Снова блеснула молния. Гримо протянул руку, и в голубоватом свете змеившегося зигзага всадники разглядели уединенный домик на берегу реки, в ста шагах от парома.

Одно окно было освещено.

— Мы у цели, — сказал Атос.

В эту минуту какой-то человек, лежавший в канаве, вскочил на ноги. Это был Мушкетон. Он указал пальцем на освещенное окно и сказал:

— Она там.

— А Базен? — спросил Атос.

— Я сторожил окно, а он в это время сторожит дверь.

— Хорошо, — похвалил Атос. — Вы все верные слуги.

Атос соскочил с коня, отдал повод Гримо и, сделав всем остальным знак обогнуть дом и подъехать к двери, направился к окну.

Домик был окружен живой изгородью в два-три фута вышиной. Атос перепрыгнул через нее и подошел к окну; оно было без ставен, но доходившие до половины занавески были плотно сдвинуты.

Атос встал на каменный выступ и заглянул поверх занавесок в комнату.

При свете лампы он увидел закутанную в темную мантилью женщину; она сидела на табуретке перед потухающим огнем очага и, поставив локти на убогий стол, подпирала голову белыми, словно выточенными из слоновой кости, руками.

Лица ее нельзя было рассмотреть, но на губах Атоса мелькнула зловещая улыбка: он не ошибся — это была та самая женщина, которую он искал.

Вдруг заржала лошадь. Миледи подняла голову, увидела прильнувшее к стеклу бледное лицо Атоса и вскрикнула.

Атос понял, что она узнала его, и толкнул коленом и рукой окно; рама подалась, стекла разлетелись вдребезги.

Атос вскочил в комнату и предстал перед миледи, как призрак мести.

Миледи кинулась к двери и открыла ее — на пороге стоял д'Артаньян, еще более бледный и грозный, чем Атос.

Миледи вскрикнула и отшатнулась. Д'Артаньян, думая, что у нее есть еще возможность бежать, и боясь, что она опять ускользнет от них, выхватил из-за пояса пистолет, но Атос поднял руку.

— Положите оружие на место, д'Артаньян, — сказал он. — Эту женщину надлежит судить, а не убивать. Подожди еще немного и ты получишь удовлетворение... Войдите, господа.

Д'Артаньян повиновался: у Атоса был торжественный голос и властный жест судьи, ниспосланного самим создателем. За д'Артаньяном вошли Портос, Арамис, лорд Винтер и человек в красном плаще.

Слуги охраняли дверь и окно.

Миледи опустилась на стул и простерла руки, словно заклиная это страшное видение; увидев своего деверя, она испустила страшный вопль.

— Что вам нужно? — вскричала миледи.

— Нам нужна, — ответил Атос, — Шарлотта Баксон, которую звали сначала графиней де Ла Фер, а потом леди Винтер, баронессой Шеффилд.

— Это я, это я! — пролепетала она вне себя от ужаса. — Чего вы от меня хотите?

— Мы хотим судить вас за ваши преступления, — сказал Атос. — Вы вольны защищаться; оправдывайтесь, если можете... Господин д'Артаньян, вам первому обвинять.

Д'Артаньян вышел вперед.

— Перед богом и людьми, — начал он, — обвиняю эту женщину в том, что она отравила Констанцию Бонасье, скончавшуюся вчера вечером!

Он обернулся к Портосу и Арамису.

— Мы свидетельствуем это, — сказали вместе оба мушкетера.

Д'Артаньян продолжал:

— Перед богом и людьми обвиняю эту женщину в том, что она покушалась отравить меня самого, подмешав яд в вино, которое она прислала мне из Виллеруа с подложным письмом, желая уверить, что это вино — подарок моих друзей! Бог спас меня, но вместо меня умер другой человек, которого звали Бризмоном.

— Мы свидетельствуем это, — сказали Портос и Арамис.

— Перед богом и людьми обвиняю эту женщину в том, что она подстрекала меня убить графа де Варда, и, так как здесь нет никого, кто мог бы засвидетельствовать истинность этого обвинения, я сам ее свидетельствую! Я кончил.

Д'Артаньян вместе с Портосом и Арамисом перешел на другую сторону комнаты.

— Ваша очередь, милорд! — сказал Атос.

Барон вышел вперед.

— Перед богом и людьми, — заговорил он, — обвиняю эту женщину в том, что по ее наущению убит герцог Бекингэм!

— Герцог Бекингэм убит?! — в один голос воскликнули все присутствующие.

— Да, — сказал барон, — убит! Получив ваше письмо, в котором вы меня предостерегали, я велел арестовать эту женщину и поручил стеречь ее одному верному и преданному мне человеку. Она совратила его, вложила ему в руку кинжал, подговорила его убить герцога, и, быть может, как раз в настоящую минуту Фельтон поплатился головой за преступление этой фурии...

Судьи невольно содрогнулись при разоблачении этих еще неведомых им злодеяний.

— Это еще не все, — продолжал лорд Винтер. — Мой брат, который сделал вас своей наследницей, умер, прохворав всего три часа, от странной болезни, от которой по всему телу идут синеватые пятна. Сестра, от чего умер ваш муж?

— Какой ужас! — вскричали Портос и Арамис.

— Убийца Бекингэма, убийца Фельтона, убийца мое.
брата, я требую правосудия и объявляю, что если я не добьюс
его, то совершу его сам!

Лорд Винтер отошел и стал рядом с д'Артаньяном.

Миледи уронила голову на руки и силилась собраться
мыслями, путавшимися от смертельного страха.

— Теперь моя очередь... — сказал Атос и задрожал, ка
дрожит лев при виде змеи, — моя очередь. Я женился н
этой женщине, когда она была совсем юной девушкой, же
нился против воли всей моей семьи. Я дал ей богатство, да.
ей свое имя, и однажды я обнаружил, что эта женщина за
клеймена: она отмечена клеймом в виде лилии на левом плече

— О! — воскликнула миледи и встала. — Ручаюсь, что
не найдется тот суд, который произнес надо мной этот гнусный
приговор! Ручаюсь, что не найдется тот, кто его выполнил!

— Замолчите! — произнес чей-то голос. — На это отвечу я!
Человек в красном плаще вышел вперед.

— Кто это, кто это? — вскричала миледи, задыхаясь от
страха; волосы ее распустились и зашевелились над померт-
вевшим лицом, точно живые.

Глаза всех обратились на этого человека: никто, кроме
Атоса, не знал его. Да и сам Атос глядел на него с тем же
изумлением, как и все остальные, недоумевая, каким образом
этот человек мог оказаться причастным к ужасной драме,
развязка которой совершалась в эту минуту.

Медленным, торжественным шагом подойдя к миледи на
такое расстояние, что его отделял от нее только стол, незнакомец снял с себя маску.

Миледи некоторое время с возрастающим ужасом смотрела на бледное лицо, обрамленное черными волосами и
бакенбардами и хранившее бесстрастное, ледяное спокойствие, потом вдруг вскочила и отпрянула к стене.

— Нет-нет! — вырвалось у нее. — Нет! Это адское видение! Это не он!.. Помогите! Помогите! — закричала она хриплым голосом и обернулась к стене, точно желая руками раз-
двинуть ее и укрыться в ней.

— Да кто же вы? — воскликнули все свидетели этой сцены.

— Спросите у этой женщины, — сказал человек в красном
плаще. — Вы сами видите, она меня узнала.

— Лилльский палач! Лилльский палач! — выкрикивала миледи, обезумев от страха и цепляясь руками за стену, чтобы
не упасть.

Все отступили, и человек в красном плаще остался один осреди комнаты.

— О, пощадите, пощадите, простите меня! — кричала резренная женщина, упав на колени.

Незнакомец подождал, пока водворилось молчание.

— Я вам говорил, что она меня узнала! — сказал он. — Да, я палач города Лилля, и вот моя история.

Все не отрываясь смотрели на этого человека, с тревожным нетерпением ожидая, что он скажет.

— Эта молодая женщина была когда-то столь же красивой молодой девушкой. Она была монахиней Тамплемарского монастыря бенедиктинок. Молодой священник, простосердечный и глубоко верующий, отправлял службы в церкви этого монастыря. Она задумала совратить его, и это ей удалось: она могла бы совратить святого.

Принятые ими монашеские обеты были священны и нерушимы. Их связь не могла быть долговечной — рано или поздно она должна была погубить их. Молодая монахиня уговорила своего любовника покинуть те края, но для того чтобы уехать оттуда, чтобы скрыться вдвоем, перебраться в другую часть Франции, где они могли бы жить спокойно, ибо никто бы их там не знал, нужны были деньги, а ни у того, ни у другого их не было. Священник украл священные сосуды и продал их; но в ту минуту, когда любовники готовились вместе уехать, их задержали.

Неделю спустя она обольстила сына тюремщика и бежала. Священник был приговорен к десяти годам заключения в кандалах и к клейму. Я был палачом города Лилля, как подтверждает эта женщина. Моей обязанностью было заклеймить виновного, а виновный, господа, был мой брат!

Тогда я поклялся, что эта женщина, которая его погубила, которая была больше чем его сообщницей, ибо она толкнула его на преступление, по меньшей мере разделит с ним наказание. Я догадывался, где она укрывается, выследил ее, застиг, связал и наложил такое же клеймо, какое я наложил на моего брата.

На другой день после моего возвращения в Лилль брату моему тоже удалось бежать из тюрьмы. Меня обвинили в пособничестве и приговорили к тюремному заключению до тех пор, пока беглец не отдаст себя в руки властей.

Бедный брат не знал об этом приговоре. Он опять сошелся с этой женщиной; они вместе бежали в Берри, и там ему

удалось получить небольшой приход. Эта женщина выдавал[а]
себя за его сестру.

Вельможа, во владениях которого была расположена при
ходская церковь, увидел эту мнимую сестру и влюбился в не[е]
влюбился до такой степени, что предложил ей стать его женой
Тогда она бросила того, кого уже погубила, ради того, ког[о]
должна была погубить, и сделалась графиней де Ла Фер...

Все перевели взгляд на Атоса, настоящее имя которог[о]
было граф де Ла Фер, и Атос кивком головы подтвердил, чт[о]
все сказанное палачом — правда.

— Тогда, — продолжал палач, — мой бедный брат, впа[в]
в безумное отчаяние и решив избавиться от жизни, котору[ю]
эта женщина лишила и чести и счастья, вернулся в Лилль.
Узнав о том, что я отбываю вместо него заключение, он добровольно явился в тюрьму и в тот же вечер повесился на дверце
отдушины своей темницы.

Впрочем, надо отдать справедливость: осудившие меня
власти сдержали слово. Как только личность самоубийцы была
установлена, мне возвратили свободу.

Вот преступление, в котором я ее обвиняю, вот за что она
заклеймена!

— Господин д'Артаньян, — начал Атос, — какого наказания требуете вы для этой женщины?

— Смертной казни, — ответил д'Артаньян.

— Милорд Винтер, какого наказания требуете вы для этой
женщины?

— Смертной казни, — ответил лорд Винтер.

— Господин Портос и господин Арамис, вы судьи этой
женщины: к какому наказанию присуждаете вы ее?

— К смертной казни, — глухим голосом ответили оба
мушкетера.

Миледи испустила отчаянный вопль и на коленях прополз-
ла несколько шагов к своим судьям.

Атос поднял руку.

— Шарлотта Баксон, графиня де Ла Фер, леди Винтер, —
произнес он, — ваши злодеяния переполнили меру терпения
людей на земле и бога на небе. Если вы знаете какую-нибудь
молитву, прочитайте ее, ибо вы осуждены и умрете.

Услышав эти слова, не оставлявшие ей ни малейшей надежды, миледи поднялась, выпрямилась во весь рост и хотела
что-то сказать, но силы изменили ей: она почувствовала, что
властная, неумолимая рука схватила ее за волосы и повлекла

ак же бесповоротно, как рок влечет человека. Она даже не ыталась сопротивляться и вышла из домика.

Лорд Винтер, д'Артаньян, Атос, Портос и Арамис вышли след за ней. Слуги последовали за своими господами. В опустевшей комнате с разбитым окном и раскрытой настежь дверью печально догорала на столе чадившая лампа.

XXXVI

КАЗНЬ

Было около полуночи; ущербная луна, обагренная последними отблесками грозы, всходила за городком Армантьер, и в ее тусклом свете обрисовывались темные очертания домов и остов высокой ажурной колокольни. Впереди Лис катила свои воды, походившие на поток расплавленного свинца, а на другом берегу реки виднелись черные купы деревьев, выделявшиеся на бурном небе, затянутом большими багровыми тучами, которые создавали подобие сумерек посреди мрачной ночи. Налево высилась старая, заброшенная мельница с неподвижными крыльями, в развалинах которой то и дело раздавался пронзительный монотонный крик совы. На равнине, справа и слева от дороги, по которой двигалось печальное шествие, кое-где выступали из темноты низкие, коренастые деревья, казавшиеся уродливыми карликами, присевшими на корточки и подстерегающими людей в этот зловещий час.

Время от времени широкая молния озаряла весь край неба, змеилась над черными купами деревьев и, словно чудовищный ятаган, рассекала надвое небо и воду. В душном воздухе не чувствовалось ни малейшего дуновения ветра. Мертвое молчание тяготело над природой, земля была влажная и скользкая от недавнего дождя, и освеженные травы благоухали еще сильнее.

Гримо и Мушкетон увлекали вперед миледи, держа ее за руки; палач шел за ними, а лорд Винтер, д'Артаньян, Атос, Портос и Арамис шли позади палача. Планше и Базен замыкали шествие.

Слуги вели миледи к реке. Уста ее были безмолвны, но глаза говорили со свойственным им неизъяснимым красноречием, умоляя поочередно каждого, на кого она устремляла взгляд.

Воспользовавшись тем, что она оказалась на несколько шагов впереди остальных, она сказала слугам:

— Обещаю тысячу пистолей каждому из вас, если вы поможете мне бежать! Но если вы предадите меня в руки ваших господ, то знайте: у меня есть здесь поблизости мстители, которые заставят вас дорого заплатить за мою жизнь!

Гримо колебался. Мушкетон дрожал всем телом.

Атос, услышавший голос миледи, быстро подошел; лорд Винтер последовал его примеру.

— Уберите этих слуг, — предложил он. — Она что-то говорила им — на них уже нельзя полагаться.

Атос подозвал Планше и Базена, и они сменили Гримо и Мушкетона.

Когда все пришли на берег реки, палач подошел к миледи и связал ей руки и ноги.

Тогда она нарушила молчание и воскликнула:

— Вы трусы, вы жалкие убийцы! Вас собралось десять мужчин, чтобы убить одну женщину! Берегитесь! Если мне не придут на помощь, то за меня отомстят!

— Вы не женщина, — холодно ответил Атос, — вы не человек — вы демон, вырвавшийся из ада, и мы заставим вас туда вернуться!

— О добродетельные господа, — сказала миледи, — имейте в виду, что тот, кто тронет волосок на моей голове, в свою очередь будет убийцей!

— Палач может убивать и не быть при этом убийцей, сударыня, — возразил человек в красном плаще, ударяя по своему широкому мечу. — Он последний судья, и только. Nachrichter, как говорят наши соседи — немцы.

И так как, произнося эти слова, он связывал ее, миледи испустила дикий крик, который мрачно и странно прозвучал в ночной тишине и замер в глубине леса.

— Но если я виновна, если я совершила преступления, в которых вы меня обвиняете, — рычала миледи, — то отведите меня в суд! Вы ведь не судьи, чтобы судить меня и выносить мне приговор!

— Я предлагал вам Тайберн, — сказал лорд Винтер, — отчего же вы не захотели?

— Потому что я не хочу умирать! — воскликнула миледи, пытаясь вырваться из рук палача. — Потому что я слишком молода, чтобы умереть!

— Женщина, которую вы отравили в Бетюне, была еще моложе вас, сударыня, и, однако, она умерла, — сказал д'Артаньян.

— Я поступлю в монастырь, я сделаюсь монахиней... — продолжала миледи.

— Вы уже были в монастыре, — возразил палач, — и ушли оттуда, чтобы погубить моего брата.

Миледи в ужасе вскрикнула и упала на колени.

Палач приподнял ее и хотел отнести к лодке.

— Ах, боже мой! — закричала она. — Боже мой! Неужели вы меня утопите?..

Эти крики до такой степени надрывали душу, что д'Артаньян, бывший до сих пор самым ожесточенным преследователем миледи, опустился на ближайший пень, наклонил голову и заткнул ладонями уши; но, несмотря на это, он все-таки слышал ее вопли и угрозы.

Д'Артаньян был моложе всех, и он не выдержал:

— Я не могу видеть это ужасное зрелище! Я не могу допустить, чтобы эта женщина умерла таким образом!

Миледи услышала его слова, и у нее блеснул луч надежды.

— Д'Артаньян! Д'Артаньян! — крикнула она. — Вспомни, что я любила тебя!

Молодой человек встал и шагнул к ней.

Но Атос выхватил шпагу и загородил ему дорогу.

— Если вы сделаете еще один шаг, д'Артаньян, — сказал он, — мы скрестим шпаги!

Д'Артаньян упал на колени и стал читать молитву.

— Ну, палач, делай свое дело, — проговорил Атос.

— Охотно, ваша милость, — сказал палач, — ибо я добрый католик и твердо убежден, что поступаю справедливо, исполняя мою обязанность по отношению к этой женщине.

— Хорошо.

Атос подошел к миледи.

— Я прощаю вам, — сказал он, — все зло, которое вы мне причинили. Я прощаю вам мою разбитую жизнь, прощаю вам мою утраченную честь, мою поруганную любовь и мою душу, навеки погубленную тем отчаянием, в которое вы меня повергли! Умрите с миром!

Лорд Винтер тоже подошел к ней.

631

— Я вам прощаю, — сказал он, — отравление моего брата и убийство его светлости лорда Бекингэма, я вам прощаю смерть бедного Фельтона, я вам прощаю ваши покушения на мою жизнь! Умрите с миром!

— А я, — сказал д'Артаньян, — прошу простить меня, сударыня, за то, что я недостойным дворянина обманом вызвал ваш гнев. Сам я прощаю вам убийство моей несчастной возлюбленной и вашу жестокую месть, я вас прощаю и оплакиваю вашу участь! Умрите с миром!

— I am lost!* — прошептала по-английски миледи. — I must die!**

И она без чьей-либо помощи встала и окинула все вокруг себя одним из тех пронзительных взглядов, которые, казалось, возгорались, как пламя.

Она ничего не увидела.

Она прислушалась, но ничего не уловила.

Подле нее не было никого, кроме ее врагов.

— Где я умру? — спросила она.

— На том берегу, — ответил палач.

Он посадил ее в лодку, и, когда он сам занес туда ногу, Атос протянул ему мешок с золотом.

— Возьмите, — сказал он, — вот вам плата за исполнение приговора. Пусть все знают, что мы действуем как судьи.

— Хорошо, — ответил палач. — А теперь пусть эта женщина тоже знает, что я исполняю не свое ремесло, а свой долг.

И он швырнул золото в реку.

Лодка отчалила и поплыла к левому берегу, увозя преступницу и палача. Все прочие остались на правом берегу и опустились на колени.

Лодка медленно скользила вдоль каната для парома, озаряемая отражением бледного облака, нависавшего над водой. Видно было, как она пристала к другому берегу; фигуры палача и миледи черными силуэтами вырисовывались на фоне багрового неба.

Во время переправы миледи удалось распутать веревку, которой были связаны ее ноги; когда лодка достигла берега, миледи легким движением прыгнула на землю и пустилась бежать.

---

* Я погибла! *(англ.)*
** Я должна умереть! *(англ.)*

Но земля была влажная; поднявшись на откос, миледи оскользнулась и упала на колени.

Суеверная мысль поразила ее: она решила, что небо отказывает ей в помощи, и застыла в том положении, в каком была, склонив голову и сложив руки.

Тогда с другого берега увидели, как палач медленно поднял обе руки; в лунном свете блеснуло лезвие его широкого меча, и руки опустились; послышался свист меча и крик жертвы, затем обезглавленное тело повалилось под ударом.

Палач отстегнул свой красный плащ, разостлал его на земле, положил на него тело, бросил туда же голову, связал плащ концами, взвалил его на плечо и опять вошел в лодку.

Выехав на середину реки, он остановил лодку и, подняв над водой свою ношу, крикнул громким голосом:

— Да свершится правосудие божие!

И он опустил труп в глубину вод, которые тотчас сомкнулись над ним...

Три дня спустя четыре мушкетера вернулись в Париж; они не просрочили своего отпуска и в тот же вечер сделали обычный визит г-ну де Тревилю.

— Ну что, господа, — спросил их храбрый капитан, — хорошо вы веселились, пока были в отлучке?

— Бесподобно! — ответил Атос за себя и за товарищей.

ЗАКЛЮЧЕНИЕ

Шестого числа следующего месяца король, исполняя данное им кардиналу обещание вернуться в Ла-Рошель, выехал из столицы, совершенно ошеломленный облетевшим всех известием, что Бекингэм убит.

Хотя королева была предупреждена, что человеку, которого она так любила, угрожает опасность, тем не менее, когда ей сообщили о его смерти, она не хотела этому верить; она даже неосторожно воскликнула:

— Это неправда! Он совсем недавно прислал мне письмо.

Но на следующий день ей все же пришлось поверить роковому известию: Ла Порт, который, как и все отъезжавшие, был задержан в Англии по приказу короля Карла, приехал и привез последний, предсмертный подарок, посланный Бекингэмом королеве.

Радость короля была очень велика, он и не старался скрыть ее и даже умышленно дал ей волю в присутствии королевы. Людовик XIII, как все слабохарактерные люди, не отличался великодушием.

Но вскоре король вновь стал скучен и угрюм: чело его было не из тех, что надолго проясняются; он чувствовал, что, вернувшись в лагерь, опять попадет в рабство. И все-таки он возвращался туда.

Кардинал был для него зачаровывающей змеей, а сам он — птицей, которая порхает с ветки на ветку, но не может ускользнуть от змеи.

Поэтому возвращение в Ла-Рошель было очень унылым. Особенно наши четыре друга вызывали удивление своих товарищей: они ехали все рядом, понурив голову и мрачно глядя перед собой. Только Атос время от времени поднимал величавое чело, глаза его вспыхивали огнем, на губах мелькала горькая усмешка, а затем он снова, подобно своим товарищам, впадал в задумчивость.

После приезда в какой-нибудь город, проводив короля до отведенного ему для ночлега помещения, друзья тотчас удалялись к себе или шли в расположенный на отшибе кабачок, где они, однако, не играли в кости и не пили, а только шепотом разговаривали между собой, зорко оглядываясь, не подслушивает ли их кто-нибудь.

Однажды, когда король сделал в пути привал, желая поохотиться, а четыре друга, вместо того чтобы примкнуть к охотникам, удалились, по своему обыкновению, в трактир на проезжей дороге, какой-то человек, прискакавший во весь опор из Ла-Рошели, остановил коня у дверей этого трактира, желая выпить стакан вина, заглянул в комнату, где сидели за столом четыре мушкетера, и закричал:

— Эй, господин д'Артаньян! Не вас ли я там вижу?

Д'Артаньян поднял голову и издал радостное восклицание. Это был тот самый человек, которого он называл своим призраком, это был незнакомец из Менга, с улицы Могильщиков и из Арраса.

Д'Артаньян выхватил шпагу и кинулся к двери.

Но на этот раз незнакомец не обратился в бегство, а соскочил с коня и пошел навстречу д'Артаньяну.

— А, наконец-то я вас нашел, милостивый государь! — сказал юноша. — На этот раз вы от меня не скроетесь.

— Это вовсе не входит в мои намерения — на этот раз я сам искал вас. Именем короля я вас арестую! Я требую, чтобы вы отдали мне вашу шпагу, милостивый государь. Не вздумайте сопротивляться: предупреждаю вас, дело идет о вашей жизни.

— Кто же вы такой? — спросил д'Артаньян, опуская шпагу, но еще не отдавая ее.

— Я шевалье де Рошфор, — ответил незнакомец, — конюший господина кардинала де Ришелье. Я получил приказание доставить вас к его высокопреосвященству.

— Мы возвращаемся к его высокопреосвященству, господин шевалье, — вмешался Атос и подошел поближе, — и, разумеется, вы поверите слову господина д'Артаньяна, что он отправится прямо в Ла-Рошель.

— Я должен передать его в руки стражи, которая доставит его в лагерь.

— Мы будем служить ему стражей, милостивый государь, даю вам слово дворянина. Но даю вам также мое слово, — прибавил Атос, нахмурив брови, — что господин д'Артаньян не уедет без нас.

Шевалье де Рошфор оглянулся и увидел, что Портос и Арамис стали между ним и дверью; он понял, что он всецело во власти этих четырех человек.

— Господа, — обратился он к ним, — если господин д'Артаньян согласен отдать мне шпагу и даст, как и вы, слово, я удовлетворюсь вашим обещанием отвезти господина д'Артаньяна в ставку господина кардинала.

— Даю вам слово, милостивый государь, — сказал д'Артаньян, — и вот вам моя шпага.

— Для меня это тем более кстати, — прибавил Рошфор, — что мне нужно ехать дальше.

— Если для того, чтобы встретиться с миледи, — холодно заметил Атос, — то это бесполезно: вы ее больше не увидите.

— А что с ней сталось? — с живостью спросил Рошфор.

— Возвращайтесь в лагерь, там вы это узнаете.

Рошфор на мгновение задумался, а затем, так как они находились всего на расстоянии одного дня пути от Сюржера, куда кардинал должен был выехать навстречу королю, он решил последовать совету Атоса и вернуться вместе с мушкетерами. К тому же его возвращение давало ему то преимущество, что он мог сам надзирать за арестованным.

Все снова тронулись в путь.

На следующий день, в три часа пополудни, они приехали в Сюржер. Кардинал поджидал там Людовика XIII. Министр и король обменялись многочисленными любезностями и поздравили друг друга со счастливым случаем, избавившим Францию от упорного врага, который поднимал на нее всю Европу. После этого кардинал, предупрежденный Рошфором о том, что д'Артаньян арестован, и желавший поскорее увидеть его, простился с королем и пригласил его на следующий день осмотреть вновь сооруженную плотину.

Вернувшись вечером в свою ставку у Каменного моста, кардинал увидел у дверей того дома, где он жил, д'Артаньяна без шпаги и с ним трех вооруженных мушкетеров.

На этот раз, так как сила была на его стороне, он сурово посмотрел на них и движением руки и взглядом приказал д'Артаньяну следовать за ним.

Д'Артаньян повиновался.

— Мы подождем тебя, д'Артаньян, — сказал Атос достаточно громко, чтобы кардинал услышал его.

Его высокопреосвященство нахмурил брови и приостановился, но затем, не сказав ни слова, пошел в дом.

Д'Артаньян вошел вслед за кардиналом, а за дверью остались на страже его друзья.

Кардинал отправился прямо в комнату, служившую ему кабинетом, и подал знак Рошфору ввести к нему молодого мушкетера.

Рошфор исполнил его приказание и удалился.

Д'Артаньян остался наедине с кардиналом; это было его второе свидание с Ришелье, и, как д'Артаньян признавался впоследствии, он был твердо убежден, что оно окажется последним.

Ришелье остался стоять, прислонясь к камину; находившийся в комнате стол отделял его от д'Артаньяна.

— Милостивый государь, — начал кардинал, — вы арестованы по моему приказанию.

— Мне сказали это, ваша светлость.

— А знаете ли вы, за что?

— Нет, ваша светлость. Ведь единственная вещь, за которую я бы мог быть арестован, еще неизвестна вашему высокопреосвященству.

Ришелье пристально посмотрел на юношу:

— Вот как! Что это значит?

— Если вашей светлости будет угодно сказать мне прежде, какие преступления вменяются мне в вину, я расскажу затем поступки, которые я совершил на деле.

— Вам вменяются в вину преступления, за которые снимали голову людям познатнее вас, милостивый государь! — ответил Ришелье.

— Какие же, ваша светлость? — спросил д'Артаньян со спокойствием, удивившим самого кардинала.

— Вас обвиняют в том, что вы переписывались с врагами государства, в том, что вы выведали государственные тайны, в том, что вы пытались расстроить планы вашего военачальника.

— А кто меня обвиняет в этом, ваша светлость? — сказал д'Артаньян, догадываясь, что это дело рук миледи. — Женщина, заклейменная государственным правосудием, женщина, вышедшая замуж за одного человека во Франции и за другого в Англии, женщина, отравившая своего второго мужа и покушавшаяся отравить меня!

— Что вы рассказываете, милостивый государь! — с удивлением воскликнул кардинал. — О какой женщине вы говорите?

— О леди Винтер, — ответил д'Артаньян. — Да, о леди Винтер, все преступления которой были, очевидно, неизвестны вашему высокопреосвященству, когда вы почтили ее своим доверием.

— Если леди Винтер совершила те преступления, о которых вы сказали, милостивый государь, она будет наказана.

— Она уже наказана, ваша светлость.

— А кто же наказал ее?

— Мы.

— Она в тюрьме?

— Она умерла.

— Умерла? — повторил кардинал не веря своим ушам. — Умерла? Так вы сказали?

— Три раза пыталась она убить меня, и я простил ей, но она умертвила женщину, которую я любил. Тогда мои друзья и я изловили ее, судили и приговорили к смерти.

Д'Артаньян рассказал про отравление г-жи Бонасье в Бетюнском монастыре кармелиток, про суд в уединенном домике, про казнь на берегу Лиса. Дрожь пробежала по телу кардинала — а ему редко случалось содрогаться.

Но вдруг, словно под влиянием какой-то невысказанной мысли, лицо кардинала, до тех пор мрачное, мало-помалу прояснилось и приняло наконец совершенно безмятежное выражение.

— Итак, — заговорил он кротким голосом, противоречившим его суровым словам, — вы присвоили себе права судей, не подумав о том, что те, кто не уполномочен наказывать и тем не менее наказывает, являются убийцами.

— Ваша светлость, клянусь вам, что у меня ни на минуту не было намерения оправдываться перед вами! Я готов понести то наказание, какое вашему высокопреосвященству угодно будет наложить на меня. Я слишком мало дорожу жизнью, чтобы бояться смерти.

— Да, я знаю, вы храбрый человек, — сказал кардинал почти ласковым голосом. — Могу вам поэтому заранее сказать, что вас будут судить и даже приговорят к наказанию.

— Другой человек мог бы ответить вашему высокопреосвященству, что его помилование у него в кармане, а я только скажу вам: приказывайте, ваша светлость, я готов ко всему.

— Ваше помилование? — удивился Ришелье.

— Да, ваша светлость, — ответил д'Артаньян.

— А кем оно подписано? Королем?

Кардинал произнес эти слова с особым оттенком презрения.

— Нет, вашим высокопреосвященством.

— Мною? Вы что, с ума сошли?

— Вы, конечно, узнаете свою руку, ваша светлость.

Д'Артаньян подал его высокопреосвященству драгоценную бумагу, которую Атос отнял у миледи и отдал д'Артаньяну, чтобы она служила ему охранным листом.

Кардинал взял бумагу и медленно, делая ударение на каждом слове, прочитал:

«Все, что сделал предъявитель сего, сделано по моему приказанию и для блага государства.

5 августа 1628 года.
Ришелье».

Прочитав эти две строчки, кардинал погрузился в глубокую задумчивость, но не вернул бумагу д'Артаньяну.

«Он обдумывает, какой смертью казнить меня, — мысленно решил д'Артаньян. — Но клянусь, он увидит, как умирает дворянин!»

Молодой мушкетер был в отличном расположении духа и готовился геройски перейти в иной мир.

Ришелье в раздумье свертывал и снова разворачивал в руках бумагу. Наконец он поднял голову, устремил свой орлиный взгляд на умное, открытое и благородное лицо д'Артаньяна, прочел на этом лице, еще хранившем следы слез, все страдания, перенесенные им за последний месяц, и в третий или четвертый раз мысленно представил себе, какие большие надежды подает этот юноша, которому всего двадцать один год, и как успешно мог бы воспользоваться его энергией, его умом и мужеством мудрый повелитель.

С другой стороны, преступления, могущество и адский гений миледи не раз ужасали его. Он испытывал какую-то затаенную радость при мысли, что навсегда избавился от этой опасной сообщницы.

Кардинал медленно разорвал бумагу, так великодушно возвращенную д'Артаньяном.

«Я погиб!» — подумал д'Артаньян.

Он низко склонился перед кардиналом, как бы говоря: «Господи, да будет воля твоя!»

Кардинал подошел к столу и, не присаживаясь, написал несколько строк на пергаменте, две трети которого были уже заполнены; затем он приложил свою печать.

«Это мой приговор, — решил про себя д'Артаньян. — Кардинал избавляет меня от скучного заточения в Бастилии и от всех проволочек судебного разбирательства. Это еще очень любезно с его стороны».

— Возьмите! — сказал кардинал юноше. — Я взял у вас один открытый лист и взамен даю другой. На этой грамоте не проставлено имя, впишите его сами.

Д'Артаньян нерешительно взял бумагу и взглянул на нее. Это был указ о производстве в чин лейтенанта мушкетеров. Д'Артаньян упал к ногам кардинала.

— Ваша светлость, — сказал он, — моя жизнь принадлежит вам, располагайте ею отныне! Но я не заслуживаю той милости, какую вы мне оказываете: у меня есть три друга, имеющих больше заслуг и более достойных...

— Вы славный малый, д'Артаньян, — перебил его кардинал и дружески похлопал по плечу, довольный тем, что ему удалось покорить эту строптивую натуру. — Располагайте этой грамотой, как вам заблагорассудится. Только помните, что, хотя имя и не вписано, я даю ее вам.

— Я этого никогда не забуду! — ответил д'Артаньян. — Ваше высокопреосвященство может быть в этом уверены.

Кардинал обернулся и громко произнес:

— Рошфор!

Кавалер, который, вероятно, стоял за дверью, тотчас вошел.

— Рошфор, — сказал кардинал, — перед вами господин д'Артаньян. Я принимаю его в число моих друзей, а потому поцелуйтесь оба и ведите себя благоразумно, если хотите сберечь ваши головы.

Рошфор и д'Артаньян, едва прикасаясь губами, поцеловались; кардинал стоял тут же и не спускал с них бдительных глаз.

Они вместе вышли из комнаты.

— Мы еще увидимся, не так ли, милостивый государь?

— Когда вам будет угодно, — подтвердил д'Артаньян.

— Случай не замедлит представиться, — ответил Рошфор.

— Что такое? — спросил Ришелье, открывая дверь.

Молодые люди тотчас улыбнулись друг другу, обменялись рукопожатиями и поклонились его высокопреосвященству.

— Мы уже стали терять терпение, — сказал Атос.

— Вот и я, друзья мои! — ответил д'Артаньян. — Я не только свободен, но и попал в милость.

— Вы нам расскажете все?

— Сегодня же вечером.

Действительно, в тот же вечер д'Артаньян отправился к Атосу и застал его за бутылкой испанского вина — занятие, которому Атос неукоснительно предавался каждый день.

Д'Артаньян рассказал ему все, что произошло между ним и кардиналом, и, вынув из кармана грамоту, сказал:

— Возьмите, любезный Атос, она принадлежит вам по праву.

Атос улыбнулся своей ласковой и очаровательной улыбкой.

— Друг мой, для Атоса это слишком много, для графа де Ла Фер — слишком мало, — ответил он. — Оставьте себе эту грамоту, она ваша. Вы купили ее, увы, дорогой ценой!

Д'Артаньян вышел от Атоса и вошел в комнату Портоса. Он застал его перед зеркалом; облачившись в великолепный, богато расшитый камзол, Портос любовался собой.

— А, это вы, любезный друг! — приветствовал он д'Артаньяна. — Как вы находите, к лицу мне это платье?

— Как нельзя лучше, — ответил д'Артаньян. — Но я пришел предложить вам другое платье, которое будет вам еще больше к лицу.

— Какое же это?

— Мундир лейтенанта мушкетеров.

Д'Артаньян рассказал Портосу о своем свидании с кардиналом и, вынув из кармана грамоту, сказал:

— Возьмите, любезный друг, впишите ваше имя и будьте мне хорошим начальником.

Портос взглянул на грамоту и, к великому удивлению д'Артаньяна, отдал ее обратно.

— Да, это было бы для меня очень лестно, — сказал он, — но мне недолго пришлось бы пользоваться этой милостью. Во время нашей поездки в Бетюн скончался супруг моей герцогини, а потому сундук покойного просится ко мне в руки, и я, любезный друг, женюсь на вдове. Вот видите, я примерял мой свадебный наряд. Оставьте чин лейтенанта себе, друг мой, оставьте!

И он возвратил грамоту д'Артаньяну.

Юноша пошел к Арамису.

Он застал его перед аналоем; Арамис стоял на коленях, низко склонив голову над раскрытым молитвенником.

Д'Артаньян рассказал ему о своем свидании с кардиналом и, в третий раз вынув из кармана грамоту, проговорил:

— Вы наш друг, наш светоч, наш незримый покровитель! Примите эту грамоту. Вы, как никто другой, заслужили ее вашей мудростью и вашими советами, неизменно приводившими нас к удаче.

— Увы, любезный друг! — вздохнул Арамис. — Наши последние похождения окончательно отвратили меня от мирской жизни и от военного звания. На этот раз я принял бесповоротное решение: по окончании осады я вступаю в братство лазаристов. Оставьте себе эту грамоту, д'Артаньян: военная служба как нельзя более подходит вам. Вы будете храбрым и предприимчивым военачальником.

Д'Артаньян, со слезами признательности на глазах и с радостью во взоре, вернулся к Атосу и по-прежнему застал его за столом; Атос рассматривал на свет лампы последний стакан малаги.

— Ну вот, и они тоже отказались! — сказал д'Артаньян.

— Да потому, милый друг, что никто не заслуживает этого больше вас.

Он взял перо, вписал имя д'Артаньяна и подал ему грамоту.

— Итак, у меня не будет больше друзей, — сказал юноша, — и, увы, не останется ничего, кроме горестных воспоминаний!

Он поник головой, и две крупные слезы скатились по его щекам.

— Вы молоды, — ответил Атос, — и ваши горестные воспоминания еще успеют смениться отрадными.

ЭПИЛОГ

Ла-Рошель, не получая помощи английского флота и войск, обещанных Бекингэмом, сдалась после годичной осады. 28 октября 1628 года была подписана капитуляция.

Король совершил свой въезд в Париж 23 декабря того же года. Ему устроили торжественную встречу, точно он возвращался после победы над врагом, а не над французами. Он въехал через увитую цветами и зеленью аркаду, сооруженную в предместье Сен-Жак.

Д'Артаньян принял пожалованный ему чин лейтенанта. Портос оставил службу и женился в следующем году на г-же Кокнар: в вожделенном сундуке оказалось восемьсот тысяч ливров.

Мушкетон стал щеголять в великолепной ливрее и достиг величайшего удовлетворения, о каком он мечтал всю жизнь: начал ездить на запятках раззолоченной кареты.

Арамис, совершив поездку в Лотарингию, внезапно исчез и перестал писать своим друзьям. Впоследствии стало известно через г-жу де Шеврез, рассказавшую об этом двум-трем своим любовникам, что он принял монашество в одном из монастырей Нанси.

Базен стал послушником.

Атос служил мушкетером под начальством д'Артаньяна до 1631 года, когда, после поездки в Турень, он тоже оставил службу под тем предлогом, что получил небольшое наследство в Русильоне.

Гримо последовал за Атосом.

Д'Артаньян три раза дрался на дуэли с Рошфором и все три раза его ранил.

— В четвертый раз я, вероятно, убью вас, — сказал он, протягивая Рошфору руку, чтобы помочь ему встать.

— В таком случае будет лучше для вас и для меня, если мы на этом покончим, — ответил раненый. — Черт побери, я к вам больше расположен, чем вы думаете! Ведь еще после нашей первой встречи я бы мог добиться того, чтобы вам отрубили голову: мне стоило только сказать слово кардиналу.

Они поцеловались, но на этот раз уже от чистого сердца и без всяких задних мыслей.

Планше получил при содействии Рошфора чин сержанта гвардии.

Господин Бонасье жил очень спокойно, ничего не ведая о том, что сталось с его женой, и нимало о ней не тревожась. Однажды он имел неосторожность напомнить о себе кардиналу; кардинал велел ему ответить, что он позаботится о том, чтобы отныне г-н Бонасье никогда ни в чем не нуждался.

Действительно, г-н Бонасье, выйдя на следующий день в семь часов вечера из дома с намерением отправиться в Лувр, больше уже не вернулся на улицу Могильщиков; по мнению людей, по-видимому хорошо осведомленных, он получил стол и квартиру в одном из королевских замков от щедрот его высокопреосвященства.

ПРИМЕЧАНИЯ

Стр. 5

Людовик XIII (1601—1643) — сын Генриха IV и Марии Медичи, французский король с 1610 по 1643 год.

Анна Австрийская (1601—1666) — французская королева, жена Людовика XIII и сестра австрийского короля.

Ришелье (1585—1642) — Арман-Жан дю Плесси, видный политический деятель, кардинал; с 1624 по 1642 год — первый министр Людовика XIII.

Анкетиль (1723—1806) — аббат, автор многотомной истории Франции.

Стр. 6

Полен Парис (1800—1881) — французский ученый, автор исследований в области средневековой литературы Франции.

Стр. 8

«Роман о розе» — знаменитая поэма XIII века. Первая ее часть написана Гильомом де Лоррисом, вторая часть создана около 1277 года Жаном Клопинелем из Менга.

Гугеноты — сторонники кальвинистской (протестантской) религии во Франции. Во второй половине XVI — начале XVII века к гугенотам принадлежали главным образом дворяне и часть феодальной знати, недовольные политикой централизации, которую проводила королевская власть.

Ла-Рошель — город на берегу Атлантического океана, оплот гугенотов, взятый после упорной осады кардиналом Ришелье в 1628 году.

Стр. 9

Гасконь — провинция на юге Франции. Гасконские дворяне обычно служили в гвардии короля.

Беарн — область (провинция) на юге Франции, у подножия Пиренеев.

Генрих IV Бурбон (1553—1610) — французский король с 1589 по 1610 год, родился в Беарне. До вступления на престол был вождем гугенотов. Впоследствии из политических соображений перешел в католическую веру. В 1598 году издал Нантский эдикт (указ), по которому гугенотам была предоставлена свобода вероисповедания и некоторая политическая независимость.

Стр. 19

...цапля в басне... — Имеется в виду басня Лафонтена «Цапля» (VII, 4).

Стр. 20

Отец Жозеф — Франсуа Ле Клер дю Трамбле (1577—1638). Известен под именем «отца Жозефа» или «серого преосвященства». Был доверенным лицом и советником кардинала Ришелье. Энергичный, жестокий, честолюбивый, отец Жозеф, не имея никакого официального звания, тем не менее пользовался большим влиянием и властью.

Стр. 23

Лига (или: Святая Лига) — название католической конфедерации, созданной в 1576 году герцогом де Гизом с целью защиты католической религии и борьбы против кальвинистов.

Стр. 26

Бассомпьер, Франсуа (1579—1646) — маршал Франции и дипломат. Участвовал в дворцовой интриге против Ришелье; после ее провала просидел по приказу всесильного кардинала двенадцать лет в Бастилии.

Стр. 31

Шале — Анри де Талейран, маркиз де Шале (1599—1626), фаворит Людовика XIII; казнен по подозрению в заговоре против кардинала Ришелье.

Стр. 32

Бекингэм, Джорж Вилльерс (1592—1628) — английский политический деятель, фаворит королей Якова I и Карла I.

Стр. 33

Нарцисс — персонаж древнегреческих мифов. Влюбившись в свое собственное отражение в воде фонтана и не в силах оторвать от него взора, он бросился в воду и погиб. Имя его стало нарицательным для человека самонадеянного и самовлюбленного.

Стр. 36

Великий Помпей проиграл Фарсальскую битву, а король Франциск Первый... бой при Павии. — Имеется в виду римский политический деятель и полководец Гней Помпей (106—48 до н. э.) и его битва с войсками Цезаря около города Фарсала в Фессалии. Силы Помпея были разбиты, сам он бежал в Египет, где был убит приближенным египетского царя.

Французский король Франциск I (1494—1547) в 1525 году был побежден испанцами в битве при городе Павия (Италия) и захвачен в плен, откуда он и написал в письме ставшую знаменитой фразу: «Все потеряно, кроме чести».

Стр. 50

Соломонов суд — выражение, употребляемое в значении: суд мудрый и скорый. Оно основано на библейском мифе (3-я Книга Царств, 3, 16—28). Соломон, один из величайших мудрецов древности, был сыном царя Давида и наследовал ему, правя прибл. с 970 по 931 год до н. э. Ему приписывается составление ряда канонических книг Библии.

Стр. 55

Карл Великий — Карл I Великий (742—814), король франков, с 800 года — император Запада.

Стр. 57

Августин, Аврелий (354—430) — один из выдающихся религиозных философов, автор сочинений «О граде божием», «Исповедь» и др.

Стр. 65

...победа... столь же полная, как у Сэ. — Речь идет о стычке, происшедшей в 1620 году между армией короля и войсками засевших в Анжере мятежных феодалов. В политических целях успеху королевских войск придавали характер шумной победы.

Стр. 84

Бонифаций — то есть «делающий добро» (от *лат.* bonus — «хороший, добрый» и facere — «делать»).

Стр.85

Люксембург — то есть Люксембургский дворец в Париже. Построен в 1615—1620 годах для Марии Медичи (см. прим. к стр. 172).

Стр. 88

...Атос представлялся ему Ахиллом, Портос — Аяксом, а Арамис — Иосифом. — Ахилл (Ахиллес) и Аякс в древнегреческой мифологии — герои Троянской войны, знаменитые своей силой и доблестью; Иосиф — один из легендарных библейских персонажей, идеальный юноша.

Стр. 97

Жан Моке (1575—после 1617) — французский путешественник, автор книги «Путешествия в Африку, Азию, восточную и западную Индию» (1617).

Стр. 99

...тень Самуила явилась Саулу... — Саул, первый правитель иудеев (XI в. до н. э.). Библейская легенда рассказывает о том, что Саул стал царем при поддержке пророка Самуила. Впоследствии Саул стал неугоден богу; явившись к чародейке Аэндоре, он просил вызвать дух Самуила, который предсказал поражение Израиля, смерть Саула и его сыновей.

Стр. 131

Изваяние Самаритянки. — Речь идет о скульптурном изображении евангельского эпизода — Христос и Самаритянка у колодца Иакова. Оно служило украшением гидравлического насоса, установленного в 1603—1608 годах в Париже.

Стр. 132

...приказание благородного и изящного министра Карла I. — См. прим. к стр. 32.

Стр. 138

...союз с протестантами Ла-Рошели... — См. прим. к стр. 8.

Стр. 139

Госпожа де Шеврез (1600—1679) — имела большое влияние в оппозиционных кругах, участвовала в заговорах против Ришелье и Мазарини, активно участвовала в событиях Фронды.

Стр. 149

Трагуарский крест. — С XIII века крест с таким названием находился в Париже на одном из уличных перекрестков. Был упразднен в 1778 году.

Стр. 162

...почувствовал себя сильным, как Самсон перед филистимлянами. — Библейский персонаж Самсон знаменит своей силой и отвагой, сосредоточенной, по преданию, в его волосах. Возлюбленная Самсона — коварная Далила, филистимлянка, во сне остригла его и выдала своим соотечественникам. Когда у Самсона отросли волосы, он потряс филистимлянский храм и разрушил его, погибнув вместе со своими врагами под развалинами.

Стр. 168

Сегье, Пьер (1588—1672) — канцлер Франции при королях Людовике XIII и Людовике XIV.

Стр. 172

Мария Медичи (1573—1642) — французская королева, жена Генриха IV и мать Людовика XIII.

Стр. 174

Дело Шале. — См. прим. к стр. 31.

Лафем, Бартелеми (1545—1612) — генеральный контролер коммерции; покровительствовал ряду нарождающихся отраслей французской промышленности.

Стр. 197

...некое подобие Дионисиева уха... — Дионисий Старший, сиракузский тиран (405—367 до н. э.), отличавшийся крайней подозрительностью, содержал своих пленников в помещениях, своды которых были устроены таким образом, что малейший шорох оттуда доходил до тайника, сделанного в форме уха, где Дионисий подслушивал их разговоры. Тайник этот получил название Дионисиева уха.

Стр. 203

Блаженный Августин. — См. прим. к стр. 57.

Стр. 208

Иоанн Златоуст (ок. 347—407) — крупный деятель восточно-христианской церкви, ритор и богослов. Обладая выдающимся ораторским талантом, снискал известность своими проповедями.

Стр. 228

Тауэр — замок в Лондоне, с XVI века служивший политической тюрьмой.

Стр. 242

Боюсь данайцев, даже приносящих дары — полустишие Вергилия (из его «Энеиды»), часто цитируемое по-латыни. Выражение возникло из греческих сказаний о Троянской войне. Данайцы, после безуспешной осады Трои, прибегли к хитрости: соорудив огромного деревянного коня, они оставили его у стен Трои. Троянцы, не слушая предостережений Лаокоона и пророчицы Кассандры, втащили коня в город. Ночью данайцы, спрятавшиеся внутри коня, вышли, перебили стражу и овладели Троей.

Стр. 244

Вспомните Далилу... — См. прим. к стр. 162.

Шатле — название двух крепостей в старом Париже. В одной из них помещалась уголовная полиция, другая — служила тюрьмой.

Сады Армиды. — Армида — одна из героинь поэмы итальянского поэта XVI века Торквато Тассо «Освобожденный Иерусалим». В своих заколдованных садах она удерживала вдали от армии крестоносцев воина Рено.

Ересиарх Янсений — голландский богослов Корнелий Янсен (1585—1638), прозванный Янсением. В посмертно изданной книге «Августинус» изложил свои взгляды на учение Августина (см. прим. к стр. 57) по поводу благодати и предопределения, отстаивая их решающую роль. Положил начало янсенизму — религиозно-нравственному течению, близкому к протестантизму.

Ересь пелагианцев и полупелагианцев — по имени монаха Пелагия (ок. 360—422), проповедовавшего значительную свободу воли и выбора, преуменьшая тем самым роль «божественной благодати», то есть фактически участие церкви в нравственном совершенствовании человека.

Вуатюр, Венсан (1597—1648) — французский поэт, почитаемый в литературно-аристократических салонах своего времени.

Патрю, Оливье (1604—1681) — известный французский адвокат. Благодарственная речь, которую он произнес перед академией по поводу своего избрания, имела такой успех, что впоследствии произнесение торжественной речи стало традиционно обязательным для каждого вновь избранного в нее члена.

Юдифь — библейская героиня. Проникнув в лагерь ассирийского военачальника Олоферна, она убила его, спасая от гибели осажденный город Ветулию.

...при осаде Арраса... — Речь идет о городе на севере Франции. Его осады неоднократно предпринимались в царствование Генриха IV.

Брут — Марк Юний Брут. Вместе со своим другом Кассием был участником заговора против Цезаря и его убийства.

Седьмая заповедь господня — «не прелюбодействуй» — одна из десяти библейских заповедей, то есть морально-религиозных предписаний, будто бы собственноручно начертанных богом на каменных скрижалях и врученных им пророку Моисею на горе Синай.

...голова его тряслась, как у пьяных сатиров Рубенса. — На ряде полотен крупнейшего фламандского живописца Петера

Пауля Рубенса (1577—1640) изображены опьяненные вином и любовью сатиры.

Стр. 308

...*знатный, как Дандоло или Монморанси...* — Дандоло — знаменитый венецианский род эпохи средних веков и Возрождения. Многие из его представителей стали дожами Венеции. Монморанси — один из древнейших родов Франции.

Стр. 315

...*седла наших Буцефалов.* — Буцефалом звали коня Александра Македонского, которого только он один сумел укротить.

Стр. 317

...*мы были бы похожи на двух сыновей Эмона...* — Имеется в виду эпизод из французской средневековой поэмы и рыцарского романа «Четыре сына Эмона» (или «Рено де Монтобан»), повествующих о четырех братьях, непокорных вассалах Карла Великого.

Стр. 319

Великий Могол — титул правителей монгольской империи в Индии со времени правления Бабера (1505—1530), потомка Тамерлана.

Стр. 325

...*подобно боевым коням Ипполита...* — По древнегреческим преданиям, Ипполит, сын Тезея, был любим своею мачехой Федрой. Отвергнув ее любовь, он пал жертвой вызванного по наущению Федры гнева бога Посейдона: испуганные морским чудовищем, его кони устремились с крутого берега в пропасть.

Стр. 349

Бассет, тальбик, ландскнехт — названия карточных игр.

Стр. 355

Лукулл (ок. 106 — ок. 57 гг. до н. э.) — римский военачальник, обладавший огромным богатством и прославившийся роскошью и пирами.

Стр. 357

Мольер еще не написал тогда своего «Скупого». — Речь идет о пьесе великого французского драматурга Мольера, написанной в 1668 году. Ее главным действующим лицом является скупой богатей Гарпагон.

Стр. 369

Пуритане — участники религиозного движения в Англии, возникшего во второй половине XVI века. Представители торговой буржуазии и зажиточных земледельцев, пуритане были врагами абсолютизма. В быту проповедовали нетерпимость к роскоши, аскетизм, строгую нравственность.

Стр. 371

Вуатюр. — См. прим. к стр. 283.

Бенсерад — Исаак де Бенсерад (1613—1691) — французский писатель, автор многочисленных поэтических и драматических произведений.

Стр. 385

Цирцея — по Гомеру, коварная волшебница. В «Одиссее» рассказывается, как с помощью волшебного напитка она превратила спутников Одиссея в свиней. Ее имя стало синонимом опасной обольстительницы.

Стр. 402

...какая-нибудь рыба... принесет его нам, как принесла Поликрату. — Поликрат, правитель Самоса (ум. 522 до н. э,), сорок ле наслаждался полным благополучием, но, боясь больших несчасти в будущем, решил откупиться от судьбы малой жертвой и бросил море свое драгоценное кольцо. Однако вскоре ему была принесен рыба, которая, как оказалось, проглотила это кольцо. Через неко торое время Самос был захвачен врагами, а Поликрат убит.

Стр. 426

Госпожа де Севинье — Мари де Рабютен-Шанталь, маркиза де Севинье (1626—1696), ставшая широко известной после публикации в 1726 году ее писем к дочери, замечательных по стилю и содержащих немало интересных деталей о нравах ее времени.

Стр. 456

...вложив в руки какого-нибудь фанатика кинжал Жака Клемана или Равальяка... — Жак Клеман (1567—1589) — доминиканский монах, в 1589 году убивший французского короля Генриха III.

Равальяк (1578—1610) — фанатический приверженец католицизма. В 1610 году совершил убийство французского короля Генриха IV.

Стр. 456

Мадемуазель де Монпансье — Катрин-Мари де Лоренн, герцогиня де Монпансье (1552—1596), принимавшая активное участие в войнах Лиги (см. прим. к стр. 23). Ее подозревали, правда, без достаточных оснований, в подстрекательстве Жака Клемана (см. прим. к стр. 456) к убийству Генриха III.

Стр. 496

Сикст Пятый — папа с 1585 по 1590 год, известен своей реформаторской деятельностью и участием в религиозных раздорах во Франции.

Стр. 497

Нестор — один из персонажей «Илиады» Гомера, славившийся своим умом и мудрыми советами.

Стр. 505

...сравнила себя с Юдифью, проникшей в лагерь ассирийцев... — См. прим. к стр. 287.

Стр. 517

Тайберн — квартал старого Лондона, где совершались публичные экзекуции.

Стр. 521

Варфоломеевская ночь 1572 года. — Речь идет об избиении гугенотов в ночь на 24 августа 1572 года (день св. Варфоломея).

Тристан — французский государственный деятель при короле Людовике XI (1461—1483).

Стр. 526

Марион Делорм (1611—1650) — получила известность благодаря своей красоте и любовным историям.

Госпожа д'Эгильон (1604—1675) — племянница кардинала Ришелье.
Стр. 528
Медуза — в древнегреческой мифологии женщина-чудовище, чей взгляд превращал в камень все, на что он обращался.
Стр. 541
Мессалина — третья жена римского императора Клавдия, известная своим распутством. Имя ее стало нарицательным.
Леди Макбет — персонаж трагедии Шекспира «Макбет»; жестокая и коварная женщина.
Стр. 543
...пение ангела, утешающего трех еврейских отроков в печи огненной. — Речь идет о библейском эпизоде, повествующем о том, как Навуходоносор повелел бросить в раскаленную добела печь Седраха, Мисаха и Авденаго, которые не желали поклоняться его божествам и его золотому истукану. Бог же послал ангела и сделал трех отроков невредимыми среди огня.
Стр. 556
Велиал — имя, которым в Ветхом Завете наделен глава демонов; означает «вредоносный».
Сарданапал — легендарный ассирийский правитель, воплощение жесткости и разврата.
Стр. 574
Сивиллы — легендарные женщины-пророчицы.
Стр. 574
«...провозглашаю вас Лукрецией Англии». — Лукрецией звали римлянку, лишившую себя жизни после того, как она была обесчещена Секстом, сыном царя Тарквиния Гордого.
Стр. 590
Иуда Маккавей — вождь иудейского восстания против сирийского царя Антиоха IV Эпифана, одержал несколько побед над сирийскими войсками и погиб в бою (160 г. до н. э.).
Стр. 604
Герцог де Люинь — коннетабль Франции и фаворит Людовика XIII.
Стр. 665
Братство лазаристов — конгрегация, созданная в 1625 году Венсаном де Полем для подготовки миссионеров.

С. Шкунаев

СОДЕРЖАНИЕ

Часть вторая

Дюма Александр

Три мушкетера

Роман

Художественный редактор О.Н. Адаскина
Компьютерный дизайн: Н.В. Пашкова
Технический редактор О.В. Панкрашина

Подписано в печать 16.09.99.
Формат 84 x 108 $^1/_{32}$. Усл. печ. л. 34,44.
Тираж 10000. Заказ № 1706.

Налоговая льгота – общероссийский классификатор продукции
ОК-00-93, том 2; 953000 – книги, брошюры

Гигиенический сертификат
№ 77.ЦС.01.952.П.01659.Т.98 от 01.09.98 г.

ООО "Фирма "Издательство АСТ"
ЛР № 066236 от 22.12.98.
366720, РФ, Республика Ингушетия,
г.Назрань, ул.Московская, 13а
Наши электронные адреса:
WWW.AST.RU
E-mail: astpub@aha.ru

Отпечатано с готовых диапозитивов
в типографии издательства "Самарский Дом печати"
443086, г. Самара, пр. К. Маркса, 201.